国家出版基金项目
NATIONAL PUBLICATION FOUNDATION

◎“十二五”国家重点图书出版规划项目

◎ 湖南省社科基金重大委托项目

近代湖湘文化研究丛书

近代湖湘文化与近代中国历史进程

郑大华 ◎ 主编

杨锡贵 刘觅知 ◎ 著

CNS | 岳麓书社 · 长沙

序

湖湘文化源远流长，博大精深，是中华文化中独具地域特色的重要一脉。但在近代以前，它的影响主要在学术方面，即表现为作为宋明理学内部一个流派的“湖湘学派”的形成，而对湖南的社会、政治、经济和大众生活影响不大，更不用说对中国的社会、政治、经济的影响了，与同时代的其他一些地域文化比较不具有典型性。进入近代后，湖湘文化异军突起，大放光彩，不仅深刻地影响着湖南社会的各个方面，而且对中国近代历史进程起过重要的推动作用。近代湖南是湘军的故乡，是戊戌变法、辛亥革命和大革命的中心地区，产生过一大批对中国近代历史有重大影响的人物。著名历史学家谭其骧在《湖南人由来考》中就曾指出：“清季以来，湖南人才辈出，功业之盛，举世无出其右。”从魏源提出“师夷长技以制夷”的主张，到曾国藩、左宗棠举办洋务运动；从谭嗣同、唐才常献身维新变法，到黄兴、宋教仁引领辛亥革命风骚；从蔡锷首举反袁护国义旗，到毛泽东、蔡和森宣传马克思主义和创立中华人民共和国……在近代中国的每一个重要历史时期，近代湖湘文化及其主体近代湖南人都起到了“开风气之先”或“中流砥柱”的作用。尤其是近代湖湘文化所形成的那种忧国忧民、实事求是、通变求新、兼容并蓄、敢为人先、勇于奋斗、不怕牺牲的精神，激励着一代又一代的近代湖南人为民族独立、社会进步、人民解放而上下求索，为我们留下了十分宝贵的精神遗产。改革开放后湖湘文化研究的开创者、著名历史学家林增平在《近代湖湘文化试探》一文中写道："1840 年鸦片战争前的漫长的古代，在湖南没有出现过几桩足以影响全国局势的大事；属于湖南籍的名人，寥若晨星。而跨入近代（1840 年后），就迥然不同，在诸如太平天国起义、戊戌变法、辛亥革命等重大事变中，湖南所产生的反映，着实引人瞩目；且人才辈出，为人们所称道，延续至现代，更呈现出鼎盛的局势。"（《历史研究》1988 年第 4 期）

自 20 世纪八九十年代以来，随着文化热的兴起，地域文化研究已越来越为学术界所重视。因为地域文化是整个中国文化的组成部分，它和中国文化之间存在着一种部分与整体、个别与一般、特殊与普遍的关系，我们要深入研究中国文化，发掘中国文化宝贵价值，继承中国文化优良传统，就必须对地域文化进行深入全面的研究，地域文化研究得越深入，越扎实，整个中国文化的研究就越能丰富多彩。同时，在中国文化内部之所以会形成不同的地域文化，是由于各地区的人文地理环境和历史传统的不同决定的，各具特色的地域文化已成为地域经济社会全面发展不可或缺的重要推动力。因此，加强地域文化研究，有利于对不同地域之特殊性的认识，从而为党和政府制定符合本地区区情的经济、文化、社会政策、开发和利用本地区的文化、旅游资源提供科学依据。

作为一种地域文化，近代湖湘文化是中国近代文化的重要组成部分，加上它在近代中外古今文化的冲突与交融中又处于承接南北、融会东西的位置，在地域文化研究中的地位非常重要。早在民国时期，钱基博、谭其骧等人就探讨过湖湘文化在近代异军突起、大放光彩的原因。从 20 世纪八九十年代开始，越来越多的学者，特别是湘籍学者先后投入到对近代湖湘文化的研究之中，出版和发表了一大批研究成果。据初步统计，从 1990 年到 2015 年的 25 年间，关于近代湖湘文化研究的论文在 300 篇左右，如林增平的《近代湖湘文化试探》、饶怀民的《近代湖湘文化的源流、结构及其特征》、茅海建的《也谈近代湖湘文化》、周跃云的《近代湖湘文化与湖南地理》、郭汉民的《近代湖湘文化的爱国传统》、王继平的《论湘军与晚清湖湘文化》、麻天祥和吴仰湘的《传统学术的递嬗与近代湖湘文化的崛起》、许顺富的《论湖湘文化对湖南早期现代化的负面影响》《近代湖湘文化与西方文化的冲突和融合》、唐浩明的《湖湘文化及其当代价值》、谭长富和康化夷的《湖湘文化的反思》、易永卿的《湖湘文化对湖南无产阶级人才群体的影响》、户华为的《湖湘文化及其特征与历史定位》、刘云波的《江浙文化与湖湘文化比较论》、朱汉民的《湖湘文化与中国文化》等。相关的论著有彭大成的《湖湘文化与毛泽东》《魏源与西学东渐——中国走向近代化的艰难历程》《中西冲突融合中的近代湖湘文化——从近代走向现代的历史抉择》、朱汉民和陈谷嘉的《湖湘学派源流》、张伟然的《湖南历史文化地理研究》、王兴国和聂荣华主编的《湖湘文化纵横谈》、郑焱的《近代湖湘文化概论》、刘泱泱的《近代湖南社会变迁》、陶用舒的《近代湖南人才群体研究》、湖南师范大学文学院编的《湖湘文化论集》(上、下)、周秋光主编的《湖湘文化宏观研究》、王立新的《开创时期的湖湘学派》、朱汉民主编的五卷本《湖湘文化通史》等。学位论文有曾汉业的《湖湘文化新探》、杨铮铮的《王夫之与湖湘文化的近代转换》、肖高华的《曾国藩文化思想与中国近代化》、刘鹤的《贺长龄经世思想研究》、李陵的《唐鉴与晚清理学"复兴"》等。回顾过去，展望未来，如何在认真总结已有成果的基础上，进一步深化近代湖湘文化研究，这是学者们面临的共同任务。2004 年 3 月 9 日，我曾应约在《光明日报 · 理论版》的"史学专栏"发表了一篇《如何深化近代湖湘文化研究》的文章，我在文中写道：

作为一种区域文化，如同近代岭南文化、江浙文化等一样，近代湖湘文化也是近代中国文化的重要组成部分。因此，我们要进一步深化近代湖湘文化的研究，首先就必须把它放在近代中国文化这一大背景中加以考察，以厘清它与近代中国文化的互动关系，亦即近代中国文化的变动、转型与发展是怎样影响和制约近代湖湘文化的变动、转型与发展的，近代湖湘文化的变动、转型与发展又对近代中国文化的变动、转型与发展产生了什么影响。检视已有研究成果，大多是就近代湖湘文化论近代湖湘文化，很少涉及近代湖湘文化与近代中国文化的关系问题。因而，在评价近代湖湘文化的历史地位和作用时，往往不是拔高，就是贬低，很难实事求是。

近代中国文化的变动、转型与发展对近代湖湘文化的影响和制约主要表现在以下几个方面：第一，影响和制约着近代湖湘文化的发展历程。依据文化的性质及其表现形态，这一时期的近代中国文化大致经历了三个发展阶段，即资产阶级新文化的萌发或准备阶段（从 1840 年的鸦片战争到 1895 年的中日甲午战争）、资产阶级新文化的形成和发展阶段（从 1895 年的甲午战争到 1919 年的五四运动）、无产阶级新文化的形成和发展阶段（从 1919 年的五四运动到 1949 年中华人民共和国的成立）。近代湖湘文化也同样经历过这样三个发展阶段。第二，影响和制约着近代湖湘文化的结构变化。近代中国文化的结构变化首先是文化构成的变化，即从 1840 年鸦片战争以前单一的封建主义文化变成包括封建主义文化、帝国主义文化、资产阶级新文化和无产阶级新文化等多种不同性质的文化并存的半殖民地半封建文化，其中封建主义文化与帝国主义文化结成同盟，反对资产阶级新文化（五四运动前）和无产阶级新文化（五四运动后），而资产阶级新文化（五四运动前）和无产阶级新文化（五四运动后）在与封建主义文化和帝国主义文化的斗争中不断发展壮大，并最终成为中国文化发展的方向。近代湖湘文化也同样发生了这种结构变化。第三，影响和制约着近代湖湘文化的形成和内容。近代中国文化是在中西文化的冲突与融合过程中、在新旧文化的斗争与调适过程中形成的，实现民族独立（救亡图存）和社会进步（科学与民主）始终是近代中国文化的追求目标和主要内容。近代湖湘文化的形成和主要内容也不外于此。至于近代湖湘文化的变动、转型与发展对于近代中国文化的影响，可以用“丰富”和“推动”两词加以概括。作为对近代中国政治、思想及其他领域产生过重要影响的区域文化，近代湖湘文化不仅以它不同于其他区域文化的特色使近代中国文化更加丰富多彩，而且对推动近代中国文化的发展做出过巨大的不可磨灭的贡献，在近代中国的每一个重要历史时期，近代湖湘文化及其载体近代湖南人都起到“开风气之先”或“中流砥柱”的作用。

其次，在加强对近代湖湘文化与近代中国文化互动关系研究的基础上，还要加强与诸如岭南文化、江浙文化、三秦文化、齐鲁文化、中原文化、巴蜀文化等区域文化的比较研究，只有通过与其他区域文化的比较，我们才能对近代湖湘文化在近代中国文化中的地位和作用有更清楚的认识，也才能更准确地把握近代湖湘文化的特征。比如，已有的研究成果几乎无一例外地把经世致用和爱国主义作为近代湖湘文化的主要特征，这就值得商榷。因为所谓特征，是唯我独有、别人所无的东西。如果人人都有，又怎能称为特征呢？以经世致用而论，它是中国儒家文化的精华，是历代知识分子一以贯之的优良传统和价值取向。不仅近代湖南的知识分子如此，近代其他地方的知识分子也是如此，比如嘉（庆）道（光）年间，湖南的陶澍、贺长龄、魏源等人主张经世致用，并形成了一个被人们称之为“嘉道经世派”的人才群体，同样浙江的龚自珍、安徽的包世臣和姚莹、福建的林则徐、山西的徐继畬、江西的黄爵滋等人也都主张经世致用。既然经世致用不是近代湖湘文化所独有的东西，它也就不能成为近代湖湘文化的特征。当然湖湘文化因各种历史和学术的原因，有的时候经世致用可能比其他地方表现得要更强烈一些。至于把爱国主义说成是近代湖湘文化的特征，那就更失之毫厘、差之千里了。因为爱国主义是近代中国文化的时代旋律，近代湖南人爱国，其他地方的人也一样爱国。中国近代史上涌现出一大批著名的爱国人士，湖南人只占其中的一部分。如果说爱国主义是近代湖湘文化的特征，那么它也应该是岭南文化、江浙文化或其他区域文化的特征。我认为真正能称之为近代湖湘文化特征的，是从古代湖湘文化继承下来并加以发扬光大的那种敢为天下先、“无所依傍，浩然独往”、勇于奋斗、不怕牺牲的“特别独立之根性”，也就是民间通俗所说的“吃得苦，霸得蛮，扎硬寨，打死仗”的精神。早在20世纪初，革命志士杨毓麟在《新湖南》中就写道：“（湖湘文化）其岸异之处，颇能自振于他省之外。自濂溪周氏师心独往，以一人之意识，经纬成一学说，遂为两宋道学不祧之祖。胜国以来，船山王氏以其坚贞刻苦之身，进退宋儒，自立宗主；当时阳明学说遍天下，而湘学独奋自异焉。自是学子被服其成俗。……道咸之间，举世以谈洋务为耻，而魏默深首治之；湘阴郭嵩焘远袭船山，近接魏氏，其谈海外政艺时措之宜，能发人之所未见，冒不韪而勿惜。至于直接船山之精神者，尤莫如谭嗣同。无所依傍，浩然独往，不知宇宙之圻埒，何论世法！其爱同胞而惎仇虐，时时迸发于脑筋而不能自已，是何也？曰：独立之根性使然也。”1920年1月，陈独秀在《新青年》上发表的一篇题为《欢迎湖南人底精神》的文章也指出：“湖南人底精神是什么？‘若道中华国果亡，除非湖南人尽死。’无论杨度为人如何，却不能以人废言。湖南人这种奋斗精神，却不是杨度说大话，确实可以拿历史证明的。二百几十年的王船山先生，是何等艰苦奋斗的学者！几十年前的曾国藩、罗泽南等一班人，是何等‘扎硬寨’、‘打死战’的书生！黄克强历尽艰难，带一旅湖南兵，在汉阳抵挡清军大队人马；蔡松坡带着病率领子弹不足的两千云南兵，和十万袁军打死战，他们是何等坚忍不拔的军人！……我们欢迎湖南人底精神，是欢迎他们的奋斗精神，欢迎他们奋斗造桥的精神。”近代湖湘文化的这种敢为天下先、“无所依傍，浩然独往”、勇于奋斗、不怕牺牲的“特别独立之根性”，正如杨毓麟所说的那样，“其岸异之处，颇能自振于他省之外”。这才是近代湖湘文化的特征。我们在比较湖湘文化与其他区域文化的异同时，应重点加强与近代岭南文化和江浙文化的比较，因为在中国近代史上，这三个区域都曾涌现出许多有着举足轻重影响的著名人物,都对近代中国文化的发展做出过巨大贡献。

此外，还应加强对近代湖湘文化形成和发展之社会原因的研究。众所周知，在古代的绝大多数时期内，湖湘文化平淡无奇，没有什么影响力。但进入近代后，尤其是太平天国运动发生后，湖湘文化则突然一跃而起，“一鸣惊人”，成为近代中国文化中一枝光彩夺目的奇葩。个中原因，值得认真研究。已有学者在这方面做了一些开拓性工作，如有的学者提出古代湖湘文化的影响，特别是船山思想的影响，是近代湖湘文化形成和发展的重要原因；有的学者通过对元末明初、明末清初两次大移民所带来的湖南乡俗民风变化的分析，认为移民的作用对于近代湖湘文化的形成和发展有着非常重要的意义；有的学者则着眼于湖南的地理位置，认为湖南是中西新旧两种文化氛围犬牙交错的“锋面”，近代湖湘文化就是在这种冲突与交融的文化和政治斗争中形成与发展起来的。上述观点虽然都不失为一家之言，但我认为除这些原因外，近代湖湘文化形成和发展的最主要或根本的原因，恐怕还要到近代湖南的社会存在中去寻找，到时代与传统的冲击所形成的历史机遇中去寻找。因为古代湖湘文化的影响，并非始于近代，更确切地说，并非始于太平天国运动的爆发，为何此前湖湘文化没有

"一鸣惊人"？元末明初、明末清初的两次大移民，也非仅仅发生在湖南，不少省份都发生过，比如清初那次，就是"湖广填四川，江西填湖南"，但为何其他省份没有形成类似于导致近代湖湘文化形成和发展的乡俗民风？近代与湖南地理位置相近的还有湖北、河南、江西，它们都地处中南，是近代中西新旧文化冲突与交融较为激烈的地区，为何这些省份的近代文化不像近代湖湘文化那样地位显赫？实际上近代湖湘文化突然一跃而起的转折是曾国藩湘军的兴起。在此之前虽然有陶澍、贺长龄、魏源等人倡导经世实学，但他们成名和发生影响都是在东南地区，与近代湖湘文化的形成和发展有关系，关系不是很大。湘军为何能兴起？它有哪些偶然性与必然性？湘军的兴起引起了近代湖南社会的哪些变动？这些变动与近代湖湘文化的形成和发展究竟存在着一种什么样的关系？我曾多次向一些湘籍学者建议，希望他们能运用社会学与历史学相结合的方法，认真研究一下湘军兴起前（嘉、道年间）后（咸、同、光年间）湖南人口结构、经济结构、阶级结构、政权结构、知识结构、土地占有关系、乡俗民风、士人意识等方面的变化，从中找出近代湖湘文化兴起和发展的原因。但遗憾的是，迄今为止，还没有看到这方面有分量的论著或论文。

要进一步深化湖湘文化研究，还必须加强合作。首先是各学科间的合作。因为近代湖湘文化涉及历史、经济、政治、社会、教育、文学、军事、民风习俗、士人心理等多方面的内容，只有各学科合作，进行跨学科、多学科的研究，才能联合攻关，取得成效。但就目前的状况来看，这一问题尚未引起学者们的重视。其次是各研究单位的合作。湖南不少大学都设有湖湘文化研究机构，但各研究机构之间的联系还很不够。这不利于发挥湖南研究湖湘文化的整体优势，希望有关方面能做一些协调工作。总之，我希望在不久的将来，近代湖湘文化的研究能取得更大更多的成果，能在中国近代区域文化的研究中占有与其所匹配的重要的地位。

以上就是我在《如何深化近代湖湘文化研究》一文中提出的主要观点。本丛书就是依据上述观点，同时加入后来的一些思考和朋友的建议而构架起来的。它主要由五本独立成篇的著作组成：(一)《地域文化理论视域下的湖湘文化研究》;(二)《近代湖湘文化与近代中国历史进程》;(三)《近代湖湘文化与近代湘籍人才群体》;(四)《近代湖湘文化转型中的民俗文化》;(五)《近代湖湘文化精神及其当代价值》。本来计划中还有一本《近代湖湘文化与中国近代其他区域文化的比较》，但由于没有找到合适的作者，而只好割爱,这不能不说是一个遗憾。我希望本丛书如有再版的机会，争取不再留下这一遗憾。

顾名思义,《地域文化理论视域下的湖湘文化研究》主要研究地域文化理论下湖湘文化研究的理论问题，探索湖湘文化研究的理论与方法，阐释围绕地域文化理论视野下湖湘文化研究主要内容、基本特征和历史变迁，以及近代湖湘文化研究所涉及的一些重大理论。它包括以下几个方面的主要内容：(一) 地域与地域文化的定义、对象、内容和范围问题。从历史学、文化地理学、文化学等学科角度对地域与地域文化进行研究界定，回答什么是地域和地域文化的问题。具体包括：1. 地域文化作为一种文化类型存在的学术合理性及范围的确定；2. 地域和地域文化的历史的、地理的和文化的划分依据;3. 地方、地域和地域文化三者的关系；4. 地域文化研究的意义。(二) 地域文化研究的基本理论与方法问题。对文化地理学、文化史学和文化人类学等不同学科关于地域文化研究理论与方法进行认真系统地梳理,总结和提升其对"地域文化"的认识和思想的成果，寻找这些地域文化研究的主要理论流派对湖湘文化研究的理论与方法的启示。(三) 湖湘文化研究的理论视角和方法问题。探讨在地域文化的多维理论视野下湖湘文化研究的理论视角和依据，并在一些重要问题上形成新的理论认识。具体包括：湖湘文化的地域历史建构，湖湘文化“多源一流”与“多元一体”的历史过程与文化机制，湖湘文化的内部与外部文化关系，湖湘文化的结构与功能，湖湘文化的文化形态学特征，湖湘文化的地位和作用以及湖湘文化的历史变迁等。就研究方法而言，除历史学的方法外，还应该采用文化学、社会学、民族学、民俗学、人类学等其他学科的研究方法，走进历史现场，把田野调查与文献考证结合起来，把通史文献与民间文献结合起来。（四）近代湖湘文化研究所涉及的一些重大理论问题，如湖湘文化的近代转型，近代湖湘文化中的精英文化与大众文化，近代湖湘文化创新与发展的动力，近代湖湘文化与近代中国文化、近代外来文化和近代地域文化的关系，近代湖湘文化的历史地位和评价等。

《近代湖湘文化与近代中国历史进程》主要研究近代湖湘文化与近代中国历史进程的互动关系，揭示近代湖湘文化在近代中国历史进程中的作用。具体而言，（一）从宏阔的历史背景出发，以近代中国社会变迁、中外关系等为视角，探讨近代中国历史进程对湖湘文化的影响，揭示湖湘文化在近代的发展、演变与转型。具体探讨的问题有：1. 中国内部社会变动对湖湘文化演变的影响；如鸦片战争前后中国的社会变迁与湖湘经世派的兴起。2. 近代中国重大政治事件对湖湘文化的影响，如太平天国起义与湖湘理学经世派的产生、湘军崛起与湖湘文化的勃兴、戊戌维新和清末新政对湖湘文化的影响、辛亥革命与湖湘文化的转型等。3. 中西关系对湖湘文化的影响，一是西力东侵的影响，如魏源“师夷长技”主张的提出，曾国藩等湘籍督抚倡办洋务事业；二是西学东渐对湖湘文化的影响，如洋务运动时期湖湘文化所受西学的影响、五四前后新文化的传播以及马克思主义传播对湖湘文化转型的影响。（二）从近代湖湘文化的特质及其演变出发，以中国现代化进程为视角，探讨湖湘文化对近代中国历史进程的影响。具体探讨的问题有：1. 湖湘文化与近代中国政治。通过研究湖湘人才群体对咸同之际的政治变迁、洋务运动的影响，湘籍人才群体对戊戌维新、清末新政和辛亥革命的影响，揭示湖湘文化在中国政治现代化进程中的作用。2. 湖湘文化与近代中国的思想文化。通过研究魏源“师夷长技”主张的思想影响，曾国藩、左宗棠等人倡办洋务，谭嗣同等人倡导维新变法，黄兴、宋教仁、陈天华等人鼓吹民主革命等，揭示湖湘文化对近代中国思想文化的发展历程的影响。3. 湖湘文化对近代中国经济的影响。通过研究湘籍督抚发展近代企业，揭示湖湘文化对近代中国资本主义经济发展的影响。4. 近代湖湘文化与近代中国国家发展前途，通过探讨湘籍国民党人和共产党人对中国出路的选择，揭示湖湘文化对国家与民族命运的影响。（三）通过历时性的前后比较、共时性的彼此比较，对湖湘文化在近代中国历史进程中的地位与作用给予适当的客观评价。

《近代湖湘文化与近代湘籍人才群体》旨在考察近代湘籍人才群体的形成和发展过程，厘清近代湘籍人才群体的地理分布、时段分布、类型分布和不同的教育背景，并在此基础上揭示出近代湘籍人才群体的基本特点，说明近代湘籍人才群体形成的内在机制与外部因缘，特别是近代湖湘文化对近代湘籍人才群体形成的深刻影响，以及近代湘籍人才群体对近代湖湘文化的发展演变所起的重要作用。同时通过对近代湖湘文化与近代湘籍人才群体互动过程的考察，深入研究这种互动对近代湖南社会变革（包括政治变革、经济变革、思想文化变革和社会习俗变革）所起的促进作用。此外，近代湘籍人才群体在近代湖湘文化的浸染下形成和发展的规律，以及文化与人才群体互动所提供的历史借鉴，也是本书研究的重要内容。

《近代湖湘文化转型中的民俗文化》研究的主要内容是与大众

社会生活密切相关的近代湖湘文化中的民俗文化，旨在通过对近代湖南大众社会生活的考察，来把握近代湖湘文化，揭示湖湘文化传统对大众社会生活的影响，以及在新的历史背景下，社会变迁是如何影响到民俗文化的，并由民俗文化来反观近代湖湘文化转型的具体面相；同时，通过考察近代湖湘民俗文化的具体现象，透视精英文化与民俗文化的互动。具体来说，主要研究以下九个问题，即：（一）近代湖湘民俗文化的渊源以及在近代社会的转型；（二）晚清湖南士民社会心理与民俗行为的变迁；（三）辛亥前后湖南社会结构变化与社会风貌改善；（四）近代湖南民权思潮和新文化运动对湖南社会的影响；（五）湖南近代工商业的转型与商业民俗的变化；（六）湖南宗教与民间信仰的近代变迁；（七）近代戏曲民俗的演变和"文明戏"的传入；（八）"新生活运动"和湖南社会风俗的变化；（九）湖南近代城市公共空间的变化及其对民俗的影响。

地域文化的"地域性"是由它的精神内核决定的。这种精神内核在地域文化形成之初即已鲜明地呈现出来，并且决定了地域文化发展变迁的方向，其结构性因素的扬弃也是以这种精神内核为旨归。《近代湖湘文化精神及其当代价值》一书认为，近代湖湘文化的精神内核，是湖湘文化发源之际屈（原）贾（谊）精神所塑造的忧国忧民的精神特质和其后发展变迁过程中形成的以事功为第一要义的人生价值取向，这种忧国忧民和事功化的人生价值取向潜藏在每一个近代湖湘文化的承载主体身上，在不同的历史时期表现出不同的内涵特征，并决定了近代湖南人以何种方式投身于近代社会变革的历史大潮之中，在他们身上我们更可以看到其表现出来的一种共同的精神气质及文化品性。因此，本书将分五个部分来探讨近代湖湘文化精神及其当代价值，第一部分主要从湖湘文化的历史发源、屈（原）贾（谊）精神与湖湘文化精神的起源、"湖湘学派"与湖湘文化精神的形成、多民族社会和移民与湖湘文化精神等四个方面来分析湖湘文化精神形成的内外机制；第二部分主要从甲午战争之前湖湘文化的发展、湖湘文化与湘军的兴起、转型中的近代湖湘文化精神和影响湖湘文化精神近代转型的诸因素等四个方面阐述湖湘文化精神在近代的艰难转型；第三部分主要从近代湖湘文化精神与近代湘籍人才群体、近代湖湘文化精神与近代湖南社会结构变迁、近代湖湘文化精神与近代湖南经济关系的变动、近代湖湘文化转型与近代湖南社会文化载体和社会风俗的演变等方面来研究近代湖湘文化精神与近代湖南社会的关联；第四部分主要从近代中国视野下的近代中国文化影响和制约近代湖湘文化精神、近代湖湘文化又丰富和推动近代中国文化发展、中西文化冲突和交融下的近代湖湘文化精神及与其他地域文化比较等方面来观照近代湖湘文化精神在近代的历史地位；第五部分主要从民族复兴契机下当代中国文化转型的理论逻辑与实现途径、文化自觉与湖湘文化当代转型的意义思考、民族复兴与湖湘文化现代转型及路径思考等方面来探讨近代湖湘文化精神的当代价值和实现创造性的转换问题。

本丛书的出版，首先要感谢湖南师范大学历史文化学院中国近代史学科负责人李育民教授以及学科的其他同事们。那还是2011年，我在学科负责人李育民教授的支持下，打算以“近代湖湘文化研究”为题目申报国家社科基金重大项目（重大课题就是那一年开始的）。为此，我组织了一个强大的学术团队，其成员主要有湖南师范大学历史文化学院中国近代史学科的李育民教授、莫志斌教授、钟声教授、李传斌教授、刘利民教授、张晶萍教授、朱华建教授以及禹江博士、邵华博士，湖南师范大学公共管理学院的彭大成教授，中南大学马克思主义学院的彭平一教授（现已故），湘潭大学历史学院的王继平教授，国防科技大学的薛学共教授，湖南社会科学院的刘云波教授，湖南大学的刘平副教授等。

课题组成员多次开会，对课题申报书进行了反复的讨论和修改，并且广泛征求了北京等地的一些专家学者的意见，他们认为我们的团队实力雄厚，申报书论证充分，应该十之八九有成功申报的可能，但出乎意料的是，申报书由学校上报到湖南省社会科学基金办公室后，因“你懂的”，湖南省社会科学基金办公室根本就没有上报到国家社会科学基金办公室。尽管申报没有成功，但李育民教授以及学科的其他同事们和所有课题组成员对我的无私支持令我十分感动！其次要感谢我的朋友——《中国人传统思维批判》一书作者岳楚渔先生。楚渔先生知道我在思考“近代湖湘文化研究”的课题后，作为湖南人，他表示大力支持，并找到当时湖南省的一位主要领导，通过这位领导的转批，湖南省社会科学基金办公室后来给了我一个“湘军与近代湖湘文化研究”的重大委托课题，2012年结项，获评优。感谢岳麓书社的领导，尤其是责任编辑饶毅主任。2012年，她听说我原来申报过“近代湖湘文化研究丛书”的重大课题，于是乘“十二五”国家重点出版规划项目增补的机会，建议我申报，顺利获得通过；2015年下半年又在她的大力支持和主持下，本丛书又申报国家出版基金再次获得通过，这样就保证了丛书的顺利写作和出版。饶毅主任不仅为本丛书纳入“十二五”国家重点出版规划和获得国家出版基金的支持做出了重要贡献，而且在本丛书的写作和出版过程中，因我的事情太多，又经常不在长沙，她实际上负起了主编应负的责任，如经常联系作者，询问写作近况，提出修改意见，解决作者遇到的一些困难，催促作者交稿等。她对本丛书的编校也非常认真，一丝不苟。她这种为主编、为作者排忧解难，工作认真负任的精神，值得我认真学习！感谢湖南省参事室和文史馆的领导。2014年年底，我有幸被聘为湖南省政府参事。省参事室和省文史馆是一个单位。当时主管省文史馆的陈伏球主任交给了我一项任务，即以省文史馆馆员为主要作者班子，主编撰写《湖南时务学堂研究》。2015年该任务完成后，我向当时主管省文史馆的李跃龙主任提出，将撰写“近代湖湘文化研究”丛书纳入省文史馆的工作，并以原参与《湖南时务学堂研究》撰写的文史馆馆员为基本队伍，得到李主任的支持。如果没有跃龙主任的支持，本丛书是很难于短时期内完成的。因为依据国家出版基金的要求，本丛书最迟须在2017年10月完成。感谢参与丛书写作的陈先枢、刘少虎、杨锡贵、周敏之、许顺富、梁小进、刘觅知、邵华等诸位同仁，他们的积极参与，保证了本丛书的按时出版，因为本丛书虽然构思已久，准备已久，但真正进入全面写作则是在列入国家“十二五”重点出版物规划特别是国家出版基金计划之后，前后也就不到两年时间。尤其要感谢方克立、唐凯麟两位先生。两位先生德高望重，是各自研究领域的大师级人物。方先生是中国社会科学院首批学部委员，研究生院原院长，他研究的虽然是中国哲学史，但作为湖南人，他也十分关心湖湘文化尤其是近代湖湘文化研究，是湘潭大学《湘学研究》主编。唐先生是湖南师范大学资深教授，是湖南学术界的一面旗帜，他的专长是中国伦理学，但对湖湘文化尤其是近代湖湘文化他也有许多精辟见解，他的弟子中不少人是研究湖湘文化的知名学者。二位先生屈尊出任丛书学术顾问，既是对本丛书的极大支持，也是对我们这些近代湖湘文化研究者和爱好者的莫大鼓励和鞭策。尤其是二位先生长期以来对我都十分关心，提携我，帮助我，早在20世纪80年末，我还在北师大跟着龚书铎先生读博士生的时候，方先生就把我拉进了他主持的现代新儒家研究课题组，我毕业走向工作岗位后，方先生仍然给我许多帮助和指导，我有什么困难或需要他支持的事情，只要我提出来他都会给予大力支持。自我2003年被聘为湖南省“芙蓉学者计划”首批特聘教授，同时受聘为湖南师范大学国家重点学科中国近代史学科特聘教授后，就多次得到唐先生的关心、帮助和支持，记得 2008 年我第一个聘期期满，到省教育厅接受专家组的考核，唐先生是五位专家之一，也是五位专家中唯一一位社会科学专家，其他四位都是自然科学研究领域的院士，唐先生对我五年来的工作给予了充分肯定，并就以后我的工作和发展提出了很好的建议。后来因为工作或研究方面的事情，我又多次请教唐先生，打扰唐先生。二位先生对我的关心和帮助，我将永远铭记在心，知恩图报。感谢（按姓氏笔画为序）王兴国、王继平、朱汉民、李育民、李跃龙、刘泱泱、刘建武、杨念群、郑佳明、郑焱、周秋光、唐浩明、莫志斌、陶用舒、彭大成诸位先生，诸位先生都是研究湖湘文化特别是近代湖湘文化的大家和权威，在学术界有着广泛的影响力，应我的请求，担任丛书学术指导委员会委员，贡献他们的智慧和独到见解，从而提升了本丛书的学术品质。感谢所有关心、帮助和支持本丛书立项、撰写和出版的各界朋友。滴水之恩，必当涌泉相报！当然，丛书不可避免地会存在这样或那样的一些问题，特别是丛书虽然有个统一的主题，每本书我也提出了一个比较详细的写作大纲，但由于每本书都是独立成篇，撰写者有修改、补充的权利，如何写？写什么？也都由撰写者自己决定，所以书与书之间就或多或少地会存在一些资料引用和观点方面的重复，甚至矛盾之处，我尽管做了统稿，但这些现象还是存在。作为丛书主编，我理当负责。在此，真诚地希望广大专家和读者提出批评意见，以便我们在以后再版时加以修改，来信请寄长沙湖南师范大学历史文化学院，邮编：410081，或电子邮箱：zhengdh2002@126.com

在丛书即将出版之际，拉拉杂杂写了上面这些话，权为序。

郑大华

2017 年 10 月 1 日

目 录

绪　论

湖湘文化传统的历史解析与本书研究的主要问题

学者们把中华大地特定区域中源远流长、独具特色、传承至今，且仍发挥作用的文化形态称作地域文化，湖湘文化即是丰富多样的中国地域文化中的一朵奇葩。“湖”指洞庭湖，湖南省位于洞庭湖之南，“湘”指湘江，它纵贯湖南全境，是省内最大的一条河流，至今人们仍以“湘”作为湖南省的简称。最早用“湖湘”二字指代湖南省现今地域者，可以追溯到10世纪五代时的楚国。[①]一方水土养一方人，共同生活和劳作的湖南人民孕育了具有独特内涵特质的湖湘文化形态，对湖南和中国社会的发展都产生了重要的作用和影响。湖湘文化作为具有浓郁地方色彩的文化体系，它既是精神的物化产物，也是一种生活方式。总体来说湖湘文化涉及的内涵十分的广泛，它包含湖南地区的地理环境、自然资源、风俗民情、人文历史、政治经济状况及社会习惯等各种外在的表现，也包括长期文化基因传承和积淀以后形成的鲜明的心理特征和精神品质等内在的特质。本文限于主题仅仅从思想文化史的角度诠释湖湘文化。

一、湖湘文化的源头和形成

对湖湘文化的范涛和起源的认识，学术界众说纷纭。叶德辉认为湖湘文化的源头可以追溯到被封为楚人始祖的鬻熊和屈原，他说“湘学肇于鬻熊，成于三闾”[②]；钱基博也认为湖南人杰地灵，大儒迭起，最早可以追溯到屈原，“楚之屈原，著《离骚经》，以香草美人为比兴，以长言永叹变四言，铿锵鼓舞，于《三百篇》

① 王兴国．中国传统文化中的一枝奇葩——湖湘文化［M］// 船山学刊百年文选：湖湘文化卷．长沙：岳麓书社，2015：18.

② 叶德辉．叶吏部答友人书．翼教丛编［M］．台北：长达印刷有限公司，2005：366.

之外，自成风格，创‘楚辞’以开汉京枚马之词赋”[①]。近代有学者认为湖湘文化肇始于新石器中晚期的炎黄时代，认为“炎黄二帝在开创原始文明进程中”，“湖南成了中原文化吞吐的南大门”，彭头山文化、城头山古城等农耕文化的辉煌成就，“充分体现了湖南先民的自尊、自信和独立自强的意识，树起了敢于和善于征服洪荒的艰苦创业和开拓创新的湖南精神的第一块里程碑，给尔后发展的湖南精神打下了第一次深刻烙印”[②]。也有的学者认为湖湘文化起源于战国时期的楚文化，“从文化的渊源看，楚文化是其主流，随着它在湖南的延伸、扩展，孕育出具有楚文化特征的古代湖湘文化”[③]。也有学者认为“湖湘文化源于南宋湖湘学源”[④]。

湖湘文化起源虽早，但两宋以前湖南产生的杰出人物却是寥若晨星。有学者称：“湖南人物，罕见史传，三国时如蒋琬者，只一二人。唐开科三百年，长沙刘蜕始举进士，时谓之破天荒。至元欧阳原功，明刘三吾、刘大夏、李东阳、杨嗣宗诸人，骎骎始盛。”[⑤]湖湘文化真正意义上的兴起和发展应该从宋代算起，首先是周敦颐开辟了湖湘文化发展的新方向。周敦颐是北宋时期著名的哲学家，也是学术界公认的理学派开山鼻祖。《宋史·道学传》称：“两汉而下，儒者之论大道，察焉而弗精，语焉而弗详，异端邪说起而乘之，几至大坏。千有余载，至宋中叶，周敦颐出于舂陵，乃得圣贤不传之学，作《太极图说》《通书》，推明阴阳五行之理，命于天而性于人者，了若指掌。”[⑥]周敦颐不仅对宋代理学的发展做

① 钱基博，李肖聃．近百年湖南学风·湘学略［M］．长沙：岳麓书社，1985：1.
② 符鸿基．湖南精神溯源［M］//船山学刊百年文选：湖南文化卷．长沙：岳麓书社，2015：69.
③ 何文君．从楚文化的遗物看古代湖湘文化的孕育特色［J］．湖南师范大学学报，1989（2）：64.
④ 饶怀民．近代湖湘文化的源流、结构及其特征［J］．湖南师范大学学报，1988（1）：88.
⑤ 皮锡瑞．师伏堂未刊日记［J］．湖南历史资料．1959（1）：105.
⑥ 脱脱，等．宋史：卷427. 上海：中华书局，1977：12712.

出了巨大贡献，而且对湖湘学派以及整个湖湘地区文化的发展起了十分重要的奠基作用。而最终让湖湘文化成为在全国有影响力的地域文化派别则得益于胡安国、胡宏父子，他们创办碧泉书院，“武夷修业，碧泉讲道，南国群贤，相从幽讨”[①]。胡安国及其弟子们遂开创了湖湘学派，“致堂、籍溪、五峰、茅堂四先生，并以大儒树节南宋之初，盖当时伊洛世適，莫有过于文定一门者”[②]。胡宏还进一步将父亲的学术思想发扬光大，奠定了湖湘学派的基础。全祖望评价他说：“绍兴诸儒所造，莫出五峰之上。其所作《知言》，东莱以为过于《正蒙》，卒开湖湘之学统。”[③]从此“湖湘学”“湘学”和“湖湘文化”的名声得以远扬和传承。

真德秀说：“窃惟方今学术源流之盛，未有出湖湘之右者。盖前则有濂溪先生周元公，生于舂陵，以其心悟独得之学，著为《通书》《太极图》，昭示来世，上承孔孟之统，下启河洛之传。中则有胡文定公，以所闻于程氏者，设教衡岳之下，其所为《春秋传》专以息邪说、距诐行，扶皇极、正人心为本。自熙宁后，此学废绝，公书一出，大义复明。其子致堂、五峰二先生，又以得于家庭者，进则施诸用，退则淑其徒，所著《论语详说》《读史》《知言》等书，皆有益于后学。近则有南轩先生张宣公寓于兹土，晦庵先生朱文公又尝临镇焉。二先生之学源流实出于一，而其所以发明究极者，又皆集诸老之大成，理义之秘，至是无复余蕴。此邦之士，登门墙承謦者甚众。故人材辈出，有非他郡国所可及。”[④]真德秀在这里不仅赞誉了湖湘文化在宋代的兴盛和发展，还提到周敦颐、胡安国父子以及张栻都对湖湘学派的形成和传承做出了贡献，也提及了朱熹对湖湘文化的影响，可以看出这一时期湖湘文化已

① 钱基博，李肖聃．近百年湖南学风·湘学略［M］．长沙：岳麓书社，1985：111.
② 同① 125.
③ 黄宗羲，全祖望．五峰学案序录［M］// 宋元学案：卷四十二．北京：中华书局，1986：1366.
④ 真德秀．潭州劝学文［M］// 真西山文集：卷四十．北京：商务印书馆，2006：452.

经成为了具有师承和学术旨趣的地域文化。黄宗羲在《宋元学案》一书中也使用了“湖湘学派”这一概念，以后湖湘学派或湖湘文化的概念为绝大多数的学者所认可，并沿用至今。因此“所谓湘学，是一个地域性的学术文化概念，特指两宋以来湖南地区所形成的学术文化与学者群体。湘学的形态和特点，在宋代就完全形成。在宋代，理学思潮已经大盛于湖南，并形成了具有地域性学术传统的湘学。以后，历经元、明、清各个朝代，这种知识传统与区域特点一直保存下来，得以延续、发展”①。它与中原文化、齐鲁文化、岭南文化、巴蜀文化等其他区域文化，共同构成了中国传统文化，并共同促进了古代中国的繁荣和发展。

湖湘文化在两宋时期形成独具特色的地域文化，是多种因素促成的。

第一，宋代重建儒学秩序的大背景，为湖湘文化的发展创造了条件。唐末五代以来，中国在半个多世纪的时间里经历了频繁的政权更迭和战乱纷争，道德沦亡，廉耻尽丧，传统的伦理道德秩序所剩无几。北宋建立后，为巩固政权，统治者倡导从学问修养上入手挽救人心、净化社会风气，由此为理学的产生创造了政治条件。周敦颐在这种氛围下，创作了著名的《太极图说》和《通书》，二书被公认为宋代学者阐述义理心性的经典著作。作为宋学的开拓者，他对儒学经典的创造性诠释，为儒学在宋代的发展开创了一个新的局面。张栻称赞他说：“惟先生崛起于千载之后，独得微旨于残编断简之中，推本太极，以及乎阴阳五行之流布，人物之所以生化，于是知人之为至灵，而性之为至善，万理有其宗，万物循其则，举而措之，则可见先生之所以为治者，皆非私知之所出，孔孟之意于以复明。”② 周敦颐创建了一个以太极、阴阳、五行等概

① 朱汉民．湘学的学术旨趣及近代转型［J］．湖南大学学报（社会科学版），2004（1）：3.

② 张栻．南康军新立濂溪祠记［M］// 张栻集．长沙：岳麓书社，2010：582.

念为范畴的天道论体系，将儒学的发展推到了一个新的高度。“他的宇宙论，论证了封建秩序、封建道德的合乎天理的普遍妥当性。他的性论、道德论、教育论，论证了封建道德、封建思想的‘至尊’‘至贵’。他的政治论，论证了君主专制的原则，论证了封建镇压刑狱的经义根据。”[①] 周敦颐的著作，适应了北宋从思想文化上强化统治的需要，并被以后的道学家奉为经典。这不仅对湖湘文化，甚至对宋明理学的形成与发展都具有十分重要的意义。《宋元学案》高度评价周敦颐：“孔孟而后，汉儒止有传经之学，性道微言之绝久矣。元公崛起，二程嗣之，又复横渠诸大儒辈出，圣学大昌。故安定、徂徕卓乎有儒者之矩范，然仅可谓有开之必先。若论阐发心性义理之精微，端数元公之破暗也。”[②] 元公，是周敦颐的谥号。这段“按语”指出是周敦颐首先阐发了义理之学，打破了孔孟以后道统中断千年的局面，明确肯定了其作为北宋理学开山之祖的地位。周敦颐不仅对理学发展做出了巨大贡献，同时对湖湘文化的发展也起到了方向性的指引作用，“奠定了湘学的学术旨趣，宋元明清以来，虽然湖湘地区曾经经历过不同的学术思潮的浸染，但是，周敦颐确立的道学一直是湖湘的主流学术形态。他奠定的以‘道’为核心，同时将道、治、学统结合起来的湘学学术旨趣，对历代湘学学者均产生影响，成为湘学的重要学术传统”[③]。随后湖湘士人跟随茂叔脚步，纷纷进入理学研究领域，胡安国、胡宏、张栻等率开湖湘学派滥觞。

第二，中国政治经济和文化重心南移，为湖湘文化的发展创造了有利条件。中国政治经济及文化中心的南移开始于南北朝时期，唐朝时加快了南移的步伐。唐朝为了平定安史之乱，对内地

① 侯外庐，邱汉生，张岂之．宋明理学史：上册［M］．北京：人民出版社，2005：84.

② 黄宗羲，全祖望．濂溪学案［M］// 宋元学案：卷十一．北京：中华书局，1986：482.

③ 朱汉民．湘学通论［M］．北京：高等教育出版社，2016：145.

掌握兵权的刺史多加“节度使”的称号。在平叛的过程中，许多节度使的权力不断扩大，他们占据一方，不听朝廷的指挥，造成“自国门以外，皆分裂于方镇”[①]的局面，这些藩镇与唐朝中央之间以及各藩镇之间矛盾重重，“喜则连衡而叛上，怒则以力而相并”[②]。可以说藩镇割据就是一幅群盗劫掠图。长期的兵革不息，使北方的经济遭到了严重破坏，老百姓更是深受其害。为了躲避战乱，北方老百姓大量迁往了相对安定的南方。大量南迁的人口，不仅充实了南方的劳动力，而且还带来了先进的生产技术和生产工具，北方人民和南方人民一起促进了南方的开发和经济的发展。至唐朝后期，已经出现了“赋之所出，江淮居多”[③]的现象。南宋时流传着“苏湖熟，天下足”的谚语，表明江南的农业生产已经超过北方，完全取代了北方经济重心的地位。伴随着经济的南移，还有政权和文化的南移。北宋灭亡后，南宋在杭州建国，宋室南迁，标志着中国文化开始出现南盛北衰的局面。再加之北宋末年战乱纷纭，中原士人南下，其中不乏学术修养高深之士，他们在南方定居下来，潜心学术，收徒讲学，为长江流域的文化兴盛创造了机遇。胡安国、胡宏父子于南宋建炎年间（1127—1130），抵达湖南湘潭，并在此创建了碧泉书院，后胡宏又在衡山创办文定书院，以讲学撰述为业，吸引了众多的湖湘士子前往学习，由此产生了独具特色的湖湘文化。以后胡宏的弟子张栻先后主持城南书院与岳麓书院，朱（熹）张（栻）会讲于岳麓，进一步光大了湖湘学派。

第三，儒学地域化的出现也是促进湖湘文化形成的重要条件。儒学自汉代开始成为封建社会的正统思想以后，基本上是以国家意识形态的方式存在于大众的视野，攻读“五经”成为进入干禄

---

① 欧阳修．兵志第四十［M］// 欧阳修，宋祁．新唐书：卷五十．北京：中华书局，1975：1330.

② 欧阳修．表第四［M］// 欧阳修，宋祁．新唐书：卷六十四．北京：中华书局，1975：1759.

③ 刘昫，等．旧唐书：卷一百二十三［M］．北京：中华书局，1975：3517.

仕途的敲门砖，政府通过建立专门教育机构太学和地方各级学校传播和研究儒学。这种教学和教育方式此后延续了一千多年，直至宋代书院教育的兴起，才为传统儒学教育注入了新的活力，而各地创立的书院也为儒学从官方的意识形态转化为民间的思想资源创造了条件。湖湘文化在宋代发展成熟为一个独具特色的地方学术流派也得益于此，“湘学的形成是在两宋时期，它的出现并不是一个独立的现象，而是在这段时期内中国出现了一个重要的学术史现象，即儒学演变为一个个具有地方特色、历史传承的地域学派，即所谓的‘儒学地域化’。……宋学不是通过中央或地方官学，而主要是通过地方的书院来开展学术研究与传播。一批批立志于重振儒家价值信仰、重建儒学知识体系的新儒家学者集聚于各个地域的不同书院中，潜心著述、授徒讲学，于是，一个个具有各自学术传统、思想特色的地域学派就形成了”①。著名的如濂、洛、关、闽，这些都是具有鲜明地域特色的儒学学派，其他还有孙复的泰山学、邵雍的百源学、司马光的涑水学、苏氏兄弟的蜀学、胡安国父子的湖湘学、陆九渊的象山学、吕祖谦的婺学等等，各个学派均有自己的学术师承和学术传统。湖湘学派正是这些崛起的学术流派中的佼佼者，“荆湖邹鲁”“潇湘洙泗”的说法皆反映了这一时期儒学在湖湘大地的兴盛景况，黄宗羲曾说“湖南一派，当时为最盛”②。

第四，两宋时期书院讲学的兴盛，为湖湘文化的发展创造了条件。宋代兴盛的书院教育，对培养高级、专门的人才和传播文化知识起到了很重要的作用。“书院作为一种官学系统之外的教育组织，它不依靠朝廷的正式诏令而建立，其最重要的特点，就是其主持者、管理者都没有纳入朝廷的官学教职之中，故而在聘任山长、选择学生方面具有独立自主权，可以完全依据书院自身价

① 朱汉民．湘学通论［M］．北京：高等教育出版社，2016：6.
② 黄宗羲．宋元学案：卷五十［M］．北京：中华书局，1986：1610.

值关怀与知识追求统一的标准。”[1] 正是书院教学中倡导的创新精神、讲学理念和相对宽松的办学环境，为宋代学术思想的自由发展提供了条件，湖湘文化借此也得到了很好的发展。从唐末至五代十国时期，由于常年战乱和朝代更迭频繁，官学几乎处于废弛状态，文化的传播和教育事业，基本上是依靠私人讲学维系的。北宋建立后，社会逐渐趋于稳定，但宋初统治者仍致力于收复失地的统一战争，还来不及顾及兴学设教，于是私人讲学的书院在宋初相对和平的环境下得到了进一步发展，形成了一个个颇具影响力的民间教育组织。同时书院也成了各个儒学地域学派进行学术研讨的基地，承担起了传承儒学和保存地方文化的重任。吕祖谦在《白鹿洞书院记》中说："国初，斯民新脱五季锋镝之厄，学者尚寡。海内向平，文风日起，儒生往往依山林，即闲旷以讲授，大率多至数十百人。嵩阳、岳麓、睢阳及是洞为尤著，天下所谓四书院者也。”[2] 书院和地方州县设立的官方学校有很大的不同，它在学制、教材和授课方式等方面不像州县学校那样受政府的约束，可以给予学者更大自由发挥空间，也更有助于学术的讨论和交流。北宋许多知名的学者常驻各个书院，开课授徒，传播自己的学说或潜心著述，书院之风逐渐兴起。湖南有名的书院有石鼓书院和岳麓书院，石鼓书院始建于唐元和五年（810），迄今已有 1200 年历史，是湖南境内已知的创办最早的书院。而岳麓书院一直被称为湖湘文化和湖湘理学的重镇，千余年来受到湖湘学子的敬仰。岳麓书院建于北宋开宝九年（976），潭州太守朱洞始建于岳麓山下，以后多次扩建。大中祥符八年（1015），宋真宗召见书院山长周式，并赐予匾额，于是岳麓书院之名显于天下。南宋时期，朱熹和张栻在此讲学和辩论，将湖湘文化的发展推向

① 朱汉民．书院精神与儒家教育［M］．上海：华东师范大学出版社，2013：5.
② 李梦阳．白鹿洞书院新志：卷六：文志三第十［M］// 白鹿洞书院古志五种．北京：中华书局，1995：88-89.

了一个高峰，岳麓书院也得以声震天下。湖湘学子纷纷涌入书院求学，书院担负起了传承湖湘文化的重任，为湖南和中国培养了大量的栋梁之才。

二、湖湘文化在近代的发展

对于文化和政治、经济的关系，毛泽东提出："一定的文化（当作观念形态的文化）是一定社会的政治和经济的反映，又给予伟大影响和作用于一定社会的政治和经济；而经济是基础，政治则是经济的集中体现。"[①] 余英时说："中国文化与现代生活并不是两个原不相干的实体，尤其不是互相排斥对立的。'现代生活'即是中国文化在现阶段的具体转变。"[②] 可见思想文化的发展与整个社会的发展有着十分紧密的关系，具体到中国近代化发展的进程里，思想文化对近代化的发展更是具有精神动力、精神制约和精神建构等重要的功用。因此在构建近代化社会时，我们不仅要考虑解决政治体制问题、经济发展问题，还更要考虑解决文化建设问题。文化因素在近代化进程中的作用虽然是隐性的，但对民族和国家的团结凝聚却是至关重要的，如果文化产生缺失、信仰出现危机则有可能会导致近代化发展停滞不前。纵观世界各国在近代化的发展过程里，没有一个国家采取了完全舍弃本民族文化的做法，恰恰相反，许多国家对本民族的文化基本上都采取了更新后的回归，即便是学习西方比较彻底的日本，明治维新以来，也没有完全脱离本民族传统文化的土壤。道理很简单，许多国家的近代化可能有其政治和经济的相近性，但它一定也有思想文化的差异性，因为这是一个民族区别于其他民族的特性，是这个民族能够屹立

① 毛泽东．毛泽东选集：第二卷［M］．北京：人民出版社，1991：663-664.
② 余英时．中国思想传统的现代诠释［M］．南京：江苏人民出版社，2006：4.

于世界民族之林的最基本条件。梁启超认为："凡一国之立于天地，必有其所以立之特质，欲自善其国者，不可不于此特质焉淬厉之，而增长之"，他还更直接地说"若诸君而吐弃本国学问，不屑从事也，则吾国虽多得百数十之达尔文、约翰·弥勒、赫胥黎、斯宾塞，吾惧其于学界无一影响也"。[①] 梁启超再三强调了文化的民族性，这是近代知识分子对中国思想文化所做的深层次的思考。近代中国遭遇了数千年来未有之变局，社会历史也经历着重大的转型，亟待解决的问题十分庞杂，但文化建设的问题更加刻不容缓。近代许多知识分子将推动传统文化向近代转型，构建有中华民族特色的近代新文化体系作为自己治学和救国的方向。他们积极淘洗传统文化的精粹，并努力促使传统文化与近代社会接续，以期建立新的文化传统和国人新的精神世界。当然中国传统文化向近代社会转型也不可能是一蹴而就的，它的经历肯定是十分曲折的，必然要经过批判、调整、沟通、融合等多个环节，才能达到预期的目的。在这个过程之中，湖湘文化作为中华文化的有机组成部分，必然也会对中国近代社会的发展演变起到不可估量的作用和影响。近代湖南产生了许多的知识群体，他们在探索古老中国适应近代社会发展的道路上创榛辟莽，演绎了无数可歌可泣的事迹和壮举。

19 世纪中叶前后，先后以陶澍和曾国藩为代表的理学经世派，在嘉道和咸同之际，倡导崇实斥虚的学风，引领中国学术界从"纯学术"的考据学转向了"致用"的经世理学，推动理学经世思潮兴起。他们将经世致用的理念运用在治国理政的社会实践中，对晚清日渐走向衰败、颓废的局势起到了很好的滞缓效果。尤其是曾国藩将经世理念运用在组建湘军上，崇尚实功、实效的湘军将士在抗击太平天国的斗争中，更是取得了辉煌的成绩。剿灭了太平天国以后，湖湘文化和湖南都声震天下，彻底改变了往日湖南

① 梁启超．论中国学术思想变迁之大势［M］// 饮冰室合集：第 1 册．北京：中华书局，1989：86.

在全国籍籍无名的状况。杨毓麟就曾经说："咸同以前，我湖南人碌碌无所轻重于天下，亦几不知有所谓对于天下之责任。知有所谓对于天下之责任者，当自洪杨之难始。"① 自"清季以来，湖南人才辈出，功业之盛，举世无出其右"②。近代湖南人才之兴盛，确实与曾国藩率领湘军剿灭太平天国有很大的关系。"楚省风气，近年极旺，自曾涤生领师后，概用楚勇，遍用楚人。各省共总督八缺，湖南已居其五：直隶刘长佑、两江曾国藩、云贵劳崇光、闽浙左宗棠、陕甘杨载福是也。巡抚曾国荃、刘蓉、郭松（嵩）焘皆楚人也，可谓盛矣。至提镇两司，湖南北省，更不可胜数。曾涤生胞兄弟两人，各得五等之爵，亦二百余年中所未见。"③ 这段文字详细描述了湘籍人士通过剿灭太平天国获取军功，而不乏身居晚清封疆大吏者，也对曾氏兄弟身为汉人而能够授封爵位表示出了不可思议的感叹，认为是逾乎常情。湖南兵威之盛，令海内人士瞩目。自然湖南也成了全国举足轻重的省份。于是受湖湘文化熏陶的湘籍官吏们在晚清政治舞台上占据了越来越重要的位置，在近代史的舞台上湖南人开始崭露头角、指点江山，这也有力地推动了湖南在近代的发展。

19 世纪末 20 世纪初期，中国经历了巨大的社会变革，先是清光绪二十四年（1898）光绪皇帝为了改变清政府日益走向衰败的局势，在康有为、梁启超等资产阶级改良主义者的支持下，发起了维新变法运动，力图自强求富。但是因为变法损害了守旧派的利益，遭到了清政府上层以慈禧为首的顽固派的坚决抵制和反对，变法仅仅历时 103 天就失败了。变法虽然短时期内就夭折了，但是作为中国近代史上一次重要的政治改革运动，它对启迪民智起到了很大的作用，也对中国近代的社会进步和思想文化的发展，

① 杨毓麟．新湖南［M］// 饶怀民．杨毓麟集．长沙：岳麓书社，2001：36.
② 谭其骧．中国内地移民史：湖南篇［J］．史学年报.1932，（4）.
③ 张集馨．道咸宦海见闻录［M］．影印本．台北：文海出版社，1980：64.

起到了很重要的推动作用。“维新派通过向西方资本主义国家寻找真理，传播了资产阶级的自然科学和文化，形成了崭新的资产阶级启蒙思潮，形成了新学对旧学、西学对中学、学校对科举的尖锐斗争。……在斗争中形成了近代史上一次伟大的思想解放运动……对我国整个民族的觉醒,具有不可低估的进步作用。”① 清光绪二十七年（1901），迫于国内人民的改革呼声日益高涨，在慈禧太后的支持下，清政府主动进行政治改革，史称“清末新政”，新政的内容多与戊戌变法雷同，没有多大的新意。但这是清政府实权派在社会形势急骤变化之下被迫主动采取的自救措施，然新政实施“数年以来，规模虽具，而实效未彰”②。“新政”的目的虽与中国新生力量资产阶级的发展要求基本相符，但在改革过程中出现了对铁路国有化的不当处置，对内阁组成人员的不当配置等问题，反而加剧了社会矛盾，加速了清王朝的覆灭。在孙中山领导的资产阶级革命的猛烈冲击之下，清王朝最终走向了解体，统治中国长达两千多年的封建君主体制走向了完结，中国真正开始了新的时代。在 19 世纪末风云诡谲的政局和时代面前，湖湘人士参与了每一次的改良和革命运动，而且在这些运动中湖南人参与人数之多、投入热情之高都是其他省份人士不可比拟的。皮锡瑞说：“近日湖南风气又为各省之最，是由地气变得益盛，亦由乡先贤之善变也。”③ 唐才常也称：“振支那者惟湖南，士民勃勃有生气，而可侠可仁者惟湖南。”④ 梁启超也称赞说：“湖南天下之中而人才之渊薮也。其学者有畏斋、船山之遗风；其任侠尚气与日本萨摩、长门藩士相仿佛；其乡先辈若魏默深、郭筠仙、曾劼刚诸先生，为中土言西学所自出焉。两岁以来，官与绅一气，士与民一心，

① 萧萐父．中国哲学史：下卷［M］．北京：人民出版社，1983：328.
② 朱寿朋．光绪朝东华录［M］．北京：中华书局，1958：5364.
③ 皮锡瑞．师伏堂未刊日记［J］．湖南历史资料.1959（1）：105.
④ 唐才常．论兴亚义会［M］//湖南哲学社会科学研究所．唐才常集．北京：中华书局，1982：178.

百废具举，异于他日，其可以强天下而保中国者，莫湘人若也。”[①] 梁启超赞扬湘人具有尚武任侠的豪杰气概，并且将他们与积极倡导维新政治的日本萨摩、长州的志士相提并论，足见湘籍志士在维新变法中的重要作用。杨度创作《湖南少年歌》，慷慨激昂地吟咏："中国如今是希腊，湖南当作斯巴达，中国将为德意志，湖南当作普鲁士。诸君诸君慎如此，莫言事急空流涕，若道中华国果亡，除非湖南人尽死。"[②] 豪迈雄壮地表达了湖南在近代振兴中国运动中的重要性。

事实也是如此，面临甲午战争的惨败和西方文化的强势入侵，以谭嗣同、唐才常、熊希龄等为代表的湘籍知识分子和以陈宝箴为首的湖南进步官绅们，怀着高度的社会责任感，参与到了变法革新的政治运动中，湖南成为了维新变法的主要基地和积极支持新政的省份。他们不仅仅只是在地域性的湖湘文化中发掘可资借鉴的救国救民的思想资源，还对传统社会的政治制度、伦理道德观和文化价值体系等各个方面都进行了深入的批判和思考，甚至还主动学习和吸收了西方自由、民主、平等等政治文化概念，借以改造在中国传统社会存在了数千年的以忠孝道德为主要内容的国家、家族、群体价值观和伦理道德观。由此可见，在探索救亡图存的道路上，湘籍志士走在了近代中国社会的最前沿，他们的政治思想明显超越了传统士大夫的范畴，具有了资产阶级思想启蒙的性质。辛亥革命期间，湘籍志士又极力标榜华夏裔胄、中华儿女的血脉和身份，并且通过弘扬传统文化和阐发西方学术思想相结合的方式，积极宣传夷夏大防和种族革命理论，希望借此激发国民的民族情感和爱国情怀，为反清排满和复兴中华民族而奋斗。湘籍革命家杨毓麟的《新湖南》称得上是20世纪初革命人士中将西方近代民主政治思想论述得最全面、最深刻的文章之一。

① 梁启超．南学会叙［M］// 饮冰室合集：第1册．北京：中华书局，1989：66.
② 刘晴波．杨度集［M］．长沙：湖南人民出版社，1986：95.

他在文中褒扬了乡贤王夫之对种族、家国的悲戚之情和以种性作为安身立命第一要义的激进观点，使王夫之的学术思想发展成为了进一步推动资产阶级革命思潮蓬勃发展的动力之一，有力地唤醒了国人救亡图存的意识，推动了资产阶级革命排满思想的传播。随后在孙中山、黄兴、宋教仁、蔡锷、章太炎、刘师培、蔡元培、杨毓麟、马君武、秦力山、禹之谟、谭人凤等革命志士和思想家的推动下，民主革命思潮蓬勃发展起来。“辛亥革命首倡者是孙中山及其所创立的兴中会，而继起响应者，当首推黄兴和他所组织的华兴会。1905 年夏，孙中山在日本领衔组成同盟会，据考订，参加 7 月 30 日筹备会的共 79 人,居首位的是湖南籍志士,计 20 人，次为湖北，19 人，再次为广东，16 人，以下为广西、安徽等省籍人士。”[①]“又据 1905—1907 年间在东京加入同盟会的名册统计，这两年间加入同盟会的人员共计 861 人,大都来自国内 17 个省份，其中湖南籍者为 157 人；次为四川，127 人；再次为广东，112 人；湖北 106 人，安徽 59 人，山西 55 人，山东 53 人。”[②]可以发现湘籍辛亥志士在传播民主革命思想、推翻清王朝的专制统治、推动中国近代社会的民主进程方面，反响积极，做出了杰出贡献。

但是辛亥革命后建立的民国政府，在政治、经济和思想文化等方面采取的改革措施收效甚微，国家建立“二十年来，朝野上下所倡之新学新政，其结果乃至为社会所厌倦所嫉恶；言练兵耶？而盗贼日益滋，秩序日益忧；言理财耶？而帑藏日益空，破产日益迫；言教育耶？而驯至全国人不复识字；言实业耶？而驯至全国人不复得食。其他百端，则皆若是”[③]。梁启超的言辞颇为激烈，但也道出了民国初年存在的政治腐败、军备松弛、财政乏力、教

① 郭汉民．同盟会“非团体联合”史实考［J］．湖北社会科学，1987（6）：38.

② 冯自由．中国同盟会最初三年会员人名册［M］// 革命逸史：第 6 集．北京：中华书局，1981：63-86.

③ 梁启超．大中华发刊词［M］// 饮冰室合集：第 12 册．北京：中华书局，1989：80.

育落后以及人民贫困的实情。针对民国初年的各种弊端和不良的社会状况，湘籍人士又开始重新寻求新的理念、方案和道路。王闿运、叶德辉、刘人熙等传统文化人士主张发扬国学，提高国民的思想道德素质，倡议修身正己的思想，期望借此匡正世风礼教、道德习俗，改变国人精神颓废的局面，重塑传统文化秩序；朱剑凡、罗教铎、周方等进步人士深受西方教育思潮影响，认为普及民众教育、提高国人的文化素养、启迪民智才是救治中国的良方，提出了“教学要与社会生活相结合，为社会改革和建设服务”[①]的办学方针，以爱国民主思想教育学生，鼓吹思想言论信仰自由，倡导教育救国理念；毛泽东、蔡和森等青年知识分子在五四运动以后广泛地接受了马克思主义思想，他们在俄国十月革命胜利中看到了救赎中国的新曙光，在积极从事爱国救亡的革命活动的同时，又致力于用马克思主义理论、方法对中国传统思想文化重新进行分析和整理，以期为中国社会革命提供更详实的理论依据和历史考证，坚信只有将马克思主义与中国革命和社会实际有机地结合起来，实现马克思主义中国化，才是拯救中国的唯一途径。

总而言之，从晚清直至中华人民共和国成立前的近百年里，正是中国社会发生急剧变革、转型的重要时期。在此期间，一方面为了掠夺中国廉价的原材料和获取广阔的商品销售市场，西方列强纷至沓来，不断掀起对华战争，中国的领土、司法、关税和贸易等主权相继遭到了严重破坏，中国被迫卷入了资本主义世界体系。另一方面中国传统的思想文化、价值观念、生活秩序等亦受到西方文明的冲击，由此古老的中国开始了漫长的梦魇般的半殖民地半封建的社会历程。于是各种救国救民的社会思潮、改良运动和革命运动在近代中国风起云涌，从咸同时期的理学经世思

① 吴仰湘，陈先初.湖湘文化通史：第5册［M］.长沙：岳麓书社，2015：540.

潮、洋务思潮，到光绪时期接踵而至的维新思潮、立宪思潮、民主革命思潮，再到新文化运动时期的自由主义思潮、民族文化本位思潮、马克思主义思潮的涌现，中国思想文化领域出现了又一次的“百家争鸣”局面。伴随着各种社会思潮而出现的社会改良运动和革命运动也是交替产生，同治中兴、洋务运动、戊戌变法、清末新政、辛亥革命和新民主主义革命等各种运动层出不穷。中国社会各阶层为摆脱社会危机、复兴中华民族，都在努力探索和寻找各种理论和方法。无论是传统守旧派、理学经世派、洋务派、维新派还是资产阶级革命派，抑或是无产阶级革命者，他们都有一个共同的目的，那就是拯救中国于危难之中，防止被列强宰割，并努力想让古老的中国顺应世界潮流的发展趋势，适应近代发展的要求，这也就是通常所说的救亡图存。对于近代中国的各阶层有识之士来说，“民族复兴”和“国家独立”始终是他们关注的核心问题，“中国向何处去”和“用什么思想指导和规划中国社会前进的方向”也是近代社会各界民众热衷讨论的话题。湖湘文化的特质促使湖南在近代成为了一个受世人瞩目的地区，近百年来在湖湘文化的熏陶之下，湖南产生了一大批杰出人物，这些来自三湘大地的英杰们积极发挥湖湘学派的特质和湖南人的精神，比肩鹊起，叱咤风云，谱写了灿烂辉煌的历史篇章，不仅丰富了湖湘文化的内涵，也推动了湖湘文化在近代社会的转型和发展，在中国近代史上湖南人书写了浓墨重彩的一页。

三、湖湘文化的学术特征

湖湘文化作为一种独特的地域学术形态是经过数百年的发展、演化，经过几代湖湘学子的努力才最终形成的一个相对稳定的文化结构体系。综合宋元明清历代湖湘学子的学术思想、研究著述、社会践履和学术风气等多方面的情况，可以发现湖湘文化具有下列特征。

1. 推崇理学。推崇理学原本是两宋以后，学术界一个普遍现象，算不得是特色，尤其是宋理宗以后，理学受到历代统治者的推崇，在社会意识形态上早就占据了统治地位。但是湖南士人在推崇和坚持理学学风方面却比其他地域的学子更执着，成就更显著。湖南人对理学的矢志不渝情怀，与湖南的地理环境和人文风气有很大的关系。湖南在宋以前，因为交通闭塞，与外界的交流有限，在文化方面明显落后于中原和东南地区，湖南也很少有学者见于史传，这对湖南来说不能不是一种遗憾。及至周敦颐出现，湖湘文化落后的印象才稍有改观。周敦颐"为理学之开山，万流景仰，人伦楷模，风声所树，岂徒一乡一邑之光哉"[①]！周敦颐不仅是理学的开山鼻祖，也为湖湘文化奠定了坚实的基础。以后湖湘学者"讲明正学皆其卓卓尤著者，流风余韵，景仰至今。我朝一道同风，家弦户诵，湘上儒雅之风，固已蒸蒸日上矣"[②]。再经过胡安国、胡寅、胡宏、张栻等无数湖湘学子的诠释和传播，理学深深地扎根在了湖湘大地上，湖南也一跃而为"理学之邦"。

湖南学子矢志不渝地坚持理学传统，摒弃其他学说的干扰。理学作为湖湘文化的特质而存在，最典型的事例表现在两次学术思潮转型时期。第一个事例表现在湖湘文化对阳明学的排斥。明朝中期阳明学派兴起后，王阳明及其弟子四处讲学，阳明心学倾动朝野，风行天下，成为人们追随的时尚。而湖南受传统学风的影响，十分排斥阳明学，阳明学在湖南的发展和传播很有限，相反湖南更加固执地保留了宋儒的学理和风气，明末清初的王夫之还成为了宋明理学的集大成者。他"参伍于濂洛关闽，以辟象山、

① 钱基博，李肖聃．近百年湖南学风·湘学略［M］．长沙：岳麓书社，1985：1.
② 齐德五．湘乡县志：卷二：风俗［M］．清同治八年版影印本．长沙：岳麓书社，2009：104.

阳明之谬，斥钱、王、罗、李之妄，作《思问录》内外篇，明人道以为实学，欲尽废古今虚妙之说而返之实”[①]。不仅积极吸取了宋明理学的精粹，还对宋明理学进行了理论上的修正和补充，为理学在清代的发展创造了条件。钱穆高度评价王夫之说："船山则理趣甚深，持论甚卓，不徒近三百年所未有，即列之宋明诸儒，其博大闳括，幽微精警，盖无多让。”[②]第二个事例是汉学鼎盛之时，学术界唯汉学马首是瞻，而湖湘学者仍然坚持义理之学。清乾隆、嘉庆时期，注重名物训诂、典章制度的汉学研究风行天下，湖南也受此影响，产生了一批对汉学有浓厚兴趣的学者。但与汉学的发起地吴、皖地区的学者不同，湘籍汉学研究者反对将汉学与理学对立起来，他们很早就有了汉宋兼治的想法。例如岳麓书院山长王文清（1688—1779），他不仅是一位出色的汉学家，还是一位造诣深厚的理学家，他坚持以性理之学指导书院的学生。经他手订制的《岳麓书院学箴九首》，教导学生要“存念养志”“变化气质”“惩忿窒欲”“时惟建事”[③]，完全是遵循了湖湘文化崇尚义理之学的传统。创办湘水校经堂的吴荣光也主张“奥衍总期探郑许，精微应并守朱张”[④]。同一时期湖南致力于理学研究的学者更多，知名的有罗典、严如熤、陶澍、贺长龄、贺熙龄等。及至清道咸时期，曾国藩、左宗棠、郭嵩焘、胡林翼、罗泽南、刘蓉、李续宜等一大批湘籍学子，不仅崇尚义理之学，而且还将湖湘文化的另外一个特质经世致用理念发挥到了极致，开创了湖湘文化在近代的辉煌历史。

2. 强调经世致用。注重经世致用，一向是湖湘文化的重要特

① 王敔．大行府君行述［M］// 王夫之．船山全书：第一六册．长沙：岳麓书社，2011：73.

② 钱穆．中国近三百年学术史：上册［M］．北京：中华书局，1997：06.

③ 王九溪．王九溪先生学箴九首［M］// 吴道行，赵宁．岳麓书院志．邓洪波，谢丰．等校点．长沙：岳麓书社，2012：560.

④ 吴荣光．湖南述别四首［M］// 吴道行，赵宁．岳麓书院志．邓洪波，谢丰．等校点．长沙：岳麓书社，2012：607.

色和传统文化特质。湖湘学派形成之初就是由具有强烈经世倾向的理学家群体构筑的地域文化派别，他们关注国计民生，倡导实事求是精神，具有强烈的参政意识。历经几代理学家的传承，经世思想已经成为了湖湘文化的第二个鲜明的特征。湖湘学派的开创者胡安国在阐述治学目的时说："百王之法度，万世之绳准，皆在此书。故君子以谓《五经》之有《春秋》，犹法律之有断例也。学是经者，信穷理之要矣；不学是经而处大事、决大疑能不惑者，鲜矣。"[①] 他这种将儒家义理和通经致用相结合的治学理念，奠定了湖湘学派的学术风格，对后世湖湘学子产生了极大的影响。后学弟子张栻在岳麓书院讲学时，也明确宣称办学宗旨就是"造就人才，以传道而济斯民也"[②]。在张栻的教导之下，他的学生胡大时、彭龟年、吴猎、游九功、游九言、赵彦直、陈琦皆成为了湖湘学派的精英，尤其是吴猎、游九功、游九言、赵彦直、陈琦，不仅致力于理学研究，而且还力主抗金，屡获战功，使湖湘经世理念和经世成就响彻天下。明末的王夫之治学也力倡"明人道以为实学，欲尽废古今虚妙之说而返之实"[③]。抗清斗争失败后，王夫之埋头治学，他治学的目的十分明确，即在于探索得失枢机，阐发治国经世大略，而绝不沉迷空谈玄妙陋习，背离圣人大道义理。他联系明末清初的社会政治，评史论政，努力著述，希望找出复兴中华，匡扶国家的方法。可见历宋元明清朝经世致用理念演绎成为了湖湘学子共同的学术旨趣，以后陶澍、贺长龄、魏源、林则徐、曾国藩、胡林翼和左宗棠等都成为了晚清著名的经世派人士，他们利用自己朝廷重臣的身份积极推广经邦治国理念，积极挖掘和推

① 胡安国．春秋传［M］// 宋元明清十三经注疏汇要：第 9 册．北京：中共中央党校出版社，1996：1.

② 张栻．潭州重修岳麓书院记［M］// 张栻全集：中．杨世文．王蓉贵，校点．长春：长春出版社，1999：693.

③ 王敔．薑斋公行述［M］// 王夫之．船山全书：第一六册．长沙：岳麓书社，2011：81.

荐经世派人士进入仕途，为清廷服务。正是这一批以天下为己任的湘籍有识之士的努力，经世思潮由涓涓细流逐渐汇成了滔滔巨川，在清道咸年间呈蔚然大观之势。及至近代社会，受经世传统影响湖南又产生了一大批思想家、政治家和社会活动家，例如维新运动期间的谭嗣同、唐才常、沈荩、熊希龄等，辛亥革命期间的黄兴、宋教仁、蔡锷、陈天华、刘道一等，新民主主义革命期间的毛泽东、蔡和森、何叔衡、李维汉等。他们为中国近代社会的发展，为中华民族的救亡图存事业贡献了巨大的力量，他们的思想和行为无不体现出湖湘文化经世致用的优良传统。

3. 主张兼容并蓄。湖湘文化具有多元包容的特点，自形成以来就蕴含了博采众长、兼容会通的开放性精神。唐宋以前，湖南“风气锢塞，常不为中原人文所沾被”①，被载入史册的知名历史人物大多是流寓湖南的外省人士，如屈原、贾谊、柳宗元等，即便湖湘学派的开创者胡安国、胡宏、张栻都非湘籍本地人士。但他们的教育背景、学术渊源和思想见地各有特色、各自不同，寓居湖南后，湖南以宽阔的胸怀接纳了他们，而他们渊博的学识和才华也极大地丰富和促进了湖湘文化的发展。例如屈原的爱国主义精神、贾谊的忧国忧民情怀、柳宗元的锐意改革精神都深深地融入了湖湘文化中。理学开山祖师周敦颐的学说也明显融合了佛道之长，奠定周敦颐理学思想体系基础的《太极图·易说》，就来自道教，其名篇《爱莲说》则与佛教渊源很深。周敦颐博采群秀，最终构筑起了具有开创性的理学思想体系，促进了湖湘学派的形成。最能够反映湖湘文化具有兼容并蓄特质的则是“朱张会讲”，南宋孝宗乾道三年（1167），应岳麓书院山长张栻之邀，朱熹不远千里从福建崇安来到长沙，与张栻展开了不同学派之间的学习和讨论。这次会讲盛况空前，前来听讲者络绎不绝，不仅对湖湘文化的发展

① 钱基博，李肖聃. 近百年湖南学风·湘学略［M］. 长沙：岳麓书社，1985：1.

产生了重要的影响，更代表了湖湘文化兼容并蓄、海纳百川的宽大胸襟。会讲后朱熹接受了湖湘学派“性为未发，心为已发”“先察识后持养”等观点，而湖南学者通过会讲也发现了自身文风上的缺陷，其学术思想得以改进和提高。会讲之后，岳麓书院的名声更加远扬，元代理学家吴澄在《重建岳麓书院记》中说：“自此以后，岳麓之为书院，非前之岳麓矣，地以人而重也！”[①] 会讲 27 年之后，即南宋光宗绍熙五年（1194），朱熹来长沙任职，他在处理政务之余，还积极致力于重振岳麓书院，此时距离张栻去世已经十余年了。在朱熹和他的弟子真德秀、魏了翁的努力下，湖湘文化再次崛起，南宋一代，湖南被誉为“理学之邦”，湖湘学派盛极一时，都与这个博采众长、兼容并蓄的特质分不开。到了晚清和近代，伴随着嘉道的衰败局势和西方文明的接踵而来，湖湘文化兼容并蓄的内涵更加的广泛和深刻，不仅有对传统文化提出的“汉宋兼治”，也有对西方先进技术的兼容。魏源、曾国藩、左宗棠、郭嵩焘、谭嗣同、黄兴、宋教仁、毛泽东、蔡和森等无数的湘籍精英们都深入地贯彻了开放兼容的风格和精神。他们不仅积极推动了湖湘文化向近代转型的步伐，更进一步推动了中国社会近代化的进程。

四、本书研究的主要问题与基本框架

本书将湖湘文化放在一个比较广阔的时空（西力与西学东渐中的近代中国）进行研究，重点围绕近代湖湘文化与近代中国历史进程的互动关系（或交互影响）来展开，揭示湖湘文化由传统向近代转型的内在理路，以及对中国社会的转型和变迁所起的重要作用。

---

① 夏剑钦．湖南纪胜文选［M］．长沙：湖南师范大学出版社，2011：51.

本书总的思路是：一方面从宏阔的历史背景出发，以近代中国社会变迁、中外关系等为视角，探讨近代中国历史进程对湖湘文化的影响，揭示湖湘文化在近代的发展、演变与转型；另一方面从近代湖湘文化的特质及其演变出发，以中国现代化进程为视角，探讨湖湘文化对近代中国历史进程的影响。

具体框架是：绪论部分主要是对湖湘文化进行历史解析，说明其内涵、源头、形成过程及在近代的发展情况，揭示其学术特质。主体部分各章节主要是以近代中国重大历史事件为切入点，探讨其与湖湘文化的关系，这些重大事件包括嘉道中衰、咸同变局、同光洋务运动、光宣维新革命、民主共和政体建立以及地方自治、马克思主义的传播、中国革命道路的探索等。结语部分梳理了近代中国历史进程对近代湖湘文化的影响，侧重于中国社会内部变动和外部因素与近代湖湘文化关系的说明，并从政治近代化、思想文化近代化、经济近代化、国家发展前途四个方面梳理了近代湖湘文化对近代中国历史进程的影响和重要作用，从而得出关于近代湖湘文化的一些基本认识，对近代湖湘文化的一些消极、负面问题进行了反思。

需要说明的是，本书所说的“近代”遵循的是学界主流看法，即 1840 至 1949 年这一时间段，但考虑到历史的延续性和文化的传承性，将研究的起始时间和对象上溯到了清朝嘉道中衰与经世实学的兴起。

第一章

湖湘文化与嘉道之际的社会变迁

“乾隆之时，天下太平，故文治之粉饰，号称极盛。”[①] 但实际上清王朝在盛世的浮华外表之下，早已隐藏了严重的社会危机，衰败的迹象和气息已悄然弥漫在中国这片古老的大地上。进入清嘉庆、道光皇帝统治时期，不仅已有危机和问题没有得到缓解，其他的社会时弊又不断滋生和爆发，“危机四伏，悲风骤至”是嘉道之际社会局势的基本写照。日益凸显的种种社会危机，激起了部分官吏和士大夫对现实社会的困惑和怀疑，强烈的忧患意识促使他们开始着力思考挽救时局的方法和理论，由此导致了晚清经世致用思想的活跃和经世派的产生。在这股经世思潮中活跃着许多湖南人，他们不仅是嘉道经世派的重要成员，更是湖湘经世实学的骨干中坚力量，对推动湖湘经世实学的发展和中国传统文化的近代转型都做出了巨大的贡献。

一、嘉道中衰与湖湘经世实学的兴起

（一）嘉道危机的表现及原因探究

嘉道之际严重的社会危机主要表现在如下几个方面，一是吏治腐败；二是军备废弛；三是财力匮乏；四是社会矛盾激化；五是思想僵化。诸多问题促使清王朝呈现出一派破败景象。

1. 吏治腐败。

吏治腐败是专制主义政体下滋生的一个顽固的毒瘤，古今中外皆有，但发展到像清朝后期那样无官不贪、有吏皆污的严重程度却也是罕见的。嘉道时期官场唯利是图、贪污腐化之风可以说是达到了无以复加的地步，官员们必须遵守的法令条例、道德准则和价值尺度，对绝大多数官员来说形同虚设，官员们关心的是

① 萧一山．清代通史：第二册［M］．上海：华东师范大学出版社，2006：26.

做官先问肥缺，出任之始，先论一利字。追溯这种恶劣风气产生的源头，可以发现自乾隆后期就已经开始了。乾隆晚年疏于朝政，听任和珅专权。然和珅毫无学行，既得志，以贪渎聚敛为唯一目的，致使吏治腐败之风一发而不可收。史载："和珅用事，几三十年，上下相蒙，惟事婪赃渎货。始则蚕食，渐至鲸吞。初以千百计者，俄而非万不交注矣，俄而万且以数计矣，俄以数十万计，或百万计矣。一时不能猝办，率由藩库代支，州县徐括民财归款。贪墨大吏，胸臆习为宽侈，视万金呈纳，不过同于壶箪馈问。属吏迎合，非倍往日之搜罗剔括，不能博其一欢。官场如此，日甚一日。"[①] 著名清史学家萧一山也认为晚清吏治腐败肇始于和珅，"疆吏侵吞刻削，聚敛行贿，皆恃和珅为奥援，虽大狱频兴，贪怃伏法，而其风自若，皆和珅一人启之也。故内有聚敛之臣，外有贪黩之吏，相为因果。国家致乱之缘，即肇于此"[②]。和珅的贪墨确实令世人瞠目结舌，被查处后，其被没收的财产数目更是庞大惊人，价值达白银8亿两，相当于清政府20年的财政收入。和珅把持朝政长达二十余年，为了达到升官晋爵和保持官位的目的，官员们势必走上谄媚、行贿和珅之路，这就必然会导致吏治腐败和贪赂公行迅速蔓延至清廷的整个官僚系统。于是晚清官场贪赂聚敛之风日渐疯长，各级官吏的各种贪污行径几近公开化，各种行贿受贿的陋习更是相沿成习，官场腐败成为了大家熟视无睹的正常现象，这是清朝走向崩溃的先兆。

嘉庆皇帝即位后，迅速处置了和珅，希望能刹住腐败风气，但此风气已成积重难返之势。再加之嘉庆皇帝在执政方面也缺乏大刀阔斧的魄力和锐意改革的精神，他既担心深挖贪腐问题牵涉的官吏太多，对新政不利，又害怕过多追查前朝问题，是对父亲的不敬，因此背上不孝的罪名。因此在处决和珅以后，他并没有

① 章学诚．上执政论时务书［M］// 章学诚遗书．北京：文物出版社，1985：328.
② 萧一山．清代通史：第二册［M］．上海：华东师范大学出版社，2006：159.

乘胜追击，将吏治问题彻底肃清，而是发布了一道上谕制止将和珅案件扩大化。上谕称处置和珅完全是因为他“专擅蒙蔽，以致下情不能上达，若不立除元恶，无以肃清庶政，整饬官方”，现在已经赐和珅自尽并将其家财全部没收，这个案子也就“业经办结”。如果再将此案扩大，恐有法不责众或挟仇诬陷的状况出现，因此决定不再深究，但他也告诫说“及有从前热中躁进，一时失足，但能洗心涤虑，痛改前非，仍可勉为端士，不至终身误陷匪人，特此再行明白宣谕，各宜懔遵砥砺，以副朕咸与维新之治”[①]。这道上谕对安定人心、稳定政局起到了十分关键的作用，但对于整饬贪腐问题则无疑失去了一次很好的正本清源的机会。因此处置和珅远远没有达到嘉庆皇帝想要的震慑作用，它仅仅使一些官吏的贪腐行为暂时收敛而已，待事态平息后，官吏贪赂依旧，而且变得更为隐蔽和狡猾。例如，清嘉庆十一年（1806），直隶布政使庆格具奏司书私雕假印，勾串舞弊一案，经调查发现是一起官吏互相勾结、欺上罔下、狼狈为奸、共同作弊来盗取国家库银的案件。而且为了最大可能地牟取非法利益，大小官吏们更是上下相蒙、曲加庇护，构织了一张覆盖整个体系的利益之网，为了不让这张贪黩的黑网被曝光，这些贪婪的官吏甚至不惜铤而走险杀害同僚，李毓昌案就是典型案例。

清嘉庆十四年（1809），山阳县令王伸汉为了阻止同僚李毓昌揭发自己的贪污行径，在收买利诱无果的情况下，他先是贿赂知府王毂获取消息，随后又收买李毓昌的仆人，在知府默许的情况下，合谋将李毓昌毒害致死，制造了轰动一时的杀官灭口之案。事后，清政府虽然严惩了王伸汉等一干涉案人员，但吏治之腐败堕落可见一斑。嘉道之际，上至王公大臣，下至一般官吏，大都因循苟且、谗上欺下，朝纲不振，习为固常。作为最高统治者的嘉庆皇

① 萧一山．清代通史：第二册［M］．上海：华东师范大学出版社，2006：199.

帝，对这种状况深感忧虑和无奈，他痛斥道："大不法小不廉，吏治不清，民生何赖？甚至大缺一万，中缺八千，形诸白简，此非彰明较著者乎？……朕澄叙官方，首先责己，力行节俭，永杜贡献。诸大吏受任既重，养廉又优，贡献之费已除，权门之索又绝，必应清白乃心，为国宣力。然而风气未移，俗态犹故，时有在朕前借端尝试，巧言利国，实皆利己，似此者不一而足。"[①] 日益滋生的腐败不仅严重影响清王朝行政机制的运转，也降低了政府的执行能力和管理能力，许多官员真正是沦落到"文官爱钱而惜死，武官惜死而又爱钱"[②] 的地步，各级官吏中也多是尸位素餐之徒和畏敌如虎的庸劣之辈，"实心任事者，仅止寥寥数人，而惟顾一己之私者，比比皆是"[③]。封建社会是以人治为主，朝代的兴亡和国运的盛衰，与统治者和管理者的操守有着密切的关系。晚清污浊不堪的吏治风气和官员们低下的行政效率，昭示着清政府管理体系的极度紊乱和废弛，王朝走向衰微和灭亡也就是迟早的事情了。

2．军备废弛。

在吏治全面败坏之时，相伴而生的是军备废弛。满洲能够入关并建立起强大的政权，主要是依靠八旗兵的骁勇善战。清建立以后，政府不仅发给八旗兵优厚的饷银，还分配给他们土地和房产，使得八旗兵开始养尊处优，贪恋享受。他们"不仅习于奢靡，受汉人之同化而已，而政府豢养维勤，骄惰不惩，久而久之，强悍勇敢之风气尽失"[④]，而且"八旗将佐，居家弹筝击筑，衣文绣，策肥马，日从子弟宾客饮"[⑤]。从将领到士兵不仅都荒废了骑射，还养成了游手好闲的习气，从而导致军纪松懈、营伍奢侈、侵吞饷

① 大清仁宗睿（嘉庆）皇帝实录［M］．影印本．台北：华文书局，1964：978.

② 广东夷务事宜：刘玉坡中丞致伊耆牛大人书稿［M］// 齐思和，林树惠，寿纪瑜．鸦片战争：第三册．上海：神州国光社，1954：361.

③ 道光朝留中密奏：耆英折［M］// 齐思和，林树惠，寿纪瑜．鸦片战争：第三册．上海：神州国光社，1954：470.

④ 萧一山．清代通史：第二册［M］．上海：华东师范大学出版社，2006：167.

⑤ 金德纯．八旗军志［M］．北京：中华书局，2011：2.

粮等恶劣风气也随之相应滋生。八旗兵的作战能力在入关以后日渐走向衰微，是一个世人皆知的社会现象。“开国之初，亲王将兵，实能运筹帷幄，冲锋行阵，数传而后，生长深宫，不知世事，膏粱纨绔，何足与谋大事哉？”[①] 及至清嘉道统治时期军备废弛现象全面爆发，清嘉庆四年（1799），勒保在督战四川剿匪期间，对八旗兵的作战能力十分失望，他在奏折中写道：“健锐火器两营京兵，不习劳苦，不受约束，征剿多不得力，距达州七十里之地，行二日方至，与其久留糜饷，转为绿营轻视，请全撤回京，毋庸续调！”[②] 奏折显示，在镇压白莲教起义中，八旗兵表现出了整体战斗力的衰弱与战斗精神的下滑。严如熤对八旗兵的颟顸作风和骄奢懈怠也感受颇深，说：“教匪之役，前后八九年，兵调十数省，其中劲旅勇鸷敢战者固自不少，而矫捷坚实可恃，必以黔兵为第一。……各省提镇大营之兵，所驻通都大邑，地方平衍，风俗华靡，平时未尝远出城郭，一旦负枪荷戈，走山路数十里，汗淫淫下，喘息不宁，又且饮醇啖肥，习以为常，山内包米杂粮，食不下咽，先自饥疲，与猾贼追逐百数十里，鲜不病乏者 。”[③] 至清嘉庆执政初期，八旗兵已沦为了游手好闲的纨绔阶层。

八旗兵衰落后，绿营兵很快成为了清政府的主要军事力量，绿营兵是清入关后，改编了投降的明朝士兵，然后又招募汉人，而建立的地方军（但东三省不设绿营）。这个兵种是多尔衮创立的，主要是考虑到入关时八旗兵只有近 20 万兵力，人数太少，不足以控制全国，为了加强统治，必须建立新的军队。绿营兵参照明朝军队的建制，以营为基本单位进行组建，以绿旗为标志，故称绿营或绿旗兵。这支部队开始实行招募制，后来转向了世兵制。

---

① 贝青乔．咄咄吟：跋［M］// 齐思和，林树惠，寿纪瑜．鸦片战争：第三册．上海：神州国光社，1954：235.

② 萧一山．清代通史：第二册［M］．上海：华东师范大学出版社，2006：168.

③ 严如熤．三省山内边防论［M］// 贺长龄，魏源，等．清经世文编：卷八二．北京：中华书局，1992：2017.

然历经百余年时间，绿营兵也日渐沾染上了腐化习气，将帅溺于克扣粮饷、中饱私囊，士兵则疏于训练、浑浑噩噩。及至湘黔苗民和白莲教起义兴起以后，清政府才猝然发现朝廷几无可用之兵，不得不下令地方督抚兴办团练，实行自卫。团练即为地方武装力量，各地团练组织的兴盛势必造成中央军事力量和政治力量的削弱，进一步加速了清政府的崩溃。

3. 财力匮乏。

嘉道之际衰败的第三个表现是经济状况不断恶化，政府财力匮乏，民众生活愈加艰难。造成财政问题的主要原因有军费开支庞大、漕运弊端丛生、官吏贪污亏空、人口膨胀消耗巨大等诸多因素。面对如此诸多的问题和矛盾，晚清政府在财政方面的调节和掌控能力越来越小，而官吏们奢靡腐化的生活则更进一步加剧了政府的财政负担。当时，“京外各官寻常宴会，动至一席费五六金，外官款宴上司，竟有一日而费百金者，此类糜耗不一而足”[①]。清乾隆皇帝也时常通过举办盛大的宴会和活动来炫耀自己的丰功伟绩。他六度南巡、四度东巡、木兰狩猎、修建园林、改建皇宫、下嫁公主、生日寿宴等事宜都耗资巨大，极尽奢华。过度的挥霍，致使政府的用度剧增，给后世带来了十分不良的影响。有史家就批评说：“乾隆狃于承平日久，渐开侈靡之端。寿典则铺张辉煌，巡守则踵事增新，盘游无度，穷兵黩武，又叠免全国钱粮漕粮，以博政尚宽大之虚声，故财政之充裕，渐不如前。”[②]这种讲究排场的奢华作风不仅劳民伤财，而且还被皇室成员、王公贵族、文武官吏以至于一般士人竞相效仿。奢靡的生活风气不仅促使清政府的财政用度增加不少，而且导致社会道德、民心风尚等都发生了很大的变化，也是昭示清王朝走向衰败的征兆之一。

① 转引自郑大华．社会结构变迁与近代文化转型［M］．成都：四川人民出版社，2008：49.

② 萧一山．清代通史：第二册［M］．上海：华东师范大学出版社，2006：268.

据统计，清乾隆五十五年（1790），府库存银有 8000 万两，至五十七年（1792）就只有 1182 万两，及至“道光三十年十月，户部银库只有 187 万两，即太平天国爆发的前夜，户部储银降到了鸦片战后的最低点”[①]。国帑亏空日甚一日，据记载，“嘉庆十七年岁入银四千一百十三万有奇，出者银三千五百一十万有奇，虽出入相抵，尚有盈余，然实征之数，视乾隆季年减至一千三百万，故仍入不敷出也”[②]。清嘉庆统治时期，农民起义风起云涌，每一次剿灭政府都耗资不少。据《清史稿·食货志》记载，清嘉庆教匪之役军费开支达 2 亿两，为镇压苗族民众起义，仅湖南一个省就花费 1099 万两的费用，另外广东省解决洋匪之役又消耗了军费 300 万两。如此庞大的军费开支，使得政府的财政越加捉襟见肘。嘉庆皇帝为扭转财政虚空问题，也是费尽心思，他不仅严惩贪官污吏，而且还积极倡导崇俭黜奢。他甚至将节俭提升到了治国方针政策的高度，颁布了一道道的谕旨号召臣民节俭、节用，希望“不得以奢华相尚，一概务从俭约，复我满洲旧俗”[③]。但世变风移，蔓延整个官僚体系的奢靡之风已无法遏制，清政府财政赤字的现象愈加严重，人民生活也愈加困窘。

及至清道光统治时期，情况则更糟糕。道光统治前期，财政开支巨大，源于回疆之乱、户部银库亏空案和河道屡决三个方面；后期则因鸦片战争爆发，割地赔款，致使财政虚空现象更加严重。尤其是发生在清道光二十三年（1843）的户部银库亏空案，更是堪称奇葩，清政府 900 多万两白银不翼而飞，案情的曝光也是由管理银库的官吏分赃不均才被察觉的。这个案件不仅是清代最大的银库盗窃案，也更加反映出清政府官僚体系的腐朽和中央统治能力的下降，进一步加剧了道光朝财政危机。

---

① 周育民 . 晚清财政与社会变迁［M］. 上海：上海人民出版社，2000：144.
② 萧一山 . 清代通史：第二册［M］. 上海：华东师范大学出版社，2006：269.
③ 转引自白寿彝 . 中国通史［M］. 上海：上海人民出版社，1999：1437.

国家财政状况的好坏与社会经济的发展和人民的生产、生活是息息相关的，所谓“百姓足，君孰与不足？百姓不足，君孰与足”[①]就是这个道理。如果视民如草芥，不关注民生发展，一味地加紧搜刮和剥削，只会致使老百姓越来越贫穷。老百姓贫穷不仅无法满足君王的需求和富足，而且还会促使社会矛盾日趋严重，民穷财匮的状况长期得不到解决，迫于生活的压力和生存的欲望，人民不堪重负必然会铤而走险揭竿而起，清王朝的统治也就愈发岌岌可危了。

4．社会矛盾激化。

上述诸因素再加上人口急剧膨胀所带来的生存压力，促使社会矛盾异常尖锐，频繁出现的农民起义和市民暴动进一步瓦解了清王朝的统治，这是中衰的又一个具体表现。嘉道之际中国社会进入了一个人口急剧增长的时期，“自乾隆六年以后，其数陡长，更自嘉庆以迄道光，数十年间，人口由二万余万加为四万余万，实增百分之九十三”[②]。清乾隆时期是清代人口膨胀的分水岭，清初历经战乱，天下初定，城邑荒凉，人口骤减，物价便宜，老百姓的生活虽不富足，但谋生不成问题，故而社会渐趋稳定。经过清初一百多年的治理，中国社会迎来了人口生育的高峰期，大量增加的人口使清政府在土地资源和其他物质分配方面都面临极大的压力。“乾隆初叶以前，一人食力可养十人，至嘉庆时，物价人口增加，民生困难，故教匪之乱，皆言官逼民反，是清代经济之状况，当以乾嘉之际为鸿沟也。”[③]人口迅速膨胀导致物价上涨、土地短缺和劳动力过剩等问题日益严峻，老百姓的生活也愈发困窘，“自乾隆末年以来，官吏士民，狼艰狈蹶，不士不农不工不商之人，十将五六……自京师始，概乎四方，大抵富户变穷户，穷户变饿者。四民之首，奔

① 孔子．论语：颜渊［M］// 杨伯峻．论语译注．北京：中华书局，2005：127.
② 萧一山．清代通史：第二册［M］．上海：华东师范大学出版社，2006：359.
③ 同② 390.

走下贱。各省大局，岌岌乎皆不可以支月日，奚暇问年岁”[①]？面对民生日蹙的状况，有些官吏不仅无动于衷甚至还巧取豪夺。在天灾和人祸的交相煎迫下，民众对清政府的不满愈来愈烈，各地区的人民采取了不同的方式反抗清朝统治。如：农民开展抗租、争田斗争，城镇小手工业者和商民则采取罢工、罢市抗议政府的严酷剥削，还有矿工、渔民的反抗斗争也此起彼伏地在各地掀起。

据统计，从清乾隆后期到清道光年间，几乎每年都有民众掀起反抗斗争。较大规模的有：清乾隆三十九年（1774）山东兖州清水教王伦起义，乾隆四十年（1775）白莲教秘密结社，乾隆四十六年（1781）甘肃回民起义…… 清嘉庆元年（1796）湖北、四川、陕西白莲教起义，嘉庆八年（1803）东南沿海蔡牵起义，嘉庆十八年（1813）河南滑县天理教起义，嘉庆十九年（1814）河南捻军起义……清道光元年（1821）云南永北县彝民起义，道光二年（1822）四川果洛克番民起义，道光六年（1826）台湾黄文润起义。[②]起义涉及中国广大地区，参加者也是汇集各个民族，呈现出次数多、规模大、地域广的特点。尤其是白莲教起义，波及四川、湖北、陕西、河南、甘肃等多省，历时九年多，是清中期规模最大的一次农民起义。为了镇压这次起义，清政府动用了十六省的数十万军队，前后投入的军费高达2亿两白银，几乎耗尽了清王朝数年的财政收入，也使清王朝元气大伤。

5. 思想僵化。

嘉道之际的全面衰落在思想文化中也有明显的体现，嘉道之际考据学居鼎盛之势，但精通训诂考据的学者们在面临社会危机和衰败局势时，却显得手足无措，他们往往提不出解决社会问题的方案和建设性意见，有些学者干脆对这些社会问题和社会危机视而不见，埋头在故纸堆中，为学问而学问，回避纷纭的世事。

---

① 龚自珍．龚自珍全集：西域置行省议［M］．上海：上海人民出版社，1975：106.
② 侯外庐．中国思想通史：第五卷［M］．北京：人民出版社，2004：626.

显然考据学在当时已经失去了最初所具有的积极意义和创新精神，完全走向了保守和僵化境地。面对社会问题层出不穷的状况，统治阶层当然希望知识阶层能够分析和探究社会局势下滑、混乱的原因，找出症结，并开出良方，以挽救急骤衰败的局势。然而事实是考据学已不复当年的鼎盛，与日渐没落的清王朝一样，考证末流的烦琐学风和不问时事的做法很明显已经跟不上变迁的时代。

迄至道光后期，西方列强挟商品、鸦片和坚船利炮骎骎东来，更导致晚清社会出现了数千年来未有之变局，深重的内忧加上日亟的外患，迫使一批文人学子和开明官绅开始积极寻找匡救时弊、兴国安邦的良策，反映在思想文化上则是突破考据学的困境，积极开创学术的新局面。方东树犀利地批评汉学家的治学严重脱离实际，于国计民生毫无用处，说："汉学诸人，言言有据，字字有考，只向纸上与古人争训诂形声，传注驳杂，援据群籍证佐数百千条，反之身己心行，推之民人家国，了无益处。"[①] 埋头治学不问时政的风气几乎被整个社会所诟病，面对日益衰败的社会，学术界再也无法袖手旁观。一批敏锐的学者首先觉醒起来，他们开始积极关注现实事务，批评社会时弊，强烈要求将治学与国计民生紧密联系起来，这种具有强烈的反思和担当意识的治学风格，即是沉寂了许久的经世致用思想。经世实学契合了嘉道之际士大夫们挽救统治、寻找新出路的迫切心情。于是今文经学、理学经世思想等致用之学迎来了发展的空间和平台，乾嘉之际学术开始从"纯学术"走向"致用之学"，这种带有趋势性的学术转向，对晚清社会产生了十分深远的影响。

① 方东树．汉学商兑卷［M］．南京：凤凰出版社，2016：276.

（二）嘉道之际的学术转型和经世实学的兴起

嘉道之前为清代经学最隆盛之时，清代经学研究侧重于以考据训诂为手段，学者们通过训诂笺释、版本鉴定、文字校勘、辨伪辑佚等方法和手段，对以往的传统经典，进行了大规模的、认真系统的考证、整理和总结。他们在经学、史学、音韵、文字、训诂、地理、金石、天文、历法等领域的研究都取得了十分粲然的成绩。而且他们平实、严谨的学风，也一直为学术界所称道。不过乾嘉经学也有十分明显的缺陷和不足，学者们研究考证，几乎全是书本上的问题，缺乏新鲜的、现实的内容，许多研究都存在脱离实际的倾向。研究主要偏重于"以往之陈迹，而非新颖之问题，虽对于古学有整理之功，然殊无新发明、新境界"[①]，故而受到越来越多学者的诟病。朱希祖批评乾嘉学派："乾隆、嘉庆之际，考据之学为极盛时期，一世聪明才智之士，既多专治古学，不问时事，于是政治经济无正直指导之人，贪庸当道，乱阶由是酝酿。迨道光、咸丰，遂一败而不可收拾。"嘉道之际，内忧外患不断加深，埋头故纸堆的士大夫们，面对时局的变化和维艰，"对外既失肆应之方，对内又无根本之计，全国人才，不足应付变局"[②]。汉学不仅严重禁锢了人们的思想，还阻碍着学术的发展和社会的进步。人们已经普遍感觉到了八股取士和乾嘉汉学学术风气等文化上的弊端，呼唤人才和改良社会的声音越来越强烈。有学者就大声呼吁："欲救人事恃人才，欲救人才恃人心，欲救人心则必恃学术，欲救学术则非重定取士之制不可；不重定取士之制，士习所趋，如众水汹汹东下，欲以孑然一人之修身正言，力挽四海之浇俗，是又

① 萧一山．清代通史：第二册［M］．上海：华东师范大学出版社，2006：167.
② 朱希祖．清代通史叙［M］// 萧一山．清代通史：第一册．上海：华东师范大学出版社，2006：3.

以篑土障河也。”[①] 面对道德、人心和社会风俗的败坏，统治者也是一筹莫展，于是强调“德治教化”以挽救世俗人心和提倡经世致用的建议便得到了最高统治者的认可，嘉、道两朝一改过去推崇汉学的做法，转而大力提倡程朱理学和经世致用思想。

“嘉庆即位伊始，便屡降谕旨，整饬吏治，节约开支，并宣布广开言路，号召对政府的执政进行公开批评。”[②] 清嘉庆帝也告诫他的儿子，“惟当讲明正学，以涵养德性，通达事理为务”[③]。清道光帝即位后，更是积极呼求经世之才，强调“经之学，不在寻章摘句，要为其有用者”[④]，“通经致用，有治人而后有治功，课绩考勤，有实心而后有实政”[⑤]。他反复强调“士不通经，不足致用”，可见其倡导经世致用，改革内政的良苦用心。统治者的提倡对学风的改变起着至关重要的作用，士大夫们趋之若鹜地转向经世之学，中国学术思想的发展进入了一个新的转折点。“中国思想史有一个优良传统，每到社会发展的一定阶段，随着社会历史的变化和发展，思潮也就有了转向和进步，这个阶段的中国哲人便做出他们自己时代所能做出的总结。”[⑥] 伴随着嘉道之际的世运潜移，中国的学术思潮发生了巨大的变化，学术界出现了一批敢于切讥时政、诋毁专制、倡言改革的学子，朝堂上涌现出了一批勇于任事，主张清除积弊、躬行实践的官员。这些变化促使晚清今文经学和经世致用之学迅速兴起。

嘉道之际学术风气的转变首先是从今文经学运动开始的。今文经学的复兴最早开始于清中期常州学派的出现，其代表人物庄存与、刘逢禄、宋翔凤都是常州人。庄存与竖起今文经学旗帜时，

① 潘德舆．养一斋集：卷二十二［M］．刊本．1849（清道光二十九年）．
② 费正清．剑桥中国晚清史：上卷［M］．北京：中国社会科学出版社，1993：123—127.
③ 大清仁宗睿（嘉庆）皇帝实录［M］．影印本．台北：华文书局，1964：1768.
④ 清实录：第三八册宣宗实录（六）［M］．北京：中华书局，1986：343.
⑤ 同④ 345.
⑥ 侯外庐．侯外庐史学论文集：下册［M］．北京：人民出版社，1987：65.

正是乾嘉汉学兴盛之际，他独能求微言大义于语言文字以外，“以学术自任,开天下知古今之故,百年一人而已”[①]。今文经学家倡言微言大义与经世致用、借经言政的做法，为以后的政治改革活动奠定了思想理论基础。嘉道之际，今文经学逐渐受到越来越多学者和士大夫的青睐，他们利用今文经学公开抨击腐朽的政治制度，揭露昏暗的社会状况，积极寻求摆脱社会危机的方案。他们将公羊学与现实政治密切地结合起来，使其逐渐演变为一种政治学说，今文经学运动遂成为乾嘉汉学之后学术上的一大特色，开启了嘉道之际学术转型的先河。

龚自珍、魏源堪称今文学之健将，两人共同就教于刘逢禄，时人并称“龚魏”，“今文学之健者，必推龚、魏……后之治今文学者，喜以经术作政论，则龚、魏之遗风也”[②]。嘉道之际虽然各种社会问题层出不穷，却只有少数有志之士敏锐地觉察到了即将来临的危机，“举国方沉酣太平，而彼（指龚自珍、魏源）辈若不胜其忧危,恒相与指天画地,规天下大计”[③]。龚自珍最为世人熟悉的《己亥杂诗》:“九州生气恃风雷，万马齐喑究可哀。我劝天公重抖擞,不拘一格降人材。”[④]抒发了他对社会时局的愤懑和呼唤新人才的迫切心情。他不仅洞察到清王朝走向衰败的迹象，还觉察到了西方资本主义将会对我中华民族造成威胁，认为“近惟英夷，实乃巨诈,拒之则叩关,狎之则蠹国”[⑤]。魏源也不遗余力地推动今文经学的发展，他著《书古微》《诗古微》等著作，详细阐述今文经学的微言大义，并且强调“天下无数百年不弊之法，无穷极不变

① 龚自珍．龚自珍全集：资政大夫礼部侍郎武进庄公神道碑铭［M］．上海：上海人民出版社，1975：141.
② 梁启超．清代学术概论［M］．上海：上海古籍出版社，1998：125—126.
③ 同② 127.
④ 龚自珍．龚自珍全集［M］．上海：上海人民出版社，1975：521.
⑤ 龚自珍．阮尚书年谱第一：序［M］// 龚自珍全集．上海：上海人民出版社，1975：229.

之法，无不除弊而能兴利之法，无不简易而能变通之法”[①]。魏源最为后人称道的著作是《海国图志》，书中提出的“师夷长技以制夷”主张，对中国近代社会的发展产生了深远的影响，整体来说今文经学运动的发展虽为乾、嘉以后学术上之特色，然其声势，固复不若考据学之能风靡一世也。当龚、魏继起之时，今文学壁垒一新，宜乎可以左右坛坫矣，其实不然[②]。龚自珍和魏源两人虽然开创了一个新的学风，但他们对新思想和新学术没有做详细而系统的研究，而且由于他们远离权力中枢，其学术思想、政治主张难以传达到中枢，成为统治者改革社会的良药，故而他们对当时的政治时局产生的影响也就十分有限。虽然如此，但他们呼吁变革的首倡之举还是十分值得肯定的。紧接着，“理学家文学家之异军突起，宗风大振，事业彪炳，由桐城派之古文，修理学家之功力，精进求益，推极孔孟，于是《中庸》《大学》之义斯明，而明道救世之学乃著”[③]。理学经世思潮蔚为壮观起来，直至清咸同之际，发展成为晚清社会的主流社会思潮，推动着近代社会的发展。

所谓经世，就是“经国家”[④]“经邦国”[⑤]的意思，也可以称之为“治世”或“理世”，或者“治理天下”的意思，这一字面的意义反映出儒家一种特殊的入世人生观。[⑥]“经世”的观念并非儒家独创，但儒家却将经世致用思想与国家政治紧密地联系在一起，不仅使经世理念成为了中国传统文化的一个重要概念，而且赋予了经世思想“修身、齐家、治国、平天下”的政治理想和价值高度。因此，“经世”这一观念不仅代表了儒家所特有的基本价值取向——一种入世精神，一种积极进取的人生态度，它也是儒家区别于其

① 魏源．魏源集：筹鹾篇［M］．北京：中华书局，1976：432.
② 萧一山．清代通史：第四册［M］．上海：华东师范大学出版社，2006：311.
③ 同②．
④ 左丘明．春秋左传［M］．顾馨，徐明，校点沈阳：辽宁教育出版社，1997：12.
⑤ 周礼仪礼［M］．崔高维，校点．沈阳：辽宁教育出版社，1997：3.
⑥ 张灏．宋明以来儒家经世思想试释［M］// 幽暗意识与民主传统．北京：新星出版社，2006：76.

他学派和思想文化的鲜明特征，中国传统知识分子所具有的“忧患意识”“责任意识”“担当意识”都与经世理念和入世精神有很大的关系。在这一观念和精神的感召下，他们在治学和社会实践中都讲究务实精神，积极关注社会现实问题，以求达到兴邦安国的目的。儒学倡导的这种经世理念和方法，实际上数千年来一直是绵延不绝的，但“一般而言，社会生活平稳，文化专制强有力，经世观念往往作为一种‘潜质’埋藏在士人古色古香的学术外壳内，隐而不彰；到了社会危机四伏的关口，国家民族面对纷至沓来的内部的或外部的挑战，文化专制有所松动，士人的忧患意识便会大觉醒，其学术也在现实生活的冲撞、磨砺下，沿着经世方向发展”[①]。

清嘉道之际“积威日弛，人心已渐获解放”[②]，再加之严重的社会危机刺激，倡导经世实学思想的人士越来越多。据统计当时汇集在经世思潮旗帜之下的著名人士就有二三十人之多，这些人大致可以分为两类：一是具有经世思想的高级官吏，如阮元、陶澍、林则徐、贺长龄、徐继畬、黄爵滋等。这些人基本上都是举人或进士出身，都有着在朝堂或地方任职的经验，因此能够有机会将经世理念上传于统治阶层，也有展示经世实践的平台。二是一些文人学者或下级官吏，如龚自珍、魏源、包世臣、姚莹、汤鹏、沈垚、张穆、何秋涛、张际亮等，这些人官职卑微或为布衣，但他们长期生活在社会的中下层，对社会现象和社会问题接触和了解得比较深入。对于社会积弊和衰落局面他们也是痛心疾首，然人微言贱，使得他们缺乏施展才华的平台，于是他们深入剖析时局，发奋著述，留下了不少对后世影响深远的著作。[③]

与繁杂琐碎的汉学、空谈义理的宋学以及微言大义的今文经

① 冯天瑜．道咸间经世实学在中国文化中的方向［M］// 葛荣晋．中国实学史研究．北京：中国社会科学出版社，1992：179.

② 梁启超．清代学术概论［M］// 饮冰室合集：第 8 册．北京：中华书局，1989：52.

③ 郑大华，彭平一．社会结构变迁与近代文化转型［M］．成都：四川人民出版社，2008：67.

学等学派相比，嘉道之际的经世实学具有明显不同的特点。虽然在学理上这一时期的经世实学还属于儒学的范畴，也没有突破传统经世致用的窠臼，但是特殊的时代背景赋予了嘉道之际经世实学许多新的时代色彩，这一时期的经世思想表现出了新知识和旧观念的交融和糅合。不仅积极关注以往被忽视的边疆问题、海防问题，而且还增加了关注西方问题的新视角。尤其是清道光皇帝执政晚期，英国挟军舰大炮叩开了中国的大门，清王朝骤然面临数千年未有之变局，这一时期的经世派人士不再拘泥于传统的经世理念，随时势不断发展变化，积极寻找兴利除弊的方法和良方。他们要求变革的呼声比以往任何时候都要迫切，而在倡导和实践经世理念时他们也更加注重功利性和实效性。虽然这一时期受到西学东渐的影响，但中国传统思想发展变化自然有其内在的脉络和历程，"晚清经世实学的兴起，决不能解释为对西方挑战的反应，而是中国思想史自身的一种新发展，其外在的刺激也依然是来自中国本土"[①]。清嘉道之际学术上的这些新变化和新发展，无论是今文经学的复兴，还是经世致用思想的活跃，抑或是汉宋调和的出现，探究它们出现的根源和动力，主要还是来自传统文化本身。这一时期的学术变迁必须看作是传统儒学的不同流派面对新的时代背景和历史条件做出的不同反应，从经世派人员的构成上也可以发现，他们都没有脱离传统士大夫的本色，其学术思想和社会实践也没有打破传统的"天下观"，即便是倡导学习西学的林则徐、魏源等人，他们也是立足于传统文化的基础来"开眼看世界"的，因此从本质上来说，这些新变化主要还是传统儒学自我调节和自我更新的结果。换句话说，这一时期西方势力对中国的渗透和干预主要还是集中在口岸城市，对整个中国社会造成的影响还是相对有限，这就使得中国的学术蜕变和学术转型还可以沿着自身的

① 余英时．中国思想传统的现代诠释［M］．南京：江苏人民出版社，1989：259.

发展方向逐渐变迁。及至第二次鸦片战争，列强进一步加强对中国的侵略，西方文明也随之大肆侵凌，中国的学术界则进入到了一种非常态的突变阶段，传统文化的变迁过程遂受到了猛烈的冲击而渐趋于瓦解。我们将在后文中对这一问题加以讨论。

（三）湖湘经世实学的兴起与活跃

清嘉道之际的经世派中，活跃着许多湖南人的身影，这其中以严如熤、陶澍、贺长龄、贺熙龄、李星沅、黄冕、魏源、汤鹏、邓显鹤等影响力最大。湖湘经世实学在嘉道时期的兴盛源于多种因素，除了上述社会环境促使经世学兴起外，湖湘地区特有的人文环境、地域特色和历史渊源，也对湖湘经世派这一独具特色的文化群体的形成起到了很大的促进作用。

湖湘文化中的经世传统，根基深厚而又源远流长，突出的可以追溯到湖湘学派的创立者理学大师胡安国、胡宏父子，胡安国"强学力行，以圣人为标的，志于康济时艰，见中原沦没，遗黎涂炭，常若痛切于其身"[①]。他针对南宋时复杂的社会状况，毕其一生的精力研究《春秋》，希望能够以春秋学指导南宋政府的统治和抵御金军的劫掠。在《春秋传》序言中，胡安国明确阐明了治学的目的是"百王之法度，万世之绳准，皆在此书。故君子以谓《五经》之有《春秋》，犹法律之有断例也。学是经者，信穷理之要矣；不学是经而处大事、决大疑能不惑者，鲜矣"[②]。这种将儒家义理和通经致用相结合的治学理念，奠定了以后湖湘学派的学术风格，对他的弟子们产生了深刻的影响。其子胡宏在治学中也强调关注社

① 脱脱，等．宋史：第19册：卷四百三十五［M］．北京：中华书局，1977：12914.

② 胡安国．春秋传：序［M］// 宋元明清十三经注疏汇要：第9册．北京：中共中央党校出版社，1996：1.

会现实，倡导“有体有用”之学。他说：“学圣人之道，得其体，必得其用。有体而无用，与异端何辨？井田、封建、学校、军制，皆圣人竭心思致用之大者也。”① 又说：“口诵读古人之书，目睹今日之事，心维天下之理，深考拨乱致治之术。”② 胡宏虽然没有从政经历，但他仍十分关注社会时局的变化，就治国安邦提出了一系列见解和措施，如：改革军政、鼓励耕植、减免冗滥、选贤举能和加强法制等。及至他的弟子张栻将经世致用的实学精神进一步发扬光大，使之成为了彰显湖湘文化色彩和区别于其他地域文化的标志。在岳麓书院讲学时，张栻明确宣称办学宗旨是“造就人才，以传道而济斯民也”③。教导学生要“贵实用而耻空言”，因为“天下之理，惟实为贵”④。张栻十分注意研究和考证治国用兵的方略以及关注国计民生问题的经济之学。他突破了儒学“罕言利”“尚礼义不尚权谋”的传统，认为内圣的修己和外王的“施之天下”是合二为一的。在谈论“义利之辨”时，他说：“嗟乎！义利之辨大矣！岂特学者治己之所当先，施之天下一也。王者所以建立邦本，垂裕无疆，以义故也。”⑤ 张栻在治学时尤其强调要关注社会现实，将经济、军事等事务都列入学习研究的范畴，因为这些都是国家兴盛所必不可少的条件。他说：“盖君子于天下之事，无所不当究，况于兵者，世之兴废，生民之大本存焉，其可忽而不讲哉？兵政之本在于仁义，其为教根乎三纲，然至于法度、纪律、机谋、权变，其条不可紊，其端为无穷，非素考索乌能极其用？……嗟乎！夷虏盗据神州，有年于兹，国家仇耻未雪……然则于是书其

① 胡宏．胡宏集：与张敬夫［M］．北京：中华书局，1987：131.
② 同① 107.
③ 张栻．潭州重修岳麓书院记［M］// 张栻全集：中．杨世文，王蓉贵，校点．长春：长春出版社，1999：693.
④ 张栻．南轩集补遗［M］// 张栻全集：下．杨世文，王蓉贵，校点．长春：长春出版社，1999：1192.
⑤ 张栻．孟子讲义序［M］// 张栻全集：中．杨世文，王蓉贵，校点．长春：长春出版社，1999：753.

又可以忽而不讲哉？予故刻而传之。”[①] 在张栻看来，关系“世之兴废”“生民之大本”的一切“天下大事”和纲常道德具有同等的重要性，学子们都必须认真研究学习，“完全是从现实的社会政治的需要出发，考虑到了‘兴废之事’‘生民之大本’以及抗金复仇等经世致用的要求，而将包括军事在内的一切‘天下大事’作为学者必须学习的内容。这一切，使得湖湘学派的‘实学’风格更加突出、鲜明”[②]。张栻这种重视现实问题研究，倡议实学的风气，在当时独树一帜，并且作为湖湘文化的一种独有的学术风格和学术传统被后世的湖湘学子很好地保留和传承了下来。

清初，王船山进一步发扬光大了湖湘经世实学的精神和内涵。王船山一生治学，重视实事求是，力戒空谈虚说，倡导即事穷理的求实精神。他力倡“言天者征于人，言心者征于事，言古者征于今”的为学之道，讲求“明人道以为实学，欲尽废古今虚妙之说而返之实”[③]。还深入阐述了宋儒关于“即物穷理”的命题，认为理是天下万物的属性，它蕴含在万事万物中，离开了事物就没有了事物的条理。他认为“有即事以穷理，无立理以限事”[④]，人们只能从事物本身去探究和发现其内在的规律和法则，而不能事先预设一个理来限制事物的发展。因此他坚持躬行践履，坚持世界可知论，主张按照客观规律去探求事物的理。王船山把个体生命与国家、民族的危难牢牢地联系在一起，青年时期即与友人组织匡社，盖有匡扶国家社稷之意，及至中年，他又积极参与抗清斗争，抗清失败后，他蛰伏山野，誓不剃发、不易服、不出仕，直至最后“全而归之”。王船山中年以前积极投身社会实践，力图从“外王”

① 张栻．跋孙子［M］// 张栻全集：中．杨世文，王蓉贵，校点．长春：长春出版社，1999：814.
② 朱汉民．湖湘学派史论［M］．长沙：湖南大学出版社，2004：47.
③ 王敔．大行府君行述［M］// 船山全书：第一六册．长沙：岳麓书社，2011：81.
④ 王夫之．续春秋左氏传博议下：士文伯论日食［M］// 船山全书：第五册．长沙：岳麓书社，2011：586.

的角度践行儒者的修行，屡次受挫后，转向了学术研究，他的后半生都是在艰苦卓绝的治学中度过的。他的治学也是志存高远，富有强烈的经世愿望，他不是单纯的为学问而学问，而是希望通过学术研究探明古今兴亡得失的道理，更准确地说是找出明朝覆亡的原因，为以后有志于民族复兴大业的仁人志士提供经邦济世之理论，以期扶长中夏。王船山这种治学崇尚经世的态度，在近代受到了不同学术派别人士的推崇和赞许，不仅对近代湖湘文化，甚至对近代其他地域的思想家都产生了深刻的影响。

近代“中国许多知识分子将自己看成是对政治危机和文化变迁作出反应的自律的，进行创造性思维的人”[①]，他们希冀通过深入发掘传统思想文化的精粹，为自己倡议的改良主张或救国道路寻找充足的理论支撑，湖湘经世实学恰好满足了这一需求。“在晚清中国的近代化转型进程中，湖湘文化表现得富有生气、朝气蓬勃，传统的实学精神因其思想的内在理路而成为近代文化转型的逻辑的、历史的依据与起点。”[②] 湖湘经世实学的兴起，为晚清湖南学术和人才的发展奠定了坚实的基础，也为湖湘文化的进一步发展创造了一种人文荟萃的社会和文化氛围。

二、嘉道之际湖湘经世派的思想与事功

19 世纪中叶以后，正值晚清社会日益凋敝、异说潜兴、海疆有祸之时，在特殊的时代背景下，基于挽救晚清统治危机的需要和传承民族文化的使命所然，这一时期积极推广经世实学的湖湘人士不断增加，兹举几位具有代表性的人士。

---

① 墨子刻．摆脱困境——新儒学与中国政治文化的演进［M］．南京：江苏人民出版社，1990：203.

② 朱汉民．论湖湘实学传统的近代转型［J］．船山学刊，2006，3（26）.

(一) 严如熤的经世思想及其事功

严如熤（1759—1826），字炳文，号乐园，湖南溆浦人。清嘉庆五年（1800）应试孝廉方正，廷试奏对《平定川楚陕三省方略策》,仁宗亲擢第一。清嘉庆六年（1801）补为洵阳（今旬阳）知县，后历任定远厅、潼关厅同知。嘉庆十四年（1809），升为汉中知府，其后又任陕西兵备道、陕西按察使。严如熤长期在陕南地区任职，对当地情况十分熟悉，采取了有效的治理措施，使所治一方社会较为稳定、经济发展，民众对其称颂有加。他还是一位著述甚丰、经世理念很强的学者，留存至今的主要著作有《洋防辑要》《苗防备览》《三省边防备览》《汉南续修郡志》《乐园文钞》《乐园诗稿》和《山南诗选》等。严如熤十分欣赏范仲淹等宋儒所倡导的以天下为己任的责任意识和担当精神，“生平慕范希文为人，取先忧后乐意，自号乐园”[①]。陶澍评价他是“及其驰骋古今理乱，贯串天文、河渠、兵法、星卜，以逮舆地险要，形格势禁，若聚米画沙，烛照而龟灼。所规画常在数十百年外。遇盘根错节，无不迎刃以解”[②]。

严如熤的从政之路既得益于他平素对社会时局的关注和了解，也得益于他一直坚持的经世理念。在应对流民泛滥和教民起义的问题上，严氏提出了许多切实可行的办法，“嘉庆初，襄达教匪蔓延五省，大兵乘之，云扰波溃。四年，诏举直省孝廉方正之士，策方略，于是湖南溆浦严君如熤对几万言……实为百世长久策。奏上，仁庙亲擢第一，次日传旨军机，询屯政事宜，复上十二事”[③]，这些建言得到了清嘉庆皇帝的赏识和好评，随即召见了严如熤，并授予其官职。其后严如熤镇守陕南地区，为当地经济的发展和

① 陶澍．布政使衔陕西按察使乐园严公墓志［M］// 严如熤．严如熤集．长沙：岳麓书社，2013：8.

② 同①．

③ 汤金钊．布政使衔陕西按察使乐园严公神道碑［M］// 严如熤．严如熤集．长沙：岳麓书社，2013：9.

社会稳定做出了重要贡献。据史载，“宣宗每论疆吏才，必首及之”①。严氏执政不仅获得了朝廷的认可，也得到了民众的爱戴，及“其卒也，秦民巷哭，如失慈父母，愿比朱邑、桐乡，请其柩入南山，弗得，则吁请祀名宦。而湖南之人，亦具公事状，请入乡贤祠，为桑梓矜式”②。在晚清吏治全面腐败的境况下，严氏尽管一生官位并不显赫，但在陕南地区和湖湘绅士中留下了很好的口碑。尤其是作为湘籍官吏，严如熤治理地方事务取得的政绩和他的经世理念，为师友们所赞赏和学习，对后继的湖湘学子起了很好的示范作用。严氏这种将治学与社会实际密切结合，积极关注社会时务的做法，开启了嘉道之际湖湘经世派的先河。

严如熤对陕南地区的治理是功不可没的，其任汉中知府以来，“联营伍，立保甲，治堡寨，问民疾苦。兴劝农事，行区田法，教纺织，使务本计。修复褒城山河堰及城固五门、杨填二堰，各灌田数万亩，他小堰百余，皆履勘浚治，水利普兴。复汉中书院，亲临讲授。于华州渭南开谕悍回，缚献亡命数十人；于宁羌解散湖北流民，于城固擒教首陈恒义，皆治渠魁，宽胁从。令行禁止，人心帖服，南山遂大定”③。概括起来看，严如熤突出的政绩主要包括稳定地方秩序、发展农业生产、复兴书院教育、镇压农民暴动等方面。作为一名舆地经世学家，他执政中贯彻和渗透了浓厚的经世理念。清中叶以后人口急剧膨胀，人多地少问题日益突出，大量的流民涌入陕南地区，清嘉庆元年（1796）爆发的川、陕、鄂三省边区白莲教起义，更加剧了陕南地区的动荡，当地农业生产受到了极大的影响。他从清嘉庆六年（1801）任陕西洵阳县知县开始，就积极兴修水利工程，为农业发展创造条件。为此他深

① 赵尔巽．严如熤传［M］// 清史稿：卷三百六十一．北京：中华书局，1977：11393.

② 陶澍．布政使衔陕西按察使乐园严公墓志［M］// 严如熤．严如熤集．长沙：岳麓书社，2013：8.

③ 同① 11392.

入实地仔细寻找原因，因地制宜地解决了陕南地区水利灌溉中存在的许多问题，为陕南地区扩大耕地面积和提高农作物的产量奠定了坚实的基础。随后他还详细地总结了治理水渠的经验，并且集结成文，为以后研究清代西北地区水利发展提供了可资借鉴的史料。在发展农业生产、稳定民众生活的同时，严如熤还积极地修复和整顿书院教育。他敏锐地察觉了人心风尚对社会秩序的影响，选择了以自己就读的岳麓书院为范本，积极倡导书院的务实精神和经世致用学风，仿照岳麓书院的模式制定课程，还亲自参与书院的教学和常规管理，致使洵阳敷文书院称盛一时，后来他还扩建了汉中书院，续修了《汉南郡志》。

严如熤的经世才干还表现在他镇压白莲教起义、苗民起义和著书立说等方面，此处我们不评价严如熤镇压农民起义行为的对与错，仅仅站在他作为清王朝地方官吏的角度来描述这件事情。川、陕、鄂边界的白莲教起义曾经使清王朝焦头烂额，严氏充分利用自己熟悉当地情况的有利条件，制定了完整的清剿、防御和安顿措施，基本上肃清了白莲教在陕南的势力。为政之余，严如熤还广泛收集资料，著书立说，探讨当时面临的各种问题和社会危机，他的著作都有很强的现实意义。例如他在《苗防备览》一书中绘制了十多幅地图，详细地记录了苗疆的情况，“自是环苗疆千数百里，山川之险夷，道路之迂直，开卷而了然具在矣”[①]。严氏明确说明著书的目的就是为朝廷排忧解难，如果“后之有事五溪者，览于此而行军之往来，屯戍之要害，文报之递传，转输之径路，俱可不至惘迷，则意匠经营，区区之苦心，未必非壮猷之以助矣”[②]。其他著述如《三省边防备览》《洋防辑要》《汉中府志》和《乐园

① 严如熤．严如熤集：苗防备览：卷一舆地说［M］．长沙：岳麓书社，2013：387.

② 严如熤．严如熤集：苗防备览：卷一秀山县图附绥宁营［M］．长沙：岳麓书社，2013：414.

文钞》等，也对当时比较敏感的民族问题、流民问题、海防问题等进行了深入的分析和探究，针砭时弊，具有强烈的经邦治国意识。这些著述都是他通过实地考察、亲自访寻后结合自己的任职经验创作的，对处理当时的民族问题和加强民族地区的管理起到了很好的借鉴作用，这些资料在今天仍然具有较高的史学价值。

探究严如熤经世理念的渊源，可以发现湖湘文化对其影响十分深远。严如熤就读于湖湘文化的重镇岳麓书院，他对书院和师友们怀有深厚的感情，在他的诗钞和文稿中有大量关于书院师生学习生活的记录和回忆。他与其师罗典的感情尤为深厚，曾多次著文感谢老师给予自己的教诲和人生指引，说："富贵非可期，砥砺犹有志。愿言亲名贤，执经晰疑义。丈夫怀壮心，当为干镆器。腐儒徒迂疏，曲学滋诈伪。谁与证迷误，悠悠结我思。少微照灵麓，道远幸能至。"[①] 岳麓书院一直都有"讲性理、笃践履、重经世"的学术传统，至严如熤就读时，当时的山长罗典学识渊博、育才有方，更是大力提倡为学必须务实，"慎斋夫子讲学岳麓者十余年，倡明道术，衍朱张之传，湖湘间翕然宗之，一时俊伟奇杰之士，获闻夫子绪余，皆务服古志道为有体有用之学，不区区疲精力于文也"[②]。罗典在教学中一直贯彻"坚定德性，明习时务"[③] 的育才方针，这种为学讲究经世致用的理念对书院学子们产生了很大的影响。严如熤 13 岁时，"补县学生，师事少鸿胪罗先生典于岳麓，先生极重之"[④]，随后在岳麓书院学习生活长达六年，可以说是深刻体会了罗典思想的精髓。在老师的指导下，他"研究舆图、兵法、

① 严如熤．严如熤集：暮岁将归呈慎斋师［M］．长沙：岳麓书社，2013：253.
② 严如熤．严如熤集：文会记［M］．长沙：岳麓书社，2013：83.
③ 罗典．癸卯同门齿录序［M］// 杨慎初．岳麓书院史略．长沙：岳麓书社，1986：172.
④ 陶澍．布政使衔陕西按察使乐园严公墓志［M］// 严如熤．严如熤集．长沙：岳麓书社，2013：4.

星卜之书，尤留心兵事”[①]。及至后来任职陕南，他便将这些经世理念运用到了社会实践中。本着先忧后乐的担当精神，严如熤恪尽职守、悉心劝民，维护了一方安稳。他的学行和情操对周围的师友也产生了很大的影响。严如熤曾与陶澍的父亲陶必铨、魏源的叔父魏辅邦同在岳麓书院求学，陶澍当时也随父亲一起学习，陶澍回忆起幼年与严氏的交往说，“有溆浦严先生者，倜傥磊落，如古陈同甫一流。……先生暇则举以示澍，谓有志竟成，自恨所处不得与共事”[②]。严如熤去世后，陶澍亲自为其撰写墓志铭，推崇其经世之志，称“后之有志经世者，必将取镜焉”[③]。魏源、贺长龄也都在文章中提及和赞誉过严氏的经世理念，而且魏源还与严如熤的儿子严正基是同窗挚友，如此看来，年长而且优秀的严如熤必然成为他们仿效的榜样，贺熙龄就高度赞扬说：“往时读乐园先生《苗防》《洋防》《边防》三书，指陈形势，规画兵旅，了然如指诸掌，而慕为班定远、祖豫州一流。既习闻先生秦中治迹，教之农桑畜牧，先教化而后刑罚，民安富而敦礼让，则龚遂、文翁之治不是过焉。读其书慕其治，而益思颂其文。”[④]因此，说严如熤是嘉道时期湖湘经世实学的先驱，一点也不为过。

（二）陶澍的经世思想及其事功

陶澍（1779—1839），字子霖，号云汀，湖南安化人。清嘉庆七年（1802）进士，授庶吉士，任翰林院编修，后升御史、给事中。清嘉庆二十四年（1819），曾先后调至四川、山西、安徽等

① 赵尔巽．严如熤传［M］// 清史稿：卷三百六十一．北京：中华书局，1977：11390.
② 陶澍．陶澍集：与严乐园先生书［M］．长沙：岳麓书社，1998：132.
③ 陶澍．陶澍集：布政使衔陕西按察使乐园严公墓志［M］．长沙：岳麓书社，1998：199.
④ 贺熙龄．乐园文钞序［M］// 贺长龄，贺熙龄．贺长龄集 贺熙龄集．长沙：岳麓书社，2010：17.

省任按察使、布政使和巡抚等职。清道光十年（1830），加太子少保衔，署两江总督。道光十九年（1839），病逝于任上，赠太子太保衔，谥号文毅，入祀贤良祠。陶澍才华出众，留下了不少佳作，著有《陶云汀先生奏疏》《陶文毅公全集》《陶云汀先生题稿》《印心石屋文钞》《印心石屋诗钞》《蜀辅日记》《陶渊明集辑注》《靖节年谱考异》等。陶澍是清后期杰出的政治家，在从政中积极贯彻经世致用理念，对湖湘士子影响深远，堪称清嘉道之际湖湘经世派的领袖。“嘉道之时，留心时政之士夫，以湖南为最盛，政治学说亦倡导于湖南，所谓首倡经世文编之贺长龄亦善化人，而澍以学问为实行，尤为湖南政治家之巨擘。”[①] 陶澍强调治学必须要有实用，多次敦促学子们写文章要“随时地为转移，要惟以实而不为华，为能垂世而可久焉”，因为“有实学，斯有实行，斯有实用”[②]。他还特别指出治学的目的就应该是配合国家经邦治国，“夫国家造就人才，自三年大比，岁科两试之外，又以书院课试辅贡举之不逮，其所望于诸生，岂惟是能为制举之文，遂诩然自足哉？亦将厉之以通经学古，而致诸用也”[③]。贺长龄、魏源、汤鹏、邓显鹤等有志于经世理想的湘籍人士，都汇集在他的身边，在陶澍学行和能力的感召下，清嘉道时期湖湘经世群体声名鹊起。

陶澍经世理念的思想来源，主要有四个方面：一是受家学熏陶。陶澍的父亲陶必铨曾经就读于岳麓书院，师从罗典，与严如熤是同窗好友，也是一位经世思想的推崇者。陶必铨没有严如熤那样的从政机会，于是就将经邦治国理念和梦想寄托在学生和儿子那里，他教导学生为学要“以通经为本，尝谓经熟则义理熟，而言之有物”。从其学者，均“趋向实学，取青紫者甚多”[④]。陶澍对其

① 孟森．明清史讲义：下册［M］．北京：中华书局，1981：618.
② 陶澍．陶澍集：钟山书院课艺序［M］．长沙：岳麓书社，1998：99.
③ 陶澍．陶澍集：尊经书院课艺序［M］．长沙：岳麓书社，1998：100.
④ 陶澍．陶澍集：例赠儒林郎翰林院修显考萸江府君行述［M］．长沙：岳麓书社，1998：253.

父亲的学行更是耳濡目染，他与父亲“自幼跬步弗离”，“七岁随府君受书，朝夕在侧”。陶必铨十分注重对儿子学识、品行的教育和培养，陶澍在回忆父亲的教诲时说：“府君每语以古贤可敬可畏之事，以感发其志气，虽途间食顷，谆谆然随事指点。夜则蹴以足，而诘日间所学诗、古文辞，旁及俶诡之文，皆听以意为之，未尝限以绳尺。惟偷惰必戒，夏楚不少贷。……教诱尤极殷恳焉。”[①]家庭教育对个人成长的影响是十分关键的，父亲严厉的教育和以身作则，对陶澍以后的人生道路起了很重要的作用。二是受明清以来经世实学的影响。陶澍对明清之际具有经世思想的政治家和思想家十分钦佩，他在诗文中多次提及归有光、张居正、顾炎武等前朝具有经世理念的著名政治家和思想家，并对他们的实学思想和践履行为赞赏有加。他多次到归有光祠中祭拜，并倡导建立了震川书院，以纪念和弘扬归氏的“通经学古，经世致用”思想。称赞张居正说：“明至嘉、隆时，上恬下嬉，气象苶然。江陵张文忠公起而振之，挈领提纲，综核名实，法肃于庙堂之上，而令行于万里之外。……迄今读其奏疏及手牍诸书，洞中窾要，言简而虑周，卓然见之施行，其精神气魄，实能斡旋造化，而学识又足以恢之。洵乎旷古之奇才，不仅有明一代所罕见也。”[②]还对鼓吹经世之学的东林党领袖高攀龙十分仰慕，认为高攀龙的品德和情操不仅可以与刘宗周并世，甚至还可以比肩程朱，为了弘扬高攀龙的学行和事迹，他专门上奏朝廷请将高攀龙从祀文庙。称颂高攀龙是“持身则主敬存诚，立朝则直言正色，卒能取义成仁，不负所志。其立说著书，授徒讲学，皆宗经卫道，足以模楷儒林……高攀龙忠节既树人伦之鹄，道德尤为后学之宗，似宜增入从祀”[③]。

① 陶澍．陶澍集：例赠儒林郎翰林院修显考莄江府君行述［M］．长沙：岳麓书社，1998：253.

② 陶澍．陶澍集：重刻《张太岳先生全集》序［M］．长沙：岳麓书社，1998：82.

③ 陶澍．陶澍集：请将前明高攀龙从祀文庙折子［M］．长沙：岳麓书社，1998：324.

对顾炎武的学问和气节也十分的钦佩，曾说："亭林气节足媲陶庵，其学问文章，亦与震川分行而并峙。"[①] 顾炎武是明末清初三大儒之一，提倡经世致用，反对空谈，开创了清代朴学研究的先河。顾氏推崇学术研究和实地考察相结合的学风，其"足迹半天下，所至交其贤豪长者，考其山川风俗疾苦利病，如指诸掌"[②]。《天下郡国利病书》和《日知录》都是其亲历各地考证调查后创作的。顾氏这种舆地经世传统也被陶澍所吸收，他效仿顾氏撰写了《蜀辖日记》《鸿雪因缘图记》《与百菊溪制府书》等著作，辨析山川河流，考证地理沿革，描绘风土人情，探讨战守得失。三是湖湘文化中经世传统的浸润。湖湘文化中的经世传统为陶澍经世思想的形成提供了丰厚的土壤和持久的动力，从陶澍对王船山的敬仰就可以看出其对湖湘文化经世传统的继承和发扬。王船山治学是为了"慨明统之坠也，自正、嘉以降，世教早衰，因以发明正学为己事"[③]。王船山的经世致用关乎着文化传承和民族大义的政治寄托，对后世湖湘学子产生了深远的影响。陶澍不仅积极支持邓显鹤刊刻《船山遗书》，还为王船山隐居的湘西草堂亲笔题写了"衡岳仰止"的匾额和"天下士，非一乡之士；人伦师，亦百世之师"[④] 楹联，予以这位乡贤高度赞扬。四是同时代经世派人士相互砥砺，也给予了陶澍许多有益的启示。清嘉道之际，湖南形成了经世实学群体，主要成员有严如熤父子、陶澍、贺长龄、贺熙龄、唐鉴、汤鹏、魏源、黄冕、李星沅、邓显鹤等人，他们都主张通经致用，强调学术研究和社会实践的有效结合。陶澍与这些同乡之间交往十分频繁，彼此之间时常探讨学问，交流对时政的看法。陶澍早

① 陶澍．陶澍集：西溪草庐诗序［M］．长沙：岳麓书社，1998：94.
② 顾炎武．日知录集释：潘耒原序［M］．黄汝成，集释．长沙：岳麓书社，1959：1.
③ 王敔．大行府君行述［M］// 王夫之：船山全书：第一六册．长沙：岳麓书社，2011：73.
④ 邓显鹤．船山先生王夫之［M］// 王夫之：船山全书：第一六册．长沙：岳麓书社，1996：107.

年即对严如熤治理苗疆的事功佩服不已，及从政后，贺长龄、魏源等积极参与他主持的漕运、盐政等改革，对陶澍的施政改革取得成功都起了重要的辅助作用。而陶澍也不忘大力提携和帮助这些志同道合的同乡，由此嘉道之际以陶澍为核心的湖南经世实学群体不断扩大和发展，遂形成了晚清湖湘文化的第一个知识群体。同时期的经世人士还有如纪昀、卿祖培、黄爵滋、赵申乔、龚自珍、王垣夫、秦小岘、董桂敷、包世臣等也都给予了他诸多有益的启迪和帮助，他们相互砥砺，相互学习，共同倡导经世致用之学，为改变晚清的社会局势积极寻找救世良方。

陶澍的经世思想，集中体现在三个方面：一是提倡“有实学，斯有实行，斯有实用”[①]的学术理念。陶澍反对华而不实的治学态度和学风，对空谈性命、沽名钓誉的行径十分厌恶，认为当今世风日下，跟学术风气的变化有很大的关系。“后世高谈性命，逃之于空虚，议论日多，而无当于实用，学术之所以不能如古，盖在是矣。”[②]他抨击“捃摭训诂，泛滥词章，以为弋钓科名之具，于风俗人心之本，毫无与也”[③]。提倡将学术研究与实政实务结合起来，以明学术、正人心为己任，倡导博学于文的学风。为此他积极研究有关国计民生的明体达用之学。二是正风俗、肃吏治的政治思想。陶澍一生为官清廉，十分关心民瘼，他不惧各种势力的阻挠，锐意进行整顿吏治的行动，为清嘉道之际的官场注入了一股清流。清嘉道时期，官吏贪污腐化之风盛行，吏治败坏导致了社会日渐衰落，为挽救封建统治的危机，陶澍提出了化民成俗、整肃吏治、察吏选贤、严保甲之制等一系列改良政治、解决社会问题的主张，并且在执政过程中积极推行和落实这些主张，收到了很好的效果。三是具有大胆创新的改革理念和精神。陶澍担任两江总督期间，

① 陶澍．陶澍集：钟山书院课艺序［M］．长沙：岳麓书社，1998：99.
② 陶澍．陶澍集：毛诗礼征序［M］．长沙：岳麓书社，1998：63.
③ 陶澍．陶澍集：课蒙孝友录序［M］．长沙：岳麓书社，1998：275.

在困难重重的情况下，他团结志同道合者积极推行改革清除潜弊，如大力倡行海运、整顿盐务、创设票盐、治理江河、兴修水利、清理财政、改革币制等举措，都取得了显著的成绩，这些改革促使江南地区的经济得到了恢复和发展。陶澍可以说是上承王船山经世致用思想之遗风，下启魏源务实变革之新潮，在湖湘知识群体中起到了十分至关重要的作用。

陶澍是嘉道之际湘籍官吏中的佼佼者和楷模，在许多方面都取得了不俗的政绩，兹不一一赘述，仅取当时经世派所津津乐道的海运与票盐改革在此略为陈述，以窥其经世才华之一二。

盐业在清朝是政府的主要财政来源之一，每年盐税收入的多寡直接影响着政府的运转和国民经济的发展。两淮地区是清朝最大的盐产区，这里每年上交的盐税金额几乎占全国盐税总量的一半，一直是政府倚重之地。但是至清道光年间，两淮地区盐税上交十分不理想，严重影响了政府财政。其根源在盐政行业已经实行了数百年的纲盐制度积弊丛生，导致引盐壅滞、私盐泛滥、盐税拖欠等各种问题层出不穷。清道光十年（1830），陶澍任两江总督，他上任后的第一件事就是整顿盐政，不仅亲自考察盐务，制定盐务章程，还以身作则上缴盐政养廉费白银五千两。同时下令"裁减衙门陋规十六万两有奇，凡淮南之窝价，淮北之坝杠，两淮之岸费，分别减除，岁计数百万两，分设内外二库，正款贮内库，杂项贮外库，杜绝挪垫。革总商以除把持，散轮规以免淹滞，禁粮船回空带芦盐，及商船借官行私，令行禁止，弊肃风清"[①]。经过多管齐下的整顿后，两淮盐政混乱的现象在短时期里大为改观。在此基础上，陶澍又适时地推行了票盐法来替代纲盐制度。票盐法的实行，一定程度上杜绝了官吏中饱私囊、部分盐商垄断行业和盐业走私的弊端，由此"天下皆知票盐减价敌私，为正本清源

① 赵尔巽．陶澍传［M］// 清史稿：卷三百七十九．北京：中华书局，1977：11607.

之计”[①]。姚莹对比改革前后的境况说:“嘉庆、道光年间，两淮盐法之弊极矣，淮北无商，陶文毅公行票法又转盛。”[②]后人也高度评价了陶澍的改革措施，将其和历史上著名的理财家、改革家桓宽、刘晏相比拟，说“综观历代盐政，其办理较有成就者，除春秋之管仲、唐之刘晏、清之陶澍外，几不多见”[③]。可见陶澍的票盐改革措施对中国盐业的发展影响是十分深远的。

陶澍另外一项改革创举就是提倡漕粮海运。清代关于漕粮的河运与海运之争一直都存在，部分官吏和商人为了私利反对海运，陶澍则坚决支持海运，他认为海运不仅可以节约成本，还能够带动江南地区经济的发展。陶澍顶着各方压力，尝试海运，经过深入的考察研究，他制订了详细周密的计划，并与上海的船商集团合作，顺利地将江苏160多万石漕粮分两次由上海起航，安全运抵天津，然后再由天津转运至京城。这次海运的费用比以往河运的少了很多，而且运来的大米质量优良，此举震惊了朝野，令支持海运的呼声一时上涨。漕粮海运成功彰显了陶澍过人的才干和魄力，也沉重打击了长期把持漕粮河运的官僚集团。河运管理系统是晚清腐败最严重的部门之一，河运官吏们依仗把持河运的特权，贪腐成风，海运的推行掐断了他们的财路，一定程度上起到了净化吏治的作用。海运的推行，对广大老百姓来说也是好事，他们不用再成年累月地忙于治河、运漕、护河、护粮等无休止的劳役，也避免了遭受河运官员的勒索和侵扰，江南地区老百姓的负担明显减少了，这对江南地区社会生产的发展和老百姓的生活改善起到了很大的作用。经过陶澍的改革和治理，江南地区经济得到了长足发展，社会面貌为之一新。“公自任督抚以来，如漕务

① 赵尔巽.陶澍传[M]// 清史稿：卷三百七十九.北京：中华书局，1977：11607.

② 姚莹.淮南变盐法议[G]// 葛士濬.皇朝经世文续编：卷五十一，1898（清光绪二十四年）.刊本.

③ 曾向丰.中国盐业之动向[M]// 陶用舒.陶澍评传.长沙：湖南师范大学出版社，2007：146.

之创海运，三江三修水利，淮南之裁浮费、截粮私，淮北之裁坝杠、改票税，皆恒情所，动色相戒，公奋不顾身，力排众议，卒能创始善终，可久可大。而海运、票盐，尤百世之利，后之筹国者必将取法焉。”[①] 也正是基于如此卓越的政绩，陶澍先后被道光帝召见30多次，地方督抚获此殊荣者，独他一人。

另外，陶澍创作的《蜀輶日记》，也是一本不可多得的舆地学经世著作。他继承和发挥了顾炎武的舆地学经世理念，认为为官者必须重视对实地的考察，对“山川、风土、人物、官师、学校、财赋各大端，皆不可不周知其故”，只有充分熟悉当地的社会风土人情和社会发展状况，才能够真正做到“举一方之利病而兴剔之”[②]，这才是实实在在的经邦济国之举。清嘉庆十五年（1810），陶澍被任命为四川乡试副主考，在从北京到四川的往返途中，陶澍认真考察了途经的直隶、河南、山西、陕西、湖北和四川诸省的地理形势、风土人情和历史沿革，并将之详细地记载下来，在书中他还详细记载和深入探讨了关于六省水利、漕河、财政、盐务、治安、兵防等方面的问题，对当时和后世都起到了很好的指导和借鉴作用。

概而言之，“陶澍最大的贡献是把经世思想付诸实践，把经世思想与经世业绩统一起来。这使他成为当时经世派的领袖，也使他成为古代经世派发展的里程碑式的人物”[③]。在他的感召下，众多的有志之士汇聚于经世思想的旗帜下，他们群策群力积极寻找各种方法改革时弊，意图挽救日益走向衰败的清王朝，这其中有半数以上都是湖南人，后起之秀的湘籍官吏曾国藩、胡林翼和左宗棠等亦深受他的影响。张佩纶称赞他说：“道光以来人才，当以陶文毅（澍）为第一。其源约分三派：讲求吏事，考订掌故，得之

① 魏源．陶文毅公行状［M］// 陶澍．陶澍全集．长沙：岳麓书社，2010：352.
② 陶澍．陶澍集：安徽通志序［M］．长沙：岳麓书社，1998：44.
③ 陈蒲清．陶澍传［M］．长沙：岳麓书社，2011：92.

者在上则贺耦庚（长龄），在下则魏默深（源）诸子，而曾文正（国藩）集其成；综核名实，坚卓不回，得之者林文忠（则徐）、蒋砺堂（攸铦）相国，而琦善窃其绪以自矜；以天下为己任，包罗万象，则胡（林翼）、曾（国藩）、左（宗棠）直凑单微。而陶实黄河之昆仑，大江之岷也。”[①] 萧一山也赞扬说："不有陶澍之提倡，则湖南人才不能蔚起。"[②] 正是因为陶澍的提携和倡导，嘉道之际湖南遂崛起了一大批以天下为己任的有志之士，他们也推动经世思潮由涓涓细流逐渐汇成了滔滔巨川，在清道咸年间呈蔚然大观之势。

（三）贺长龄的经世思想及其事功

贺长龄（1785—1848），字耦耕，号西涯，晚号耐庵，又号啮缺叟，湖南长沙人。清嘉庆十三年（1808）进士，后授翰林院编修。曾任职广西、山西、江西、山东、江苏、安徽、福建、云南等省，历任过乡试副考官、学政、知府、按察使、布政使、巡抚乃至总督等职务。清道光二十八年（1848）卒于故里。其留存的著述有《耐庵奏议存稿》《耐庵公牍存稿》《耐庵文存》和《耐庵诗存》等。贺长龄也是嘉道之际著名的经世派大臣和学者。孟森曾高度评价说："嘉道以后，留心时政之士大夫，以湖南最盛，政治学说亦倡导于湖南。所谓首倡《经世文编》之贺长龄，亦善化人。"[③] 贺长龄为官 40 多年，足迹遍及大江南北，丰富的从政经验，使得他充分地了解了各地的情况，也促使他更深入地探究救世的方法，为政、为学都表现出了强烈的经世意愿，同乡黄楷盛称赞说："先生之政，本诸学，先生之学，本诸心，以学之所得于心者达之于政，而精

① 张佩纶．涧于日记：乙卯下［M］// 涧于草堂石印本．转引自冯天瑜，黄长义．晚清经世实学［M］．上海：上海社会科学院出版社，2002：91.

② 萧一山．清代通史：第三册［M］．上海：华东师范大学出版社，2006：735.

③ 孟森．明清史讲义［M］．北京：中华书局，1981：618.

神才力又足以扩大之，故其政之行也，如风霆之鼓荡而不见其迹，如雨露之滋润而不有其功，至于显晦升沉，成败利钝，固非所计也。”[①] 贺长龄为官多年，勤于职守，多有惠政。他特别强调说：“一郡一邑，何事不待理于我，何人不仰望于我，每日所事，非关百姓身家性命，即关地方风俗人心，其中情伪百出，疑难多端，小心翼翼，犹恐有误，岂可有厌烦之心？惟日孜孜，犹恐不及，岂可有惮劳之心？故人谓居官则可免烦劳，不知正为居官，则不能不烦劳，亦不敢不烦劳也。”[②] 他认为人们将地方官称之为父母官，那么地方官吏就一定要认真耐心地为老百姓办事，才对得起这个称呼，说：“州县之于民犹父母，几见父母之为其子而有不耐烦劳者哉！无他，心诚求之耳。”贺长龄的政绩突出表现在三个方面：

一是纠正行政制度中的弊端。贺长龄精通法律，擅长理狱诉讼，他履任各地勤于听讼，积案速结，纠正了很多的冤假错案，在百姓中获得了好口碑。司法不公，民怨难申，一直是清嘉道之际官吏腐败的重症表现之一。贺长龄在任贵州巡抚期间，将整顿吏治的焦点就放在了清理词讼上，“公之赴黔也，沿途谘询，知黔民所苦，无如词讼拖累。履任即以听讼之勤惰，为察吏之权衡，并以清理词讼、查办匪类、约束差役之法，逐条申明，颁示各属。复虑匿案不报，饬将上批自理新旧各案，分已结未结，按旬开报，以便稽核，使功过分明，瑕瑜莫掩，由是而吏勤其职”[③]。他还深入分析了累积案件产生的根源，发现官员更替时不进行工作交接，是导致积案的一个主要原因，下一任官员对上任官员的工作置之不理，故而导致了各类案件的累积。因此，在山东任职期间，他特意改

① 黄楷盛.贺长龄集序［M］// 贺长龄，贺熙龄.贺长龄集 贺熙龄集.长沙：岳麓书社，2010：5.

② 贺长龄.耐劳烦说与所属府州县官［M］// 贺长龄，贺熙龄.贺长龄集 贺熙龄集.长沙：岳麓书社，2010：464.

③ 贺长龄.耐庵奏议存稿：卷首［M］// 贺长龄，贺熙龄.贺长龄集 贺熙龄集.长沙：岳麓书社，2010：10.

革官吏交接制度，规定地方官在离任时，必须将自己的工作与下一任继任者交接好，凡是在一个月内没有按照要求交接的，将上奏朝廷予以惩罚。另外他还纠正了山东各州县摊捐摊扣导致地方财政严重亏空的现象，并奏请朝廷将寻常遣军流犯的管理权划给地方，以减轻政府的开支。总而言之，革除积弊、整顿吏治是封建社会稳定发展的重要前提条件之一，亦是经世派官吏和学者关注的焦点，贺长龄在此方面也十分用力，他从政几十年履职多地，从未停止探索矫正时弊和整饬吏治的步伐。

二是经济上既注重农业生产的发展，也重视工商业的发展。贺长龄在地方执政期间时常亲临乡间视察和指导农业生产，这种亲力亲为的管理风格对地方行政风气的扭转起到了很好的作用。他组织刊刻了许多的农用书籍，如《农政全书》《桑蚕编》《木棉谱》《棉花图》等，并将这些书籍发布到各州县，要求地方政府积极宣传农业知识，指导农民有效地进行农业生产；在贵州执政时，他又帮助农民改良当地的棉花品种，并让属下从河南、山东等地购入优质的棉籽，贷放给农民；还组织优秀的纺织工匠来给当地民众传授纺织技术。这些举措有效地提高了贵州地区棉纺织业的发展，促使当地的经济和民众的生活水平都得到了相应的提高。在任江苏按察使时，敏锐地认识到了海运对经济发展的重要性，积极支持巡抚陶澍倡导的漕运改革。他认真分析了海运的利弊得失，认为“海运之事，其所利者有三：国计也，民生也，海商也；所不利之人有三：海关税侩也，天津仓胥也，屯弁运丁也。而此三者之人，所挟海为难，使人不敢行者亦有三：曰风涛也，盗贼也，霉湿也；所离海为难，使人不能行者亦有三：曰商船雇价也，仓胥勒索也，漕丁安置也。必洞悉夫海之情形与人之情伪，且权衡时势之缓急，而后知无难行无不可行，且不得不行”[①]。在此基础上，

① 贺长龄．复魏制府询海运书［M］// 贺长龄，贺熙龄．贺长龄集 贺熙龄集．长沙：岳麓书社，2010：567.

贺长龄配合陶澍制订了周密的方案，妥善解决了海运过程中面临的各种困难，使明末废止的漕粮海运又得以恢复。而且“本年海运由外筹款，即以向来办漕杂费充用，并未请帑。所有常年河运例应给了漕项银米，……是苏省办理海运不但丝毫未费帑项，且较常年河运所省之数甚多”[①]。因为不需要朝廷额外拨款,而且还有节余故而，得到了道光皇帝的好评。

三是文化上重视兴建学校和培养人才。贺长龄认为地方文化教育事业兴盛，可以改善陋习，对民风习俗起到很好的引导作用，因为“教化行而风俗美,师道立则善人多”[②]。任职贵州巡抚期间，他认识到文化教化作用对地方建设的重要性。贵州是少数民族杂居的地区，民怨纠纷杂乱，经济、文教事业都十分落后，很多州县甚至没有完整的教育机构。针对这种状况，贺长龄提出了捐廉办学、刊刻经典书籍和倡导培育经世致用人才的建议，积极改善贵州地区的民风习俗，鼓励人们求学。他大力修缮和建设了省会书院，并参照岳麓书院的办法设定学规，严格考核。另外他还倡议设立及幼堂和尚节堂等慈善机构，救济孤儿寡妇。正是因为贺长龄洞悉民意、体察民情，且勤于政事，逐渐使贵州地区教化行而风俗美。当地民众对其赞不绝口，“初黔人士服教沐德，思因公诞日制锦称祝，屡请不许，乃阴图公像祀之，及闻公赴，皆行哭失声，流征遗爱，没世不泯。公去位十年，而黔中寇事起矣”[③]。

贺长龄曾就读于岳麓书院，师从罗典，在老师的悉心教导下，学识大进，为他以后的从政和经世实践打下了基础。贺长龄很早就认识到“读书非徒记诵，举业胥征实学，会人我于一源，贯事

---

① 国家清史工程数字资源总库．朱批奏折．附片 04-01-35-0251-072 道光六年六月初五日两汇总督王奇善“奏为苏省海运未费帑项及商船载二成客货免税事.”

② 贺长龄．重建西昌书院记［M］// 贺长龄，贺熙龄．贺长龄集 贺熙龄集．长沙：岳麓书社，2010：471.

③ 贺长龄．耐庵奏议存稿卷首［M］// 贺长龄，贺熙龄．贺长龄集 贺熙龄集．长沙：岳麓书社，2010：17.

理于一致”①。在与友人的书信中，他明确强调为学的目的即是经邦治国，说："我辈读书非关身心性命，即系天下国家，余可概置弗阅，实亦无暇旁及。"②其弟乡试中举以后，贺长龄在谢恩折中也表白自己读书就是讲求有用、务实和报效国家，说："臣惟有殚心于职守，持久而益励其勤；勖弟以忠清，读书必期于有用。务崇实学，勿侈儒生稽古之荣；勉失贞操，仰副圣主储才之意。"③贺长龄十分推崇理学名儒，理学是他经世致用思想的主要来源之一，他认为："昭代名臣，理学经济粹然无疵者，汤潜庵（汤斌）、李安溪（李光地）、朱高安（朱轼）三公为最，继起则陈桂林（陈宏谋）一人耳。陈桂林之后以至于今，几乎绝响矣。"④陈宏谋即是康乾时期著名的政治家和思想家，具有强烈的经世精神，不喜空谈性理，十分注重将学问与社会实践结合。贺长龄也积极效仿他，将宋明理学家以身任天下的精神和忠君爱民思想结合在一起，以理学的修身为根本，辅以经世致用的实学思想，并将这些一并落实在治理辖区和学术上。

贺长龄变通、务实的经世思想还体现在他组织编写《皇朝经世文编》上，该书的序言清晰地阐述了编辑的宗旨即"善言心者，必有验于事""善言人者，必有资于法""善言古者，必有乘于今"和"善言我者，必有乘于物"⑤的原则，具有强烈的务实精神。该书精选清代道光以前的官方文书、论著、奏疏、书信、笔记文章2236篇，可谓是"鸠聚本朝以来硕公、庞儒、俊士、畸民之言，

① 贺长龄．重刻课士直解序［M］// 贺长龄，贺熙龄．贺长龄集 贺熙龄集．长沙：岳麓书社，2010：495.

② 贺长龄．与黄惺斋年兄书［M］// 贺长龄，贺熙龄．贺长龄集 贺熙龄集．长沙：岳麓书社，2010：562.

③ 贺长龄．胞弟乡试中式谢恩折［M］// 贺长龄，贺熙龄．贺长龄集 贺熙龄集．长沙：岳麓书社，2010：231.

④ 同② 564.

⑤ 魏源．魏源集．皇朝纪世文编序［M］．北京：中华书局，1976：156-157.

都若干篇”[1]的巨著，文编按学术、治体、吏政、户政、礼政、兵政、刑政、工政分为八个门类编纂。所选内容以关注国计民生、解决社会问题为主旨，集中反映了嘉道以前官员和学者们的经世理念及改革图治的愿望。该书的学术卷，还收录了清初顾炎武、张尔岐、潘耒、唐甄等人论学术的文章，彰显了向经世致用回归的学术倾向，倡导了谋实事、做实功、求实效的价值标准和思维理念。《皇朝经世文编》自清道光七年（1827）刊行后，一经问世便受到了人们的肯定和赞扬，重刻重印者不断。学术界更是以它的出版为晚清经世思潮兴起的标志。这本书由魏源负责具体的编纂事务，由于魏源的盛名，贺长龄在文编中的作用明显被忽视了。但从《皇朝经世文编》整个的编纂过程，以及贺长龄与魏源的上下级关系看，贺长龄才是文集的掌舵者，编辑和刊刻《皇朝经世文编》这样的大型文集，是需要大量的人力、物力和财力投入的，凭魏源一人之力是很难胜任的，只有担任江苏布政使的贺长龄才有条件提供各方面的保障。也正是在贺长龄的主持下，《皇朝经世文编》才得以顺利地编辑和出版，因此该书正是贺氏经世致用思想的真切体现。《皇朝经世文编·序》中明确写道："赐进士出身，诰授通奉大夫江苏等处承宣布政使司贺长龄撰。事必本夫心玺一也，文见于朱者千万如一。……本朝以来硕公、庞儒、俊士、畸民之言都若干篇，为卷百有二十，为纲八……言工之属九，则緦理于邵阳魏君，雠校于曹生，告成于道光六年柔兆阉茂之仲冬也。”[2]后来的史学家也评论说："自贺耦耕先生用前明陈卧子之例辑《皇朝经世文编》，数十年来风行海内。凡讲求经济者，无不奉此书为矩矱，几于家有其书。”[3]“《经世文编》，为前云贵总督贺耦耕先生所辑，凡

① 魏源．魏源集．皇朝纪世文编序［M］．北京：中华书局，1976：156-157.
② 贺长龄．皇朝经世文编序［M］// 皇朝经世文编．台北：文海出版社，1972：1.
③ 俞樾．皇朝经世文续编序［M］// 盛康．皇朝经世文续编．台北：文海出版社，1972：1.

文字足备经济、有关治世者，无不搜采，洵称大观。”[①] 贺长龄作为清嘉道之际湖湘经世派的杰出代表，其经世理念丰富而深刻，对清道咸时期曾国藩、左宗棠等建立了卓越功勋的湘军集团将领产生了重要的影响。“湘军虽起自曾、左，而砺砥贤才，则始自贺耦耕、陶文毅、林文忠等，相与提倡。耦耕刊《经世文编》一书，魏默深所辑，三湘学人，诵习成风，士皆有用世之志。”[②]

（四）唐鉴的学术思想及其事功

唐鉴（1778—1861），字栗生，号镜海（或作敬楷），湖南善化（今长沙）人，有小岱山人之称。清嘉庆十四年（1809）进士，选为翰林院庶吉士，后授职检讨，自此步入仕途。曾先后担任过浙江道监察御史、广西平乐府知府、安徽宁池太广道、山西按察使、贵州按察使、浙江布政使、江宁布政使及太常寺卿等官职。唐鉴是晚清著名的理学家，著有《国朝学案小识》《读易反身录》《易牖》《读易小识》《四经拾遗》《四砭斋省身日课》《朱子年谱考异》《朱子学案》《读礼小事记》《畿辅水利备览》《平猺纪略》和《唐确慎公集》等著作，是晚清“纯粹的理学家”[③]。他“为学主省身持敬，精思力践，以施于有政。于宋宗程、朱，于明宗薛、胡，于清宗陆、张，排斥心宗最力，以为害道”[④]，“一时推为醇儒”[⑤]。唐鉴不仅视程朱理学为学术正宗，而且一生立身行事都以此为标准，其学术思想中最显著的特点就是独宗程朱和守道救时。

首先来看他的独宗程朱。以唐鉴编著的《国朝学案小识》，即

① 陈邦瑞．皇朝经世文四编序[M]// 何良栋．皇朝经世文四编．台北：文海出版社，1972：1.

② 黄濬．花随人圣庵摭忆［M］．北京：中华书局，2008：200.

③ 萧一山．清代通史：第四册［M］．上海：华东师范大学出版社，2006：484.

④ 徐世昌．清儒学案：第四册［M］．北京：中华书局，2008：5511.

⑤ 张舜徽．清儒学记［M］．上海：华中师范大学出版社，2005：215.

可见其弘扬程朱理学，维护儒学道统的态度和决心。该书是清代第一部以学案体记载清代儒者的学术史著作，书中表彰了 261 位在扶持程朱理学方面做出了突出贡献的清代儒者，详细记述了各位儒者的生平事迹、学术渊源、学术思想和主要著作等情况。并且以各位儒者对程朱理学的坚守态度和表现为依据，循“传道”“翼道”和“守道”之序，对所有儒者进行了归类和排序。唐鉴将陆陇其、张履祥、陆世仪、张伯行四人，纳入“传道”学案，认为这四位学者“尊朱黜王”，坚持程朱之学，门户观念做得最好，真正是接续了孔孟程朱之道，理应成为清代弘扬程朱理学的楷模。“翼道”学案列有汤斌、顾炎武、王夫之等 19 人，“翼道”的学者与“传道”的学者互相咨询辩难、切磋商榷，共同促使了理学发扬光大。在“守道”学案里列有于成龙、魏象枢、李光地等 44 人。另外在“经学”学案和“心宗”学案里，唐鉴将一些在治学时仍不放弃理学研究的汉学家也归类为程朱理学的支持者行列，如黄宗羲、张沐、张惠言、邵廷采等。在考据学兴盛的氛围下，唐鉴精心编制程朱道统论，其目的是很明确的，就是要强调从孔孟至程朱传承下来的儒学之道在清代并没有中断，同时也是希望人们能够重新关注程朱理学，回归儒学正宗。梁启超曾经对唐鉴这种有意而为的做法给予了非议，说：“唐镜海搜罗较博，而主观抑更重。其书分立‘传道’‘翼道’‘守道’三案，第其高下；又别设‘经学’‘心学’两案，示排斥之意。盖纯属讲章家‘争道统’的见解，不足以语于史才明矣。”① 诚然《国朝学案小识》弊病明显，但唐鉴表彰正学，扶持道统，坚守门户，严立藩篱的态度却可见一斑。倭仁十分钦佩他的这种卫道精神，说“唐敬楷先生《学案小识》一书，以程朱为准的，陆王之学概置弗录，可谓卫道严而用心苦矣”②。

唐鉴生平持身论学，也十分推崇程朱，他长期“独潜究性道，

① 梁启超．中国近三百年学术史［M］．北京：团结出版社，2006：336.
② 倭仁．倭文端公遗书：卷四［M］．六安涂氏求我斋本．1875（清光绪元年）.

被服洛闽”[①]，认为颜回、曾子、子思、孟子之后，能够真正领会孔子精神实质的人只有朱熹。他称赞朱熹“以《大学》之纲领、条目，示学者为学次第，以《中庸》天道、人道，明孔门传授心法，以居敬、穷理为尊德性、道问学功夫，集诸子之大成，救万世之沉溺，其心、其道，何异于颜、曾、思、孟哉”[②]！在唐鉴看来，存诚主敬、居敬穷理，是圣门之学第一功夫。他提出：“学以居敬穷理为正宗，此外皆邪径也。”[③]在平时的讲学和日常生活中都严格贯彻这种涵养功夫，直至终老，其专注、执着的治学态度和治学理念对清咸同之际的倭仁、曾国藩等理学家产生了很大的影响。曾国藩完全是在他的指导之下步入程朱理学研究之路的，曾国藩早年热衷于科举时文，结识了唐鉴以后，在理学方面才“昭然若发蒙也”[④]。唐鉴要求他检身之要、读书之法都要以《朱子全书》为宗，此后曾国藩严格按照理学的涵养功夫和规范要求自己。在行军、做官、治家等方面都颇为出色，获同僚和后世称道。唐鉴不仅为咸同之际培养了一大批理学骨干力量，而且在官吏中还倡导了一种崇尚正学、廉洁修身的社会风气，为程朱理学的推广起到了很好的典范作用。

唐鉴学术思想的第二个显著特点是重视义理、经济之学，倡导“守道救时”。唐鉴历经清嘉庆、道光、咸丰和同治四朝，见证了清王朝日渐走向衰败，强烈的经世意识促使他积极寻找挽救时局的方法和措施，“守道救时”的理念便应运而生。由于唐鉴严格恪守程朱理学省身持敬和居敬穷理的准则，因此很容易被人视为迂阔、保守的理学家。但实际上，唐鉴虽严守程朱道统，却也十分注意讲求义理经世之道。在地方任职的时候，他将经世致用理

① 陈康祺．唐确慎公理学［M］// 郎潜纪闻初笔 二笔 三笔：上．北京：中华书局，1984：128.

② 唐鉴．唐鉴集：国朝学案小识序［M］．长沙：岳麓书社，2010：261.

③ 王钟翰．清史列传：卷六十七［M］．北京：中华书局，1987：5400.

④ 曾国藩．道光二十一年七月十四日［M］// 曾国藩全集：第 16 册．长沙：岳麓书社，1987：92.

念实践于日常的行政管理之中，关注百姓民生，认真解决所在辖区的问题。贺熙龄称赞他“奉程朱为的，主敬以立其体，忠恕以致其用；非有裨于身、心、意、知之理者，不以关其虑也；非有关于天下国家之故者，不以用其功也”[①]。在弟子何桂珍眼里，唐鉴的学问根本就是体用兼备的实用理学。他说：“先生学足以策安全，而不涉于空疏，不失于拘滞；养足以任艰巨，而不激于意气，不震于功名。……唐先生之体用兼赅，圣主眷之，阁下与淳甫相国皆深知之，而其德气所感，后学倾心，莫不仰望丰采，以为朝廷引重。昔文潞公年九十犹立朝，先生虽未负此重望，然谋猷之裕，齿德之尊，实足以备顾问而资矜式。”[②]上述评论出现在何桂珍给宰辅杜受田的上书中，他写信极力推荐自己的老师唐鉴，称其学问体用兼备、德行高尚，虽然年龄有点偏大，但老当益壮，完全可以为国家建设做出贡献。实事也确实如此，唐鉴在“守道”的基础上，把义理经世以及经济之学作为了救世的良方，身体力行地坚持和推广，不仅彰显了自己独具特色的学术特点，而且为晚清日趋没落的理学也注入了些许活力，有力地推动了理学经世思潮在晚清的复兴和发展。

唐鉴将清王朝的衰败主要归咎于王学和考据学末流导致人心涣散、世风日下。他批评说：“学术非则人心异，人心异则世道漓，世道漓则举纲常、伦纪、政教、禁令无不荡然于诐辞邪说之中也。”[③]在挽救世道人心、改变社会风气、重振纲常目的驱使下，唐鉴重新审视程朱理学，他吸收了程朱理学倡导正心、诚意，讲求仁义道德、重视规范社会秩序等特点，积极进行“守道救时”。唐鉴倾心于程朱理学而又努力地规避了理学空谈性命的弊端，这很大程

① 贺熙龄．唐确慎公集序［M］// 唐鉴．唐鉴集．长沙：岳麓书社，2010：3.

② 何桂珍．上杜芝农相国书［M］// 刘怀忠，何磊．何桂珍文集．昆明：云南人民出版社，2002：39–41.

③ 唐鉴．唐鉴集：国朝学案小识序［M］．长沙：岳麓书社，2010：261.

度上要归功于湖湘经世传统对他的影响。对明体达用之实学的推崇是湖湘经世传统的一个鲜明的特色，前面提到的几位湖湘学者都无一例外地继承了这一传统，唐鉴也是如此。他主张治学要以关注国计民生为第一要务，要将“义理”和“经世”有机地结合起来，提出了“经济之学，即在义理之内”[①]。他对空谈义理的做法十分反感，称之为“空谈欺人，空名欺己”[②]“动谈义理而于事有所不通，此不过村学究耳，难与言体用”[③]。明确提出：“读经当求致用，今日读之为今日之用，明日读之即为明日之用。”[④]唐鉴强调随着时间的变化，所有的事物都要相应地予以调整和改变，以适应社会的发展，体现了其学术思想中的实效性和变通性，而这种知权达变的变易思想正是经世学派的基本特征。他还进一步指出，经世致用的治学理念对于儒学倡导的修身、齐家和治国都有很大的帮助，说：“学贵有用，用之于家而一家孝弟，用之于国而一国仁让；事君而有益于君，治民而有裨于民；通于古而宜于今，守其常而权其变。”[⑤]在地方任职期间，唐鉴实实在在地践履和推广了这些义理经世理念。

综观唐鉴几十年的仕途生涯，无论是治理地方还是任职京师，都秉承了经世的精神。他在任职地方时，关注民生疾苦，嘉惠百姓。任广西平乐知府时，他不仅捕盗安民，还教民开塘治田。到贵州任职，又向当地百姓推广“区田之法”，颁布《劝民早种早收》谕告，指导百姓科学进行农业生产。这些措施有效地改善了广西、贵州地区百姓食不果腹的穷困状况，受到当地百姓的称赞和信任。在任职地方时他还十分注意处理民族问题和解决民族矛盾，这对维护地方稳定和经济的发展起到了很好的作用。唐鉴具有比较开

① 曾国藩．道光二十一年七月十四日［M］// 曾国藩全集：16. 长沙：岳麓书社，1995：92.

② 唐鉴．四砭斋省身日课：卷五［M］. 道光刻本．

③ 同②．

④ 唐鉴．四砭斋省身日课：卷十三［M］. 道光刻本．

⑤ 同④．

明的民族观，他提出对少数民族要平等对待，不能歧视，这在当时是十分可贵的。他说："天之生人，畀以至灵之性，即畀以向善之性，瑶岂有异耶！"[①] 又说："瑶亦人也，异视之则异，同视之则同。"[②] 按照这种平等视之、温和对待的指导思想，唐鉴成功处理了瑶民聚众起事事件，并因此获得了朝廷的嘉奖和擢升。另外唐鉴也认为"人心风俗全系于教"，每到一地履职，他都很重视对当地百姓的教化和引导。对嘉道以降世风日下、人心不古的局面，他十分痛心疾首，认为要改变颓废衰败的社会局势，必须奉程朱理学为正宗，因为"学术正而人心端，教化肃而风俗美"[③]。因此他多次颁布告示，晓谕各级官吏和民众，务必革除陋规、端正风俗、涵养身心、净化社会环境。为此，他以身作则，主动捐廉修缮文庙、考棚和书院，并鼓励士子们树立"希圣希贤"的志向。调入京城任职以后，唐鉴虽然位居闲职，但仍然十分关注时务。他认为北方农业经济不发达，跟干旱少雨、河道淤塞有很大关系。在了解到北京地区粮食漕运困难、水资源短缺的情况后，他开始着手对畿辅地区混乱的水利状况进行调查和研究，多次实地考察京畿地区的河流湖泊，撰写了《畿辅水利备览》一书。该书是清代第一部关于海河流域的水利史，对解决北京地区的粮食运输困难问题和水资源短缺问题，他都提出了自己的见解和解决的方案。

实事求是地说，在事功上与陶澍、贺长龄、曾国藩、左宗棠等湘籍官吏相比，唐鉴多少显得有点逊色，但在学理和个人修身涵养功夫的培养上，唐鉴严守程朱理学门户，恪守理学准则，对于晚清理学思潮的复兴做出了杰出贡献。清道光二十年（1840），唐鉴内召为太常寺卿，虽位居闲职，但他从不抱怨，也不趋炎附势，平时不仅严格按照理学准则规范自己的立身行事，而且还不畏权

① 唐鉴．五原学舍图记［M］// 唐鉴集．长沙：岳麓书社，2010：70.
② 同① 64.
③ 唐鉴．国朝学案小识［M］// 唐鉴集．长沙：岳麓书社，2010：1–2.

贵，敢于抨击当权派的贪腐和不作为行为。当时“海疆事起，鉴劾琦善、耆英等，直声震天下”[①]，为官一生唐鉴“不以一钱自污”[②]，“为外吏二十年，肃然无资积以自存，即当世之所谓迂阔”[③]。唐鉴的学问和品德都堪称表率，其声望誉满京城，一大批有抱负的年轻官吏和才俊围绕在其身边，“时蒙古倭仁，湘乡曾国藩，六安吴廷栋，昆明窦墉、何桂珍皆从鉴考学问业，陋室危坐，精思力践”[④]。一时间在北京形成了一个讲求程朱理学的士大夫群体，这不仅为晚清程朱理学的兴盛培养了一大批中坚力量，也为咸同之际推崇正学风气奠定了坚实的基础。唐鉴与湘籍经世派的骨干力量陶澍、贺长龄、贺熙龄、曾国藩等交往也十分密切，他们因为共同秉承湖湘文化的传统精神而意气相投，互相的学习和交流又进一步发展和丰富了近代湖湘文化的内涵和实质，正如某些史学家所评论的，“唐鉴在嘉道间，以‘躬行君子’为封建士大夫们所推重，隐然为一时大师。加以他在京内京外做官的时间都较长，社会的接触面很广，在当时的影响很大，对湘学沾溉尤深”[⑤]。“鉴之学虽无足称，然亦开风气者，能于理学衰微不振之时，独树一帜也。清代之考证学，盛起于吴、皖，而流衍于全国，惟湖、湘之间被其风最稀，鉴与善化贺长龄相友善……亦皆以礼学谈性道，谈经世。以故湖南学风，蔚成一派，鉴与有力焉。”[⑥]

纵观嘉道之际的湖湘经世派，可以发现他们具有许多共同的特征，促使他们构成了一个独具特色的知识群体。这个群体的大部分人都有就读于湖湘文化重镇岳麓书院的经历，直接受到了周敦颐、胡宏、张栻创立的湖湘学派理学传统的熏陶，也秉承了湖

① 王钟翰．清史列传：卷六十七［M］．北京：中华书局，1987：5400.
② 同①．
③ 曾国藩．唐镜海先生七十生日同人寄怀诗序［M］// 曾国藩全集：十四．长沙：岳麓书社，2011：182.
④ 萧一山．清代通史：第四册［M］．上海：华东师范大学出版社，2006：483.
⑤ 张舜徽．清儒学记［M］．上海：华中师范大学出版社，2005：216.
⑥ 同④．

湘经世致用的治学风气。即便是后来被称为今文经学家的魏源，他的学术思想也有明显受理学影响的痕迹。唯独湖湘士子在考据学阀的强势侵凌和排挤之下，仍然坚守了经世理念和理学治学风格。及至陶澍、贺长龄、贺熙龄等湖湘士子步入仕途，他们便在具体社会事务中去实现经世济民的理想。他们深入社会，认真考察、探究，在漕运、河工、盐业、农业、税收等领域都提出了许多切实可行的方案和措施，并积极地去推行和实践，开创了晚清政坛和学术界的新风尚。另外湘人普遍具有身体力行、躬行实践的坚毅性格。无论是严如熤的地方治理，还是陶澍的海运、盐税改革，还是贺长龄组织编纂《皇朝经世文编》，抑或是邓显鹤收集整理湖南乡土文献，每一项工作都面临着无数的困难和挫折，有些甚至还会面临生命危险和仕途受阻，但有志于经世治国的湖湘士人没有退却，他们声气相通会聚在一起互相帮助，共同完成了一件件看似不可能的壮举，成就了湖湘经世派的美誉声名。清嘉道之际的湖湘人才群体，不仅继承了湖湘学派治学“通经学古而致诸用”[①]的学风，而且还将这一治学理念很好地运用到了社会实践中，积极关注社会现实，针砭时弊、倡议改革，为扭转清嘉道时期日益颓废的局面而殚精竭虑，由此受到了社会各界的称颂，并对当时的政界和学界都产生了不小的影响。嘉道以后清王朝的官僚体系日益腐败，官吏们结党营私、唯利是图，造成行政效率十分低下、社会沉疴日渐深重，经世派的出现在一定程度上起到了净化吏治的作用。经世派的官吏和士人以极大的社会责任感，直面各种社会问题和社会危机，并积极寻找解决问题的办法和途径。这种身体力行、躬行实践的做法，是对清嘉道之际腐化、堕落的官吏政治无情的讽刺和抨击。经世派求真务实的为官作风，实为嘉道之际吏治上的一股清新风气。湖湘经世派不仅是志同道合的政治团

① 陶澍．陶澍集：尊经书院课艺序［M］．长沙：岳麓书社，1998：100.

体，同时还是兴趣相投的文化群体。他们投身政治倡导改革的指导思想和行为准则，就是湖湘文化的精髓——理学经世理念，因此守道与救时相结合是这个群体最大的特征。经世派与其他新兴的学术流派一起给予乾嘉汉学以重创，促使清代的学术风气开始由“纯学术”向“经世致用”学风转变，这又为道咸时期经世思潮的繁盛奠定了坚实的基础。

三、西力东侵与经世致用思潮的新变化

西方与东方，原本是两个彼此相对隔绝的世界，在相当长的时期内，东方是西方人想象中的富庶而美好的社会，但随着地理大发现以及西方政治上的资产阶级革命和经济上的工业革命的巨大成功，西方迅速崛起，而东方却沉浸在古老的文明里罕有前进。中西方之间的实力对比发生了迥然相反的变化，经过近代文明熏陶的西方早已不是国人想象的夷狄了，他们裹挟着近代化的武器和文明盛气凌人地来到东方，希冀寻求到正常而永久的贸易机会，但昏聩而闭塞的清朝统治者傲慢地拒绝了他们的请求。开放通商要求的拒绝，使得晚清政府丧失了本可和平地追赶世界文明大潮的机会，也丧失了主动向近代社会转型的机会，致使中国不得不在极不体面的情况下去面对千年未有之大变局，有志之士应对大变局的探索之路由此被迫开启。

（一）西力东侵下经世思想的新变化

西方文明进入中国实际上自明朝万历年间就已经开始了，随着传教士的到来，夹杂在基督教思想里，西方文明也开始进入了中国。一些著名的传教士如利玛窦、艾儒略、汤若望、南怀仁等，

既在中国传播宗教思想，也传播西方文化。当时传教士们的西学传播范围十分有限，受传统思想和习俗的排斥，即便是士大夫们能够接受西学的人也还是很少的，故而西学东渐的进程十分缓慢，及至雍正时期采取禁教政策，西学在中国的传播就更加滞缓了。这种滞缓的直接后果就是中国对西方的了解越来越少，中西方之间的差距也越来越大。十七八世纪当中国在闭关锁国政策的指导下愈加闭塞之时，而西方社会此时却正在如火如荼地进行政治制度的改革和经济上的革命，欧洲社会经历了翻天覆地的变化，中世纪的城堡被摧毁殆尽，整个欧洲开始向近代社会迈进，资本主义经济在各国得到了突飞猛进的发展，世界近代史的帷幕悄然拉开了。于是裹挟着强大的经济和军事实力，西方文明开始对东亚最古老的文明——华夏文明发起了侵凌，“西力东渐”逐渐演变成了“西力东侵”。虽然只有一字之差，但中西方实力的对比却已是迥然不同了。

当西方列强怀揣着瓜分世界的梦想靠近东方时，古老的中国还沉浸在康乾盛世的余晖之中，天朝上国的美梦和大国情怀，依旧弥漫在中国各阶层里，酣睡的国人没有一点觉醒的迹象。正如马克思所言，清王朝这个“人口几乎占人类三分之一的幅员广大的帝国，不顾时势，仍然安于现状，由于被强力排斥于世界联系的体系之外而孤立无依，因此竭力以天朝尽善尽美的幻想来欺骗自己，这样一个帝国终于要在这样一场殊死的决斗中死去”[①]。最终大英帝国的坚船利炮使清王朝的声威和颜面尽扫，中国遭遇了数千年未有之强敌，整个社会经历了从未有过的创伤和剧痛。在此后的100多年里，为了掠夺中国廉价的原材料和获取广阔的商品销售市场，列强纷至沓来，不断掀起对华战争，中国的领土、司法、关税和贸易等主权相继遭到了严重破坏，中国被迫卷入了资本主

① 马克思．鸦片贸易［M］// 马克思恩格斯选集：第二卷．北京：人民出版社，1972：26.

义世界体系，成为了资本主义经济发展的附庸。然而“西力东侵”也对中国传统社会产生了意想不到的影响，传统的思想文化、价值观念、生活秩序等亦受到西方文明的冲击，古老的中国悄然发生了变化。梁启超曾形象地描述了这种变化说：“鸦片战役以后……海禁既开，所谓‘西学’者逐渐输入，始则工艺，次则政制，学者若生于漆室之中，不知室外更何所有，忽自穴一牖外窥，则粲然者皆昔所未睹也。还顾室中，则皆沉黑积秽，于是对外求索之欲日炽，对内厌弃之情日烈。”[①] 在西学强力东侵之下，进步的中国人开始接触和了解到西方文明的先进，也敏锐地意识到中国在某些方面的落后，于是一些有识之士开始呼吁对待西方文明要采取知己知彼的政策，必须熟悉西方，才能防止西方的进一步侵略和侮辱，在这种强烈的卫道意识驱使之下，中国学术界和思想界的仁人志士走在了觉醒的前列，他们开始主动认识西方，肯定西方文明的先进性，这也就是清道咸时期经世思潮发生的新变化。

对清代学术发展，王国维评价为“国初之学大，乾嘉之学精，而道咸以来新”[②]。被冠以“新”的道咸时期的学术，就是19世纪中后期复兴的理学经世思想。晚清经世思想的变化不是偶然的，“有发于本学派之自身者，有由环境之变化所促成者”[③]。尤其是西方文明的碰撞与冲击，加速了中国传统文化领域学术风气的改变。这一时期，“帝国主义者凶焰方张，志士扼腕切齿，引为奇耻大辱，思所以自湔拔，于是经世致用之思想复活”[④]。钱穆也认为，“道咸同光，此际也，建州治权已腐败不可收拾，而西力东渐，海氛日恶，学者怵于内忧外患，经籍考据不足安定其心神，而经世致用之志复切，

① 梁启超．清代学术概论［M］．北京：东方出版社，1996：65.
② 王国维．沈乙庵先生七十寿序［M］// 王国维遗书：第四册．上海：上海古籍书店，1983：26.
③ 梁启超．清代学术概论［M］// 饮冰室合集：第8册．北京：中华书局，1989：65.
④ 萧一山．清代通史：第四册［M］．上海：华东师范大学出版社，2006：308.

乃相率竞及于理学家言，几几乎若将为有清一代理学之复兴”[①]。至清道光年间，工业革命已使西方资本主义经济取得了巨大发展，整个资本主义世界充斥着狂热的扩张欲望。西方列强挟商品、鸦片和坚船利炮骎骎东来，促使晚清社会出现了数千年来未有之变局。深重的内忧，再加上日亟的外患，致使晚清社会各个阶层纷纷开始探索救国救民之道，这一时期，中国学者们的视线也被迫离开了学术的象牙塔，投向了充满矛盾和纷争的现实社会，他们开始“相与指天画地，规天下大计”[②]，于是经世致用学风幡然兴起。

关于理学复兴的情形，方宗诚有一段颇为精炼的概说：“嘉道间海内重熙累洽，文教昌明，而暗然为为己之学，兢兢焉谨守程朱之正轨，体之于心，修之于身，用则著之为事功，变则见之于节义，穷则发之于著述，践之于内行，纯一不杂，有守先待后之功者，闻见所及，约有数人。长白倭文端公、霍山吴竹如先生，官京师时，与师宗何文贞公、湘乡曾文正公、罗平窦兰泉侍御，日从善化唐确慎公讲道问业，不逐时趋。其时在下位者则有湘乡罗罗山先生、桐城方植之先生、永城刘虞卿先生，俱无所师承，而砥节砺行，为穷理精义之学。厥后诸公学成德尊，倭公则完养深醇近于薛文清，吴公则诚明两进近于陆清献，罗、方、刘三先生闲道距诐，其正大精纯几于韩子之辨佛老、朱子之辨杂学，是皆大有功于道教者也。曾公既用其学拨乱反治以勋德显，窦公秉正嫉邪以直言著，独何文贞公高志卓识，实体躬行，毅然有尧舜君民之心。”[③]这些人或为京城要员，或为封疆大吏，或为地方名士，他们或以学术研究经世，或以行政手段致力于社会实际事物，将经世方案付诸社会实践中，他们结成了晚清时期最为活跃的理学

① 钱穆．清儒学案序［M］// 中国学术思想史论丛（八）．台北：东大图书公司，1980：366.

② 梁启超．清代学术概论［M］// 饮冰室合集：第 8 册．北京：中华书局，1989：69.

③ 方宗诚．柏堂集余编：卷三：校刊何文贞公遗书序［M］// 柏堂遗书：第 43 册．光绪年间志学堂家藏版．13–15.

经世群体。而他们所倡导的注重现实、学以致用的学风，促使一部分官吏和学子从封闭的学术故纸堆里走了出来，为晚清政坛和学术界的变化准备了条件。

然晚清觉醒的这些士大夫和官吏们在面对如此纷纭复杂的社会时局时，根本无法找到有效的途径和先进的思想武器来拯救中国。他们做得最多的还是"药方只贩古时丹"，又回过头从儒学传统里去寻找可资借鉴的思想和理论，来对晚清遭受的践踏和冲击做出回应和反击。由此他们对清初之际顾炎武、黄宗羲、王船山、李颙、颜元、李塨等倡导的躬行实践、崇实斥虚、经世致用、明道救世的思想推崇备至。顾炎武在与友人论为学目的时说："君子之为学也，非利己而已也。有明道淑人之心，有拨乱反正之事，知天下之势之何以流极而至于此，则思起而有以救之。"[①] 后来他更是将"明道救世"作为了治学的最终归宿，说："君子之为学，以明道也，以救世也。徒以诗文而已，所谓雕虫篆刻，亦何益哉？某自五十以后，笃志经史，其于音学深有所得。……有王者起，将以见诸行事，以跻斯世于治古之隆。"[②] 王船山也十分强调经世致用的观念，说："所贵乎史者，述往以为来者师也。为史者，记载徒繁，而经世之大略不著，后人欲得其得失之枢机以效法之无由也，则恶用史为？"[③] 这种关注时政，把学风与国家兴亡紧密联系起来的主张，以及具有强烈的反思和担当意识的学问，极为契合晚清士大夫们企图通过发挥儒学中的经世致用精神，来挽救传统治统、道统的衰落，为清王朝寻找新的出路的迫切心情。梁启超就认为

① 顾炎武．与潘次耕札之一［M］// 顾亭林诗文集：亭林余集．北京：中华书局，2008：166.

② 顾炎武．与人书二十五［M］// 顾亭林诗文集：亭林余集：北京：中华书局，2008：98.

③ 王夫之．读通鉴论：卷六［M］// 船山全书：第一〇册．长沙：岳麓书社，2011：225.

晚清学术变迁的“最初原动力”是“残明遗献思想之复活”[1]，王国维亦认为“道咸以降，涂辙稍变，言经者及今文，考史者兼辽金元，治地理者逮四裔，务为前人所不为，虽承乾嘉专门之学，然亦逆睹世变，有国初诸老经世之志”[2]。人们普遍地将明末清初的经世思想看成是矫正乾嘉汉学弊端，拯救晚清衰世的良方，这也确实是生活在封闭社会里传统士绅们能够想到的最佳救世理念和方法。

另一方面，在西力东侵的作用下，传统经世理念的内涵也发生了变化。由于遭受到资本主义列强的军事侵略和西方文明的冲击，晚清经世学者们在继承传统文化的同时，又有创新和突破，他们自觉或不自觉地被赋予了新的时代特点。“嘉庆道光年间复兴的经世思潮具备了向近代转型的可能性，而发生于此时的鸦片战争，又给经世思潮注入了新的内容，从而使这种可能性成为了现实性，正是在嘉庆道光年间，中国传统思想开始迈出了向近代转型的第一步，并对晚清思想产生了重大而深远的影响。”[3]面对西方文化的挑战和威胁，中国文化不得不做出调整和更新。因此相比“国初”的经世思想，嘉道之际的经世思想显得更深刻、更开放和更注重时效性。经世学家们在社会实践中强烈感觉到程朱理学的空洞，因此强调以经世思想补充宋学外王事功的不足。如曾国藩在肯定“义理”的同时，就强调了“经济”的重要性，他创造性地提出了“义理、考据、词章和经济”并举而行的治学观点，这明显是洞察了晚清末世衰象而提出来的。他们中的部分学者还尝试接受西学，如魏源在《海国图志》一书，就明确提出了“以夷攻夷”“以夷款夷”和“师夷长技以制夷”的观点，为经世思潮注入了新的内涵和精神。其他诸如姚莹的《康辅纪行》、徐继畬的《瀛环志略》、

---

① 梁启超．中国近三百年学术史［M］// 饮冰室合集：第 10 册．北京：中华书局，1989：29.

② 王国维．沈曾植七十寿序［M］// 王国维先生遗书：第四册．上海：上海古籍书店，1983：26.

③ 郑大华．晚清思想史［M］．长沙：湖南师范大学出版社，2005：6.

梁廷枏的《海国四说》《英吉利国记》、包世臣的《安吴四种》等，研究内容都突破了传统经世的范畴。这些著作“大旨在考览形势，通知详情，以为应敌制胜之资”①。正因为如此，晚清的经世致用思想遂成为了当时地主阶级进行改良自救的指导思想，引导着晚清较早觉醒的官吏和士大夫积极探索自强之路，在他们的鼓动和宣传之下，理学经世思想逐渐发展成为晚清社会的一股主流社会思潮，这也是晚清社会从帝制的末世向近代演化过程中出现的一种具有进步性质和近代化因子的思想潮流，晚清的经世派人士也可以看作是中国由传统社会向近代化转型的先行者。

（二）鸦片战争中湖湘士人的盲目乐观态度

清道咸之际，湖南作为理学经世思想聚集的重要地域，理学经世派们对晚清内政有着较清醒的认识，提出了诸多的革除时弊的建议和主张，这对晚清学术风气和政治风气来说都是新的变化。但鸦片战争爆发以后，经世派对西方势力的入侵也表现出了反应迟钝、过于乐观和认识不足的缺陷性。饱受传统儒学熏陶的士大夫们固执地秉承了中国是世界中心的“天下观”和“夷夏大防”的旧观念，他们对英国的侵略行径表现出了盲目乐观的态度，这种对西力东侵不屑一顾的态度和方式可以说是晚清国人表现出的普遍情绪，即便是思想开明的湖湘经世派人士也多数未能跳出此窠臼。

曾国藩在鸦片战争爆发初期曾经乐观地认为英军与清朝的对抗无异于螳臂挡车——自寻死路，他赋诗给在浙江参与抗英斗争的好友郭嵩焘，说：“碣石逶迤起阵云，楼船羽檄日纷纷。螳螂竟欲当车辙，髋髀安能抗斧斤。”②在给家人的信中，他也对英国的侵略事件不以为然，说：“夷船至上海、天津，亦系恫喝之常态。彼

① 郭嵩焘．郭嵩焘诗文集［M］．长沙：岳麓书社，1984：94.
② 曾国藩．寄郭筠仙浙江四首［M］// 曾国藩全集：14. 长沙：岳麓书社，1994：78.

所长者，船炮也；其所短者，路极远人极少。若办理得宜，终不足患。”[1] 郭嵩焘的另外一位好友刘蓉也赠诗说：“壁下纷纷集鼓旗，断鳞残甲尚纷披；……酒酣灯烂雄谈剧，望尔澄清揽辔时。”[2] 刘蓉甚至认为英军是“断鳞残甲”，寄语郭嵩焘，希望他能够很快打败英夷，平治天下，创立功业。更有甚者如李元度，竟天真地以为西方列强进入中国也许还是好事，因为可以借助西方的力量将孔孟之学传播至异域，以此张大华夏文明和天朝威力。然而事与愿违，战争以清王朝的失败和签订屈辱的条约告终，清政府天朝上国的尊严遭到了残酷的嘲讽和前所未有的打击。

鸦片战争的失败虽然使曾国藩、刘蓉们感到沮丧和耻辱，但是他们却将此失败看作是偶而为之，自傲的清政府和国人根本没有意识到西方侵略势力即将对晚清社会带来什么样的危害和影响。刘蓉就对英军的胜利持轻蔑态度，认为英国虽然凭借武力获得了胜利，但终究是一个野蛮无礼的民族，不足与中国分庭抗礼，他说：“顾尝访彼国俗，惟技是尚，贪而无礼，轻且寡谋。今所借以致胜者恃海道之险，与炮力之强耳。”[3] 曾国藩也乐观地认为，条约签订后英国的侵扰就过去了，以为“夷人从此永不犯边，四海宴然安堵。则以大事小，乐天之道，孰不以为上策哉”[4]。

曾国藩等人是湖湘经世派的中坚力量，而湖湘经世派也算得上是当时少有的对时事反应敏锐的有识之士群体，但他们对鸦片战争的态度和看法却是如此的肤浅和愚钝。面对西方列强的强势侵凌，湖湘经世派人士几乎没有意识到事态的严峻性，也没有预计出晚清社会即将出现的濒临崩溃的危机，这实在是一件令人遗憾的事情。

① 曾国藩．曾国藩全集：1［M］．长沙：岳麓书社，1994：385.
② 刘蓉．刘蓉集：柬郭筠仙［M］．长沙：岳麓书社，2008：277.
③ 陆宝千．刘蓉年谱［M］．台北：“中央研究院”近代史研究所，1979：32.
④ 同① 33.

（三）魏源对西力东侵的认识和反思

在闭关锁国政策的指导之下，国人包括湖湘士人表现出来的迟钝和不屑一顾，只能让人哀其不幸。能对西方文明有较清醒的认识者屈指可数，湘人中的魏源、郭嵩焘算得上是较少的开明派。

鸦片战争期间，魏源担任两江总督裕谦的幕僚跟随裕谦在浙江督战，参与了对英军俘虏安突德的审讯，并根据其供词和描述撰写了《英吉利小记》。及时介绍了英国的国家概况和其狡诈的侵华意图，提醒国人认真组织抗击侵略者。在参与抗击英军的战斗中，他不仅目睹了英国侵略者军事武器的强大威力，也看到了朝廷官吏颟顸、拖沓的处事方式和不谙军事瞎指挥的愚蠢举动。两相比较孰优孰劣，自然十分明显。思想家敏锐的洞察力和强烈的经世理念促使他对西方文化开始了深层次的探索和思考，他开始详细考察世界各地的地理风貌，深入探讨各国的政治制度沿革和经济发展概况。通过学习和探究，魏源既了解了西方先进的科学技术和民主制度，又深刻地认清了西方列强对华的侵略本质和掠夺野心，于是他结合中国的实际情况提出了许多建设性的见解和主张，希望能够帮助日渐衰败的清政府走出困境。遗憾的是这些见解和主张最终无法达于朝堂，魏源也无法获得施展才华的平台，对晚清政府来说寻觅不到杰出人才充实官员体系，也是一个不小的损失。不过魏源的这些思想见解和主张对近代中国的发展仍然具有十分深远的意义，他是“近代史上第一个正式主张向西方学习的政治思想家”[①],其著述“《海国图志》是中国最早系统介绍世界各国地理历史的专著，对千百年来以中国为‘天下’、为世界中心的

① 曹聚仁.中国学术思想史随笔［M］.北京：生活·读书·新知三联书店，1986：324.

传统观念是一个极大的冲击，深刻影响了中国士大夫的世界观"[1]。

作为一位经世思想家，魏源率先开始了对鸦片战争失败的分析和探讨，也加快了探索西方文明的步伐。他援引古今中外的各种著述，编撰了《海国图志》一书，系统地介绍了英、美、俄、法、西班牙、葡萄牙、瑞士、希腊、印度、日本等几十个国家的历史地理沿革、政治制度变迁和风土人情面貌，并且还辑录了世界各国地图和西洋船舰炮器的制作图式上百幅之多。这种图文并茂的描述和介绍真实还原了世界的面貌，彻底打破了长期占据国人心理的"中国中心观"，纠正了国人以往对世界的许多荒谬认知。但是魏源并没有停留在仅仅做一个世界地理知识的普及者，强烈的经世理念促使他更深入地了解和探究西方文明，他首先将关注的焦点放在了西方军事科技发明上。指出："夷之长技三：一、战舰，二、火器，三、养兵、练兵之法。"[2]他认为英军取胜主要依靠的就是舰船和武器装备上的优势，通过对中英双方的军事情况进行分析，魏源认为彼此之间的武器装备悬殊太大，英军的舰队机动性强，行动迅速，大炮的射程远且威力强，而清军的装备则十分落后和简陋，许多大炮既无炮架又无瞄准器，士兵仅仅依靠经验操作，再加之大炮射程短，命中率极低，根本无法与英军抗衡。通过比较，魏源呼吁清军应该及早装备近代化的武器，以改变落后挨打的局面，他明确指出："兵无利器与徒手同；器不命中与徒器同。"[3]在研究中他还进一步认识到英军取胜除了武器先进，还与其现代化的军事管理制度密不可分，而这些恰恰是中国军队所缺乏的。他在书中语重心长地说："人知鸦烟流毒为中国三千年未有之祸，而不知水战、火器为沿海数万里必当师之技；而不知饷兵之

① 周谷城．中国学术名著提要：政治法律卷［M］．上海：复旦大学出版社，1996：476.

② 魏源．筹海篇三：议战［M］// 魏源全集：第四册．长沙：岳麓书社，2004：27.

③ 魏源．筹海篇一：议守上［M］// 魏源全集：第四册．长沙：岳麓书社，2004：10.

厚、练兵之严、驭兵之纪律，为绿营水师对治之药。故今志于英夷特详。志西洋正所以志英吉利也。塞其害、师其长，彼且为我富强；舍其长、甘其害，我乌制彼胜败？奋之！奋之！利兮害所随，祸兮福所基，吾闻由余之告秦缪矣。善师四夷者，能制四夷；不善师外夷者，外夷制之。"[①]由此他急切期待政府能进一步地改革兵制，裁汰冗兵弱旅，整顿水师建立新式海防军队，提高军队的整体作战能力和防御能力，希冀中国从军事领域开始逐渐走上近代化之路。为普及对西方技术的了解，魏源在著述中详细记载了轮船、大炮、枪支、弹药、炮台、火车、量天尺、千里镜、定时钟等近代科技的构造和工作原理，资料介绍十分详实，并附有图纸式样，具有很高的实用价值。曾国藩就依据《海国图志》中记载的船舶制造信息，组织制造了中国第一艘蒸汽机轮船"黄鹄号"，揭开了中国近代船舶制造工业的帷幕。

魏源还认识到要抵抗列强的侵略和欺凌，清政府必须实行全面的社会改革，必须"去伪、去饰、去畏难、去养痈、去营窟，则人心之寐患袪，其一；以实事程实功，以实功程实事，艾三年而蓄之，网临渊而结之，毋冯河，毋画饼，则人材之虚患袪，其二"[②]。魏源曾经长期从事幕僚工作，后来又在知县、知州等地方官职上任职多年，可以说是深入、透彻地认识到了晚清政治制度的缺陷和存在的弊端，因此魏源改良社会的愿望十分迫切。通过了解，他发现西方在民主管理国家、公开选拔官吏和平等对待国民等方面，拥有优越于中国的制度和措施，如果中国能够借鉴和学习它们，则对矫正时弊十分有益。他称赞瑞士不立王侯，推选官员治理国家，是"西土之桃花源"[③]，而希腊在选官上实行任期制，选贤与能的传统也很不错，希腊"立九官以治事，九官由众推选，以三年为佚满，

① 魏源．海国图志：[M]// 魏源全集：第六册．长沙：岳麓书社，2004：1078.
② 魏源．海国图志序[M]// 魏源全集：第四册．长沙：岳麓书社，2004：2.
③ 同① 1316.

贤则留，否则更”[1]。在西方国家中，魏源最欣赏的是美国，他详细介绍了美国的总统制、司法独立和三权分立原则，也高度赞美了华盛顿领导的独立运动，说：“呜呼！弥利坚国非有雄材枭杰之王也，涣散二十七部落，涣散数十万黔首，愤于无道之虎狼英吉利，同仇一倡，不约成城，坚壁清野，绝其饷道，遂走强敌，尽复故疆，可不谓武乎！……二十七部酋分东西二路而公举一大酋总摄之，匪惟不世及，且不四载而受代，一变古今官家之局，而人心翕然，可不谓公乎？议事听讼，选官举贤，皆自下始，众可可之，众否否之，众好好之，众恶恶之，三占从二，舍独循同。即在下预议之人亦先由公举。可不谓周乎？”[2]魏源对这些民主制度的关注和大加赞赏，可以看作是他政治理想的真实流露和希冀。处在社会中下层的魏源是十分渴望获得经邦治国的机会和施展才华的平台，但在封建专制政体统治下的中国，对于自由、平等、民主、选举等观念许多人闻所未闻，更不屑说接受和实践了，当时能够真正认识到魏源经世才华和卓越见识的人士都很少。反而是近邻的日本发现了他学说的伟大，明治维新期间魏源的《海国图志》在日本盛行一时，成为指导日本走向近代社会的重要启蒙书籍之一。魏源去世以后，他的学说才逐渐被国人熟知。不过魏源对近代世界的介绍和分析，还是逐步拓宽了国人的视野，启迪了国人的思维，也开始引发了国人对中国君主专制体制更深刻的评判和斗争，洋务运动和戊戌变法人士都从魏源学说中吸取养料。作为新时代的开创者，魏源推开了中国认识世界的一扇窗口。

魏源认为要达到独立自强，还必须重视发展经济。他坚决反对鸦片走私，呼吁清政府应该积极开展正常的对外贸易，“听互市

① 魏源．海国图志［M］// 魏源全集：第六册．长沙：岳麓书社，2004：1349.
② 魏源．海国图志［M］// 魏源全集：第七册．长沙：岳麓书社，2004：1585.

各国以款夷”[1]。魏源也突破了以往国人将西方的科学技术视为奇技淫巧的看法，他建议政府在“广东虎门外之沙角大角二，置造船厂一，火器局一”，然后聘请法国、英国技术人员来指导生产，制造舰船和器械，然后“选闽、粤巧匠精兵以习之。工匠习其铸造，精兵习其驾驶、攻击”。如此加以数年，再“尽裁并水师之虚粮、冗粮，以为募养精兵之费。必使中国水师可以驶楼船于海外，可以战洋夷于海中”[2]，则中国必有自强之希望。魏源还指出军事的强大对其他民用行业的发展也会起到很好的促进作用，说：“今西洋器械，借风力、水力、火力，夺造化，通神明，无非竭耳目心思之力，以前民用。”[3]“凡有益民用者，皆可依此制造之”，即使官办的造船厂、火器局也可以制造民用的龙尾车、自转碓、风锯、水锯等生产工具。“船厂非徒造战舰也。战舰既造，即闽、广商艘之泛南洋者，必争先效尤；宁波、上海之贩辽东、贩粤洋者，亦必群就购造，而内地商舟皆可不畏风飓之险矣。”[4]政府应该积极扩大对外贸易的范围，允许购买“洋船、洋炮、火箭、火药”等武器，也可以准许外国商人“以艘械、火药抵茶叶、湖丝之税”。通过与西方国家的正常贸易，中国不仅可以从西方购买新式军事器械，提高清军的防御抵抗能力，同时还可以购买其他的工业产品和资源，如能长此以往，则中国未来必然会摆脱困境走向独立自强，即“吾不停贸易以自修、自强”。魏源一直认为中国“人材非不足”，“材料非不足”如果我们能够运用聪明智慧，好好地学习西方的科学技术，“因其所长而用之，即因其所长而制之。风气日开，智慧日出，方见东海之民犹西海之民，云集而鹜赴，又何暂而旋辍之有”[5]！那么中国总有一天会富强起来，与西方国家比肩而立。

① 魏源．筹海篇一：议守上［M］// 魏源全集：第四册．长沙：岳麓书社，2004：1.
② 魏源．筹海篇三：议战［M］// 魏源全集：第四册．长沙：岳麓书社，2004：28.
③ 同② 31.
④ 同③．
⑤ 同② 31.

从整体上看，魏源对西方文明的分析和认识，还是以传统文化的知识储备为基础的，他积极探索和反思西方文明的勇气和动力，主要也来源于湖湘经世致用理念和今文经学的治学风气的长期熏陶。可以肯定地说，魏源对西方文明的探究是其努力寻求的救世手段和措施。但是基于时代条件的局限，魏源对西方的认识和对中国社会的反思在理论上和逻辑上，还有许多不足之处。对于中国社会未来的发展方向，魏源也没有提出一个详细缜密的规划，但这并不妨碍魏源成为一位伟大的思想家。他开创性地提出的那些学习西方的思想主张和见解，虽然在当时未能得到统治者的认可和主流社会的肯定，但它却如同一缕耀眼的曙光，撕开了传统中国的帷幕，对晚清社会走向近代起到了不可估量的作用。所以“尽管魏源对欧美各国的介绍还是初步的、肤浅的，还有许多不够准确甚至错误的地方，但他所开启的‘西学东渐’过程，从此把欧风美雨引进中国。从中国近代一直到现在还在继续进行的中西文化大交流从此揭开序幕”[①]。

（四）魏源学术思想中的湖湘文化特色

湖湘文化对魏源学术思想体系的形成起到了十分重要的作用。魏源的启蒙老师是他的叔叔魏辅邦，魏辅邦曾经就读于岳麓书院，师从罗典，和严如熤、陶必铨等是同学，在其叔父和其他多位老师的教导之下，魏源学业大进。14 岁就进入濂溪书院学习，该书院是为了纪念北宋理学家周敦颐而建立的，这所学校在明清之际是宝庆府辖区民间最高学府，在这里魏源接受了正规的理学教育。后来又进入了湖湘理学的重镇——岳麓书院，师从讲求经世之学的山长袁名曜，袁氏的治学风格和书院重实学、重经世的学风都

① 彭大成．中西冲突交融中的湖湘文化——从近代走向现代的历史抉择：下卷［M］．长沙：湖南人民出版社，2010：1028.

对魏源产生了较大的影响。在书院求学期间，魏源还结识了许多志同道合的朋友，如何庆元、陈起诗、李克钿等，他与这些师友们一起探讨、切磋学问，生活十分惬意，书院的求学生活在其一生中都留下了深刻的印记。以后他多次赋诗回忆这段求学时光，留下的诗文有《晚步寻爱晚亭至岳麓寺》《夜登岳麓介景台》和《答友人书院读书之约》等。魏源与同是岳麓书院毕业的陶澍、贺长龄等交谊匪浅，书院情结定然在这其中起到了重要的作用。据《魏源师友记》中记载，与魏源交往的师友有 233 人，其中湘籍人士就达 43 人之多，这些师友们不仅在生活上帮助和照顾魏源，更是在学问上与魏源互相砥砺，他们对魏源学术思想体系的形成和发展提供了巨大的帮助及支持。总体来看，魏源在 21 岁之前，所接受的文化教育完全是在湖南，家族教育和乡邦文化的熏陶，对他学术思想和学术探究精神的形成都产生了深远的影响。具体来说魏源学术思想中浓郁的湖湘文化特色体现在如下几个方面：

首先，魏源的学术思想深刻体现了湖湘文化经世致用的传统特色。无论治学，还是担任幕僚或从政之时，魏源都十分强调经世致用理念。这一方面是受到今文经学的影响，另一方面则是受湖湘文化的浸染。湖湘文化的重要特征之一就是注重经世之学，提倡在治学和社会实践中都要讲究务实精神，要积极关注社会现实问题，治学的最终目的是要兴邦安国。这种治学风格在湖湘文化里根基深厚、源远流长，湖湘学子多秉承这种传统，魏源也不例外。魏源的经世理念和才华得到了时任江苏巡抚的湘籍官吏贺长龄的赏识，他邀请其做幕僚，以协助自己编撰《皇朝经世文编》。在丛书的编撰过程中，魏源接触到了大量与社会现实问题有关的资料，涉及漕运、农政、水利、边防、盐政、钱币、河工等各个方面，这给了魏源深入了解和认识社会的机会，对其经世思想的成熟和以后的从政生涯都奠定了坚实的基础。后来魏源又担任陶澍幕僚，在陶澍进行的漕运、盐政改革中，也起到了重要的策划作用。另外魏源还有八年任职地方的经历，他每到一个地方任职都认真考察当地的民俗风情，并依据实际情况采取措施革除弊政，获得了当地民众的好评。他在兴化任职时，实地考察当地的地形和水利设施建设，提出了修筑运河西堤，防范河水泛滥的建议。在他的多次奔走之下，运河西堤终于修建起来，从根本上解决了兴化一带的水患问题，老百姓感激他故称这条河堤为“魏公堤”。魏源在为政期间，获得了亲民爱民的赞誉，其去世后于清同治十一年（1872）奉旨入祀了高邮名宦祠。

其次，魏源很好地继承和发展了湖湘文化传统的忧患意识和爱国情怀。“忧患意识是历史的觉醒者在使命感的驱使下，面对艰难的时世，产生的一种忧虑、悲悯的精神状态。”[①] 湖湘文化中素来就蕴含非常强烈的心忧天下、敢为人先的救世行道的特色，这种浓郁的社会责任意识和爱国精神，最早可以追溯到屈原、贾谊，及至南宋，胡安国、张栻及其弟子们将这种精神进一步发扬光大。他们不仅倡导传道济民，而且还积极参加抗击金兵、保家卫国的战斗。尤其是宋德祐元年（1275）元兵进攻长沙时，岳麓书院的几百名学生积极参加抗元战斗，城破后大多数人选择了壮烈殉国，成为了千古美谈。魏源身处清朝嘉道之际，亲历了鸦片战争，对于社会日益衰败的局势感受颇深，时时存着忧患之心和报国之志。最为炽烈和彻底地反映魏源忧患意识和爱国情怀的是他的两部著作《圣武记》和《海国图志》。他在《圣武记》的序言中明确指出撰写此书的背景是鸦片战争爆发以后，民族危机日益严重的情况下特意编写的，当时是“晚侨江淮，海警沓至，忾然触其中之所及，乃尽发椟藏，排比经纬，驰骋往复”，该书“告成于海夷就款江宁之月”[②]，即清道光二十二年（1842）中英《南京条约》签订之时。

① 夏乃儒．中国古代“忧患意识”的产生与发展［J］．上海：上海师范大学学报，1998，3（81）：82.

② 魏源．圣武记序［M］// 魏源全集：第三册．长沙：岳麓书社，2004：1.

可见魏源编写此书具有很强烈的时效性和目的性，希望借宣扬清初以来的军事历史来激励国人发奋图强，抵抗外侮。而《海国图志》中提出的“师夷长技以制夷”主张，更是切中时弊。魏源的朋友称赞他和其书说：“魏君可谓有志之士矣！能毅然以振国威、安边境为己任，何其编录之周详、议论之激切如此哉！澧谓其书罗列荒远之国，指掌形势，可谓奇书。”[①] 魏源的这些思想和见解对近代解决民族危机，实现救亡图存，具有深远的积极意义。

再者，魏源进一步发展了湖湘文化中勇于任事、敢为人先的创新精神。钱基博评价湖南人的性格时说：“民性多流于倔强，以故风气锢塞，常不为中原人文所沾被。抑亦风气自创，能别于中原人物以独立。人杰地灵，大儒迭起。罔不有独立自由之思想，有坚强不磨之志节。”[②] 湖湘文化里早就蕴藏了深厚的勇于任事、敢为人先的开创精神，从屈原求索天地开始，这种精神就已经在湖湘大地上扎根。无论是周敦颐开辟重重榛莽振兴儒学，还是王夫之豪迈地提出“六经责我开生面，七尺从天乞活埋”，抑或是曾国藩为创立湘军而“打落牙齿和血吞”的霸蛮精神，无不体现了湖湘文化里的创新意识和果敢精神。魏源将这种创新精神发挥到了极致，他提出的“以夷攻夷”“以夷款夷”和“师夷长技以制夷”的观点，不仅开创了近代湖南人向西方学习的先河，更是对近代中国兴起学习西方的风气具有筚路蓝缕之功。

近代湘籍学者和湘籍官绅许多都受到了魏源的深刻影响，在湖湘文化的学统中，魏源当仁不让地应该据有重要的一席之地。魏源称得上是湖湘文化里继往开来式的人物，他不仅继承了湖湘先贤们的学术旨趣和人格精神，而且还启迪和影响了近代无数的湖湘学子，同时还对近代湖湘文化的发扬光大做出了杰出的贡献。

① 陈澧．书《海国图志》后呈张南山先生［M］// 东塾集：卷二．转引自夏剑钦．魏源研究著作述要．长沙：湖南大学出版社，2009：24.

② 钱基博．近百年湖南学风［M］．北京：中国人民大学出版社，2010：3.

他参与主编的《皇朝经世文编》成为了晚清致力于经世致用理念人士的必读之经典书籍。《海国图志》刊行后，魏源的学术思想提升到了新的高度，他对晚清社会和近代世界的认识更是让湖湘士子刮目相看。郭嵩焘称赞该书对社会的发展趋势具有先见之明，对西洋事物的认识和分析比较客观，可以成为中国人了解西方的桥梁，因为该书“要其大旨在考览形势，通知洋情，以为应敌之资。其论以互市议款及师夷长技以制夷，言之始通商之日，无不笑且骇者,历十余年其言皆验”[①]。而洋务运动提出的“师夷长技以自强”口号，明显脱胎于魏源的思想主张，左宗棠在重刻《海国图志》时也专门为其作序，序言中明确指出洋务派的改良举动和措施完全是承继魏源的师夷长技理念。曾国藩、左宗棠、刘坤一等湘籍官吏明显都受到了这位乡贤的影响，他们在洋务运动中起到了中流砥柱的作用，推动了近代中国社会的发展，魏源的思想启迪作用是不容忽视的一个因素。总而言之，魏源堪称湘学近代转型的前驱先路，作为湖湘人士中的佼佼者，他不仅秉承了湖湘文化中经世致用、务实践行、锐意创新的优良文化传统，而且还兼收并蓄地吸取了江浙文化和西方文化的精粹，为湖湘文化增添了新的内涵和活力。他提出的种种见解在许多方面都突破了传统文化的思维范畴，不仅有力地推动了湖湘文化的近代化转型，而且还极大地促进了晚清学术风气的改变，预示着中国思想史新纪元的到来。

（五）魏源思想与中国近代化进程

魏源是中国近代著名的开眼看世界的思想家，他第一次较全面、客观地把世界的真实面貌呈现在了国人的面前，纠正了国人

① 郭嵩焘．书《海国图志》后［M］// 郭嵩焘诗文集．长沙：岳麓书社，1984：95.

长久以来把中国当作世界中心的错误认识。他不仅深刻地感受到了西方文明东侵对古老中国造成的巨大冲击，还敏锐地意识到一向以天朝上国自居的中国正在经历从“天下中心”走向世界列国的时代巨变。他也在事实上承认了“中国”之外还存在着“礼仪之邦”，还有许多地方值得“天朝”学习和借鉴，魏源的这种认识代表了当时中国人对西方世界认识的最高水平。他将中国传统文化的发展纳入到了世界文化的发展视野之中，鼓励国人积极主动去认识和学习西方先进文明，并以此来实现振兴国家和复兴民族的梦想，体现了一个“积感之民”强烈的忧患意识和责任意识。梁启超高度赞誉魏源对中国近代社会的发展产生了深远影响说：“《海国图志》之论，实支配百年来之人心，直至今日犹未脱离净尽，则其在中国历史上关系不得谓细也。”① 作为近代著名的启蒙思想家，魏源的学术思想不仅引导湖湘文化走向近代，更是对中国近代历史的发展进程产生了重要作用。

魏源对近代社会产生的首要影响就是彻底打破了长期以来在国人思想观念中占据重要地位的“夷夏大防”观和“华夏文化中心观”，启迪了国人“开眼看世界”的新思维。华夏文明数千年来在世界一直居于领先和优势地位，古代中国人一直在观念形态上坚持认为中国是天下的中心，他们认为所谓天下就是以中国为中心向东亚乃至世界呈现同心圆辐射的政治系统和伦理秩序，“中国自以为是这一文明的首善之区，文明之所寄托。于是‘天下’是一个无远弗界的同心圆，一层一层地开花，推向未开化，中国自诩为文明中心，遂建构了中国与四邻的朝贡制，以及与内部边区的赐封、羁縻、土司诸种制度”②。确实在很长的一段时间里，中国

① 梁启超. 中国近三百年学术史［M］// 饮冰室合集：第 10 册. 北京：中华书局，1989：323.

② 许倬云. 我者与他者：中国历史上的内外分际［M］. 北京：生活·读书·新知三联书店，2010：20.

是东亚诸国学习和仿效的对象，朝贡制度和宗藩制度进一步强化了中国人的大国意识和华夷观念，也培养了中国人的骄傲和盲目自大。绝大多数的中国人以华夏文明的传承者自居，对周边邻国以及世界其他文明时常显露出十分鄙视的态度。他们“徒知侈张中华，未睹寰瀛之大”[①]，固执地认为中国的礼乐教化是世界上最先进的文明，其他地区的文明程度都不如中国，故称其为夷狄，“所谓戎狄者，但据礼乐政教而言及之，其不服中国礼乐政教而以寇抄为事，谓之戎狄”[②]。这种以中国为世界文明中心的观念和严格区分夷夏的做法，在很大程度上禁锢了国人对世界的认知水平，也阻碍了中国与世界的交流和发展，这也是导致近代中国落后于西方的一个因素。

鸦片战争的惨败，打击了中国人的民族优越感，魏源敏锐地意识到不能再用传统的华夷观来看待西方诸国了。只有知己知彼，方能百战不殆，因此必须尽快搜集和了解西方的情况，找到应对措施，从这种失败和挨打的窘境中走出来，《海国图志》就是在这样的背景下创作的。该书详细地介绍了世界各国的地理位置、历史沿革、风土人情和政治制度。书中明确指出西方文明在许多方面优于古老的华夏文明，魏源甚至称西方饱学之士是值得学习的“瀛寰之奇士”和“域内之良朋”。他说：“夫蛮狄羌夷之名，专指残虐性情之民，未知王化者言之。故曰：先王之待夷狄，如禽兽然，以不治治之，非谓本国而外，凡教化之国，皆谓之夷狄也。且天下之门有三矣，有禽门焉，有人门焉，有圣门焉。由于情欲者，入自禽门者也；由于礼义者，入自人门者也；由于独知者，入自圣门者也。诚知乎远客之中，有明礼行义，上通天象，下察地理，旁彻物情，贯串古今者，是瀛寰之奇士，域内之良朋，尚

① 魏源. 圣武记序［M］// 魏源全集：第三册. 长沙：岳麓书社，2004：1.
② 郭嵩焘. 郭嵩焘诗文集［M］. 长沙：岳麓书社，1984：202.

可称之曰夷狄乎！”[1]他反对不加区别地将中国以外的其他国家和民族统称为夷狄，主张以礼义为标准，重新界定夷狄，充分肯定其他民族和国家的长处，这是对传统华夷观的有力地冲击和矫正。魏源对西方文明的传播和介绍，使国人开始意识到西方国家并非想象中的蛮夷小邦，世界的中心也不在中国，传统的“四海之内，天朝为大”的华夏中心观和蛮夷观念也开始动摇了，打破了传统中国认定的天下格局和世界秩序，对于破除传统观念的束缚和树立新的世界认识观具有十分积极的作用和意义，也昭示着一种新的文化价值取向即将在中国兴起。魏源提出学习西方先进科技的主张，无疑是中国人西洋观念和文化意识巨大转变的肇始和开端。中国人一向坚持传统的夷夏大防观念，自豪于华夏文化的优越性，现在魏源倡导了解西方、学习西方和肯定西方文明的进步，无疑是一大创举，他跨越了中国传统文化史上一个难以逾越的障碍，推动着传统文化向近代化迈入。尽管这只是一个开端，但他的破冰行为揭开了近代思想文化觉醒的序幕。

魏源对近代中国的影响还体现在洋务派、维新派等近代知识群体吸收和发展了他的见解和主张，为推动近代中国社会的转型创造了条件。洋务派直接继承了魏源的自修自强主张，提出自强论，强调以军事工业的革新为首要突破点，来挽救民族危机，其“师夷长技以自强”的口号完全是脱胎于魏源的“师夷长技以制夷”。洋务派在中央的领袖奕䜣就说：“查治国之道，在乎自强，而审时度势，则自强以练兵为要，练兵又以制器为先。”[2]在镇压太平天国的过程中，曾国藩也见识了西洋武器的威力，他积极上奏朝廷，要求购买西洋舰船和大炮，以便于镇压农民军起义和解除外患，明确说：“今日和议既成，中外贸易有无交通，购买外洋器物尤属名正言顺。购成之后，访募覃思之士，智巧之匠，始而演习，继

① 魏源.海国图志[M]//魏源全集：第七册.长沙：岳麓书社，2004：1866.
② 中国史学会.洋务运动（三）[M].上海：上海人民出版社，1961：466.

而试造，不过一二年，火轮船必为中外官民通行之物，可以剿发捻，可以勤远略。”[1] 在另一份奏折中又提出：“师夷智以造炮制船，尤可期永远之利。”[2] 李鸿章也多次提到：“中国欲自强，则莫如学习外国利器；欲学习外国利器，则莫如觅制器之器，师其法而不必尽用其人；欲觅制器之器与制器之人，则或专设一科取士。”[3] 左宗棠在重刻《海国图志》时还专门为其作序，指出洋务派的改良举动和措施完全是继承了魏源的师夷长技理念，说：“书成，魏子殁廿余载，事局如故，然同光间福建设局造轮船，陇中用华匠制枪炮，其长亦差与西人等。艺事，末也，有迹可循，有数可推，因者易于创也。器之精光，淬厉愈出；人之心思，专一则灵；久者进于渐也。此魏子所谓师其长以制之也。”[4] 奕䜣、曾国藩、李鸿章和左宗棠都是洋务运动的领袖和主力干将，在他们的倡导和支持之下，19 世纪 60 至 90 年代在中国掀起了大规模模仿、实施西式工业化的热潮——洋务运动。在洋务运动实施期间西方科学技术成果大量被引入中国，中国也开始兴办近代化的工厂、企业、学校，创建新式陆军、海军，甚至还选派大批幼童赴美留学，力求深入地学习西方的科学技术，为中国培养精锐的近代化人才。洋务派在魏源向西方学习的设想中，迈出了具有实际意义的一步，开启了中国近代化之门，对中国近代社会的发展产生很重要的影响。

魏源对维新派的影响也是十分明显的。甲午战争失败后，中国再一次掀起了学习西方的新高潮，这主要源于日本的强大给予中国的刺激和震动。日本在中国人的眼中向来是蕞尔小国，长期以来都是羽翼于中国之下。然而令中国人没有想到的是，明治维新以后，日本却发生了翻天覆地的变化，国力大增，竟然迫使堂

① 曾国藩．曾国藩全集：3［M］．长沙：岳麓书社，1995：1603.

② 朱东安．曾国藩文选［M］．天津：百花文艺出版社，2006：163.

③ 中华书局编辑部，李书源．筹办夷务始末（同治朝）：第三册［M］．北京：中华书局，2008：10.

④ 魏源．海国图志［M］// 魏源全集：第七册．长沙：岳麓书社，2004：2255.

堂中华帝国臣服。在耻辱和震惊下,《海国图志》被刊印了三次,越来越多的人开始主动积极地了解世界和西学。早期维新派代表王韬说:“当今之世,非行西法则无以强兵富国。……诚使孔子生于今日,其于西国舟车枪炮机器之制,亦必有所取焉。”[①] 冯桂芬也援引魏源的话说:“‘师夷长技以制夷’一语为得之。始则师而法之,继则比而齐之,终则驾而上之,自强之道,实在乎是。”[②] 而维新派的主要代表“康有为、谭嗣同、梁启超的政治思想和主张,基本上是渊源于龚、魏的”[③]。龚、魏指的就是龚自珍和魏源。康有为也提及魏源是自己学习西方文明的启蒙者,他说:“游香港,览西人宫室之瑰丽,道路之整洁,巡捕之严密,乃始知西人治国有法度,不得以古旧之夷狄视之。乃复阅《海国图志》《瀛寰志略》等书,购地球图,渐收西学之书,为讲西学之基矣。”[④] 梁启超则直接将林则徐、魏源看作是近代中国倡导变法运动的启蒙者,说:“我国迫于外侮,当变法者,盖六十余年矣。然此六十余年中,可分为四界:自道光二十余年割香港、通五口,魏源著《海国图志》,倡‘师夷之长技以制夷’之说,林则徐乃创译西报,实为变法之萌芽。”[⑤] 可见魏源倡导的变革思想和强烈的抵御外侮精神对维新派影响很深。甲午战败后中国面临的民族危机和政治危机比以往任何时期都要严峻,康有为呼吁:“今日在列大竞争之中,图保自存之策,舍变法外别无他图。”[⑥] 维新派积极学习西方资产阶级政治制度,提出“设议院”“开民权”的改革要求,他们在魏源介绍西方政治思想的道路上前进了一大步,直白地表达了对西方民主政体的渴求和向往,也犀利地批判了封建君主专制体制,强烈要求中国适应

① 王韬.弢园文录外编[M].北京:中华书局,1959:323.
② 冯桂芬.校邠庐抗议:下篇[M].郑州:中州古籍出版社,1998:198.
③ 吕振羽.中国政治思想史[M].上海:生活书店,1947:507.
④ 康有为.康南海自编年谱[M].北京:中华书局,1992:8—10.
⑤ 梁启超.戊戌政变记[M]//饮冰室合集.第10册.北京:中华书局,1989:21.
⑥ 汤志钧.康有为政论集:上册[M].北京:中华书局,1981:208.

世界潮流的变化。维新派的产生标志着中国传统知识分子转型成为了近代社会新型知识分子，这对中国社会的近代化进程起到了很大的推动作用。

在中国由传统向近代转型的过程中，以魏源为代表的经世派知识群体在传统和近代之间架起了一座桥梁。他们不拘泥于成法，敢于突破时代的羁绊，倡导学习西方，揭开了近代中国新思潮萌发的序幕，也开启了国人学习西方先进技术、复兴民族和救亡图存的探索历程，随后的洋务派、维新派甚至革命派以及中国共产党在探索救国救民道路时都无一例外地将目光投向了外来的先进文化。

第二章

咸同变局与湖湘文化传统的弘扬

清咸同年间，因为镇压洪秀全领导的太平天国，以湖南人为主力的湘军集团迅速崛起，湖南的军事、政治地位迅速得到提高，湘籍官吏及军人一度主宰了晚清的军政大局，湖南瞬息之间成为举国关注的地方。这些封疆大吏们的思想没有不受到湖湘文化熏陶的，他们切切实实地做到了“通经学古，以致诸用”，他们在事功上创造了卓越的成绩，使得湖南人才群体在晚清的政局中开始起着举足轻重的作用。地域群体的凝聚力和感召力，促使湖湘士绅急切地想摆脱湖南在区域文化里的落后地位。在这种环境下的湖南官绅们，对提升湖南和湖湘文化在全国的地位和影响的诉求日益迫切，他们希望湖南在国家政治经济生活中的比重能够与日俱增，希望湖湘文化能够成为晚清中国的重要地域文化之一，并且成为能够产生辐射效应、对全国形成较大影响的显要地域文化。换句话说也就是从思想文化领域出发实现湖南文化强省的梦想，从而最终达到促进湖南经济、文化的发展和提升湖南在全国的政治地位，推动湖湘地区的全面发展。

一、太平天国起义与湖湘理学经世派的崛起

清道光三十年（1850），洪秀全建号“太平天国”，发动了反抗清政府的武装起义。在短短的两年时间里，太平军不仅席卷了广西、湖南、江西、湖北、安徽和江苏等省，而且还将南京改名为天京，定为都城，建立起了与清政府对峙的政权。这种分庭抗礼的做法，造成了清咸同时期最为严重的国内社会危机，从此中国南方陷入了长达 14 年之久的战乱之中，长江流域的经济、文化受到了极大的破坏。太平军所占领和波及的江南地区恰恰又是晚清时期最富庶的地方，因此这次农民起义对晚清社会产生的冲击和影响都是极大的。太平天国起义威胁的不仅仅是清朝统治，更

重要的是它猛烈抨击中国几千年来的传统文化，对儒学也造成了很大的伤害。太平军从广西出发，随后进入湖南，湖南首先受到了太平天国起义军的冲击，具有刚劲强悍性格且经世意识强烈的湖南地主阶级知识分子迅速投身到抗击太平军的斗争中，借剿灭太平军之际遇，湖湘理学经世派群体得到了发展壮大的机会。

（一）太平天国起义对传统文化的严重冲击

太平天国起义对中国传统文化造成的严重打击是清政府和传统知识分子都始料未及的。洪秀全领导的太平天国与中国以往的农民起义有很大的不同，他不仅借助基督教中的“上帝”来挑战封建社会皇帝和儒学创始者孔子的权威，而且还期望利用基督教的教义来煽动老百姓对清政府和儒学的仇视情绪，以达到颠覆晚清社会的目的。“洪秀全借用了一个洋上帝，反对中国诸鬼神，以至于地主阶级的最高统治者皇帝”[①]。他创立了“拜上帝会”组织，以宗教为幌子，利用基督教教义“天下一家”“天国”等说教来宣扬绝对平等的天国理念，描绘一个美好的理想社会，这对饱受欺凌和生活穷困的社会下层民众是很有蛊惑力的，他们纷纷投入到这场打破传统等级秩序、推翻封建政权的斗争中，对中国的传统文化和传统礼仪制度造成了很大的破坏性。在洪秀全和太平天国起义军的宣传和煽动之下，许多老百姓的思想发生了变化。他们开始敢于藐视封建的纲常礼教和社会秩序，开始敢于打破常规习俗，对延续了数千年的传统伦理道德和等级秩序也失去了敬畏之心，清政府在地方的权威和统治秩序更是受到了极大的冲击，以至于清廷官吏不得不叹息道：“贼虽无邪术，然虏人纯用换移心肠之法……换好人为坏人，换坏人为极坏人，如贼数门内逐条所载

① 桑咸之，林翘翘．中国近代政治思想史［M］．北京：中国人民大学出版社，1982：54.

是也。于伦常义理及绳趋墨步之言行，询之皆如隔世，视我官吏若甚卑，不及贼目之尊贵，毫无畏敬之意。”①

太平天国推行的“拜上帝教”是一神教，他们奉上帝为唯一的真神，排斥一切偶像崇拜，否定在上帝以外还有什么别的神存在。洪秀全认为：“盖天父上帝是独一真神，独一圣神。上帝曰：除朕外，不可有别神别帝也。”② 他屡次要求人们不要跪拜和信仰寺庙里那些虚空的神像和菩萨，这种强烈的排他性和唯一性的宗教信仰，与中国当时的社会状况十分的不相符合。中国是一个宗教意识相对来说比较淡薄的民族，历史上也没有出现过全民信仰同一种宗教的局面，一直以来社会上都是儒释道等多种思想并存，而民间老百姓的信仰则更加复杂，各民族、各地区都尊奉有不同的神和偶像，如来、观音、玉皇大帝、土地神、耶稣、穆罕默德，各种传统的宗教权威和偶像在中国民间都有信奉的群体。如果一定要说统一的话，那就是由封建政府视为正统思想的儒学创始人孔子，受到了来自社会各阶层的推崇和敬仰，中国各地建有大量的文庙，专门用来祭祀孔子及其杰出的弟子们。从一定程度上说，孔子成为了中华传统文化的象征符号，文庙的存在也体现了儒学在中国传统社会中的主流文化地位。为了维护太平天国和拜上帝会的权威，洪秀全发起了一场大规模的文化专制运动，儒学和孔子成为了首当其冲的扫荡对象，起义军所到之处，镇压豪强地主、捣毁庙宇学宫、焚烧文契书籍，肆意地对传统文化的核心——儒学及其孔子进行了猛烈的践踏和抨击。

孔子是儒学的创立者，长期以来被统治者奉为文化秩序的守护者和精神领袖，在传统中国社会里享有无与伦比的尊荣。然而太平天国则认为孔子是一切罪恶的渊源，斥儒学为异端邪说。洪

① 中国史学会．太平天国：(三)［M］．上海：上海人民出版社，1953：327.

② 洪秀全．约翰上书：第五章［M］// 周松平．中国近代名家名作宝库：第五辑．呼和浩特：内蒙古人民出版社，2000：211.

秀全认为“推勘妖魔作怪之由，总追究孔丘教人之书多错”[①]，“凡一切孔孟诸子百家妖书邪说者尽行焚除，皆不准买卖藏读也，否则问罪也”[②]。太平军所到之处，孔庙、孔子像和孔子牌位等全部被毁掉，并将儒家经典斥为“妖书”，严禁军民诵读和收藏。定都天京后，洪秀全更是下令“凡前代一切文契书籍，不合天情者概从删除”[③]。他还要求以拜上帝教教义为标准，重新衡量和裁定儒学，儒学中凡是与拜上帝教教义有冲突的地方，都必须修改或直接删除。为此，他专门设立了“删书衙”，其主要职责就是删改《论语》《孟子》《中庸》《诗经》《礼记》《春秋左传》等儒家经典中与太平天国教义不相符合的内容。一时间在太平天国统治范围内，太平军“搜得藏书论担挑，行过厕溷随手抛。抛之不及以火烧，烧之不及以水浇。读者斩，收者斩，买者卖者一同斩，书苟满家法必犯。昔用撑肠今破胆”[④]。太平军对读书人更是采取了极端的制裁措施，“凡掳人每视其人之手，如掌心红润，十指无重茧者，恒指为妖，或一见即杀，或问答后杀之，或不胜刑掠，自承为妖，杀之，或竟棰楚而死”[⑤]。这样大规模地搜书、烧书和杀戮行为，制造了十分恐怖的氛围，不仅激起了人们的愤怒情绪，更是令饱读诗书的学子投笔从戎，誓死捍卫儒学道统和儒者的尊严。曾国藩就大呼：“举中国数千年礼义人伦、诗书典则，一旦扫地荡尽。此岂独我大清之变，乃开辟以来名教之奇变。我孔子、孟子之所痛哭于九原，凡读书识字者，又乌可袖手安坐，不思一为之所也。”[⑥]

洪秀全和太平天国显然忽视了儒学对中国社会的作用和影响，

① 太平天国历史博物馆．太平天国印书：第一册［M］．南京：江苏人民出版社，1961：10.
② 中国史学会．太平天国（一）［M］．上海：上海人民出版社，1953：313.
③ 中国史学会．太平天国：(二)［M］．上海：上海人民出版社，1953：561.
④ 中国史学会．太平天国：(四)［M］．上海：上海人民出版社，1957：735.
⑤ 赵烈文．能静居士日记［M］// 太平天国历史博物馆．太平天国史料丛编简辑：第三册．中华书局，1962：151.
⑥ 曾国藩．讨粤匪檄［M］// 曾国藩全集：14. 长沙：岳麓书社，1994：232.

根植于中国文化土壤数千年之久的儒学，不仅是具有十分强大生命力的思想学说，而且还是封建社会的正统思想，是统治者长期教化和训导民众的有力思想武器。儒学就其本质而言，是中国传统社会政治伦理、经济伦理和日常伦理的总和，它不仅强调个人的道德涵养和知识水平，还通过社会教化的方式潜移默化引导社会民众遵守道德规范和社会秩序，为维护社会稳定和国家长治久安起到了十分重要的作用。正因为如此，儒学为历代统治者所重视，并且成为了国家权力的有效组成部分。由此看来，洪秀全提出的要摒弃、摧毁或者改造儒学的想法，实现起来是一件比较困难的事情。数千年来儒学对中国人的行为、思维和价值观念都产生了深刻的影响，它已经深深地扎根在中国这块古老的土地上了，非轻易可以撼动，更别说清除了。很显然，洪秀全没有深刻地认识到这一点，简单粗暴地禁止、焚毁和杀戮是不可能消灭儒学和封建权威的。太平军采取的捣毁神像寺庙，不准祭祀祖先、禁止信仰其他神灵的做法，反而加剧了国人对太平天国的反感和敌视情绪，即便是参加了起义的农民也会产生疏离和不满。“太平军摒弃传统的社会价值准则和制度，这个事实使他们更难于把势力伸展到所占城镇之外的农村内地。”[①] 还有洪秀全实际上并没有对基督教文化进行过全面、深刻的研究，他仅仅是根据《劝世良言》这本小册子，然后结合自己的理解而创立的拜上帝会，因此拜上帝会根本无法真正反映晚清农民的诉求，可以说“太平军的宗教从未成为民众文化的组成部分”[②]。正如冯友兰所说，洪秀全学习的仅仅是西方的宗教，是西方文化里落后的神权政治，这是与近代维新的总方向和中国近代史的主流背道而驰的，“中国近代维新的总方向是工业化和学习西方的科学技术，洪秀全和太平天国的神权政治却要把中国中世纪化、宗教化。……（他们）不是把中国历

① 费正清．剑桥中国晚清史：上卷［M］．北京：中国社会科学出版社，1993：349.
② 同① 348.

史推向前进，而是拉向后退"[1]。洪秀全学习的恰好是西方文化里被淘汰和落伍的东西，因而可以证明洪秀全和他领导的太平天国不是中国新的生产力的代表，也就不具备领导中国实现民族独立和国家富强的能力，这也意味着太平天国从一开始就孕育了失败的因子，伴随着太平天国运动而崛起的湖湘经世派及湘军集团则进一步加剧了太平天国失败的步伐。

在太平天国起义如火如荼进行的时候，曾国藩迅速地打出了"卫道辟邪"的文化旗帜，并发布《讨粤匪檄》，猛烈抨击洪秀全借天主教蛊惑人心、荼毒生灵的做法，强烈谴责农民军焚烧经书、捣毁文庙的暴行。檄文中说："自古生有功德，没则为神。王道治明，神道治幽。虽乱臣贼子，穷凶极丑，亦往往敬畏神祇。李自成至曲阜，不犯圣庙；张献忠至梓潼，亦祭文昌。"[2]但是太平天国所过郡县，却"无庙不焚，无像不灭"，致使十哲两庑，狼藉满地，真乃鬼神所共愤怒。太平军这种极端化的革命手段，不仅激起了普通民众的反对，更引起了传统知识分子的恐慌，他们担心一旦太平天国取得胜利，则儒家道统将会陷入万劫不复的境地。在此背景下，曾国藩适时地充当了卫道尊儒的角色，他将湘军与太平天国农民军之间的战争，上升为一场维护民族文化和儒学道统的保卫战，也将自己的从军行为赋予了"卫道"的色彩。他号召湘军将士卧薪尝胆，"殄此凶逆"，以"慰孔孟人伦之隐痛"，"为百万生灵报枉杀人之仇"，"为上下神祇雪被辱之憾"。[3]曾国藩煽动了传统知识分子维护名教圣统的情绪，一大批的社会精英投入到他的麾下，极大地提高了湘军的指挥能力和作战能力，为消灭太平天国奠定了坚实的基础。最终"太平天国的民族主义和宗教的混淆未能打动大多数中国人，而曾国藩复兴儒学的宣传却容易赢得

① 冯友兰．中国哲学史新编：下［M］．北京：人民出版社，2007：345.
② 曾国藩．讨粤匪檄［M］// 曾国藩全集：14. 长沙：岳麓书社，1994：232.
③ 同②．

人心”[①]。在湘军集团围剿之下,席卷了大半个中国的轰轰烈烈的太平天国起义被镇压了。与此同时,以曾国藩为首的湖湘理学经世派团体也在与太平天国的斗争中不断地发展、壮大,随着湘军的四处征战,湖湘文化和湘人果敢血性的精神也逐渐获得了周遭各省民众和学者的认可和赞许,湖湘文化在咸同之际逐渐走向兴盛,遂对晚清社会的发展产生了重要的影响。

(二)湖湘理学经世派的巍然崛起

经世理念一直受到湖湘学子的推崇,清嘉道之际湖南就已经涌现出了一大批经世派学者和官员。及至清咸同时期太平天国起义的爆发,它进一步促使湖湘经世思想蓬勃发展起来。为了抵制太平军对传统文化和传统秩序的破坏,许多的湘籍学子和湖南官绅投笔从戎,加入到这场抗击太平天国起义的斗争中。清咸同之际,著名的湖湘经世派人物有曾国藩、左宗棠、郭嵩焘、胡林翼、刘蓉、罗泽南、江忠源、李续宜等。他们在学理上普遍继承了程朱理学的治学风格,坚守了湖湘文化经世务实的精神。在这种治学风气的影响下,他们又都普遍具有了挽救封建末世、中兴清王朝的宏伟志向,怀揣着这一宏愿他们努力拼搏,最终从湖南走向了全国,将湖南人的声望和湖湘文化的荣耀提升到了前所未有的高度,掀开了湖南地方历史发展的重要一页。

清咸同时期湖南理学经世派的首领非曾国藩莫属,曾国藩提出义理、考据、辞章和经济同为儒学的重要学问,提倡治学要讲究实用性,对近代湖湘文化的发展起到了补充和完善的作用。他说:“义理者,在孔门为德行之科,今世目为宋学者也;考据者,在孔门为文学之科,今世目为汉学者也;辞章者,在孔门为言语

① 芮玛丽.同治中兴:中国保守主义的最后抵抗(1862—1874)[M].房德邻,郑师渠,郑大华,等,译.北京:中国社会科学出版社,2002:127.

之科，从古艺文及今世制艺诗赋皆是也；经济者，在孔门为政事之科，前代典礼、政书，及当世掌故皆是也。”① 曾国藩将“孔门三学”发展为“孔门四学”，提出“义理经济合一”主张，凸显了强烈的经世致用色彩。郭嵩焘、刘蓉是曾国藩在岳麓书院求学时的同窗，三人经常互相切磋学问、砥砺气节，最终成为了志同道合的友人。郭嵩焘回忆当时的情景说：“初游岳麓，与刘孟蓉中丞交莫逆，会曾文正公自京师就试归……三人僦居公栈，尽数日之欢，怦怦然觉理解渐见圆融，而神识之日增扬诩矣。其后与江忠烈公、罗忠节公从游长沙，颇见启迪。已晓然知名节之说，薄视人世功名富贵，而求所以自立，数十年出处进退，以及辞受取与，一皆准之以义，未尝稍见贬损，人世议论毁誉，一无所动于其心。”② 曾国藩、郭嵩焘、刘蓉再加上江忠烈公（即江忠源）、罗忠节公（即罗泽南），他们对晚清社会的河务、漕运、盐业、官制、军队、道德、学术和社会风气等各种社会问题都展开了深入的讨论和研究。对理学的坚定信仰和共同的道德价值取向，铸就了他们独特的理学经世品质，既视传统的纲常名教为天经地义、亘古不变之道，但又强调这种为学之道必须服务于现实社会，讲究经世之策。

咸同时期湖南理学经世派人才辈出，左宗棠对经世之学也颇有研究，他“睹时务之艰棘，莫如荒政及盐、河、漕诸务。将求其书与其掌故，讲明而切究之”③，提出“先以义理正其心，继以经济廓其志”④。罗泽南更是“不忧门庭多故，而忧所学不能拔俗而入圣；不忧无术以资生，而忧无术以济天下”⑤。罗泽南加入湘军之前，曾经在私塾从事教学长达 20 多年，其学生如曾国荃、曾国葆、

① 曾国藩．劝学篇示直隶士子［M］// 曾国藩全集：14. 长沙：岳麓书社，1994：442.

② 郭嵩焘．玉池老人自叙［M］. 台北：文海出版社，1971：104.

③ 左宗棠．上徐熙庵先生［M］// 左宗棠全集：第 10 册．长沙：岳麓书社，2009：1.

④ 左宗棠．与周夫人［M］// 左宗棠全集：第 13 册．长沙：岳麓书社，2009：387.

⑤ 钱基博．近百年湖南学风［M］. 北京：中国人民大学出版社，2010：19.

李续宾、李续宜、王鑫、蒋益澧、刘腾鸿、杨昌濬、朱铁桥、康景晖、罗信南等，先后都成长为湘军的重要将领，受老师治学风格的影响，他们也成为湖湘经世学说的忠实拥趸。李续宜刚毅木讷，是老师的坚定追随者，“泽南挈持大纲，而战守机宜，胥续宜主之。……湘军营制，创于泽南。编队立哨，略仿戚继光束伍法。行之既久，诸将多以意更张，惟续宜独守师法，曰‘立法者但求大段安善，行法者当于小处弥缝’。尤能以少击众，霆奋鸷捷，务制敌先”[①]。而王鑫更是“常大言‘人生一息尚存，即当以天下万世为念’”，跟随罗泽南学习以后，“日夜讲习明善复性、修己治人之道”[②]。参加湘军以后，王鑫不仅作战勇猛，而且带兵有法，曾国藩称赞“王璞山忠勇男子，盖刘琨、祖逖之徒也”[③]。王鑫在带兵打仗的间隙又专心琢磨战术和军队建设，他撰写了《练勇刍言》和《阵法新编》来指导和训练士兵。为了提高士兵的文化素养，他在军中“尝教士卒习字读书，日课《四书》《孝经》，以义理反复训谕，而引论经史大义，譬晓耸切，听者至潸然泪下”[④]。其他将领如胡林翼也是文武双全，“于书无所不读，然不为章句之学，笃嗜《史记》、《汉书》、《左氏传》、司马《通鉴》暨中外舆图地志，山川厄塞、兵政机要，探讨尤力”[⑤]。

从上述几位湖湘经世派人士的履历可以发现，咸同之际的湖湘经世派大多数还是湘军集团的骨干力量，这也就导致湘军将领们与赳赳武夫有着本质的区别。湘军集团的将领们不是为战争而生的职业群体，即便是在戎马倥偬的生涯中，他们也始终不会忘记自己儒者的身份，投入战争仅仅是他们济世和普世的理念实现

① 钱基博．近百年湖南学风［M］．北京：中国人民大学出版社，2010：23.
② 同①．
③ 同① 25.
④ 同① 25-26.
⑤ 梅英杰，等．胡文忠公年谱［M］// 湘军人物年谱（一）．长沙：岳麓书社，1987：190.

的手段而已。他们不仅吸取了陶澍、贺长龄、魏源等前辈先贤的思想精髓，更是结合鸦片战争以后晚清纷纭复杂的社会状况，将湖湘文化与近代社会的发展变化结合起来，开创了湖湘文化在近代的一个发展高潮。

咸同理学经世派人士之间还以师友加姻亲关系的方式加强联络，在传统社会里起到了很好的团结凝聚作用。“湖南士人先之以友朋，继之以婚姻，俨然成一集团”[1]，他们以共同的学术旨趣为纽带，再加以姻亲关系，从而形成了联系紧密的知识群体和亲友群体，在此基础上他们进一步将学术、政治以及社会关系有机地结合起来，这为湘军集团的崛起奠定了坚实的基础，也坚定了曾国藩以书生领兵抗击太平天国的信心和勇气。据罗尔纲《湘军兵制》记载，凡有姓名、籍贯、出身、职务可考的湘军将领有 179 人之多，其中儒生 104 人，占湘军集团将领总数的多半。可见湘军集团并非是一个单纯的军事集团，它完全就是由一群饱读诗书、期望建功立业的湖湘士子组成的政治和文化集团，一个理学的大本营。湘军将领们既是深受湖湘文化熏陶的社会精英，又是“矫矫学徒，相从征讨，朝出鏖兵，暮归讲道”[2]的儒将，他们将儒学倡导的“外王”之道和儒者追求的人生最高理想境界即修身、齐家、治国、平天下有机地结合起来，并发挥到了极致。

咸同之际理学经世派的崛起，既是时势所造，也是对湖湘文化的继承和发展。清初湖南乡贤王夫之的学术思想就是推动他们践履理想的精神支柱，湘军将领们认为王夫之的治学理念可以起到“以正人心、以扶士气”[3]的救世作用。“船山先生注《正蒙》数万言，注《礼记》数十万言，幽以究民物之同原，显以纲维万事，

① 陆宝千．刘蓉年谱［M］．台北：“中央研究院”近代史研究所，1979：1.
② 曾国藩．罗忠节公神道碑铭［M］// 曾国藩全集：14. 长沙：岳麓书社，1994：305.
③ 孔祥麟．拟请王夫之从祀文庙折［M］// 王夫之．船山全书：第一六册．长沙：岳麓书社，2011：686.

弭世乱于未形，其于古昔明体达用、盈科后进之旨，往往近之。”[①] 孔祥麟在《拟请王夫之从祀文庙折》中，明确指出了王船山对湘军的作用，说："至所著史论，具于上下古今之识，指陈历代之兴衰治乱，严尊攘，斥党援，深切著明，使读者悚然引为法戒，更以之师千百世而有余。是以咸、同之际，中兴将帅，半湘省儒生，其得力夫之之遗书者皆居多。盖夫之知明社之覆，前由武备之废弛，后由兵谋之未娴，故于历代兵事谋之甚详。湘人服膺其书，多明将略，出兴戎机，遂能削平大难。”[②] 湘军集团的将士大部分都是湖南人，作为最高统帅的曾国藩迫切地希望能够从湖南本土寻找到一个契合团结和凝聚湘军将士的精神纽带，以便鼓舞士气和提高作战能力。王夫之的学说正好给予他很大的启发，糅合湘人的劲悍性格和经世智慧，曾国藩创造性地将湘军将士们的才干和能力发挥到了顶峰。

湖湘理学经世团体在卫道的旗帜号召下投入到与太平天国起义的斗争中，历经数十年而不懈怠，直至最终取得胜利，这对清王朝和中国历史的发展都产生了重要的影响。正是因为湘军将士的坚持和拼搏，才避免了清王朝的分裂，日渐衰败的清政权才有了延续下去的机会。另外湘军集团还为同治中兴的到来创造了条件，一大批的湘军将领通过赫赫战功转型为军功地主和朝廷重臣，他们在湖南和其他任职地区积极地重塑传统纲常理论秩序，努力修复被太平天国破坏的文化设施设备，对维护晚清的统治起到了不可磨灭的勋绩。通过他们的努力，人们对湘籍官吏和湖湘文化都有了更加深入和全面的认识，这对湖湘文化的传播起到了很好的作用。另一方面走出湖南的湘籍官吏们对重振湖湘地域文化、

① 曾国藩．王船山遗书序［M］// 曾国藩全集：第 14 册．长沙：岳麓书社，1994：278.

② 孔祥麟．拟请王夫之从祀文庙折［M］// 王夫之．船山全书：第一六册．长沙：岳麓书社，2011：686.

弘扬理学、建构近代湖湘文化也起到了很重要的作用。他们本身就是湖湘文化的有机组成部分，他们的功绩、著述和思想主张都极大地丰富了湖湘文化的内涵。历史促成了湘军集团和湖湘经世派的崛起，至此湖南被推到了近代中国历史舞台的中央，对近代中国社会进程的发展起着越来越重要的作用。

二、湘军崛起与湖湘文化的继承和弘扬

湘军的崛起曾经被近代著名的军事学家蒋方震视为一大奇迹，因为“书生用民兵以立武勋，自古以来未尝有也”[①]。这支由湖南地方乡间组成的团练队伍，创造了中国军事史上的一个奇迹。不仅对湖南近百年的历史产生了深远影响，甚至还对近代中国的军事、政治乃至经济文化都产生了巨大的影响。

（一）湘军的巍然崛起促进了湖湘文化的勃兴

“湘军的崛起乃是以曾国藩为中心的一批湖南理学经世派士人为挽救封建末世、中兴清王朝、实现经邦济世的宏愿而特起乡间，建立和发展起来的。湘军人物的这种经世致用的学术旨趣、改革政治的经世之志，正是嘉道之际湖南经世学风的自然延续，也是湖湘理学濡染的结果。就直接的学术渊源而论，二者之间存在着师承关系。”[②] 湘军的兴起不仅与湖湘文化渊源很深，它也是近代湖南社会政治、经济发展下的产物，具有十分浓郁的地方特征。因此，“从某种意义上说，湘军之兴，乃是湖湘文化深厚土壤的产物。特别是嘉道之际兴起的湖湘学风，成为培养湖南经世派士人群体亦

① 罗尔纲．湘军兵志［M］．北京：中华书局，1984：1.
② 方克立．湘学史：二［M］．长沙：湖南人民出版社，2008：655.

即湘军将领群体的文化机制”①。深厚博大的湖湘文化为湘军提供了思想基础，而随着湘军的崛起，湖湘文化的地域文化特色也得到了进一步的强化和发展，并且随着湘军的征战和湘籍官员在各地的任职，他们将湖湘文化的发展推向了一个新的阶段。以曾国藩为代表的湘军集团对湖湘文化的阐扬，表现在他们不仅很好地发挥了湘人霸蛮果敢的血性和敢为人先的精神，而且还重新诠释了湖湘文化里的经世致用学风和博采众长的创新意识，主动积极地学习西方先进技术，推动了湖湘文化向近代化的转型。

陈独秀在《新青年》上发表《欢迎湖南人底精神》一文，对湖南人坚忍不拔的果敢精神给予了高度的赞扬："湖南人的精神是什么？'若道中华国果亡，除非湖南人尽死。'无论杨度为人如何，却不能以人废言。湖南人这种奋斗精神，却不是杨度说大话，确实可以拿历史证明的。二百几十年的王船山先生，是何等艰苦奋斗的学者！几十年前的曾国藩、罗泽南等一班人，是何等'扎硬寨''打死战'的书生！黄克强历尽艰难，带一旅湖南兵，在汉阳抵挡清军大队人马；蔡松坡带病率领子弹不足的两千云南兵，和十万袁军打死战，他们是何等坚忍不拔的军人！……我们欢迎湖南人的精神，是欢迎他们的奋斗精神，欢迎他们奋斗造桥的精神。"②文章中提到的王船山、曾国藩、罗泽南、黄兴、蔡锷等人，就是湖南人霸蛮果敢血性和敢为人先精神的突出代表。曾国藩、罗泽南是湘军的主要领导力量，曾国藩将宋明理学里"明""诚"的道德理性与湘人性格中的"血""强"的霸蛮气质有机地统一起来，他常常以"血诚""明强"等理念作为自己和身边弟子、部下的努力奋斗目标，强调"人苟能立志，则圣贤豪杰何事不可为"，鼓励湘军将士们要勇于立志、自强不息，则可以排除万难实现目的，

① 王继平．湘军集团与晚清湖南［M］．北京：中国社会科学出版社，2002：105.
② 陈独秀．陈独秀文章选编：上［M］．北京：生活·读书·新知三联书店，1984：481.

消灭太平天国。为此曾国藩很好地诠释着湖南人“好汉打脱牙和血吞”的劲悍血性精神，积极在厄运和磨难中求出路。他在《与州县公正绅耆书》中说：“国藩奉命以来，日夜悚惕。自度才能浅薄，不足谋事。唯有‘不要钱，不怕死’六字时时自矢，以质鬼神，以对君父，即借以号召吾乡之豪杰。”[①] 曾国藩的这种个性与传统文弱书生的形象迥然不同，俨然一赳赳武夫，但这恰恰是湖湘文化精神特质的表现。不仅仅是曾国藩继承了这种精神，其他的湘军将领也都继承和发扬了这种独立不羁、不畏艰苦、勇于牺牲的精神。如胡林翼在镇压太平天国的过程中积劳成疾不幸病逝，而江忠源、罗泽南、李续宾等湘籍将领则在抗击太平天国时不惜献出了生命。湘军将领们很好地诠释了为实现经邦治国的理念而不惜赴汤蹈火的精神品质，当然，作为地主阶级的知识分子，他们的劲悍血性对太平天国起义军来说无异于是残忍和灾难。

随着湘军取得巨大的功绩，湘军将领们以积极进取的人生态度将程朱理学为宗的湖湘文化和经世致用学风不断发扬光大。湘军将领们在治军、治学和从政时，都讲究务实精神，积极关注社会现实问题，以求达到兴邦安国的目的。湘军除了积极部署军事打击太平天国外，在战争的间歇里还努力帮助战乱地区恢复旧有的社会秩序和伦理道德体系，修复和重建被太平军破坏了的文庙、学校和祠堂等文化建筑设施，并大量修建忠烈祠，这种做法对儒学的恢复和传承起到了至关重要的作用，也对维护清王朝的统治和社会稳定起到了十分重要的作用，这也鲜明地体现出湘军所具有的文化色彩。

在弘扬湖湘文化和促进地方教育事业发展方面，湘军将领们更是不遗余力。例如在曾国藩、曾国荃的倡导下湘乡兴建了宾兴堂和东皋书院，胡林翼在益阳倡导建立了箴言书院，杨载福也积

① 曾国藩．曾国藩全集：20［M］．长沙：岳麓书社，1994：841.

极在原籍乾州厅捐修文庙书院，其他如长沙求忠书院、攸县东山书院、宁乡玉潭书院、常德郎江书院、衡阳船山书院等书院在创建和修缮的过程中，都不同程度地得到了湘军将领的捐助。这些书院的建立和修缮极大地促进了湖湘文化的传承，也极大地推动了湖南地区教育事业的发展，近代湖南涌现了一大批有志之士，许多人都曾经受惠于这些学校。

除此之外，湘军还十分重视弘扬儒学和前贤，整理刊刻大儒和乡贤的著述。在与太平天国对抗最激烈的时候，曾国藩还组织刊刻了湖南乡贤王夫之的著述《船山遗书》，这是当时举措中较为突出的事迹之一，也是曾氏对湖湘文化建设做出的卓越贡献。由此王夫之的学术思想得到了迅速传播，不仅成为近代湖南各知识群体思想上的渊源之一，也为其他地区的知识分子所推崇，近代几次较大的社会思潮兴起和发展过程中，许多学者都借鉴和参考了王夫之的学术思想。作为湖湘士子，郭嵩焘对重振乡邦文化更有一种强烈的使命感和责任感，他不仅亲自担任长沙城南书院山长，还相继成立了思贤讲舍和禁烟公社，思贤讲舍的宗旨就是“自重以为立身之本，讲求礼法以为接人应务之方，亲师取友以求共学之益，读书务实以立为学之程”①。郭嵩焘把学校当成培养人心风俗之本的地方，把读书与改良社会风气习俗紧密地联系在了一起，这对矫正长沙地区的社会风气和治学风气起到了一定的作用。他还首次向朝廷上了《请以王夫之从祀文庙疏》，称赞王夫之是一个洁身自好、德行高尚的湘籍杰出儒者，希望能够从祀文庙，这个奏折具有鲜明的建构地域文化和重振湖湘道学的特色。其他如曾国藩主持刊印的《算学二十一种》《几何原本》等，胡林翼主持刊印的《读史兵略》《大清中外一统舆图》等，都极大地推进了湖湘文化的发展。

① 郭嵩焘.郭嵩焘全集：十一［M］.长沙：岳麓书社，2012：365.

湘军无疑是湖湘文化的产物，湘军将士们对弘扬和发挥湖湘文化是责无旁贷的，晚清湘军将领在任职地区也积极地践履和弘扬了湖湘文化的内涵和精神，他们有力地推动了湖湘文化在其他地域的传播，也为湖湘文化在近代的发展注入了新的活力和元素，为湖湘文化在近代的转型和近代化奠定了基础。曾国藩、胡林翼、曾国荃和左宗棠是这方面的典型代表。

（二）曾国藩的经世思想和对湖湘文化的传承

曾国藩（1811—1872），湖南湘乡人，初名子城，字伯涵，号涤生，是晚清著名的政治家、军事家、理学家和文学家，位列“中兴名臣”之首，又与李鸿章、左宗棠、张之洞并称“晚清四大名臣”，说他是中国历史上最有影响的人物之一也不为过。儒学一直倡导内圣外王之道，要求儒者在治学和人格上做到立功、立德、立言“三不朽”，但儒学发展数千年来，真正能够实现者却寥若晨星，曾国藩无疑是其中罕见的佼佼者。

受湖湘文化的熏陶，曾国藩在学术上也十分推崇和笃守程朱理学，一生都以“义理”之学为标榜。曾国藩曾经向唐鉴请教修身和读书的方法，唐鉴要他以《朱子全书》为宗，把《朱子全书》当作课程认真学习，仔细思考，然后身体力行地去践履。并且敦促和告诫他一些学习中注意的事项和方法，说：“检摄于外，只有‘整齐严肃’四字；持守于内，只有‘主一无适’四字。又言：诗文词曲，皆可不必用功；诚能用力于义理之学，彼小技亦非所难。又言：第一要戒欺，万不可掩着。云之，听之，昭然若发蒙也。”[①] 在跟随唐鉴学习的几年里，曾国藩以《朱子全书》为日课，“致力程朱之学”[②]，以求修养身心。虽然受唐鉴影响一宗宋儒，但曾国藩

① 曾国藩．曾国藩全集：16［M］．长沙：岳麓书社，1994：92.
② 黎庶昌．曾国藩年谱［M］．长沙：岳麓书社，1986：7.

却反对一味地沉溺于坐而论道、空谈心性的治学方式，他推崇和倡导崇实黜虚、学以致用的学风。曾国藩理学思想的最大特色是将程朱理学与经世思想有机地结合起来，既弥补了程朱理学空谈心性的不足，又将经世致用观念提升到了纲领性的高度，进一步丰富了湖湘文化的内涵。他的这一思想不仅影响了湖湘的莘莘学子，而且对晚清政局甚至近代中国的社会发展进程都产生了深刻的影响。

总结起来看，曾国藩的理学经世思想具有如下几个鲜明的特点：一是强调以礼经世；二是主张义理与经世并重；三是主张在中学为本的前提下，积极学习西方先进技术。

曾国藩将儒学的根本目的归于一个“礼”字，欲以“礼学”代理学，使宋明理学适应晚清急骤变化的时代环境，这是对儒学和宋明理学做出的新发展。儒学传统中的“礼”内涵十分丰富，涉及的范围也很广泛，典章制度、宗教礼仪、人伦教化、民间习俗、个人言行、生活规范等无不与之相关。曾国藩希望通过礼乐的约束来达到恪守仁义之道，这也就是强调社会道德层面的教化作用。他说：“古之君子之所以尽其心、养其性者，不可得而见；其修身、齐家、治国、平天下，则一秉乎礼。自内焉者言之，舍礼无所谓道德；自外焉者言之，舍礼无所谓政事。”[①] 虽然古代君子们尽心竭力、修身养性的过程曾国藩没法亲眼目睹，但是古代贤士们因为通晓礼义、擅长辞令，使别人信服，使国家强盛的史实和美誉却流传至今。因此曾国藩极力阐发礼学中的经世之旨，希望从中获得经邦济世之术，他声称“盖古之学者，无所谓经世之术也，学礼焉而已”[②]。曾国藩将礼学贯通于内圣外王之中，看作是治国安邦的理论依据，他坚持将儒家人文之道的仁与礼作为治世的根本。他认为湘军在军事上、政治上能够取得成功，就是依赖的这一指导思

① 曾国藩．曾国藩全集：14［M］．长沙：岳麓书社，1994：358.
② 同① 256.

想，“吾乡数君子所以鼓舞群伦，历九载而戡大乱，非拙且诚之效与”[①]？太平天国起义爆发后，儒学受到严重的破坏，礼制更是受到摧残，社会危机引发了地主士绅和士大夫对伦常秩序的重视，曾国藩尤感痛心疾首，于是将“礼”视为加强个人道德修养和整军治国、序化社会的救世良方。他除了亲撰《讨粤匪檄》声讨太平天国，维护儒家礼教外，更是组建湘军，积极投入到这场维护传统礼教秩序的斗争中。曾国藩积极推行以礼治军的原则，提出“将之以忠义之气为主，而辅之以训练之勤”，众将一心，万众一气，两者相辅相成，铸就了异军突起的湘军。曾国藩还从实际出发，考虑到士兵的文化程度不高，他把纲常礼教以通俗的语言谱成歌谣，创作了《水师得胜歌》《陆军得胜歌》《劝戒浅语十六条》《初定营规二十二条》《爱民歌》《解散歌》等多篇融纲常伦理思想和礼制规范于其中的歌谣，“令士卒歌诵，口相习以熟，冀娴其大略，而其临阵之神明变化，则有不能及也”[②]。赋予湘军维护礼教文明的神圣使命。这种将礼教文明贯彻到湘军的日常生活和行军打仗中的做法，起到了很好的儒学教化作用，培养了湘军将士忠诚、坚忍、勇猛的作风，无怪乎王闿运在《湘军志》里说“湘军尊上而知礼，畏法而爱民，犹可用也”[③]。

曾国藩对礼学经世有着十分深刻的研究和考证，说：“先王之道，所谓修己治人、经纬万汇者，何归乎？亦曰礼而已矣。秦灭书籍，汉代诸儒之所掇拾，郑康成之所以卓绝，皆以礼也。杜君卿《通典》，言礼者十居其六，其识已跨越八代矣。有宋张子、朱子之所讨论，马贵与、王伯厚之所纂辑，莫不以礼为兢兢。我朝学者，以顾亭林为宗，国史《儒林传》褎然冠首。吾读其书，言

① 曾国藩．曾国藩全集：14［M］．长沙：岳麓书社，1994：277.
② 同① 426.
③ 王闿运．湘军志［M］// 王闿运，郭振墉，朱德裳，等．湘军史料四种．长沙：岳麓书社，2008：163.

及礼俗教化，则毅然有守先待后，舍我其谁之志，何其壮也！厥后张嵩庵作《中庸论》，及江慎修、戴东原辈，尤以礼为先务。而秦尚书蕙田，遂纂《五礼通考》，举天下古今幽明万事，而一经之以礼，可谓体大而思精矣。吾图画国朝先正遗像，首顾先生，次秦文恭公，亦岂无微旨哉！”[①] 钱穆对曾国藩的礼学经世思想也给予高度的评价和总结说："涤生此种见解，有其甚卓绝者。其论清儒实事求是即朱子格物穷理之旨，与章实斋论汉学为朱子嫡传之说，不谋而合。其论亭林学术，推本扶植礼教之意，较四库馆臣论调，超越甚远。以杜、马补许、郑之偏，以礼为之纲领，绾经世、考核、义理于一纽，尤为体大精思，足为学者开一瑰境。其据秦蕙田《五礼通考》定礼之轮廓，较之颜、李惟以六艺言古礼者，亦遥为恢宏。且其言礼，又能深领'礼，时为大'之意，以经世悬之的，与嘉、道汉学家继戴东原后，专以考订古礼冗碎为能事者，迥不侔焉。"[②] 可见，曾氏"以礼经世"的意图是十分明显的，在对乡贤王夫之的推崇上，他首先考虑的也是这一点。在撰写《王船山遗书序》时，曾国藩借赞扬王夫之对孔孟道统的继承和发扬，也阐述了自己对儒学仁、礼思想的追求和坚持，他说："昔仲尼好语求仁，而雅言执礼，孟氏亦仁礼并称。盖圣王所以平物我之情，而息天下之争，内之莫外于仁，外之莫急于礼。……又千余年，宋儒远承坠绪，横渠张氏乃作《正蒙》，以讨论为仁之方。船山先生注《正蒙》数万言，注《礼记》数十万言，幽以究民物之同原，显以纲维万事，弭世乱于未形。其于古昔明体达用、盈科后进之旨，往往近之……以求所谓育物之仁，经邦之礼，穷操极论，千变而不离其宗，旷百世不见知而无所于悔。"[③] 在曾国藩看来，王夫之是"博文约礼、命世独立之君子"，他对儒学的诠释和总结，不

① 曾国藩．曾国藩全集：14［M］．长沙：岳麓书社，1994：250.
② 钱穆．中国近三百年学术史［M］．北京：商务印书馆，1997：651.
③ 同① 278.

仅“与后贤若合符契”，而且还可以起到维护纲常礼教和法度的作用，因此船山学也就成为了曾国藩恢复和弘扬传统伦理道德体系的工具，他迫切期望通过“礼”的道德教化，达到缓和社会危机、维系传统社会的统治秩序的作用。曾国藩将理学与礼学有机统一起来，将仁心与礼制融为一体，博采众长，推陈出新，这种“以礼经世”的思想是“经世派理学之新方向”[①]。

作为一个理学大师，曾国藩还强调义理与经世并重。最初曾国藩认为治学中最重要的是义理，他在与其弟的通信中专门强调了自己对义理之说的重视，说：“盖自西汉以至于今，识字之儒约有三途：曰义理之学，曰考据之学，曰辞章之学。各执一途，互相诋毁。兄之私意，以为义理之学最大。义理明则躬行有要而经济有本。辞章之学亦所以发挥义理者也。考据之学，吾无取焉。此三途者，皆从事经史，各有门径。吾以为欲读经史，但当研究义理，则心一而不纷。”[②]在师友的砥砺之下，曾国藩“剖析义理，宗旨极为纯正，其清修亮节，已震一时”[③]。虽然致力于义理之学的研究，但曾国藩也不满足于做一个纯粹的道学家。受湖湘文化讲求实际、注重实践的经世学风熏陶，他追求的人生目标是“君子之立志也，有民胞物与之量，有内圣外王之业，而后不忝于父母之生，不愧为天地之完人”[④]。

曾氏如此高远的志向和抱负，在鸦片战争以后纷纭复杂的社会时局面前，单靠义理之说是不能实现的。尤其是当西方文化裹挟着强大的势力进入中国，对传统社会的伦理观、道德观和价值认识造成了巨大的冲击，随之太平天国起义，又更加粗暴地践踏和破坏传统文化和儒学。基于多变的世事，他一方面于义理之中

① 陆宝千．清代思想史［M］．台北：广文书局，1978：419.

② 曾国藩．曾国藩全集：20［M］．长沙：岳麓书社，1994：55.

③ 薛福成．庸庵文编：卷三［M］// 冯天瑜，黄长义．晚清经世实学．上海：上海社会科学院出版社，2002：313.

④ 同② 39.

探寻经世之术，另一方面也开始由专治义理转入汉宋兼采，博采众长，多方寻求救世良方。在坚持以“义理”为主体的前提下，开始崇尚“经济”之学，他将义理和经济阐释为体与用的关系，强调经济蕴涵于义理之中，并在义理之中发挥着重要的作用，说：“苟通义理之学，而经济该乎其中矣，程朱诸子遗书具在，曷尝舍末而言本、遗新民而专事明德？观其雅言，推阐反复而不厌者，大抵不外立志以植基，居敬以养德，穷理以致知，克己以力行，成物以致用。义理与经济初无两术之可分，特其施功之序，详于体而略于用耳。”①曾国藩甚至还认为义理、考据、辞章和经济同属于儒学的不同流派和分支，是同样的重要，说：“为学之术有四：曰义理、曰考据、曰辞章、曰经济。义理者，在孔门为德行之科，今世目为宋学者也；考据者，在孔门为文学之科，今世目为汉学者也；辞章者，在孔门为言语之科，从古艺文及今世制艺诗赋皆是也；经济者，在孔门为政事之科，前代典礼、政书世及当代掌故皆是也。”②“经济”是经邦济世，也就是经世致用，曾国藩把“经济”明确作为孔门学说中不可或缺的独立门类，把“经济之学”摆到了重要的地位，大大提高了经世致用思想的学术地位。萧一山对曾国藩的义理经世思想给予了高度的评价，他说中国文化博大精深，在浩如烟海的传统文化里，既有大成之学的“大学”，也有一端一技的“小学”，“大学”为经世之方，为圣人开万世太平之局，在文化上具有推挹指导之功，也就是说“大学”代表了孔孟学说之真精神，但“孔、孟既殁，七十子之徒，人各异说，于是大学之道不彰。秦、汉以后抱残守阙，经师训诂之业，儒者心性之谈，皆属小学，虽今古异趣，朱、陆争辩，而执一害事，皆

① 曾国藩．劝学篇示直隶士子［M］// 曾国藩全集：14. 长沙：岳麓书社，1994：443.

② 同② 442.

非孔教之真谛”[①]。虽然很多人都希望返本求源，探究经世治人之思想，但由于每个人的智慧是有限的，因此能够探究到孔孟精髓的人也就寥若晨星了，而曾国藩则真正做到了秉持孔孟之道。“孔子‘大学’‘小学’之义，至国藩而复明，尼山言礼、言学之旨，至国藩而益著，所谓通儒、通才之教，固超于专门之业矣。其时今文学家之讲‘微言大义’，桐城学派之讲‘文以载道’，抑何尝不以经世为归，但仍不脱词章、考据之范围，故成就不大，国藩独能合词章、义理、考据、经济而一之，以发明大学、小学之内蕴。……其气象之阔大，内容之美丰，有清二百余年，固亦少见其匹矣。”[②]世人常常着眼于曾氏赫赫战功和外王功绩，往往容易忽略他作为儒者的本真精神，实际上曾国藩对儒学的创新发展是做出了不少贡献的。萧一山的评价，展示了曾国藩学术上的造诣。

曾国藩践行经世思想最值得称道的就是镇压太平天国起义和倡导兴办洋务（洋务思想后面另辟章节阐述）。清咸丰三年（1853），曾国藩获准在湖南长沙、衡州创办团练，从这一刻起，他就开始将儒者的八条目（“正心、诚意、格物、致知、修身、齐家、治国、平天下”）作为自己终身恪守的信条，将个人的道德修养和经邦治国的宏伟目标有机地结合起来，开创了其辉煌的一生。清咸丰四年（1854），曾国藩发表了著名的《讨粤匪檄》，将一大批具有经世之志的湖南士子团结在自己的周围，促使了湘军的巍然崛起。曾国藩在率领湘军征战的过程中，坚持在厄运中求出路，在苦斗中求坚挺，“困心横虑，正是磨练英雄”。在组建湘军时，他提出选将的标准是：“带勇之人，第一要才堪治民，第二要不怕死，第三要不急名利，第四要耐受辛苦。”他说：“大抵有忠义血性，则四者相从以俱至；无忠义血性，则貌似四者终不可恃。”经过精心挑选，胡林翼、左宗棠、彭玉麟、郭嵩焘、罗泽南、刘蓉、李

① 萧一山．清代通史：第四册［M］．上海：华东师范大学出版社，2006：478.
② 同① 478-482.

续宜、杨昌濬等儒学人士都聚集到他的帐下，这一大批人都是湖湘学子中的精英，步入军营也是“矫矫学徒，相从征讨，朝出鏖兵，暮归讲道”[①]的儒将。此刻曾国藩将肩负承接孔孟“道统”维系中国传统文化的责任，转化为了凝聚湘军、鼓励湘军英勇战斗的一面旗帜。他从维护儒学道统和传统伦理道德体系出发，以实现儒学提倡的终极追求为目的，将一大批社会中坚力量紧密团结在了一起，因此这也是导致湘军集团的将领中绝大部分人都是具有经世情怀的传统文人和士大夫的主要缘由。可见，这些传统的士子们把投身军营看作是践履儒学“内圣外王”理想的有效途径，投笔从戎即是“外王”的具体实践之一。在这些志同道合将领们的帮助下，曾国藩将湖南各地团练整合成一支训练有素的部队，即俗称的湘军，这支部队成为了清政府与太平天国起义军作战的主要军事力量，创造了晚清军事史上的奇迹，也书写了他人生中最辉煌的一笔。作为地方团练部队的湘军在晚清时局中异军突起，最后成功剿灭了太平天国起义，建立巨大的事功，创造了清朝军事史上的奇迹，并对以后的晚清社会产生了重要的影响。在随后的几十年里，湘军享誉大江南北，极大地提升了湖湘地域的知名度和政治地位。

总而言之，曾国藩一生提倡力行，不喜空谈，在为官、治军、治学甚至处理家族事务方面，都透出他务实、求是的价值理念和经世思想，理学经世思想可以看作是他从文化思想上更深层次地思索拯救晚清衰落局势的方法和手段。曾国藩推崇的乡贤王夫之曾经提出：“礼，体也；政，用也。体用合一，而皆承天以治人，则礼之不可已而为治乱之大司明矣。”[②]王夫之从体用的角度进一步阐述礼与政的关系，认为治理国家的理想模式就在于“礼治”，

---

① 曾国藩．罗忠节公神道碑铭［M］// 曾国藩全集：14. 长沙：岳麓书社，1994：307.

② 王夫之．礼记章句［M］// 船山全书：第四册．长沙：岳麓书社，2011：556.

礼是治理国家的标准和依据，具有纲维万事的作用，统治者制定的政令章程就是天道、礼法在治国安民上的体现。他的观点契合了曾国藩的心意，曾氏希望拯救没落的王朝，矫正衰败的文化和挽救分崩离析的人心，理学经世思想毫无疑问是他赖以行动的强心剂和精神支柱。总之，曾国藩的理学经世思想，既继承了姚鼐等桐城派文以载道的文章经世理念，又保持了倭仁等主敬理学家强调修身的主张，而且他还融入了湖湘文化中注重实践、体用合一的传统，因此他的学术视野较同时代的其他理学家就更加的深刻和广阔。

（三）胡林翼的经世思想和对湖湘文化的传承

胡林翼（1812—1861），字贶生，号润芝，湖南益阳人。胡林翼位列中兴名臣，是一位文武兼备的人才。他在治学中尤为推崇朱熹和司马光，提出“当以紫阳、涑水为师”；“穷义理之精微，考古今之事变，所为文章，可通政事”[①]。“所著读史兵略奏议书牍，皆经世精言”[②]。胡林翼“学宗宋儒，少时，即授以性理诸书，负才不羁，娶总督陶澍女，习闻绪论，有经世志”[③]。作为陶澍的女婿，胡林翼深受陶澍的熏染，“精神殊为一变”，在给父亲的信中，他写道：“岳丈公退之余，辄与男长谈。岳丈胸中本极渊博，加以数十年来宦途阅历，上下古今，融会贯通，每及一事，旁证曲引，判断洞中窾要，于男进益，非浅鲜焉。”[④]他是直接秉承了陶澍的治学风格和经世理念，也是湖湘文化和湖湘精神的有力传承者。

胡林翼在贵州先后历任安顺、镇远、黎平知府和贵东道等官

① 胡林翼．致枫弟等［M］// 胡林翼集：二．长沙：岳麓书社，1999：1009.
② 赵尔巽．胡林翼传［M］// 清史稿：卷四百六．北京：中华书局 .1977：11935.
③ 同② 11927.
④ 胡林翼．呈父达源公五月二十八日［M］// 胡林翼集：二．长沙：岳麓书社，1999：1025.

职，为官之始他便给自己定下了宗旨，即保清白之风及安定一方。在贵州，他经常身着便服，深入民间考察民情和侦察匪情，并亲率官兵与盗匪作战不下数百次，先后镇压了黄平、台拱、清江、天柱等地苗民起义，其“捕盗安民”的措施在贵州地区成效显著，令其声名鹊起。胡林翼将长期作战经验进行总结和归纳，撰写成《胡氏兵法》，供同僚借鉴参考。在湖北任巡抚期间，胡林翼除了部署对付太平天国，还积极进行了吏治、经济、军事等方面的改革，其改良措施和经世思想在清道咸时期获得了朝廷的认可和同僚的赞许。曾国藩就自谦说自己的能力尚不及胡林翼的十分之一，“林翼坚持之力，调和诸将之功，综核之才，皆臣所不逮，而尤服其进德之猛[①]”。胡林翼不仅善于协调各方关系，举荐人才和勇猛作战，而且在发展经济方面也是卓有成效，他将湖北从“糜烂众弃之鄂”发展成仅次于江苏和浙江的“富强可宗之鄂”[②],并且“以湖北瘠区养兵六万，月费至四十万之多，而商民不敝，吏治日懋，皆其精心默运之所致也”[③]。湖北地区的稳定和富庶,为以后湘军镇压太平天国提供了重要的物质基础，“湖南军实之所由充，始自湖北”[④],王闿运称“中兴之业,实基自胡”,是很有道理的。遗憾的是，胡林翼病逝过早，没有赶上湘军鼎盛的局面，从而导致其学术功绩湮没不彰,后世对他的关注度也弱于曾国藩、左宗棠等湘军将领。

作为湘军将领里最早膺任巡抚的官员，胡林翼在任职期间采取的很多施政措施，对湘军官吏起到了很好的借鉴作用，甚至对于以后中国政治的改革都起到了深远的影响。例如，他强化地方行政权力，提高了巡抚对行政、军队和财政的支配权，遂开晚清中央集权下移的滥觞。清代的地方行政区域仍然沿袭明朝，划分

① 李元度．国朝先正事略：三［M］．台北：文海出版社，1967：1329.
② 曾国藩．曾国藩全集：24［M］．长沙：岳麓书社，1994：2239.
③ 王钟翰．清史列传：卷四十二［M］．北京：中华书局，1987：3352.
④ 王闿运,郭振墉,朱德意．湘军志 湘军志平议 续湘军志［M］．长沙:岳麓书社，1983：165.

为省、道、府、县四级，清初全国有 18 个省，至晚清增至为 23 省，省一级长官是总督、巡抚，总督的官阶和权力虽然比巡抚高，但彼此之间没有直接的隶属关系，都是直接听命于皇帝。每个省还设有提督学政，管理教育、科举，地位与总督、巡抚平行。另外各地还有驻防将军，管理八旗军，在总督、巡抚之下又设有布政使管民政、财政，设按察使管司法、刑狱。清代实行如此严密的地方行政制度其目的是为了进一步加强中央集权，防止地方势力的膨胀和割据力量的形成。但在面临重大社会问题时，这种体制的弊端也是十分明显的，地方长官受到各方的束缚和制约，各个部门之间难以协调和配合，导致处理问题时呈现出严重的拖沓性和滞后性，这一弊端在应对太平天国起义时暴露无遗。胡林翼在担任湖北巡抚时敏锐地洞察了这些问题，于是他利用太平天国起义在湖北造成严重的破坏和恶劣的影响，而清政府又急于镇压起义军的迫切心理，采取各种方法和手段，逐步加强自己在人事任免和军队管理等方面的权力。曾两次奏请清廷，说湖北州县虚悬待人，希望朝廷允许他“不拘文法资格拣员补调”，得到上谕许可后，他立即破格提拔和引进了大量的人才，使湖北成为人才辐辏之地，这为以后湖北的发展和抵抗太平天国奠定了坚实的基础。随着太平天国势力的不断发展，南方各省相继效仿他来加强地方实力以应对叛乱。由此咸同之际的政治格局悄然发生了变化，中央集权开始松动，地方政治势力获得了崛起的契机，这虽然不是胡林翼的初衷，但确实为近代中国政治制度的演变开了先河。

胡林翼的军事思想也为后人所称颂。胡林翼以理学家的身份谈论军事，强调以儒学为军事思想的根本指导，倡导兵儒合一，希望建立一支有修养、守纪律和能打硬仗的部队。他的治军思想不仅有如何用兵作战的兵法谋略，还深入思考了如何培养将士的人格情操，如何树立军队的精神灵魂和如何选拔德才兼备将领等问题，这种强调政治道德理念的治军思想在当时具有很强的超前性和创新性，为以后近代化军队创建提供了一些启迪。胡林翼认为："兵事为儒学之至精，非寻常士流所能几及也"①，他强调军队建设尤其要考虑将领的见识、品行和修养，提出"惩前毖后之计，首在练兵；明耻教战之方，贵先选将"②。又告诫部队，行军打仗之时不要骚扰老百姓，并严禁弁勇借差擅用民夫，说："养兵所以卫民，兵不爱民，何乐有兵？粮饷军火，营中要需也，然可以体恤民情，节省民力之处，务须极意谋之，乃不负杀贼安民之本志。"③胡林翼对中国传统军事思想在许多地方做了重新的诠释，最终形成了自己独具特色的治军风格和用兵思想。蔡锷曾经将曾国藩和胡林翼的治军和用兵之道编成了《曾胡治兵语录》，用于指导新军的训练，在官兵中很受欢迎，该书也成了近代军事史上最负盛名的兵书之一。毛泽东青年时期阅读了《胡林翼遗集》以后，十分钦佩他的文韬武略和治军为官之道，遂以胡林翼的号"润芝"，为自己的字，以志纪念。

胡林翼在湖北进行的整饬吏治和经济改革举措也可圈可点，他认识到要挽救日益走向衰败的清朝统治，必须从根本上清除官场的不正之风和腐败现象，因为"救天下之急证莫如选将，治天下之真病莫如察吏。兵事如治标，吏事如治本"④，而且"国家之败，皆由官邪"⑤。对吏治腐败带来的严重后果，他洞察十分透彻，指出官吏的贪渎行径会给社会带来十分恶劣的影响，导致人心不古，严重的甚至会引起地方暴动和起义，危及国家政权的安稳。因为"会匪之地，如得廉吏主持，必不致酿成事端；无会匪之地，而以

---

① 胡林翼．复李少荃［M］// 胡林翼集：二．长沙：岳麓书社，1999：653.

② 胡林翼．恭谢天恩并附陈楚北吏治兵政疏［M］// 胡林翼集：一．长沙：岳麓书社，1999：1.

③ 胡林翼．致鲍超并寄蒋凝学十月十九日［M］// 胡林翼集：二．长沙：岳麓书社，1999：376.

④ 胡林翼．致周乐［M］// 胡林翼集：二．长沙：岳麓书社，1999：169.

⑤ 胡林翼．致王植［M］// 胡林翼集：二．长沙：岳麓书社，1999：3.

贪吏混迹，则平民亦可酿乱，亦一定之理也”[①]。在贵州执政的几年里，胡林翼处理了苗疆起义事件，在湖北担任巡抚又遇上了太平天国起义，日益尖锐的社会矛盾和动荡的环境，令他愈加忧虑社稷安危。站在理学家的角度看，他认为主要原因还是由于官吏腐败，优秀的人才被埋没，人民对国家社会感到了失望，致使人心不古、道德败坏、世风日下。他感慨地说：“天下以盗贼为患，而乱天下者，不在盗贼，而在人才不出，居人上者，不知求才耳。”[②]官员颟顸、结党营私是导致选拔人才的道路堵塞的最重要原因，因此胡林翼认为改革吏治是当时头等重要的事情。在担任湖北巡抚时，他痛下决心，除此沉疴，指出“乱世之事，非脱尽衙门窠臼，屏谢世禄门户，掊击官场陋习，事必不成”[③]。在掌握了湖北军政大权后，他义无反顾地投入到了整饬吏治的斗争中，毅然决然地说：“林翼势必不能久留于鄂，林翼之力已竭，神已疲，而民生之困穷，亦已极矣。武汉岂可再失耶？侍在此一日，必劾贪吏怯将，所谓‘一息尚存，此志不懈’矣。”[④]其后胡林翼果然雷厉风行地整饬起来，他将贪污腐化、不勤政事、欺压百姓的官吏和在战场上贪生怕死、苟且偷安的将领都列入弹劾和免职的范围，先后共计弹劾了几十人，湖北军政界受到了很大的震撼。然澄清吏治仅仅靠弹劾和罢免官吏是不行的，官员的素养提高和湖北官场风气的改观才是吏治清明的关键。为此胡林翼借鉴了宋明理学的“正心诚意”“穷理尽性”等理学思想，作为吏治教育的核心思想，要求官员躬行践履内圣之道，提高修为。在严厉的弹劾、考察和理学教化双重措施之下，湖北官场风气出现了好转的迹象。在清除贪官污吏的同时，胡林翼还不拘一格地提拔了不少人才，他先后七次推荐左宗棠，

① 胡林翼．致吕佺孙［M］// 胡林翼集：二．长沙：岳麓书社，1999：33.
② 胡林翼．致严树森［M］// 胡林翼集：一．长沙：岳麓书社，1999：188.
③ 胡林翼．复阎敬铭［M］// 胡林翼集：二．长沙：岳麓书社，1999：446.
④ 胡林翼．致郑敦谨［M］// 胡林翼集：二．长沙：岳麓书社，1999：149.

是左宗棠事业成功的关键推手，此事成为了美谈。对于人才的重要性，胡林翼曾经感慨地说："国之求才，如鱼之求水，鸟之求木，人之求气，口腹之求食。无水、无木、无气、无食，则一日不安，日即于亡；得水、得木、得气、得食，则生。"[①] 他把人才的得失提升到了决定国家生死存亡的高度，体现出了求贤若渴的迫切心情。为此还专门在武昌设立了"储才馆"，招徕四方有志之士，共谋发展，"荐贤满天下"，且"荐举不尽相识，无一失人"[②]。通过各种方式的招揽人才，胡林翼充实了湖北的官吏队伍，并依凭他们来澄清湖北的吏治、发展经济和抗击太平天国，取得了辉煌的战绩和成效，亦得到了朝廷和同僚的肯定。

总而言之，深受湖湘理学浸染的胡林翼，在治军和从政过程中，他始终奉理学为圭臬，用以指导其进行整顿吏治、改良财税、整饬民风以及加强军队建设等方面工作，并且取得了很好的效果。湖北地区的吏治面貌、社会风气、经济状况和军队的战斗力都有了很大的改观。曾国藩称赞说："公之功在天下，以吏治大改面目，并变风气为第一。荡平疆土二千里，犹为次著。"[③] 虽是溢美之词，但胡林翼在湖北的举措，一定程度上确实提高了湖北在晚清政坛的社会地位。作为一名深受湖湘理学浸染的儒将，胡林翼具有浓厚的守道和卫道意识，他对晚清社会的衰败局势和末世景象了然于胸。虽然对时局万般无奈，但胡林翼还是竭尽全力地寻求方法和积极实施改良举措，希望能够延缓这个古老的传统社会走向崩溃的步伐。他曾经不无悲伤地说"吾辈所做之事，皆是与气数相争，然成败之数、盈虚之数，有天命焉，非忧思即能稍减也"，而"林翼精力迨将不支，然无法可避，只合干去，譬之大海遭风，不行

① 胡林翼．致刘齐衔［M］// 胡林翼集：二．长沙：岳麓书社，1999：226.
② 赵尔巽．胡林翼传［M］// 清史稿：卷四百六．北京：中华书局，1977：11935.
③ 曾国藩．复胡宫保［M］// 曾国藩全集：第 21 册．长沙：岳麓书社，1994：1516.

亦未必活命也”[①]。湖湘文化不仅赋予了胡林翼理学经世理念，也陶铸了他倔强坚韧、踔厉敢死的性格，从一个传统儒者的角度考量，他是真正践行了儒学倡导的修齐治平思想，在积极实现自己的理念和人生追求。近代历史学家沈卓然高度评价胡林翼说："世徒知曾、左之贤，而不知胡文忠固在曾、左之前。盖胡公之学与才，实无逊于曾、左;而于政治、文章、经济、军事，固无所不学，无所不致其用也。更考其生平，不独坐镇武昌，坚守不摇，以扼形势之要；且于课厘馈饷，擘画尽善，遂使当时诸军无饥馁之扰，克奏中兴之业。由此而论，允推功首。即其察吏安民，兴利除弊诸政，亦皆大端，足为后世之法式。”[②]

（四）左宗棠的经世理念和对湖湘文化的弘扬

左宗棠（1812—1885），字季高，又字朴存，湖南湘阴人。晚清著名军事家、政治家，湘军统帅和洋务运动的主要倡导者。左宗棠也是典型的依靠镇压太平天国起义，获取功名而起家的湘军将领。因其出众的才华和军事指挥才能,他先后还参与了剿灭捻军、平定陕甘回民起义和收复新疆的战争，取得了赫赫战功，先后任职浙江巡抚、闽浙总督、陕甘总督、两江总督等地方要职，还获晋大学士，封一等恪靖伯、二等恪靖侯等封号，去世后清政府赠谥号“文襄”，因此后世又多称其为左文襄公。

左宗棠学术思想和军事指挥才能的形成和发展，完全是受湖湘文化浸染的结果。左宗棠早年在长沙求学，就读于城南书院，师从以义理经世之学见长的贺熙龄。他很幸运地得到了贺长龄、贺熙龄两兄弟的赏识和指点。因家境贫寒无钱买书，贺长龄便把家中藏书悉数借与其阅读。经过贺长龄的指点和学习，左宗棠增

---

① 胡林翼 . 复城守粮台公局［M］// 胡林翼集：二 . 长沙：岳麓书社，1999：825.
② 沈卓然 . 胡林翼全集：上册［M］. 上海：大东书局，1936：122.

长了见识、开阔了视野。随后他又追随贺熙龄游学长达10年，他“从贺侍御师游，寻绎汉宋儒先遗书，讲求实行”①，深得贺氏兄弟理学经世思想的精髓，直接秉承了湖湘理学经世派的理念和精神。贺熙龄称赞他“开口能谈天下事，读书深抱古人情”，并说“季高近弃词章，为有用之学，谈天下形势，了如指掌”。②尽管生活困窘，但左宗棠志存高远，作联自勉曰“身无半亩，心忧天下。读破万卷，神交古人。”③不过很遗憾的是，尽管才华横溢，但左宗棠仕途不太顺利，“三试礼部不第，遂绝意仕进”转而“究心舆地、兵法”，成为“名在公卿间”④的著名湘籍经世学者。

对左宗棠学术思想产生较大影响的还有湖湘经世派的巨擘陶澍。左宗棠虽是一介平民，但其出众的才华得到了两江总督陶澍的欣赏，主动与他结为儿女亲家，要求左宗棠将长女许配给儿子陶桄。陶澍突破世俗门第之见，以总督之尊，与布衣举人结为姻亲，足见左宗棠确实才识过人。后来陶澍在两江总督任上因病去世，受老师贺熙龄的委托，也为了报答陶澍的知遇之恩，左宗棠在陶府居住了八年，认真教授和督促陶桄的学业。在陶府教书的同时，左宗棠也饱览了陶澍收藏的大量书籍和本朝典章制度，这算得上是左宗棠出山前的蛰伏时期。对此，陶澍的女婿胡林翼高度评价说：“左孝廉品高学博，性至廉洁。在陶文毅公第中读本朝宪章最多，其识议亦绝异。其体察人情，通晓治体，当为近日楚材第一。”⑤

长期的学习，铸就了左宗棠文武兼备的才华，他“善于治民，每克一地，招徕抚绥，众至如归。论者谓有霸才，而治民则以王道行之，信哉”⑥。无论行军打仗，还是收复新疆，抑或是兴办洋

① 罗正钧．左宗棠年谱［M］．长沙：岳麓书社，1983：8.
② 贺熙龄．寒香馆诗钞［M］//贺熙龄集．长沙：岳麓书社，2010：121.
③ 同① 14.
④ 赵尔巽．左宗棠传［M］//清史稿：卷四百十二．北京．中华书局，1977：12023.
⑤ 转引自熊治祁．湖南人物年谱：第三册［M］．长沙：湖南人民出版社，2013：152.
⑥ 同④ 12035.

务，他都务实求变，开拓进取，秉承了湖湘文化中的许多优良特质，既维护了封建正统思想的统治地位，又敢于拼搏和创新。他还将湖湘文化的影响推广到了西部回疆地区，让湖湘文化与西北文化有了一次亲密的接触，有力地丰富和发展了近代湖湘文化。

左宗棠对湖湘文化的弘扬，首先体现在他一生都服膺宋明理学，奉程朱为圭臬。左宗棠主张治学要“以程、朱为准”，认为只有程朱理学才能探源返本，真正体现儒学的实质和精髓。他在给友人的信中提到，自幼就受到了朱熹理学的熏陶，“紫阳学统，弟何能窥其百一，然自六岁读《论》《孟》时，即兼读《大注》”①。紫阳学统，就是朱子学，朱熹自号“紫阳”，朱子学也称为“紫阳学派”。后来他到长沙城南书院求学后，更加潜心学习理学。有一次，在朋友家看到了清初著名理学家陆陇其研究朱子学的著述《读朱随笔》，虔诚地将此书抄录了下来，还将手抄本送给老师贺长龄、贺熙龄观看，其对理学的推崇之情溢于言表。② 从政以后，左宗棠也始终以义理之学标榜，时刻不忘推崇程朱理学的道统和学统地位。

清咸丰十年（1860），为镇压太平天国起义，率军赴赣作战的左宗棠曾经驻扎在朱熹的家乡婺源，“婺源为朱子阙里，夙称文献之邦”，但由于太平军的不断侵扰，导致婺源“遗黎皮骨仅存，皇问典籍？士风荏弱，民气不竞”③。眼见典章文物扫地而尽，左宗棠感到十分痛心，下令以程朱理学教谕百姓，积极复兴当地被太平军破坏了的儒学教育体系。在江西期间，左宗棠还结识了著名的理学家夏炘，便时常找他讨论学问和兵法。夏炘记述说：“左公讲朱子之学，见余《述朱质疑》而善之。”④ 夏炘对左宗棠的学问和用兵都佩服不已，遂赠送刻本极精的《小学》《孝经》《近思录》和

① 罗正钧．左宗棠年谱［M］．长沙：岳麓书社，1983：4–5.
② 同① 11.
③ 左宗棠．与孝威［M］// 左宗棠全集：第 13 册．长沙：岳麓书社，2009：33.
④ 孙占元．左宗棠评传［M］．南京：南京大学出版社，1995：285.

"四书"给左宗棠。得到书籍以后，左宗棠十分欣喜，当即表示如果治军闲暇之时有余力，一定翻刻这四种书籍，"以惠吾湘士人"[①]。虽在戎马生涯之中，但左宗棠时刻不忘体察当地文风习俗，体现出一个经世派儒者究心时事的本色。

清同治二年（1863），左宗棠补授闽浙总督，进入福建执政后，他积极倡导和传播程朱理学。清初著名理学家张伯行任福建巡抚时，为了达到崇尚程朱、排斥陆王的目的，将程朱学派代表著作以及自己的著作，编辑成《正谊堂全书》，左宗棠对这一清初时期表彰程朱理学的典型作品十分欣赏。清同治五年（1866），左宗棠在福建访得此书44种后，十分高兴，立即设立了正谊堂书局，决心重新刊刻该书。在《创设正谊堂书局告示》中，左宗棠说："曩者仪封张清恪公孝先先生之抚闽也，与漳浦蔡文勤公闻之先生讲明正学，闽学大兴。清恪汇刻儒先遗书五十五种，扫异学之氛雾，入宋儒之堂奥。本爵部堂乡举以后，即得是刻残编读之，以未睹全书为歉。兹来清恪旧治，亟询是书，仅存四十四种，而鳌峰书院所藏版片则蠹蛀无存矣。爰择省会文昌宫设正谊堂书局，饬司道筹款，就所存本先付手民开雕，余俟访寻续刻。书成散之各府县书院，俾吾闽人士得以日对儒先商量旧学，以求清恪、文勤遗绪。"[②]为确保书籍刊刻的质量，又颁布了《正谊书局章程》，要求"分校者按卷先读一遍，校一过。将副本及别刊本再校一过。破蛀者补缀完善。讹错者随笔粘条。书中引用语偶错，或原文字别刊本互异，亦标记之"[③]。在左宗棠的亲自督促之下，清同治八年（1869），新版《正谊堂全书》刊刻竣工。以后在正谊书局的基础上，又创立了正谊书院，为闽学的发展创造了条件。

---

① 左宗棠．致霖儿［M］// 左宗棠全集：第13册．长沙：岳麓书社，2009：42.

② 左宗棠．创设正谊堂书局告示［M］// 左宗棠全集：第14册．长沙：岳麓书社，2009：569—570.

③ 左宗棠．正谊书局章程［M］// 左宗棠全集：第13册．长沙：岳麓书社，2009：399.

每到一地任职，左宗棠都不忘书生本色，积极扶持当地的教育文化事业，希望能够通过推崇儒学正统，教育和感化民众，使日益走向衰败的世俗人心和社会风气能有所改观。他呼吁社会要将儒学放在第一重要的位置上，黜异端以崇正学。为此他特地解释说："何谓正学？今学校中所奉之先师孔子，乃我中国第一圣人。所传授的学问，皆是堂堂正正，无一毫偏倚，是以唤做正学。"[①]正学以外，凡是与圣贤之教相异的都是异端，都要屏黜，以防止迷惑百姓。督办新疆军务期间，他将清道光朝钦颁《敬阐〈圣谕广训·黜异端以崇正学〉韵文》刊刻后，颁行新疆各地，作为教化民众的普及读本，来倡行"正学"。希望通过推广和宣讲这篇韵文，让新疆民众人人得以诵习，在潜移默化之中，起到感化愚顽、敦促风俗和矫正人心的作用。他说："诚使乡塾子弟无不诵习，为父兄者更为之讲解详说，则吾民亿万年皆享升平之福矣。"[②]明清以后程朱理学与宗法制度、伦理道德等社会价值体系是紧密联系在一起的，对维护传统社会的纲常礼教和社会稳定起到很重要的作用。左宗棠不仅积极推崇程朱理学，而且还积极践行这种思想，为卫道翼教在所不惜，即便是付出生命，此后他抬着棺木誓死收复新疆的壮举即是明证。

左宗棠继承和弘扬湖湘文化的第二个特质就是致力于经世致用学风。经世致用学风在湖湘文化中源远流长，左宗棠十分钦佩魏源，认为"默翁《圣武记》序次有法，于地道、兵形，较若列眉，诚著作才也。后四卷附《武事余记》，其谈掌故，令人听之忘倦"[③]，而"《海国图志》一书，尤足称也"。左宗棠早年在长沙城南书院

① 左宗棠．黜异端以崇正学示［M］// 左宗棠全集：第 14 册．长沙：岳麓书社，2009：587.

② 同① 590.

③ 左宗棠．上贺蔗农先生［M］// 左宗棠全集：第 10 册．长沙：岳麓书社，2009：46.

跟随贺熙龄学习时，就被“诱以义理经世之学”[①]；后来在陶澍家里遍览陶澍遗留下来的书籍和本朝宪章，更是获益匪浅，极大地丰富了他的经世思想。因此，他在治学时强调实用、实效，反对空谈义理。在与子侄通信中，教导他们说：“所谓识字者，非仅如近世汉学云云也。识得一字即行一字，方是善学。终日读书，而所行不逮一村农野夫，乃能言之鹦鹉耳。纵能掇巍科、跻通显，于世何益？于家何益？非惟无益，且有害也。”[②]左宗棠认为读书是令人心旷神怡的事情，因为义理有悦心之效果，可以让人聪明强固。他反对“信口诵读而无得于心”，也对八股取士导致人才缺失表示出不满。他说：“近来时事日坏，都由人才不佳。人才之少，由于专心做时下科名之学者多，留心本原之学者少。……试看近时人才有一从八股出身者否？八股愈做得入格，人才愈见庸下。”[③]

左宗棠在与陶桄的通信中，时常提及自己阅读经世方面的书籍，“山居无事，正好多读有用之书，讲求世务。《皇朝经世文编》《五种遗规》两书，体用俱备，案头不可一日离也”[④]。正是由于时刻保持对经世致用之学的重视，遂形成了他忧国忧民、书生参政的强烈意识，也使他对国家、民族的兴衰存亡表现出浓郁的爱国情怀。在任浙江巡抚时，他就积极借鉴了陶澍改革的措施，大力整饬吏治、改革盐政和发展农业生产，使遭受太平天国破坏严重的江浙地区经济较快得到了恢复。“在浙江，绍兴居民皆已复业，萧山诸境，民船夜行，橹声相应也，杭省百废俱起，复城未两月，已议及海塘。各郡之漕皆减定，颂声大作。以此观之，左之吏治实胜李（指李鸿章）十倍”[⑤]。其后在陕甘任职时，又“仿淮盐之

① 左孝同．先考事略［M］// 罗正钧．左文襄公年谱．长沙：岳麓书社，1983：8.
② 左宗棠．与癸叟侄［M］// 左宗棠全集：第 13 册．长沙：岳麓书社，2009：6.
③ 左宗棠．致孝威［M］// 左宗棠全集：第 13 册．长沙：岳麓书社，2009：20.
④ 左宗棠．与陶少云［M］// 左宗棠全集：第 10 册．长沙：岳麓书社，2009：84.
⑤ 赵烈文．能静居士日记［G］// 太平天国历史博物馆．太平天国史料丛编简辑：第三册．北京：中华书局，1962：383.

例，以票代引”，实行“商贩并招，正课照定额征收，杂税并归厘税项下征收。商贩领票，先纳正课，并添设南柜，招徕湖茶”[1]。针对西北地区的气候和物产，他鼓励农民在向阳的农田里种植棉花，以解决穿衣问题。他还支持西北地区发展畜牧业，而不是盲目地推广农耕，说：“西北之利，畜牧为大；而牧利又以羊为长，其毛可织，其皮可裘，肉可为粮，小民日用所必需也，何必耕桑然后致富？长民者因其所利而利之，则讲求牧务，多发羊种宜矣。”[2]这种实事求是的精神十分可贵。左宗棠在哈密又积极鼓励垦荒，他号召哈密地区外逃的老百姓回归故乡，对于回来的老百姓“发赈给种，并指给地亩，俾得自种自食，或给予雇值，令其随同耕获，俾得自食其力。官军拔行，地亩开荒成熟，哈民复业者必日多一日，是官军开荒，于军食有裨，于哈民故业无损”[3]。除此外，左宗棠在西北还十分注重水利基础设施的建设和环境保护，“吐鲁番地土肥沃，尚惜渠工失修，沾润不遍。林文忠戍边时，曾修伊拉克里河渠，考其遗法，亦只于渠中凿井，上得水流，下通泉脉，故引渠不穷。拟饬宋得禄、刘凤清相地为之。如泾水上源亦照凿坎耳，则永不愁旱。……弟年徂志短，不能为国创此新猷，然活一日亦干一日已耳”[4]。他还让人在从径州以西至玉门的沿河、沿路数千公里土地上夹道种植柳树，很好地起到了防止水土流失的作用，老百姓亲切地称这些柳树为“左公柳”。左宗棠的经世思想不仅继承传统的精髓，他还根据时代的变化，学习和汲取西方的先进技术，走兴办近代化工业的经世新道路，为传统经世理念注入了新的血液。福州造船厂、西安机器局、兰州机器局和兰州织呢局等近代

① 蔡冠洛．清代七百名人传：左宗棠传［M］．台北：明文书局，1985：1408.

② 左宗棠．黄令长周禀查明罗布淖尔河道暨哈萨克输忱由［M］// 左宗棠全集：第14册．长沙：岳麓书社，2009：477.

③ 左宗棠．崇武军进驻哈密垦荒片［M］// 左宗棠全集：第6册．长沙：岳麓书社，2009：177.

④ 左宗棠．答刘克庵［M］// 左宗棠全集：第12册．长沙：岳麓书社，2009：283.

企业都是在他的主持之下创立的，这些企业的创办有力地推动了传统经世理念的近代化转型，也为中国近代化的发展做出了积极的贡献。

左宗棠弘扬湖湘文化的第三个表现是他高度自觉的爱国主义精神。左宗棠有着强烈的以天下为己任的责任意识和忧患意识，这既是根植于传统文化中儒者的民胞物与精神，也是湖湘文化的一大特质。左宗棠的爱国精神中还融入了反对列强侵略，维护国家主权的新因素。自古以来，湘黔之地多坚忍不拔之人，在处理对外关系和保卫国家主权方面，左宗棠那种湖南人倔强、劲悍、血性的个性展露无遗。清同治四年（1865），阿古柏在英国和俄国的支持下，开始大肆占领中国新疆的大片领土，到清同治十年（1871），俄国又借机出兵占领了伊犁，这样清政府在新疆除了塔城、乌苏等几个据点外，其他地区几乎都被阿古柏建立的所谓哲德沙尔国占领，西北边塞岌岌可危。然清政府在很长一段时间里，对西北边塞的严重局势认识不足，甚至还对俄国和阿古柏等民族分裂主义存有幻想，冀图妥协。当时朝廷和民间关于“海防”和“塞防”孰重孰轻的争论十分激烈，清廷因此更加举棋不定。有过督战东南沿海和西北边塞经验的左宗棠权衡利弊得失，认为海防和塞防都重要，但清政府应该根据不同的事宜制定政策。鉴于当前俄国对新疆的侵略野心在一切入侵的事宜中是最嚣张的，直接对中国的国家主权构成了威胁，因此左宗棠建议清政府应该以收复新疆为重中之重。

对新疆问题，左宗棠客观地提出了自己的见解，说：“窃维时事之宜筹、谟谋之宜定者，东则海防，西则塞防，二者并重。今之论海防者，以目前不遑专顾西域，且宜严守边界，不必急图进取，请以停撤之饷均济海防；论塞防者，以俄人狡焉思逞，宜以全力注重西征，西北无虞，东南自固。此皆人臣谋国之忠，不以一己之私见自封者也。……顾闽浙承乏，稍知海国情形；及调督陕甘，虽拮据戎马之间，迄少成绩，而关塞征戍局势地形亦尝留意。”[①] 左宗棠仔细分析了当时西方列强对中国的侵略目的，认为欧洲诸国对中国主要是追求利润为主，“窃维泰西诸国之协以谋我也，其志专在通商取利，非必别有奸谋”；而与中国近邻的俄国则虎视眈眈地想蚕食和鲸吞中国的领土，因此两权相比，俄国的危害明显要大些。于是他上奏朝廷说：“以西事论，俄踞伊犁，安集延踞喀什噶尔，均是腴疆。乾隆朝先平准部，继平回部，而历代防秋更戍之费，至是始免，百数十年享其利，数典忘之。此时关陇既平，余威犹震，不及时规还旧域，其势必折入强邻，以后日蹙百里，何以为国，奚必牛庄、天津始为隐患乎？人臣谋国，不可不预计万全，苟顾目前而忘远大，清夜自思，何以为安？”[②] 为此左宗棠力主收复新疆，加强西北边塞的防卫，对于疆土提出了“尺寸不可让人”[③] 的观点。他指出新疆物产丰富视为聚宝之盆，提议放弃塞防的人都是目光短浅之辈。而且新疆不稳定会直接影响到整个西北地区的安危，“我朝定鼎燕都，蒙部环卫北方，百数十年无烽燧之警……是故重新疆者所以保蒙古，保蒙古者所以卫京师。西北臂指相连，形势完整，自无隙可乘。若新疆不固，则蒙部不安，匪特陕、甘、山西各边时虞侵轶，防不胜防，即直北关山，亦将无晏眠之日。而况今之与昔，事势攸殊。俄人拓境日广，由西向东万余里，与我北境相连，仅中段有蒙部为之遮阂。徙薪宜远，曲突宜先，尤不可不豫为绸缪者也”[④]。左宗棠慷慨陈言，放弃边塞，将新疆拱手让给别人，必将会沦为中华民族的千古罪人，受到历史的谴责。在他言辞恳切的奏折中，清政府最高决策层也意识到如果不收复乌鲁木齐一带，中国西、北两路的安全问题确实十分堪忧，一旦放弃西北边

① 左宗棠．复陈海防塞防及关外剿抚粮运情形折［M］// 左宗棠全集：第 6 册．长沙：岳麓书社，2009：176.
② 左宗棠．与王若农［M］// 左宗棠全集：第 12 册．长沙：岳麓书社，2009：38.
③ 罗正钧．左宗棠年谱［M］．长沙：岳麓书社，1983：246.
④ 同③ 374.

疆，则刚刚平定的回民叛乱说不定又会卷土重来，为国家从长计议，最后清廷接受了左宗棠的建议，下令收复新疆。

清光绪元年（1875），清政府任命时任陕甘总督的左宗棠为钦差大臣，督办新疆事务，此时左宗棠64岁。以年过花甲之躯，重返战场，实为战争史上的壮举。如果不是受强烈的爱国主义精神驱使和守卫疆土的高度责任感驱使，以左宗棠总督之尊的身份，他是万万没有必要去冒险接受这样一项“任天下之至重，处天下之至难”① 的艰巨任务。历时三年，左宗棠最终收复了除伊犁之外的新疆，清廷因其战功卓越，赐封二等侯。然他谦虚地说：“吾辈数书痴，一意孤行，独肩艰巨，始愿亦何曾及此！而幸能致之者，无忌嫉之心，无私利之见，苟利社稷，死生以之耳。”② 这与林则徐提出的“苟利国家生死以，岂因祸福避趋之”相映生辉。通过收复新疆的战争左宗棠更加认识到西北边疆防务的重要性，此后他多次上疏清廷建议新疆改设行省。清光绪十年（1884）新疆正式设为行省，刘锦棠为首任巡抚。从此，新疆与祖国内地的联系更加密切，也促进了维吾尔、哈萨克等各少数民族与汉族之间的沟通交流，这对西北的长治久安和统一多民族国家的发展都奠定了坚实基础。其后在曾纪泽与俄国商议归还伊犁事宜时，面对咄咄逼人的沙俄，左宗棠不畏俄国的威胁，又积极部署收复伊犁的计划，为曾纪泽谈判增强信心和筹码。潘祖荫称赞他说：“天下不可一日无湖南，湖南不可一日无左宗棠。”虽是溢美之词，但纵观左宗棠一生，却也是堪称传奇和辉煌。

① 刘坤一．复左宗棠［M］// 刘坤一遗集：第四册．北京：中华书局，1959：1823.

② 左宗棠．答刘克庵［M］// 左宗棠全集：第12册．长沙：岳麓书社，2009：299.

（五）曾国荃的经世思想及其对湖湘文化的践履

曾国荃（1824—1890），字沅浦，又字子植，号叔纯，清湖南湘乡白杨枰（今属双峰）。是曾国藩的胞弟，也是湘军集团的著名将领，在镇压太平天国起义中立下了赫赫战功。

曾国荃从小跟随父亲、兄长读书学习，先后就读过城南书院、岳麓书院。清咸丰二年（1852），他随兄长曾国藩到长沙办团练，筹建湘军。清咸丰六年（1856），他招募勇兵三千，号吉字营，奔赴江西战场，由此开始了他的军旅生涯。此后他率领湘军与太平军展开了激烈的战斗，取得了显赫的战功，清政府授予他太子少保，封一等伯，由此曾国荃从一介书生跻身为清王朝的封疆大吏。曾国荃作为晚清的重臣，从政时间长达 30 余年，从他留下的奏疏、书信和诗文里可以看出他是一个处理事情讲究实效，关心国家命运的务实官员。作为一位杰出的湘籍官吏，曾国荃在各地从政的时候还彻底贯彻了湖湘文化中经世致用理念，对湖湘文化的传承和弘扬起到了积极的作用。下面从他热衷于刊刻书籍、创办书局和在山西执政经历可以看出他的经世情怀。

受太平天国起义的影响，中国南方各地的书院、社学、文庙、祠堂等具有文化宣扬和教育功能的设施几乎破坏殆尽，传统经典损毁也很严重，旧有的社会风尚、社会道德也处在失序状态。具有强烈经世理念的湘军将领普遍意识到了问题的严重性，他们几乎都提出了兴教劝学、振兴文教来引导世道人心和社会风气的主张和想法，曾国荃也不例外。

曾国荃出资刊刻的第一部书是湖南乡贤王夫之的著述——《船山遗书》。王夫之是明末清初三大儒之一，清道光二十二年（1842），邓显鹤主持刊刻了守遗经书屋本《船山遗书》，但是很遗憾后来版片毁于战火。这次曾国荃出资刊刻是历史上第一次系统、全面地刊刻王船山的著述，为以后船山学的发展起到了十分重要的作用，

“国荃克江南，文正总督两江，国荃出二万金开局金陵，尽搜船山遗书,除有避忌者悉刻之,于是王学大行”[①]。曾国荃出资后就投入到激烈的攻打天京的战斗中去了，无暇顾及刊刻的具体事宜，因此实际主持刊刻之事的是其兄曾国藩，再加之其兄的声望和地位盖过了他，故世人常赞颂曾国藩刊刻《船山遗书》，而忽略了曾国荃的功劳，殊不知最初的倡行者和出资者都是他。曾国藩的幕僚赵烈文对曾国荃的资助之举做了记载，称赞说：“缘此事须费四千金，晓岑属余怂恿中丞为之倡，乃中丞不独能独力举办，并许多出千金为加工精刻之费，其好学乐善如此。”[②]中丞即指曾国荃，捐资刊刻之时曾国荃已授浙江巡抚。后彭玉麟在王夫之的家乡衡阳创建船山书院，曾国荃又将珍藏的《船山遗书》版片及200部初印书捐献给了船山书院，以此鼓励湖湘学子，支持湖湘文化教育事业的发展。他还资助刊刻了近代著名数学家李善兰的著作，李善兰在自序中明确提到了此事：“岁甲子来金陵，晤曾沅浦中丞，许代付手民。阅二年邮致三百金，于是取箧中诸书尽刻之。”[③]曾国荃还婉拒了李善兰请他作序的请求。可见曾国荃资助刊刻并非是为了得虚名，他真正是不署名、不作序，完全是从儒者弘扬文化和崇儒重道的角度出发去帮助他人。任湖北巡抚时，他又积极创办了崇文书局，该书局后来发展成为了晚清五大书局之一，曾国荃的首倡之功不可磨灭。任山西巡抚时，他又组织创建了濬文书局，受山西地区经济状况的影响，书局经营状况不是很理想，但刊刻工作仍然坚持到了20世纪30年代，在此期间书局刊刻书籍上百种，对改变山西地区落后的民风旧俗和传播儒学起到了很重要的作用。另外曾国荃还两次上奏朝廷，请求准允重修《山西通志》，在他的

① 王闿运．湘绮楼诗文集：邗江王氏族谱序［M］．长沙：岳麓书社，1996：394.

② 赵烈文．能静居日记［M］// 太平天国历史博物馆．太平天国史料丛编简辑：第三册．北京：中华书局，1962：277.

③ 李善兰．则古昔斋算学［M］// 上海古籍出版社．续修四库全书：第1047册．上海：上海古籍出版社，2002：469.

不懈努力下，朝廷应允了重修的请求，这对山西区域文化的发展起到了重要的推动作用。在任两江总督时，他又创办了江南书局，刊刻了一大批书籍。由此可见曾国荃并非是一个纯粹的赳赳武夫，受其兄曾国藩的影响和湖湘文化的熏陶，他的文化素养也得到了很大的提高。为官不仅是为了个人的仕途荣耀，儒者的本质和终极追求目标才是他的最高理想。翁同龢就称他是学有本原的儒帅，说“其人似偏于柔，其学则贯澈汉宋，侪辈中无此人也”[①]。

除了热衷于刊刻书籍和创办书局外，曾国荃的经世实践活动还表现在山西的其他执政行为，其中最值得称道的是清光绪二年（1876）“丁戊奇荒”发生时，他及时减缓了山西的灾情。这场灾荒以山西、河南为中心，波及北方九省，两亿左右百姓受灾严重，占全国人口的一半。当时山西80多个州县受灾，饥民高达600多万，饥民“始则卖儿鬻女以延活，继则挖草根、剥树皮以度餐。树皮殆尽，亢久野草亦不复生，甚至研石成粉，和土为丸。饥饿至此，何以成活？是以道旁倒毙，无日无之”[②]。曾国荃是清光绪三年（1877）到山西任职的，此时灾荒已经进入第二个年头了，面对如此严重的灾情，他向朝廷表示“自当殚竭愚虑，借伸犬马之忱。……庶几勉效驽骀，以期仰答高厚鸿慈于万一”[③]。到任后，即马上积极采取各种措施，赈灾济民。下令开仓放粮和设立粥厂，及时救助饥饿的灾民，以防止人口买卖、逃亡和饿死人等事件进一步恶化和加剧。但是山西府库的粮食储备有限，无力承担设立粥厂和开仓赈灾的需求。寻求外界的援助缓解灾情迫在眉睫。于是曾国荃利用他个人的关系和影响力，公私赈贷，竭力向朝廷、同僚以及京、沪等富庶省份不断寻求帮助。他首先“吁恳天恩，准留晋省

① 翁同龢．翁同龢日记［M］．北京：中华书局，1998：1810.
② 戴逸，李文海．清通鉴［M］．太原：山西人民出版社，1999：7455.
③ 曾国荃．报到晋抚任日期疏［M］// 曾国荃全集：第一册．长沙：岳麓书社，2006：177.

本年应解京饷划扣银二十万，赈济晋省百万生灵，以广皇仁而拯民命”[①]；紧接着又上《请发执照劝捐济赈疏》，“拟请仿照天津上年赈饥成案，饬发空白实收执照，劝办捐赈”[②]。这样曾国荃到山西就职时，已经拿到了户部发放的两千张空白“鬻爵”文本，用于筹措款项，还额外争取到了国家的 20 万两赈银、未解京饷和漕折银 14.7 万余两救济银两，曾国荃还从李鸿章那里筹措到了 10 万两银子。同时，朝廷又拨给了山西 8 万多石粮食，而当时灾情同样严重的河南仅争取到一半，4 万多石。之后朝廷进一步了解了山西、河南两省严峻的灾情，又拨给两省各 20 万两白银。在整个赈荒过程中，“国荃力行赈恤，官帑之外，告贷诸行省，劝捐协济，分别灾情轻重，赈期久暂，先后赈银一千三百万两，米二百万石，活饥民六百万”[③]。募集到这么大批的钱粮物质，对缓解山西的灾情起到了重要的作用。据统计，和其他受灾省份相比，山西获得的救助物资和援助银两是最多的，灾后重建速度也是最快的，这些与曾国荃赈灾措施得力是分不开的，由此他也获得了山西官绅和民众的信任与称赞。在整个赈灾过程中，曾国荃多管齐下、分清先后轻重并且多方寻求救援，实实在在地为山西百姓着想的做法，凸显出其理学经世的作风和湖南人勇于担当的气魄。

灾情缓解以后，他又深入山西各地考察民情，发现灾情发生以来山西老百姓上交的赋役、差役、丁银等各种饷项未有减少，一些贪官污吏甚至借此机会欺压、搜刮，老百姓的负担更加沉重。许多人被迫背井离乡走上逃亡之路，大量的田地处于荒芜状态，农业生产受到了很大的影响。“往时州县自顾考成，鞭笞追呼，责

① 曾国荃．请划扣京饷赈饥民疏［M］// 曾国荃全集：第一册．长沙：岳麓书社，2006：178.

② 曾国荃．请发执照劝捐济赈疏［M］// 曾国荃全集：第一册．长沙：岳麓书社，2006：184.

③ 赵尔巽．曾国荃传［M］// 清史稿：卷四百十三．北京：中华书局，1977：12042.

之里胥，里胥借端苛敛，飞洒摊派，仍取之穷檐。虽在丰年已不胜其苦累，矧值大祲，更何以堪？”[①] 为了减轻老百姓的负担，也为了灾后重建积蓄劳动力，曾国荃在山西执政的几年里先后 20 多次上奏朝廷，请求减免各项徭役杂税。经过他的不懈努力，仅差徭一项，“较之旧章，或减去十之五六，或减去十之七八”；并且“厘定规条，详明立案。通计每年为民间节省差徭钱百万余缗，而要差仍不致误，各属绅民无不感悦”。[②] 前山西巡抚鲍源深采取的出借仓谷赈济灾民的办法，虽然在当时缓解了灾情，但由于此后灾情不断加重，灾民根本无力偿还原来从官府借的仓谷，许多老百姓对自己所欠的债务忧心忡忡，民心十分不稳，对山西的救灾工作和灾后重建工作的开展十分不利。为此曾国荃又上奏朝廷请求免除对民间所借粮食的偿还，“晋省历次出借仓谷，无论远年近年，恳恩一律豁免，以广皇仁而苏民困”。他还仔细地向朝廷分析了减免债务的理由：“民力拮据，将来若令照例征还，不特民力未逮，即原借之户大半流亡，率皆无着。诚恐奸胥蠹役借官扰民，以桃代李，或累及邻族，或苛派里社，甲倒累甲，户倒累户，流弊无穷。”[③] 从采取的这些措施可以发现，曾国荃在赈灾过程里是考虑得十分周详细致的，鲜明凸显了经世派务实的态度和实干的精神。在整个赈灾过程中，曾国荃可谓是鞠躬尽瘁，尽心尽力，湖南人的霸蛮干劲展现得一览无遗，在王闿运致丁宝桢的信中这样描述他：“曾九（曾国荃）真可儿，闻此次太原祈雨，内着道装，外施袍褂，头顶香炉，实以火药，置引线，炷香其上，露天长跽，口中念念有词，谓‘天如不雨，任待爆炸’。其汲不畏死蛮劲，彼天亦当退避三舍，何论发贼？侥幸及时雨降，否则，吾湘又弱一

① 曾国荃．豁减丁粮银米疏［M］// 曾国荃全集：第二册．长沙：岳麓书社，2006：2.
② 曾国荃．办理晋省善后就绪疏［M］// 曾国荃全集：第二册．长沙：岳麓书社，2006：56.
③ 曾国荃．请豁除借用仓谷疏［M］// 曾国荃全集：第二册．长沙：岳麓书社，2006：474.

个，少熠红顶矣。”[①] 此事可信度不置可否，但却从一个方面反映了曾国荃直率、倔强性格和不达目的誓不罢休的果敢决心。山西老百姓和官绅对其多有钦佩，以后他在治理山西过程中推行的政令和措施，民众的信任度和地方政府的执行力度也相应地得到了提高，同时也为其在社会上和朝廷上获得了很好的声誉，扭转了他镇压太平天国起义时给予世人的暴戾形象。

同时，曾国荃还意识到，山西灾情的彻底解除最终还是要靠山西老百姓的努力和山西自身经济的发展。因此他对灾后重建和山西的发展也投入了大量的精力。他要求山西各地官员务必认真落实清理荒地、鼓励发展农业生产的政令。因为灾荒，山西死亡和逃亡人口数量巨大，荒芜的土地面积也惊人。为吸引更多的人到山西来开垦荒地，发展农业，曾国荃采取了豁免粮税，发放灾后重建款，无偿提供耕牛、农具、种子等多项政策和手段。这些政策和措施起到了很好的效果，不仅使远离家乡的山西人返回故土，而且还吸引了周围各省的老百姓来山西屯田开荒，极大地促进了山西灾后农业的发展。除了重视农业，曾国荃也关注手工业、商业的发展，他在山西推行盐政改革、支持采矿业的发展并积极鼓励发展商业。经过曾国荃的治理，山西在农业、手工业、商业和文化教育事业等方面都有了长足进步，及至他离任时山西的民众对其满怀感激，“民德之，为立生祠”[②]，专门来表彰和纪念他。时人称赞他是“恢廓有容而德业弥峻。诗云：‘有斐君子，终不可喧兮。’盖与文正同庥矣”[③]。朱克敬谓“晋父老感涕呕歌，乃家尸而户祝之，论者谓此举视昔年攻拔金陵之功相等。盖一则夺数百万生灵于豺貘封豕之吻，一则活数百万生灵于沟渎饿殍之余。

① 萧一山．清代通史：第三册［M］．上海：华东师范大学出版社，2010：627.

② 赵尔巽．曾国荃传［M］// 清史稿：卷四百十三．北京：中华书局，1977：12042.

③ 朱孔彰．中兴将帅别传［M］．长沙：岳麓书社，1989：114.

前古勋臣，未有斡回元化，大任叠肩，建立如斯其伟者也”[①]。

曾国荃的仕途开始于战场，他是典型的靠获取军功而起家的湘军将领，加之有其兄的荫庇，因此人们对他的认识和评价是褒贬不一，有时候甚至还恶评如潮。实事求是地看，在你死我活的战场，曾国荃是湘军中有名的悍将，扎死寨，打硬仗，能征善战，血性十足，也凶狠十足，这也是湖湘文化品质中使气轻生的热血性格和倔强霸蛮的任事态度的体现。但曾国荃终究并非纯粹的武将，他与其他的湘军将领一样都是饱受湖湘文化熏陶的士子，因此在行军和为政期间，始终还是以儒者的心态和立场注重关注民生，讲究经邦治国和修齐治平，这也是湘籍经世官吏的普遍特质和共同特征，曾国荃称得上是湘籍官吏中的佼佼者。

综合本节众多的湘军将领的经历可以发现，“从某种意义上说，湘军之兴，乃是湖湘理学的产物。湖湘理学是一种经世理学，注重把理学与经世结合起来、把心性修养与躬行实践结合起来，故少有流于空疏无用或荒诞不经的弊端”[②]。可见程朱理学和经世致用学风是湘军巍然崛起的重要因素，因为“湘军的官佐基础实际上是一个以经世致用为特征的经世派湖南士人群体。这样一个以经世致用为特征的士人群体组成的湘军，以其收拾东南半壁河山的显赫功业，为后来的湖南士子树立了一个仿效的榜样，因之，讲求经世之学，探讨治国平天下的学术，遂成为了湖南士人的一种学术价值倾向”[③]，这也就导致近代湘人普遍产生了一种强烈的“湘军情结”。“清季以来，湖南人才辈出，功业之盛，举世无出其左右”[④]，湘军以后，近代湖南又涌现出了一大批的杰出人才，如倡导维新思想的谭嗣同、唐才常、熊希龄、沈荩等，投身辛亥革命

① 萧一山．清代通史：第三册［M］．上海：华东师范大学出版社，2010：627.
② 方克立．湘学史：二［M］．长沙：湖南人民出版社，2008：653.
③ 王继平．湘军集团与晚清湖南［M］．北京：中国社会科学出版社，2002：140.
④ 谭其骧．近代湖南人之蛮族血统［M］．石家庄：河北教育出版社，2000：312.

的黄兴、宋教仁、蔡锷、陈天华、禹之谟、焦达峰等，领导新民主主义革命的毛泽东、刘少奇、蔡和森、彭德怀等。他们的成长经历虽然各有不同，但是作为湖湘学子，又无一例外地受到了乡邦文化的熏陶和濡染。总而言之，湘军的兴起不仅在思想文化观念上深刻地影响了湖南，而且也使得湖南在政治、经济等领域发生了巨大的变化，湖南由之前的籍籍无名而一跃成为“系天下之重望”的省份，并进而推动了近代中国社会历史进程的发展。

三、湘军集团与晚清中国社会的发展

湘军集团的成功，不仅仅是打败了一个强大的军事对手太平军，维护和挽救了清王朝的统治，也不仅仅是使湖南在全国具有了举足轻重的地位和声誉，更重要的是对近代中国军事、政治、思想文化以及与世界先进文明的接轨等方面，都产生了深刻而深远的影响。

（一）湘军与同治中兴局面的出现

清同治元年（1862）至同治十三年（1874），是同治皇帝的在位时间。在此期间，已在第二次鸦片战争中攫取了丰厚利益的英法等国，暂时放缓了对中国的侵略步伐。清同治三年（1864），曾国藩率领的湘军剿灭了轰轰烈烈的太平天国起义，国内局势也渐趋缓和，于是同治皇帝在位期间成为了晚清相对平稳的时期，所以历史上就把同治皇帝统治的这一段时期称之为“同治中兴”。美国史学家芮玛丽评论同治中兴，说：“同治中兴是中国历史上最后一次中兴，同时也是第一次试图在不对中国传统价值观和体现这些价值观的制度进行革命改造的条件下改善中国政府，使之在近代世界中立于不败之地的努力。它也是一系列努力中最接近成功的一次。”① 这段评论里肯定了清政府为了适应近代社会的发展变化，主动采取了自救式的改革，清政府从中央到地方，都不同程度地进行了整顿和改良，这些改革措施虽然无法从根本上挽救濒临瓦解的王朝，但还是延缓了清王朝走向崩溃的步伐。

在“中兴”局面中做出重要贡献的群体以湖南人为最，无论是对清王朝做出巨大贡献的湘军集团，还是倡导富国强兵的洋务派，湖南人在其中都占有不小的比例。曾国藩、左宗棠、彭玉麟、郭嵩焘、曾纪泽、刘坤一等都是中兴时期杰出的湘籍官员。湘军集团与同治中兴之间确实有着密切的关联，纷纭动荡的社会环境造就了一大批杰出的湘籍将领和官吏，他们怀抱救世的理念走出湖湘大地，并进而在晚清历史上书写了辉煌的一页。

湘军对晚清时期所起的首要作用就是防止了国家分裂，维护了满洲开国以来大一统的局面，而这也是中兴局面得以出现的前提条件。洪秀全改南京为天京，建立了与清政府对峙的政权，将当时中国最富庶的地区置于自己的掌控范围，对清王朝的统治构成了直接的威胁。随后清政府组织军队想迅速地剿灭这支农民起义军，控制住日渐混乱的局势，但八旗兵和绿营兵不堪一击的作战能力，不仅辱没了清王朝的尊严，还进一步加剧了晚清衰败的局势。在此境遇之下顺势而起的湘军集团却创造了中国近代史上的一个奇迹，它不仅成功地镇压了太平天国起义，而且在势力强盛的时候既没有与朝廷分庭抗礼，也没有造成清王朝大权旁落、分崩离析的局面，有力地维护了清王朝数百年来的大一统局面。湘军的支持对晚清政府后期的发展不啻为一支强心剂，“作为时代骄子的曾国藩、李鸿章及其同僚等前人确实成功地镇压了叛乱，恢复了王朝的地位，甚至重新振兴了王朝的治国精神，这可以说

① 芮玛丽．同治中兴：中国保守主义的最后抵抗（1862—1874）[M]．房德邻，郑师渠，郑大华，等，译．北京：中国社会科学出版社，2002：10.

是事实俱在”[1]。“不但一个王朝，而且一个文明看起来已经崩溃了，但由于19世纪60年代一些杰出人物的非凡努力，它们终于死里求生，再延续了60年。”[2]上述言论是海外著名的汉学家们对曾国藩、李鸿章等人在同治中兴中的评价，虽有溢美之嫌，但却也从一个方面证明了崛起的湘军集团对晚清后期的政治局面确实产生了不容小觑的影响。

在镇压太平天国十余年的征战中，湖南获得军功并被授予各种职衔、功名的人员是非常之多的。据罗尔纲《湘军兵志》中记载，在各级湘军将领182人中，官至总督、巡抚的有26人，其他文职在布政使、按察使，武职在提督上下的有143人。[3]当时是“楚省风气，近年极旺，自曾涤生领师后，概用楚勇，遍用楚人。各省共总督八缺，湖南已居其五，直隶刘长佑、两江曾国藩、云贵劳崇光、闽浙左宗棠、陕甘杨载福是也。巡抚曾国荃、刘蓉、郭嵩焘皆楚人也，可谓盛矣。至提镇两司，湖南北者，更不可胜数。曾涤生胞兄弟二人，各得五等之爵，亦二百余年所未见”[4]。梁启超也说：“湘军之声誉，东至东海，南逾岭南，西辟回部，西南震苗疆，至今尚炙手可热，三湘民族之大有影响于全国。”[5]建立了赫赫战功的湘军将领们或位列朝臣，或成为封疆大吏，或为政一方，他们以曾国藩为核心形成了一个庞大的联系紧密的政治利益集体，这个群体不仅是一个军事集团，它还是一群以理学为宗、推崇经世理念的传统知识分子组成的文化群体，它更是一个有着相同价值观和道德观的政治利益集合体。他们几乎都推崇宋明理学和经世

① 费正清．剑桥中国晚清史（1800—1911）：上卷［M］．北京：中国社会科学出版社，1985：309.

② 芮玛丽．同治中兴：中国保守主义的最后抵抗（1862—1874）［M］．房德邻，郑师渠，郑大华，等，译．北京：中国社会科学出版社，2002：7.

③ 罗尔纲．湘军兵志［M］．北京：中华书局，1984：115.

④ 张集馨．道咸宦海见闻录［M］．北京：中华书局，1981：377.

⑤ 梁启超．中国地理大势论［M］// 王驰，刘鸣泰，刘克利．湖湘文化大观．长沙：岳麓书社，2003：477.

致用理念，因此又都是普遍具有强烈的社会责任感和历史使命感的儒者，“他们的理想是澄清天下，是引出一班正人，倡成一时风气，以拯救清朝于中道之际”[1]。可见湘军集团与纯粹的军人集团还是有很大的差别，他们投入战争不仅为了升官发财，而且还有更加远大的政治抱负和信念追求，那就是追求儒学倡导的修齐治平，即通常所说的“内圣外王”。因此即便是战功显赫、政绩卓绝如曾国藩也没有出现僭越礼法，危及中央权力的行为。当然清廷对拥有强大军事势力的湘军集团也还是充满疑虑和担忧的，时刻注意防范和牵制湘军集团。中央一直牢牢地掌控对地方官吏的任免权，皇帝至高无上的权威也不容置疑。博弈的最终结果是，湘军将领占据了南方各省的许多职位，拥有了地方管理的实权，却没有给清政府造成地方尾大不掉的局面，反而成了维护清王朝统治的安全屏障和砝码，为晚清政局带来了新气象。以后曾国藩在直隶大力整饬吏治、曾国荃在山西赈济灾民、左宗棠积极收复新疆、彭玉麟督办长江水师、郭嵩焘出使欧洲……一大批的湘军将领转型为清廷的地方要员，他们为清朝的统一和社会的稳定发展做出了贡献，为同治中兴局面的出现做出了杰出贡献。

（二）汉族地主势力的膨胀和汉族官员政治地位的提高

湘军集团对晚清时期汉族地主阶级势力的迅猛发展起到了推动作用，汉族官吏政治地位与以前相比也有了很大的提升，这在一定程度上调整了清政府的社会结构和满汉官吏的构成比例。清王朝是少数民族建立的政权，满洲入主中原两百多年来，一直对占中国人口绝大多数的汉族是充满戒备和猜忌的。面对人口占绝对优势的汉族，满洲就犹如汪洋中的扁舟，因此，如何长久地维

① 王继平．湘军集团与晚清湖南［M］．北京：中国社会科学出版社，2000：77.

持自己的统治，就成了清王朝迫切需要解决的问题。清王朝对政权稳固的担忧并非空穴来风，数千年来汉民族深受儒学华夷观念的浸染，在其他民族面前一直表现得十分傲慢。但明朝的覆亡，沉重地打击了汉民族的自尊和自大，华夏文化遭遇了一次猛烈的摧残，由此仇满、反满情绪在整个社会上蔓延，清初江南一带的激烈抗清斗争就是典型。自此包括部分的汉族地主士绅在内，人们对亡明的哀痛和追忆从未消失。清代以来许多地方的起义和暴动经常打着“反清复明”的口号和旗帜，煽动普通民众的反满情绪。有鉴于此，清王朝采取了一系列的措施不断强化对汉族的管理，以达到稳固统治的需要。例如抬高满族社会政治地位、联合蒙回藏等少数民族的上层人物、团结部分汉族地主实现民族分化政策、强化汉族管理机制等等。为了拉拢汉族地主阶级，消除汉族反清思想因子，清政府在统治中采用了满、汉兼用的方针，对中央和地方各部门满、汉官员的名额都做了详细具体的规定。这种满汉复职制度，在实际管理中多以满族大臣为主，汉族官员只处于从属地位，几乎没有实权，而且整个官僚体系内存在着严重的民族歧视，满、汉官员之间的民族藩篱和戒备十分明显。

据载，“六部皆有匾，上书某年满大臣等，宜时至大内某官（宫），敬谨阅看某朝所立御碑”。而“宫内所立碑，系专谕满大臣。大略谓本朝君临汉土，汉人虽悉为臣仆，然究非同族。今虽用汉人为大臣，然不过用以羁縻之而已。我子孙须时时省记此意，不可轻授汉人以大权，但可使供奔走之役云云”①。这种传闻宫内设有御碑，并刊刻防范汉人上谕之说，有点玄乎和夸张。不过这也不是空穴来风，现实中满汉之间的等级还是十分森严的，督抚一级高级官吏和军事大权几乎都由满人担任，知府、知州等低一级的职位或者卑微的官职则多是汉人。汉人在基层担任职务的数量确实不少，但

① 小横香室主人.清朝野史大观：第一册［M］.北京：中央编译出版社，2009：95.

绝大部分都是“供奔走之役”，没有话语权和决策权，因此对清廷政局也就起不到什么重要的作用。为了维护满洲贵族的权益，清政府还实行官缺制度。官职岗位分为满官缺、蒙古官缺、汉军官缺和汉官缺四种，不同官缺只能由本民族人出任获补授，但满人拥有特殊权益可以补汉缺，而汉人则严禁补满缺。再加之满族人数本来就较少，因此满官缺多于汉官缺，满人担任官职的比例也就比其他民族高了很多。清政府中央要职部门、地方督抚和驻疆大吏等重要职位几乎都由满人担任，汉官只能居次要职位。如清初的议政王大臣会议、中央理藩院、宗人府以及府库的官员全部为满缺，即便“军机大臣虽名义上满汉兼用，实际上主要权力则掌握在满员手中。领班军机大臣一般由满员担任，遇事专断，汉员不敢与之相争。若有倔强不服、争辩不已者，亦必以失败而告终”[1]。清王朝为维护其统治是大费苦心，即便是到了晚清衰败之际，这种满汉分离、种族歧视的观点在清政府内部仍然根深蒂固地存在。

清咸丰四年（1854），曾国藩率领湘军攻占湖北省城武昌，咸丰皇帝得到捷报后，十分高兴，立即任命曾国藩署理湖北巡抚。有军机大臣就提醒说：“曾国藩以侍郎在籍，犹匹夫耳。匹夫居闾里一呼，蹶起而从之者万余人，恐非国家福也。”[2] 于是咸丰帝马上又收回了任命，可见清廷内部对汉族官吏的防范和戒备之心是多么的深。后来随着太平天国起义肆虐，清政府的正规军队八旗和绿营屡战屡败，江南大片地方失守，清王朝统治者环顾四周，几无可以倚重之人。在这种情况下，咸丰皇帝迫不得已重新起用曾国藩，“迨文宗末造，江左覆亡，始有督帅之授，受任危难之间。盖朝廷四顾无人，不得已而用之，非负扆真能简畀，当轴真能推举也”[3]。可见即便是到了咸同之际如此衰败的局面之下，清王朝对

① 朱东安．曾国藩集团与晚清政局［M］．北京：华文出版社，2007：10.
② 薛福成．庸庵文续编：卷下［M］．石印本．上海醉六堂，1897（清光绪二十三年）：8.
③ 朱东安．曾国藩传［M］．沈阳：辽宁人民出版社，2014：119.

汉族官员掌握军权还是十分地忌惮。

及至湘军集团巍然崛起，这种满族官员独当一面、专横独裁的局面才被彻底打破了，汉族官绅的势力也迅速发展起来，晚清社会的政治格局和政治势力的结构也发生了很大的变化。汉族官员受到重视和政治地位提高，很大程度上要归结于太平天国起义的迅猛发展对清政府的致命打击。“太平军从广西一路打到南京，北伐京津，西征湘鄂，东取苏杭，三次攻占湖北省会武昌，两次攻占安徽省城安庆、庐州，因战争而被免、被革乃至丧失性命的钦差大臣、总督、巡抚及都统将军先后达三十多人。”[①] 八旗、绿营兵作为国家的经制之师，被太平军打得丢盔弃甲，这是让清政府十分沮丧和恼火的事情。迫于太平天国咄咄逼人的军事压力，咸丰帝只好下令允许各地办团练，“帮同办理本省团练乡民搜查土匪诸事务”，于是汉族官绅得到了崛起的契机。以湘军集团为例，自清咸丰三年（1853）曾国藩出任湖南团练大臣开始，湘军集团在与太平天国的战斗中，势力不断扩大，清政府对其的依赖程度也不断加深，反映在朝廷给予曾国藩的官职越来越高，权限也越来越大。清咸丰十年（1860）任命其为两江总督、钦差大臣。次年又命其督办江苏、浙江、安徽和江西四省军务，巡抚、提、镇以下悉归其节制，上谕中明确提到“江浙等处军务，朕唯曾国藩是赖”[②]。曾国藩当时是权倾朝野，风头一时无两。相应地湘军集团的势力也蓬勃发展起来，曾国荃、左宗棠等湘军将领成了手握重兵的将帅，多则领兵数十万，少的也有六七万，致使中央朝廷也对他们礼让三分。以军功起家的湘军将领也越来越多，据清光绪《湖南通志》记载，湖南因军功保举武职游击以上人员，总计

① 朱东安. 曾国藩集团与晚清政局［M］. 北京：华文出版社，2007：6.

② 曾国藩. 咸丰十一年十月十八日上谕［M］// 曾国藩全集：4. 长沙：岳麓书社，1994：2018.

多达 6319 人。[1]“湘、淮、楚营士卒，徒步起家，多擢提、镇、参、游以下官，益累累然。”[2]“粗略统计，湘军集团领袖和骨干分子共有四百七十五人，经查证核实，其中文职实缺按察使以上一百二十五人，武职实缺提督以上五十八人，位至督抚、堂官以上者六十七人。这个统计虽难称精确，但亦可大致反映出这个集团在清朝统治阶级中的实力地位。”[3]这里提到的骨干分子主要指重要的幕僚和军官，而一般幕僚和官兵，则人数更多，因资料有限今天已经无法详细统计了。但有一点是可以确定的，通过军功和依靠战争发家的汉族地主的人数膨胀起来了，汉族士绅阶层的力量得到了壮大，他们在地方上和朝堂上都获得了比以往任何时候都要多得多的政治地位和权益，直接造成了清中央集权的削弱和地方权力的加强，对晚清时局产生了很大的触动和变化。

自开国以来，满洲贵族严加防范、极度蔑视汉人，但是在咸同之际清政府面临严重的社会危机时刻，力挽狂澜起到扶危定倾作用的却是汉族地主阶级。面对日渐腐朽和没落的八旗兵和绿营兵，国家统一面临威胁的情况之下，两害相权取其轻，清政府被迫重用汉族官吏，发动汉族地主阶级的力量来抵抗日益强大的太平天国。为此清中央朝廷不得不调整长久以来歧视汉族官员的政策，对以湘军为代表的地方行政，做出了极大的让步，给予了地方更多的行政自主权力，严重违背了清王朝建国以来的治国理念和方针大计，也大大削弱了满洲贵族的集权统治色彩。随着汉族士绅地位的提高，潜藏在广大人民心中的消除民族歧视和反对清廷统治的情绪也被点燃起来了。由此，清末社会倡导改良和革命的呼声日渐高涨，清政府苟延残喘的统治如同即将日落的夕阳，只能无奈地等待帷幕的降落。

① 李瀚章，裕禄，等.（光绪）湖南通志：五［M］. 长沙：岳麓书社，2009：251.
② 罗尔纲. 湘军兵志［M］. 北京：中华书局，1984：161.
③ 朱东安. 曾国藩集团与晚清政局［M］. 北京：华文出版社，2007：54.

（三）湘军推动了传统兵制的改革，是近代化军事的萌芽

湘军的出现对晚清传统兵制造成了很大的冲击，曾国藩很早就洞察到了清朝兵制的腐败和弊端，他在《议汰兵疏》中尖锐地指出："天下之大患盖有两端：一曰国用不足，一曰兵伍不精。兵伍之情状各省不一。漳、泉悍卒以千百械斗为常，黔、蜀冗兵以勾结盗贼为业，其他吸食鸦片，聚开赌场，各省皆然。大抵无事则游手恣睢，有事则雇无赖之人代充，见贼则望风奔溃，贼去则杀民以邀功。章奏屡陈，诏旨屡饬，不能稍灭锢习。"[①] 私斗、勾结盗贼、吸食鸦片、开设赌场，曾国藩可以说是淋漓尽致地揭露了晚清军队的陋习和弊端。曾国藩还犀利地抨击了八旗和绿营兵在与太平天国起义军交战时，展现出"近营则避匿不出，临阵则狂奔不止"，"胜则相忌，败不相救"等恶习。可见清政府的正规军队已经腐朽不堪，不可能再担负起维护清王朝统治的重任。面对如此状况，曾国藩认为要剿灭太平天国，首要任务就是必须在军队建设上改弦更张。他明确地说："以今日营伍之习气，与今日调遣之成法，虽圣者不能使之一心一意。自非别树一帜，改弦更张，断不能办此贼也。"[②] 在组建湘军时，曾国藩特意规避了八旗、绿营兵制的许多弊端，认为"决不用营兵，不用镇将"，而且"尽募新勇，不杂一兵，不滥收一弁"，这样才有可能做到"扫除陈迹，特开生面，赤地新立，庶收寸效"。[③] 为了创立一支作战勇猛的部队，曾国藩在军队的建制、管理等方面费尽心力，通过不懈的努力，终致湘军巍然崛起，改变了晚清军事格局，也有力地促进了晚清军队的近代转型。湘军对传统兵制的冲击和对近代转型的影响，主要体现在如下几个方面。

① 曾国藩．议汰兵疏［M］// 曾国藩全集：1. 长沙：岳麓书社，1994：25.
② 曾国藩．与王鑫［M］// 曾国藩全集：22. 长沙：岳麓书社，1994：186.
③ 曾国藩．与李鸿章［M］// 曾国藩全集：22. 长沙：岳麓书社，1994：364.

首先，湘军将领和士兵的来源及组成与传统兵制有差异。湘军的将领大多数是读书人出身，勇丁则基本上是来自乡间的朴实农民。曾国藩放弃了长久以来父子兄弟相继的世兵制，而改用招募制，实行谁招募就服从谁的领导，并且以宗族、姻亲、乡邻、师友等各种社会关系为基础展开层层招募，十分注重招募群体之间的地域因素、文化气息，强调招募群体内部的沟通、交流和团结。湘军的骨干力量基本上和曾国藩一样，都是笃守程朱理学和经世致用理念的儒生，由此形成了以理学治军，书生加山农的独特兵制。曾国藩在衡阳建立湘军水师时就明确说："水手招至四千人，皆须湘乡人，不参用外县的，盖同县之人易于合心也。"[①] 曾国荃在招募湘勇时更加强调士兵的地域来源，"不独用湘乡人，且尽用屋门口周围十余里人"[②]。其他的湘军将领在招募士兵时也恪守这个原则，王鑫专招一县之勇，李元度也只在自己的家乡湖南平江招募军队，刘长佑所带之兵不是其亲属就是其邻里。在这种浓郁的封建宗法关系指导下，湘军"一营之中，指臂相联，弁勇视营哨，营哨视统领，统领视大帅，皆如子弟之事其父兄焉"[③]。可见湘军的来源与传统的兵制完全不同，它具有浓厚的地域和血缘色彩，这一方面有利于将士之间的沟通交流和管理，有利于提高军队的战斗力；但另一方面这样的部队除了具有很强的独立性，还给将帅的独断专权创造了条件，以后清中央大权的旁落和地方权力的增强就是明证。

其次，湘军在具体建制上也有别于八旗和绿营。湘军仿照明朝戚继光的建军模式，以营为基本单位，营内设哨、队，营以上设分统，分统以上为统领，统领由大帅即曾国藩亲自指挥。曾国藩明确规定每个营只服从营官的领导，各营官之间互不干涉别营的事务，各营之间独立作战听从大帅的指挥，如果营官战死，则

① 曾国藩．复朱蓂［M］// 曾国藩全集：22. 长沙：岳麓书社，1994：409.
② 易孟醇．曾国藩传［M］. 桂林：广西人民出版社，1995：370.
③ 王安定．湘军记［M］. 上海：上海古籍出版社，1995：338.

该营就地解散，重新寻找新的营官再组建新的部队，各分统、统领之间的管理也依此类推。这种由将招勇、将亡勇散的制度，很大程度上把兵勇们的前途，甚至生命与自己的直属上司紧密地联系在了一起，因为将荣俱荣，将损俱损。由此湘军形成了等级有序、密切配合、誓死战斗的十分严密完整的领导和指挥体系。这就如同一棵大树，“由根而生干、生枝、生叶，皆一气所贯通”，湘军组织内部的管理、联系就全部可以细致到位，这也有效地提高了湘军的凝聚力和战斗力。曾国藩评价是“呼吸相顾，痛痒相关，赴火同行，蹈汤同往，胜则举酒杯以让功，败则出死力以相救”[①]。

再者，湘军十分注重用儒学、礼制教化和引导士兵，曾国藩十分注意加强士兵的训练和思想约束，积极推行以礼治军的原则，采取“将之以忠义之气为主，而辅之以训练之勤”[②]，两者相辅相成，起到了很好的训练效果。他从实际出发，考虑到士兵的文化程度不高，把纲常礼教以通俗的语言谱成歌谣，创作了《水师得胜歌》《陆军得胜歌》《劝戒浅语十六条》《初定营规二十二条》《爱民歌》《解散歌》等多篇融纲常伦理思想和礼制规范于其中的歌谣，“令士卒歌诵，口相习以熟，冀娴其大略，而其临阵之神明变化，则有不能及也”[③]。曾国藩赋予湘军维护礼教文明的神圣使命，并且将礼教文明贯彻到湘军的日常生活和行军作战中的做法，很好地发挥了儒学社会教化的功能和作用，也培养了湘军将士忠诚、坚忍、勇猛的作风。这种将治军理论和军事实践紧密结合的做法，实际上是开创了近代军队思想政治工作的先例。曾国藩的做法就是探索建立一支既具有勇猛作战能力又具有一定思想素养的新式军队，只不过受时代和自身认识的局限，他还不能达到这个高度和目的。但他的许多想法和见解为后人所称赞，蔡锷就将他和胡林翼的军

① 曾国藩．与文希范［M］// 曾国藩全集：22. 长沙：岳麓书社，2011：188.
② 易孟醇．曾国藩传［M］．桂林：广西人民出版社，1995：97.
③ 曾国藩．水师得胜歌并序［M］// 曾国藩全集：14. 长沙：岳麓书社，1994：426.

事思想编撰成了《曾胡治兵语录》，用于指导辛亥革命中新军的训练，在官兵中很受欢迎。毛泽东也对他的军事才华给予了高度评价。

湘军创建了多个兵种，而且是清政府内最早使用和配备近代化武器的军队。湘军除了陆军外，还相继建立了水师、马队，后来更是增加了炮兵、工兵等技术兵种，实现了多兵种协同作战，初步具备了近代化战争的雏形。在镇压太平天国起义的过程中，曾国藩、胡林翼等湘军将领认识到了西方军事武器的强大威力，相继购买了大量的西洋来复枪和先进火炮，使得湘军的战斗能力大增。在此基础上，曾国藩又创建了安庆内军械所，专门生产近代军事器械，供湘淮军使用，以后左宗棠、李鸿章等进一步推广建立近代化军事企业，由此湘军又开启了中国军队兵器装备的近代化变革。

湘军产生之初，原本只是作为一支地方团练部队，辅助国家经制之师，以维护地方治安，但是经过曾国藩的打磨和改造之后，却成了一支骁勇善战的精锐之师，不仅一举成功剿灭了太平天国，而且还创造了清朝军事史上的奇迹。湘军的建制方式是晚清社会在经历了数千年未有之巨变后在军事上的一次伟大尝试，体现了以曾国藩为代表的湖湘官绅们强烈的经世理念和入世精神。他们试图通过对旧的、落后于时代的军事体制进行改良，形成新的军事体制，组建新的具有战斗力的军队，来取代腐朽的八旗兵和绿营兵，以达到镇压太平天国、捻军等国内起义和抵御外来侵略、维护清王朝统治的目的。因为晚清时局的特殊情况，湘军从组建之时就决定了不可能从国家得到更多的补给和援助，所以在选择将领、招募士兵、筹备粮饷等方面，湘军都采取了不同于传统兵制的做法，这些改革措施极大地提高了军队的战斗力，但是它也打破了清建国以来朝廷直接控制和指挥军队的惯例，造成了中央权力的部分下移，这对晚清政局是一个不小的冲击。

以往应对战争，清政府对将帅的任免、军队的调遣、粮饷的补给都有很严格的规定和制约，“国家承平二百余年，凡有大寇，兴大兵役，必特简经略大臣及参赞大臣。继乃有佩钦差大臣关防及号为会办、帮办者，皆王公亲要之臣，勋绩久著，呼应素灵。吏部助之用人，户部为拨巨饷，萃天下全力以经营之。总督、巡抚不过承号令、备策应而已，其去一督抚，犹拉枯朽也。故督抚皆奉命维谨,罔敢违异”[①]。为加强对全国各族人民的统治和强化中央集权，清王朝一直很重视军事管理。可是，到了晚清，大权旁落却成了无法挽回之势。面对蓬勃发展的太平天国起义，清王朝手足无措，满洲贵族不得不从自己手中分出一部分权力，授予以曾国藩为代表的汉族地方官吏，以最大限度地调动他们的积极性。这实际上是晚清统治阶级内部的一次权力再分配，是满洲贵族被迫对汉族官吏做出的一次重大让步。“湘军的兴起代表着非正规的组织形式的出现，它隐隐地含有对清帝国权力的高度颠覆性，不过由于它仍以正统观念为掩饰，所以还能够与清朝的既成秩序和平共处。”[②] 自湘军开始，部分地方督抚和将领掌控了军队的指挥权,这也开了晚清兵为将有、权出私门的先河。清同治八年(1869)，曾国藩任直隶总督时，完全按照湘军的营制组建和训练军队，随后其他各省也纷纷效仿，“这样，清廷既然无法恢复战前旧有的武装力量和军营体制，也就不能不依靠湘淮军，既然依靠湘淮军，也就不能不承认勇营制度的地位和曾国藩对军营制度的改变。然而，这一改革不仅导致国家兵制和军营风气的极大改变，也使国家政治体制为之大变，由中央集权的削弱和地方分权的增强，最终走向国家分裂和军阀混战的局面”[③]。

曾国藩是一个道学家，而且是一个执着追求儒家圣贤气象和经邦治国志向的儒者。他致力于创办湘军，主要还是想实现儒者

① 薛福成．庸庵海外文编：第 4 卷［M］．乙未刻本 .1895（清光绪二十一年）．
② 费正清．剑桥中国晚清史：上卷［M］．北京：中国社会科学出版社，2007：279.
③ 朱东安．曾国藩集团与晚清政局［M］．北京：华文出版社，2007：287.

立德、立言、立功的终极追求，达到修齐治平的境界。创立湘军只是他镇压民众反抗，维护传统秩序和践履经世致用理念的一个手段和方法，他万万预计不到会对未来社会发展产生如此的后果和影响，而且那也不是他所期望的。然而任何事物的发展都是具有多种可能性的，曾国藩率领湘军救晚清于危难之时，维护了清王朝的统一，创造了同治中兴的局面，延缓了晚清走向衰落的步伐。但同时湘军也改变了晚清的政治局势和社会风气，有力地推动了晚清社会由传统向近代转型。

第三章

同光之际的洋务运动与湖湘文化的两重性

历史往往呈现出十分复杂的面貌和现象，湘军在维护传统社会秩序和传统文化道德方面可以说是不遗余力，由此部分世人赋予了湘人迂阔和守旧的印象。但在紧接着出现的洋务运动中，湘人又给予人们截然相反的印象，在这场对中国近代社会产生深远影响的社会改良运动中，湘籍官吏占了很大的比例，充当了骨干和先锋力量，湘人对中国近代社会的进步和发展又做出了杰出的贡献。环视这一批杰出的湘籍人士，可以发现他们中有很多都是来自于湘军集团，他们追随着曾国藩、左宗棠的步伐，从镇压太平天国的战场又走进了中国发展洋务的新天地，成为晚清政治舞台上最活跃的一个政治群体。但是更多的湘军将士在完成了镇压太平天国起义以后，则回到了湖南，这些以卫道为己任的将士在回归故里以后，自觉地担负起了维护地方传统伦理纲常的任务，传统保守意识一时间在湖南强化起来。于是清朝同光之际的湖南呈现出了鲜明的创新性和保守性的双重性格。一部分人走出湖南，甚至走出中国，引领中国近代前进的步伐，而更多的湖南人则沉浸在恢复和强化传统的纲常秩序中。湖南在经历了同治中兴的辉煌之后，转入了一个沉寂时期，在近代化的道路上明显落后于沿海和周边各省。

一、创新与超越——湘籍重臣的洋务思想与洋务事业

因平定太平天国起义有功，在晚清政坛崛起了一大批的湘籍重臣，他们基于对西方器物文明威力的感性认识，秉承湖湘文化经世致用的理念，从救时也从更有力地维护清王朝统治的目的出发，在任职地区积极提倡和开展的洋务活动，在一定程度上推动了中国经济的近代化。

（一）曾国藩的洋务思想及其洋务活动

曾国藩是传统文化的代表，也是传统秩序的有力维护者。他早期“一宗宋儒”，极力推崇程朱理学，后来转向了“汉宋兼采”。但无论哪一种学术风格，在研究中他都始终坚持了经世致用的理念，这也培养了他不喜空谈，主张躬行实践和守道救时的精神。作为晚清著名的理学经世派，曾国藩一直都在致力于寻找有效的救世良方。在镇压太平天国起义的过程中，他目睹了西方新式武器的强大威力，敏锐地洞察到这种新式武器的好处，不仅在短期内可以增强剿灭太平天国起义军的实力，而且它对于晚清社会的发展应该还会有更大的作用。他即刻上奏朝廷，力陈购买洋枪洋炮的重要性，说：“目前资夷力以助剿济运，得纾一时之忧；将来师夷智以造炮制船，尤可期永远之利。”[①] 曾国藩是近代中国较早提倡购买和制造西洋先进武器的高级官员，他为晚清官吏开创了一个学习和接受新事物的先例，起到了榜样示范作用。但他又成为了守旧人士抨击的重点对象，在处理天津教案事件中辱骂他卖国求荣者就大有人在。实事求是地说，曾国藩算得上是当时思想开明的学者和官员，他对晚清社会和中国近代社会的发展都做出了很重要的贡献。曾国藩的洋务思想具有如下几个特点。

首先，在学习和借鉴洋务思想的时候，曾国藩特别强调传统文化的重要性和指导性原则，这为洋务派以后提出的“中体西用”观点奠定了理论基础。“中体西用”作为一种思想理论，一种文化观念，在近代中国曾经存在了很长一段时间，影响深远。它几乎成为了 19 世纪下半期寻求经邦治国的先进中国人的基本共识，洋务派更是将此作为自强求富振兴国家的理论支撑。追溯这一理论的起源，林则徐、魏源、曾国藩等经世派学者可以说是始开滥觞。

① 朱东安．曾国藩文选［M］．天津：百花文艺出版社，2006：163.

曾国藩在洋务思想中没有明确提出“中体西用”的观点，但他在实际认识和操作中却是按照这个思路执行的。作为笃守儒学的传统士大夫，他认为中国文化比其他文明要先进，其优越性是毋庸置疑的，即使面对西洋坚船利炮的巨大威力，他也没有动摇这一看法。在认识和学习西方事物的态度上，他始终坚持认为数千年来传承的传统文化和制度是中国社会发展的根本是“道”，西洋器械是“器”，只能起到辅助作用。即便是在剿灭太平天国期间，他也强调军队在行军作战的间歇不可以丢弃传统礼仪制度和文化经典的教育。他在给曾国荃的信中说：“洋枪机括，弟营既善收拾，又勤于擦洗，余当令筱泉于粤厘项下购买。然我军仍当以抬枪、刀矛、劈山炮为根本。譬之子弟，于经书八股之外兼工诗赋杂艺则佳，若借杂艺以弃经书八股，则浮矣。至嘱。”[①] 曾国藩坚持认为军队的制胜关键在人，武器只是起辅助性作用，他举例说：“鲍春霆并无洋枪洋药，然亦屡当大敌。前年十月、去年六月，亦曾与忠酋接仗，未闻以无洋人军火为憾。和、张在金陵时，洋人军器最多，而无救于十年三月之败。弟若专从此等处用心，则风气所趋，恐部下将士，人人有务外取巧之习，无反己守拙之道，或流于和、张之门径而不自觉，不可不深思，不可不猛省。真美人不甚争珠翠，真书家不甚争笔墨，然则将士之真善战者，岂必力争洋枪洋药乎？”[②] 曾国藩一直强调将儒家人文之道的仁与礼作为治世的根本，认为应该将礼学贯通于内圣外王之中，并将其作为治国安邦的理论依据。他将湘军在军事上、政治上的成功就归功是这一思想指导的结果说：“吾乡数君子所以鼓舞群伦，历九载而戡大乱，非拙且诚者之效与？”[③] 作为一位理学造诣深厚的政治家，曾国藩对传统社会的伦理观、道德观和价值观认识是十分重视的，认为

① 曾国藩．与沅甫弟书［M］// 曾国藩全集：20. 长沙：岳麓书社，1994：881.
② 同① 57.
③ 曾国藩．湘乡昭忠祠记［M］// 曾国藩全集：14. 长沙：岳麓书社，1994：277.

它们作为维护传统社会的精神支柱和道德尺度，对晚清社会的存续起着很重要的作用。因此在倡导学习洋务的过程里，曾国藩认为还是要坚持这些基本的准则和尺度。在与李鸿章合奏选派幼童赴美的奏折中他也明确提出：出洋幼童应“肄习西学，仍兼讲中学，课以《孝经》、五经及《国朝律例》等书，并定期传集各童，宣讲《圣谕广训》，示以尊君亲上之义，庶不至囿于异学”[①]。这些主张和见解基本上奠定了洋务派以后鼓吹的“中学为体、西学为用”理论纲领的基调。

其次，曾国藩的洋务思想主要侧重于军事领域，具有很强的实用主义色彩。强调军事与当时内忧外患的社会环境有很大的关系。曾国藩积极推动洋务的目的十分明确，即“剿发逆”和“勤远略”，就是维护清政府的统治。他在奏折中清晰地阐述了这种思想，说：“至恭亲王奕䜣等奏请购买外洋船炮，则为今日救时之第一要务。……轮船之速，洋炮之远，在英、法则夸其所独有，在中华则震于所罕见。若能陆续购买，据为己物，在中华，则见惯而不惊，在英、法，亦渐失其所恃。……购成之后，访募覃思之士，智巧之匠，始而演习，继而试造，不过一二年，火轮船必为中外官民通行之物，可以剿发逆，可以勤远略。”[②]在这份奏折里，曾国藩充分认识到了西方军事器械的先进性，呼吁清政府加大购买洋枪洋炮的投入。指出西方列强之所以欺凌中国，仰仗的不过就是洋枪洋炮的威力，如果清政府大量购进西洋器械，则西方列强就没有了依赖的优势，而中国民众也会更进一步地熟悉西方事物，断不会再震撼和害怕。继而中国再学习自主研制西洋器械，长此下去，中国定会消弭内乱、驱除外患而走向自强之路。这种“师夷智以造炮制船”，以求达到自强的做法，无疑为洋务运动的发展

① 中国史学会．洋务运动：（二）［M］．上海：上海人民出版社，1961：158.
② 曾国藩．复陈购买外洋船炮折［M］// 曾国藩全集：4. 长沙：岳麓书社，1994：1603.

提供了思想基础。清咸丰十一年（1861），曾国藩在安庆设立安庆内军械所，开始“制造洋枪洋炮，广储军实”[①]，揭开了洋务自强运动的序幕。军械所“全用汉人，不雇洋匠”[②]，负责设计和制造工作的是近代著名的科学家徐寿和华蘅芳，在经过多次的实验和改进后，清同治四年（1865）成功制造了中国第一艘自制蒸汽机轮船——黄鹄号，虽然与西方的舰船相比，还存在着巨大的差距，但首创精神还是值得肯定的。曾国藩也认识到技术设备方面的不足，为了加快装备军队和建设近代军工企业的步伐，清同治二年（1863），曾国藩又派容闳携重金出洋购办制器之器，“所购机器一百数十种，均交上海制造局收存备用”[③]。上海制造局是曾国藩在上海铁厂的基础上改造和扩大的军工企业，不仅制造枪炮，还试造轮船。在他的大力支持下，上海制造局迅速发展起来。清同治六年（1867）仿制出了德国毛瑟 11mm 前膛步枪，这是中国自己生产的第一种步枪，该枪使用黑火药和铅弹头，威力惊人。后来这些枪支弹药用在了剿灭捻军的战场，对平定叛乱起到了一定的作用。除了枪弹之外，上海制造局还生产出了中国第一艘自造的大型木制船身的轮船——恬吉号，使朝廷上下深受鼓舞。

再者，曾国藩十分注重培养具有近代素养的人才。在创办近代军事企业的过程里，他觉察到了缺乏具有近代素养人才，对兴办洋务是一个很大的掣肘。于是设立学馆，积极培养具有近代机械技术的人才，学校建立之后“已造就无数机械工程师矣”[④]。后又设立翻译馆，罗织了一大批具有先进理念的知识分子，收集和翻译了大量的西方书籍，对西方文明在中国的传播起到了很重要的

① 黎庶昌.曾国藩年谱［M］.长沙：岳麓书社，1986：14.
② 曾国藩.轮船工竣并陈机器局情形疏［M］// 曾国藩全集：28.长沙：岳麓书社，1994：6091.
③ 曾国藩.出洋委员容闳请奖片［M］// 曾国藩全集：27.长沙：岳麓书社，1994：5505.
④ 容闳.西学东渐记［M］.长沙：湖南人民出版社，1981：85.

作用，一定程度上也推动了中国近代化的发展。而选派留学生出国学习，是曾国藩留给后世影响最深远的洋务举动。他深刻认识到“西人学求实济，无论为士、为工、为兵，无不入塾读书，共明其理，习见其器，躬亲其事，各致其心，思巧力递相师授，期于月异而岁不同。中国欲取其长，一旦遽图尽购其器，不惟力不逮，且此中奥密，苟非遍览久习，则本源无由洞彻，而曲折无以自明”[①]。曾国藩和李鸿章、丁日昌等先后多次上疏朝廷，请求朝廷“博选聪颖子弟，赴泰西各国书院及军政、船政等院，分门学习，优给资斧，宽假岁时，为三年蓄艾之计，行之既久，或有异材出乎其间，精通其法，仿效其意，使西人擅长之事，中国皆能究知，然后可以徐图自强”[②]。清同治十年（1871），他屡次上奏朝廷，希望尽快落实选派聪颖子弟留学事宜，在经过不懈努力之后，朝廷最终同意“每年以三十名为率，四年计一百二十名，分年搭船赴洋在外国肄习，十五年后按年分起挨次回华。计回华之日，各幼童不过三十岁上下，年力方强，正可及时报效”[③]。从同治十一年至光绪六年（1872—1880），清政府共选派了 120 名儿童，先后分四批赴美国学习，其中 50 多人，先后进入哈佛、耶鲁、哥伦比亚、麻省理工等著名学府深造，他们中后来产生了许多优秀的人才，中国铁路工程开拓者詹天佑即是其中一位，其他的如唐绍仪、蔡廷干、梁诚、梁如浩、唐国安、蔡绍基、周寿臣、欧阳庚等都为中国近代社会的发展做出了贡献。人才的缺失确实是晚清社会走向衰败的一个因素，曾国藩洞察时势，果断采取措施致力于教育事业的投入，不愧为具有经世理念的政治家。遗憾的是曾氏没有看到硕果累累的局面，但容闳高度评价了曾国藩的首倡之举说：“曾之逝

① 曾国藩．拟选聪颖子弟赴泰西各国肄业折［M］// 曾国藩全集：30. 长沙：岳麓书社，1994：7332.

② 曾国藩．奏带陈兰彬至江南办理机器片［M］// 曾国藩全集:30. 长沙:岳麓书社，1994：7134.

③ 同①．

世，国家不啻坏其栋梁，无论若何，无此损失巨也。时预备学校开学才数月，设天假以年，使文正更增一龄者，则第一批学生已出洋，犹得见其手植桃李，欣欣向荣。惜夫世之创大业者，造化往往不锡永年，使得亲见手创之事业收效！此种缺憾，自古如斯。然创业之人，既播其种子于世，则其人虽逝，而此种子之孳生繁殖，固已绵绵不绝。故文正种因，虽未获亲睹其结果，而中国教育之前途，实已永远蒙其嘉惠。今日莘莘学子，得受文明教育，当知文正之遗泽，勿忘所自来矣！”

曾国藩对传统秩序和体系是拥有无限眷恋的，他绝非是一个大刀阔斧的改革者和革新家。但近代中国纷纭复杂的局势也使他知道固执地守旧是绝对行不通的，痛定思痛，只有谨慎地学习和接受世界潮流的新趋势，方能维护好晚清政府的统治。在他的身上既有深刻的旧时代烙印，又孕育了新时代特征。作为权倾一时的朝廷重臣和湘军集团首脑，他对洋务的推崇和支持，势必促使一大批的官吏追随其后，投入到学习西方技术和创办近代化企业的活动中，这对于洋务运动起到了很好的推动作用。近代化启蒙先驱魏源提出了“师夷长技以制夷”的主张，但这一见解很长一段时间里基本上是停留在纸面上的理论。身为同乡的曾国藩受到启迪，将这一伟大理论落实在了军队建设和政治实践中，推动了同治中兴局面的出现，对走向崩溃的晚清时局起到了力挽狂澜的作用。正如萧一山所评价的那样:“国藩虽以大局糜烂至此,但‘能尽一分力，必拼命效此一分，成败利钝，付之不问’。其救国方案分两端，一方面守旧，另一方面则革新。守旧者，即恢复民族固有之美德，以公诚为天下倡，借精神教育而改造旧社会。革新者，即接受西洋文化之优点，以炮船为自强计，借机械科学而推动新事业。革新守旧，同时进行，此为经世学执两用中之基本原则，亦国藩对我国近代史之最大贡献也。若徒然恢复旧礼教，不接受西洋文明，则不能破除民族之大难关，以‘忠信为甲胄，礼义为干橹'，而抵抗帝国主义之机械科学；同时徒然接受西洋文明，不恢复民族固有美德，则因循守旧之官僚社会，根本即不能举办任何事业。此即魏源'孰荒于门，熟治于田'之说也。以故国藩对内政主张修明礼教，振起颓废之人心；对外交主张建设新政，置身竞争之国际。奕䜣所提倡之自强运动，大半皆为国藩所支持，而实际执行之者也。"①

（二）左宗棠的洋务思想及其洋务活动

左宗棠不仅是一位具有经世理念的爱国将领，也是一位具有创新意识的朝廷大员，更是晚清洋务运动在地方的主要倡导者和领导者。考量其洋务实践活动，主要集中在三个方面：一是建议直接购买西方武器设备，加快清朝军队近代化转型步伐；二是积极发展近代军事工业，逐步摆脱对列强的依赖，实现独立自主发展；三是提倡发展近代民用企业，以求国强民富。

左宗棠建议直接购买西方武器设备，是从镇压太平天国起义的实际需要出发的。左宗棠发现太平天国起义军的队伍开始使用新式的洋枪洋炮，湘军在与他们交战时徒增不少难度。清同治元年（1862）他开始奏请朝廷，要求购买洋枪洋炮，后因太平天国势力的迅速发展，清政府也察觉到了战争形势的严峻，认识到清军落后的武器装备对镇压太平军十分不利，于是上谕曾国藩同意购买西洋武器。左宗棠接到了曾国藩抄录的上谕以后，马上就投入到购买新式武器装备军队的事宜中。他上奏回复道："因杭州、宁波等府失守，沿海各口宜防，谕令迅速购买洋人船炮，以资攻剿。圣虑周详，实深钦服。臣等将来转战而前，必可终资其力。"② 左宗

① 萧一山．清代通史：第三册［M］．上海：华东师范大学出版社，2006：676.

② 左宗棠．复奏筹画进取情形折［M］// 左宗棠全集：第1册．长沙：岳麓书社，2009：64.

棠镇守的江浙一带是太平军势力较强的地区，装备了近代化武器的湘军，作战能力明显提高，加快了镇压起义军的步伐，这是左宗棠初次尝到西方先进器物的甜头，为他以后投入洋务事业奠定了基础。

在购买西方军事器械的基础上，富有务实理念的左宗棠考虑到单方面的购买很容易受制于西方列强。因为“雇募仅济一时之需，自造实擅无穷之利”，于是他倡议“兹局之设，所重在学造西洋机器以成轮船，俾中国得转相授受，为永远之利也，非如雇买轮船之徒取济一时可比”[①]。清同治元年（1862）他提出了“仿制轮船，庶为海疆长远之计”的想法。清同治三年（1864）他又尝试“引洋将德克碑、日意格考求西国机器，制造、仿造小轮船，试行于西湖”[②]。左宗棠行事一向果断且雷厉风行，试行小轮船后，他马上向朝廷上奏申请设立造船厂，说：“臣愚以为欲防海之害而收其利，非整理水师不可；欲整理水师，非设局监造轮船不可。泰西巧而中国不必安于拙也，泰西有而中国不能傲以无也。”[③]“彼此同以大海为利，彼有所挟，我独无之。譬犹渡河，人操舟而我结筏；譬犹使马，人跨骏而我骑驴，可乎？”[④]他明确提出中国要自强，除了修明政事、精练兵勇外，还一定要学习西方制造轮船的技术，从海防上加强力量，让西方列强引以为豪的恃强之物，也能为我所有、所用。而且一旦中国人也熟练地掌握了这些制造技术和设备，那么西方列强所处的优势地位就会明显地减少，而中国自强也就更有希望。因此他坚定地认为“窃维制造轮船，实为中国自

① 左宗棠．详议创设船政章程购器募匠教习折［M］// 左宗棠全集：第 3 册．长沙：岳麓书社，2009：298.

② 罗正钧．左文襄公年谱：卷三［M］．长沙：岳麓书社，1984：27.

③ 左宗棠．拟购机器雇洋匠试造轮船先陈大概情形折［M］// 左宗棠全集：第 3 册．长沙：岳麓书社，2009：53.

④ 同③ 55.

强要着”[①]，“如果优其廪饩，宽以时日，严其程督，加以鼓舞，则以机器造机器，以华人学华人，以新法变新法，似制造、驾驶之才，固不可胜用也”[②]。当然左宗棠清醒地认识到建造船厂在中国是首创之举，其面临的困难肯定不少，没有政府的大力支持是不可能办成的。为此他详细地陈述了办厂存在的问题，也一一解释了问题的解决方案，逐条消除清廷的顾虑，耐心地说服朝廷支持这个近代化项目。在奏折中说："从前中外臣工屡议雇、买、代造，而未敢轻议设局制造者，一则船厂择地之难也；一则轮船机器购觅之难也；一则外国师匠要约之难也；一则筹集巨款之难也；一则中国之人不习管驾，船成仍须雇用洋人之难也；一则轮船既成，煤炭薪工需费不訾，月需支给，又时须修造之难也。”[③] 如此之多的困难，即便是听者都觉畏难，更别说是执行了。但是左宗棠对中国当时创立造船厂却充满了期待和信心，他针对所有的问题和困难一一进行了详细的调查和考证，逐一寻找出解决的办法，有理有据地说服清廷，这种执着的精神和务实的作风令人生钦佩之情。

在左宗棠的坚持和不断游说之下，同治五年（1866）清政府终于同意了设厂造船的请求。得到许可以后，左宗棠马上在福州马尾山下建造船厂，中国近代第一个新式造船厂——福州船政局诞生了。作为福州船政局的首创者，左宗棠建厂的热情很高，事无巨细亲自过问，即便是调任陕甘总督后，也时刻关注造船厂的发展。清朝廷也看出左宗棠对福州船政局倾注用心，颁布上谕："左宗棠虽赴甘省，而船局乃系该督创立，一切仍当预闻。沈葆桢总理船政，其未服阕以前，遇有船局事宜，由英桂等奏；服阕以后，由沈葆桢会同该督抚陈奏；均着仍列左宗棠之名，以期始终

① 左宗棠．复陈福建轮船局务不可停止折［M］// 左宗棠全集：第 5 册．长沙：岳麓书社，2009：212.

② 同① 213.

③ 左宗棠．拟购机器雇洋匠试造轮船先陈大概情形折［M］// 左宗棠全集：第 3 册．长沙：岳麓书社，2009：53.

其事。”① 在左宗棠和沈葆桢的共同努力之下，福州船政局迅速发展起来。据统计，截至清光绪二十年（1894），清政府的水师有106艘船舰，其中外购的62艘，自造的44艘中有32艘来自福州船政局，福州船政局生产的船舰占了国产船舰的70%以上，而福建水师的船舰、驾驶，几乎全部依靠福州船政局。② 一时间，福州船政局在清政府的水师中声名鹊起。在建造船厂的同时，左宗棠还积极支持沈葆桢设立海军学校。福州船政局设立的船政学堂在清政府创办的五所海军学校——福建船政学堂、天津北洋水师学堂、黄埔广东水师学堂、烟台海军学校和南京江南水师学堂中，是规模最大，也是办得最成功的学校，这五所学校“共有毕业生二千多名，其中闽籍约占七八成之多”③。邓世昌、林泰曾、林永升等晚清著名的海军将领都出自船政学堂，福州船政局和船政学堂的设立，在晚清具有开创性的意义。左宗棠大胆学习西方，引进西方的先进技术和人才，成功建立近代化的企业和学校，不仅开创了中国近代造船业的先河，而且还为中国培养了第一批具有造船知识的专业技术人才和军事人才，直接推动了近代海军的建立和中国海军的近代化。同时它也为以后中国创办近代化企业起了很好的借鉴作用。

有了办造船厂的经验，左宗棠在西安又创办了西安机器局。他在西安招募工人制造洋枪、铜帽和开花炮等军火，生产的军火直接提供给陕甘地区的清军，改变了以往陕甘地区使用新式军火必须经由上海从外国购进的方式，既节约了运输的时间，又减少了费用开销，对西北地区的清军来说不啻为一件好事。清同治十一年（1872），因西北战事的变化，左宗棠将机器局移到兰州，设立兰州制造局。为建造厂房和生产新式武器，不惜向上海英国

① 中国史学会．洋务运动：（五）［M］．上海：上海人民出版社，1961：48.
② 沈传经．左宗棠与中国近代化［J］．求索，1990：2.
③ 张侠．清末海军史料［M］．青岛：海洋出版社，1982：605.

汇丰银行借款400万两白银，购进一批德国制造的六米车床和手摇钻等先进的机器设备，随后又从广东、福建、浙江等省招募了100多名熟练工人。在他精心筹划之下，兰州制造局顺利建成，并投入生产。但是迫于财政的压力，兰州制造局的生产能力有限，规模上也无法与沿海地区的机器制造局相比，但兰州制造局的生产技术和产品质量都十分不错，拥有很好的口碑，制造铜引、铜帽、大小开花子，能仿制英国螺丝炮和后膛七响炮，并改进了中国旧有的劈山炮和广东无壳抬枪，“一人擎放，心手相印，较洋枪有准而更可致远”①。随后，又相应成立了兰州火药局，火药局提炼的火药几经改进，甚至可以和洋火药媲美。左宗棠在兰州监制的这些武器和弹药在当时中国自制的军火中质量都名列前茅，投入使用后，西北清军逐年减少从国外购买武器、弹药的数量，大大节约了军费开支。后来在消灭阿古柏政权、收复新疆的行动中，兰州生产的武器和弹药基本上满足了入疆西征清军的需求。这是清政府第一次在对外战争中大量使用自己制造的枪炮弹药，极大地鼓舞了倡导洋务实业的人士，这也对洋务运动的进一步发展起到了很好的推动作用。

另外左宗棠在创办军事企业的过程中，还敏锐地洞察到官办企业的弊端很多，说：“大抵矿务须由官办，无听民私采之理，惟官开之弊防不胜防，又不若包商开办，耗费少而获利多。”②还犀利地指出：“招商办理，乃期便利。一任官办，则利少弊多，所铸之器不精而费不可得而节。”③为此提出了由“官办开其先，而商办承

① 孙毓棠．中国近代工业史资料：第一辑　1840—1895年：上册［M］．北京：科学出版社，1957：447.

② 左宗棠．与周渭臣提军［M］//左宗棠全集：第12册．长沙：岳麓书社，2009：24.

③ 左宗棠．署镇迪周道崇傅禀乌垣等处善后事宜并金巡劣迹及捕蝻诸事由［M］//左宗棠全集：第14册．长沙：岳麓书社，2009：449.

其后，庶抽分可期有着，利权不致下移”[1] 的办法。创办福州船政局时，左宗棠就衍生了发展民用企业和鼓励发展商品经济的想法，明确说由造船“更添机器，触类旁通，凡制造枪炮、炸弹、铸钱、治水，有适民生日用者，均可次第为之”[2]。“轮车机器，造铁机器，皆从造船机器生出，如能造船，则由此推广制作，无所不可”。可见，他很早就在考虑如何实现军用企业向民用方面的发展和演变，达到惠及民生的作用，实实在在地践履了洋务派倡导的“自强”和“求富”主张。在忙于西北战事的间隙里，他又尝试创办民用企业，试图带动甘肃地区经济的发展，改变当地贫困落后的面貌。清光绪五年（1879），在甘肃创办了兰州织呢局，这是中国第一个机械纺织工厂。遗憾的是，织呢局因为当地羊毛品质不好、兰州的交通运输条件差、织呢局的官员缺乏管理经验等各种主客观因素的牵制，时间不长就被迫停产了。工厂停产最关键的原因，还是左宗棠调离了甘肃，而继任者又缺乏左宗棠的才华和认知，没有多久织呢局就惨遭废弃。虽然境遇不佳，但是兰州织呢局是我国传统纺织业里最早采用机器设备的纺织厂，称得上是中国近代毛纺织业的开端，其历史意义不容忽视。中国近代毛纺织业的起步没有产生于沿海和通商口岸，而首次出现在封闭落后的西北，这完全得益于左宗棠的远见卓识。除了设立织呢局外，左宗棠还尝试将机械设备运用于农业生产和工业领域，在开渠凿井、探测矿产、掘石采金等领域尝试使用近代化设备提高效率。这是西北地区农业和工矿业走向近代化的一次伟大尝试。左宗棠对兴办工矿、交通和轻工业也充满兴趣，清光绪七年（1881）他担任两江总督后，又谕令候补道胡恩燮延聘西洋矿师巴尔前往徐州利国驿一带探验

① 左宗棠．与周渭臣提军［M］// 左宗棠全集：第 12 册．长沙：岳麓书社，2009：24.

② 蒋廷黻．近代中国外交史资料辑要：上册［M］．北京：东方出版社，2014：330.

矿苗，通过勘查发现铜山县境内利国驿一带煤炭和铁矿资源都十分丰富，于是马上向朝廷上奏请求允许设局开矿。在左宗棠的谋划之下，使用新式机器进行开采的徐州煤矿于清光绪八年（1882）正式投入运营，这标志着徐州地区的煤炭开采业开始了从传统向近代化的转型。徐州煤矿基本上是按照西方近代公司的章程制度建立的民营企业，仅仅在名义上保留了“官督商办”，商人在近代企业中拥有了更大的自主权，为以后民族资本主义和民营企业的产生创造了条件。

综合左宗棠创办的洋务企业和从事的洋务活动，可以发现其洋务思想有两个鲜明的特征：

一是强调独立自主创办近代企业，具有强烈的爱国主义色彩。左宗棠提倡兴办洋务的出发点就是为了抵御外来侵略和实现国强民富，他将湖湘文化里以天下为己任的爱国主义精神渗透在了洋务思想中。相比于曾国藩、李鸿章等其他洋务派人士，左宗棠对维护国家主权和领土完整的想法更为强烈。他曾经批评曾国藩处理天津教案时对洋人的妥协退让态度，也直接弹劾过崇厚在与俄国谈判交涉伊犁时的卖国行径。在国家主权问题上左宗棠主张寸土必争，他以年迈之躯率军收复新疆是对塞防论的有力支持。但是他也清醒地看到西方列强在中国沿海一带肆意侵凌，而我国海防力量落后，海疆防卫形同虚设，对国家社稷的安危必然造成很大的危害。他担忧地说：“况我国家建都于燕，津、沽实为要镇。自海上用兵以来，泰西各国火轮兵船直达天津，藩篱竟成废设，星驰飙举，无足当之。”[①] 而“自通商以来，各海口大小码头，番船鳞比，中国海船则日见其少。其仅存者船式粗笨，工料简率。海防师船，尤名存实亡，无之检校。致泰西各国群起轻视之心，动

① 左宗棠．拟购机器雇洋匠试造轮船先陈大概情形折［M］// 左宗棠全集：第 3 册．长沙：岳麓书社，2009：52.

辄寻衅逞强，靡所不至”[①]。务实的他从中国海岸线曲折漫长不易防守的实际出发，认为加强海防建设，首先是建造船厂，加强东南沿海的防卫必须要从造船和装备水师两个方面入手，明确说："东南大利在水而不在陆，欲防海之害而收其利，非整理水师不可，欲整理水师，非设局监造轮船不可。”[②]船厂建设好了，水师队伍就可以壮大，中国海防建设就可以得到根本性的改善和提高，西方列强所恃强的优势就没有了，中国复兴和强大的机会也就会到来。因为“彼之聪明又尽，我之神民日开，以防外侮，以利民用，绰有余裕”[③]。在与沈葆桢的通信中也说:“今后若能锐意学习，研究西方造舰、火器原理，以中国聪明才智，兼收其长，不越十年，海上气象一新，鸦片之患可除，国耻足以振矣。”[④]其振兴中华、报仇雪耻的爱国之情跃然纸上。

二是左宗棠的洋务思想中有很浓厚的民本意识。左宗棠出身贫寒，40 岁以前生活窘迫，长期为营生奔波，后得益于加入湘军，才获得了发达的机会。艰难坎坷的个人经历和晚清动荡的社会环境，使得他对民间疾苦了解颇深，对老百姓的同情亦很深。步入仕途以后，他对民生问题的关注和思虑是其他洋务派领袖所不可企及的。他坚信人民生活的富足是国家长治久安的前提，“为政先求利民，民既利矣，国必与焉”[⑤]。秉持这一利民的观念，左宗棠在创立福州船政局时，就思虑造船厂不能单纯用作军事，在适合的条件下也可以用于民用和商用。看到沿海地区的老百姓十之六七都善于经商，但是困于船舶数量太少，商业的发展受到了很大的

① 左宗棠．船局创造之初未可期以速效片［M］// 左宗棠全集：第 3 册．长沙：岳麓书社，2009：150.

② 左宗棠．拟购机器雇洋匠试造轮船先陈大概情形折［M］// 左宗棠全集：第 3 册．长沙：岳麓书社，2009：53.

③ 左宗棠．答胡雪岩［M］// 中国史学会．洋务运动（五）．上海：上海人民出版社，2000：456.

④ 左宗棠．答沈幼丹中丞［M］// 中国史学会．洋务运动（五）．上海：上海人民出版社，2000：454.

⑤ 左宗棠．左宗棠全集：第十六册［M］．上海：上海书店，1986：14373.

限制，再加之外国船只增多，竞争愈加激烈，对商业的冲击很大，致使沿海地区的经济和老百姓的收入都明显下滑。“自洋船准载北货销各口，北地货价腾贵，江浙大商以海船为业者，往北置货，价本愈增，比及回南，费重行迟，不能减价以敌洋商。日久消耗愈盛，不惟亏折资本，浸至歇其旧业。”[1] 因此他希望造船厂建成以后可以适当用于民用，降低运输成本，带动工商业的发展，造福当地百姓，期待“轮船成则漕政兴，军政举，商民之困纾，海关之税旺，一时之费，数世之利也”[2]。左宗棠一直希望“收回洋人夺去之利，更尽民间未尽之利”[3]。每到一个地方任职，他都十分注重考察当地的民俗民情，积极采取措施帮助当地发展经济，力求尽快稳定当地社会秩序和安定民心。无论是创办兰州织呢厂、徐州煤矿，还是支持建立制糖厂，抑或是批评台湾基隆煤矿和樟脑业办理不善，都可以看出他对发展民用企业还是倾注了很多心血的。这与有些洋务派只想把企业置于官办监督之下，甚至利用近代企业中饱私囊的行径有天壤之别。

作为湖湘文化的优秀传承者，左宗棠在创办洋务的过程里，将湖湘文化中的经世致用理念、以天下为己任的爱国精神和湖南人的务实精神一览无遗地展现出来，构成了他独具特色的洋务理念。在这种理念的驱使之下，他在洋务运动中颇多建树，获得了同僚和辖区老百姓的好评，对近代中国社会的发展和近代化进程做出了杰出的贡献，左宗棠称得上是中国近代化运动的先驱人物之一。

① 左宗棠．拟购机器雇洋匠试造轮船先陈大概情形折[M]//左宗棠全集：第3册．长沙：岳麓书社，2009：53.

② 同① 55.

③ 中国史学会．洋务运动（七）[M]．上海：上海人民出版社，1961：579.

（三）郭嵩焘全面学习西方的洋务思想

郭嵩焘（1818—1891），字伯琛，号筠仙，晚号玉池老人，又称养知先生，湖南湘阴人，晚清著名的政治家、思想家和外交家。郭嵩焘是颇能代表鸦片战争之后晚清历史进程的人物，他既是湖湘文化的杰出代表，又是著名的理学经世派人士，更是中国近代历史上第一位驻外公使，以积极宣传洋务思想闻名于世。与曾国藩、左宗棠、李鸿章等不太一样，郭嵩焘在地方任职的时间不长，没有长期掌握实权，因此他付诸实践的洋务活动不多，对洋务他更多的是侧重于理论的探究和思考。李鸿章称赞他说："生平于洋务最为关心,所论利害皆洞入精微,事后无不应验。"[①] 在以"自强"和"求富"为口号相标榜的洋务运动和洋务人士中，郭嵩焘的洋务理念明显地呈现出深邃和全面的特征。

首先，郭嵩焘强调要全面学习西方文明。他批评了绝大多数洋务派只关注西方军事器械，偏好器物制作的做法，指出西方强大的根源是政治制度的先进性决定的。郭嵩焘全面学习西方文明的观点在当时是十分大胆和新颖的，即便是这种热衷于洋务的奕䜣、曾国藩、李鸿章等洋务运动的主导者和参与者，他们也难以全部接受郭嵩焘的思想。例如奕䜣就明确说："查治国之道，在乎自强；而审时度势，则自强以练兵为要，练兵又以制器为先。"[②] 李鸿章也认为"中国文武制度，事事远出西人之上，独火器万不能及"[③]。当时中国倡导洋务运动的官员们几乎都没有对西方文明和西方社会进行过深入的分析和了解，而且洋务派们急切地希望中国摆脱落后挨打局面，急于求成的功利主义思想和实用主义观念

---

① 郭嵩焘．合肥李鸿章胪陈事实疏：玉池老人自述卷首［M］．刊本．1893（清光绪十九年．）

② 中华书局编辑部，李书源．筹办夷务始末（同治朝）：三：［M］．北京：中华书局，2008：1.

③ 同② 9.

也促使他们根本来不及深思遐想，他们都倾向于追求短期内就能够看到成效的西方器物。在这种指导思想之下近代中国掀起了一股学习西方先进技术的热潮，从中央到地方热衷于洋务的官吏都积极地购买先进的军事器械装备军队，或者创建军事企业以图谋自强。轰轰烈烈的洋务运动在中国持续了30多年，直至甲午战役的惨败，才直接宣告了这场“自强求富”梦想的破灭，也完全证明了单纯的学习西方的器物，是不能改变中国的落后现状的。当时能对这一问题有较清醒认识的只有郭嵩焘，他在洋务运动开始之初，就意识到了单纯地学习西方的科技是无法真正改变中国的面貌的。在《条陈海防事宜》奏折中，他明确表达了这个思想，但很遗憾曲高和寡，知音难求，郭嵩焘的见解和主张直至其去世也没有被朝廷认可。李鸿章在其去世以后曾经向朝廷上奏，请求为他立传和请赐谥号，但是清政府竟然以郭嵩焘出使外洋时所著书籍过于推崇西洋文明颇受争议为由，拒绝了李鸿章的奏请。

郭嵩焘关于洋务的认识在当时显出了许多过人之处，他批评某些自诩精通洋务的人士实际上是不知本末的门外汉，说：“就嵩焘所见，凡名为知洋务者，粗知其情势而已，无通知其本末者。”①又犀利地指出洋务派人士这种舍本逐末的做法是不可能使中国真正地实现富强，要真正使中国摆脱欺凌，走向国强民富的道路就必须全面地了解西方社会，学习西方的政治、经济、军事等各方面的制度和措施，大胆地改革中国的政教制度和人心习俗。郭嵩焘的主张在当时具有很强的超前性，不免受到同僚和国人的非议。他明确指出西方国家的强大并非是依靠单纯的造船制器、练兵习武，而是有更加深层次的原因。他说：“西洋立国，有本有末。其本在朝廷政教，其末在商贾。造船制器，相辅以益其强，又末中之一节也。”②学习制造枪炮舰船，开设工厂，还只是学习洋务的

① 郭嵩焘．郭嵩焘奏稿：致李傅相［M］．长沙：岳麓书社，1983：345.
② 同①.

末梢，如果大家都“舍富强之本图，而怀欲速之心以急责之海上，将谓造船、制器用其一旦之功，遂可转弱为强，其余皆可不问，恐无此理”[①]！他以英国的政治制度为例，阐述了先进的民主政体对国家强盛起着十分重要的作用。“推原其立国本末，所以持久而国势益张者，则在巴力门（议会）议政院有维持国是之义；设迈阿尔（市长）治民，有顺从民愿之情。二者相持，是以君与民相维系，迭盛迭衰，而立国千余年终以不蔽，人才学问相承以起，而皆有一自效，此其立国之本也”[②]。英国的议会制不仅扩大了社会的政治基础，而且它使得君民互动良好，形成了君民共治的局面，有力地推动了英国经济的发展。由此郭嵩焘感慨不已，“中国秦汉以来二千余年适得其反，能辨此者鲜矣”[③]！能够认识和承认中西方在政治制度上存在着根本差异，郭嵩焘不愧为当时思想界的先驱。

19 世纪 70 年代，日本明治维新正方兴未艾之时，郭嵩焘以敏锐的眼光洞察到日本派遣到英国来留学的人员，全方位地学习西方文明，其政治远见值得肯定。于是他将所见写信告知李鸿章，希望能够引起李鸿章的共鸣和重视，并期望通过李鸿章的努力，改变洋务派仅仅热衷于军事和制造技术的局面，扩大洋务学习的内容和范围。他在信中说：“日本在英国学习技艺二百余人，各海口皆有之，而在伦敦者九十人。嵩焘所见二十余人，皆能英语。有名长冈良芝助者，故诸侯也，自治一国，今降为世爵，亦在此学习律法。其户部尚书恩娄叶欧摹，至奉使讲求经制出入，谋尽仿效行之。所立电报信局，亦在伦敦学习有成，即设局办理。而学兵者甚少。盖兵者，末也，各种创制皆立国之本也。”[④]然而作为

① 郭嵩焘．郭嵩焘奏稿：条议海防事宜［M］．长沙：岳麓书社，1983：340.
② 郭嵩焘．郭嵩焘日记：第三卷［M］．长沙：湖南人民出版社，1982：373.
③ 同②.
④ 郭嵩焘．郭嵩焘诗文集：伦敦致李伯相［M］．长沙：湖南人民出版社，1983：242.

洋务运动的主要倡导者和清廷器重的大臣，李鸿章的回复令郭嵩焘十分失望，李鸿章对练兵习武、造船制器以外的事物完全没有兴趣，也根本没有意识到全面学习西方文明的重要性。李鸿章称得上是中国当时学习西方的开明人士，他都是如此，其他的官吏和国人就可想而知了。在全面推广洋务的过程中，郭嵩焘是一个孤独的先行者，承受着来自各方面的排挤、质疑和谩骂，只能艰难地行进在宣传和推广近代化的漫漫历程中。

其次，郭嵩焘具有全面的富强观和重商主义思想。他提倡积极发展工商业，鼓励国人积极自办近代企业，创造更多的财富。在被派遣出使英国途中，郭嵩焘遇到了一名意大利富商，通过交谈得知该富商在意大利享有爵位，但是仍然热衷于经商，由此感叹于中西方在社会观念上的巨大差异，说："其在本国为世爵，得受一等宝星。西洋风俗以营商为重，即此可见。"[①] 在出使欧洲的两年时间里，郭嵩焘考察和接触到了欧洲社会的真实状况，他发现西方国家普遍认可和鼓励经商，商人并不会受到社会的歧视，相反政府还制定了严密细致的法律法规保护商人的权益。"西洋以行商为制国之本，其经理商政，整齐严密，条理秩然。即在中国，往来内江船主皆能举其职，而权亦重，优于内地官人远矣，宜其富强莫与京也。"[②] 联想到中国的商业发展状况和商人的地位，他感慨颇深地说："窃观西洋以商贾为本计，通国无不闲；中国重士而轻农工商三者，乃至一家一邑之中，有职业者不逮百分之一。"[③] 而且"中国通商之利一无经营，其民人经商各国，或逾数世，或历数年，与中国声息全隔，派员经理，其势尤格而不入"。中国政府数百年来都疏于对海外商业的管理和引导，政府与商人之间的联系也很松散，甚至还出现了官商对立情绪，从而导致商人对政府

① 郭嵩焘．郭嵩焘日记：第三卷［M］．长沙：湖南人民出版社，1982：70.
② 同① 79.
③ 郭嵩焘．郭嵩焘日记：第四卷［M］．长沙：湖南人民出版社，1983：320.

不信任增强。为此郭嵩焘建议清政府应该学习西方国家发展商业的制度和政策，重视商人的地位，保护商人的利益，因为这才是真正实现民富国强的基础。

郭嵩焘利用驻英、法大使的身份对欧洲诸国进行了实地考察，参观了工厂、学校、法庭、监狱、教会等机构，也接触了来自不同社会阶层的民众，使得他对西方文明的了解和认识更加深入。他强烈地倡议洋务学习不仅要学习西方的军事制器，更要学习西方商业发展的模式。因为只有经济发展了，才有可能挽救日益走向衰败的晚清政府，也才有可能让中国跟上世界潮流的发展趋势。郭嵩焘上奏朝廷恳请政府允许商人自办工商业，来带动国家经济的发展。他在奏疏中说："窃谓造船、制器当师洋人之所利以利民，其法在令沿海商人广开机器。"[①]建议政府给予商人更多的经营自主权和更高的社会地位，实际上洋务运动后期中国已经产生了一批官商合办的民用企业了，这些企业的出现对洋务运动的进一步发展和中国近代化进程都产生了一定的积极作用。但是这种官商合办企业与郭嵩焘倡导的商人自主经营、自由发展还是存在很大差异的。他先见性地洞悉到了这种官商合办的弊端，说："商人与官积不相信，多怀疑不敢应，故不如商人自制之情得而理顺也。"[②]遗憾的是郭嵩焘的这些建议并没有被清政府采纳，直至甲午战争以后，为了广开税源，缓解财政危机，清政府才放宽民间设厂的限制。

郭嵩焘洋务思想还有一个显著特点是，揭开了中国近代外交史的新篇章。随着与外国交往的增多，近代外交事务也提上了日程，客观理性的外交思想也是郭嵩焘洋务思想的重要组成部分。作为清政府首次派出的常驻外国使臣，他协助清政府处理了一系列的外交纠纷，如：交涉江西盐船被英国太古轮船公司"惇信号"撞

① 郭嵩焘．郭嵩焘奏稿：条议海防事宜［M］．长沙：岳麓书社，1983：341.
② 同①．

沉案，交涉镇江趸船案，交涉厦门怡行商人枪杀渔民案等。在这些案件的处理中，他运用使臣的身份，有理有节地按照国际惯例尽力为国家、民众争取权利，避免纠纷扩大，防止了外交事端的产生，给交往的国家留下了很好的印象，而且这些处理方式和办法对以后的继任者起到了很好的经验借鉴作用。外交上的和平对一个国家是十分重要的，如果外交上失误，“一失其宜，即无事转为有事，小事酿为大事。……五十年来，每一用兵，即国家多损一分元气，前事可为殷鉴”①。有鉴于鸦片战争以来，中国面临的混乱外交局面和尴尬地位，郭嵩焘一直希望寻求到一个好的应对列强的方法，保障清政府有一个稳定的外部环境。经过对国际局势的分析和探究，他提出了和平外交的主张。但是和平并不是无条件的妥协退让，而是主张以理制胜，有礼有节地与西方诸国进行外交谈判和交涉，尽量规避战争。他以历史史实分析说：“天下事，一理而已。理得而后揣之以情，揆之以势，乃以平天下之险阻而无难。汉、唐以来，控御夷狄之规模有得有失，而理、势、情三者必稍能辨其大概，然后可以制一时之胜而图数十年之安。南宋以后，议论胜而士大夫之气嚣，此道遂绝于天下数百年。天下大势之功效，亦略可睹矣。”② 近代中国与西方国家的交往是历史发展的必然趋势，这是一个无法回避和改变的事实，认识和把握外交的规律尤其显得重要。郭嵩焘主张政府应该根据国家的长远利益制定合适的外交政策，以维持稳定的外部环境，原则上他反对与列强之间诉诸战争，因为中外之间的实力差距是明显的，战争只会让中国社会更加不稳定，财力进一步消耗，社会危机进一步加深。郭嵩焘的据理而行和平外交想法是美好的，但是在主权都不完善的晚清社会，终归是镜花水月。

① 郭嵩焘 . 郭嵩焘奏稿：因法事条陈时政疏［M］. 长沙：湖南人民出版社，1983：410.

② 郭嵩焘 . 郭嵩焘诗文集：致沈兆霖［M］. 长沙：岳麓书社，1983：149.

郭嵩焘又以中国30多年来的外交为例，力证制定外交政策一定要从实际情况出发，待机行事。他说："窃臣见道光以来办理洋务，变故迭生，诚有使人痛心疾首，不能暂释者。历考三十余年情事，亦由不能尽知洋务底蕴，往往以平易可了之事，积而为艰难生衅之端，致使挟其狡强之气，乘隙思逞。嫉愤愈深，即其构衅亦愈烈。"[①] 他提出在与洋人打交道和处理洋务事件时，一定要懂得与各国打交道的原则和方法。只有熟悉了国际惯例和规则，洋人随意寻找借口欺凌中国的事件就会相对减少。如果懂得更多国际法则，相应地处理洋务问题就会更加得当，也就有可能避免一些不必要的纠纷和损失。他指出："洋人之强，与其逼处中国，为害之深，远过于前代。而其借端陵藉，乘衅要求，中国与之相处，其情事亦绝异于前代。处之得其法，其于各口税务及学馆教习及练兵制器诸大端，洋人相与经营赞画，未尝稍有猜忌；处之不得其法，则议论繁多，变故滋生，往往小事酿成大事，易事变成难事，以至贻累无穷。"[②] 有鉴于此，特地向朝廷上了《办理洋务宜以理势情三者持平处理》奏折，奠定了他和平外交原则的理论基础。郭嵩焘的外交思想体现了近代理性外交的精神，在近代外交史上具有十分重要的影响。但从另一方面看，郭嵩焘的外交思想是弱国外交的产物，他对列强入侵的本质还存在认识不足之处，反对用战争的方式解决问题，而且一味强调运用儒学提倡的理、仁和诚信等基本信条处理外交事务，因此和平外交思想又显出柔弱妥协的色彩，从而导致刚性不足，也为世人诟病。但无论如何，郭嵩焘还是开启了中国近代外交的先河。

郭嵩焘外交上的另外一个新举措就是奏请朝廷设立领事馆。

① 郭嵩焘．郭嵩焘奏稿：办理洋务横被构陷折［M］．长沙：湖南人民出版社，1983：387.

② 郭嵩焘．郭嵩焘奏稿：拟销假论洋务疏［M］．长沙：湖南人民出版社，1983：359.

长久以来，华人旅居海外都是处于松散的状态，权利得不到保障，也就更谈不上加强与祖国的联系和交流了。郭嵩焘洞悉了这个问题，他建议清政府效仿西方国家在海外设立领事馆，清政府接受了他的建议，清光绪四年（1878）在新加坡设立第一个驻外领事馆，随后又在华侨集中的旧金山、横滨等地设立了领事馆。海外领事馆的相继设立，一定程度上保护了侨胞的权益，加强了海外华侨之间的联系，也强化了海外华人与祖国的感情，这是清政府主动向近代化社会转型的一个举措，郭嵩焘首倡之功斐然。作为首次出访欧洲的中国最高级别的官员，郭嵩焘的经历在许多方面都具有首创的意义，他访问学校、博物馆、图书馆，参观工厂、实验室，欣赏古典歌剧，甚至尝试学习英语，体现了当时中国人对洋务最开明的态度。但是，郭嵩焘并不为当时社会主流所容，当他只是将从上海到伦敦的所见所闻以日记的形式记录下来，抄寄了一份给总理衙门，京师同文馆以《使西纪程》的书名刊印出来后，即在国内掀起了轩然大波。翰林院编修何金寿就上奏弹劾，说他“有二心于英国，欲中国臣事之”[①]。雪上加霜的是随他一起出访欧洲的副手刘锡鸿则罗织了“十大罪状”，也向朝廷弹劾郭嵩焘。随后朝廷下令将《使西纪程》毁版，禁止流行，这沉重打击了郭嵩焘学习西学改良社会的决心和意志。他叹息道：“朝廷挟此术以办理洋务，万无以善其后，奈何枉己以从之哉！惟能引身自远而已。”[②]迫于压力，郭嵩焘称病辞去了公使职务，黯然返回湖南故里。李鸿章对郭嵩焘的经历充满了同情，在与友人的信中提到“筠仙虽有呆气，而洋务确有见地，不谓丛谤如此之甚。若达官贵人皆引为鉴戒，中土必无振兴之期，日后更无自存之法，可为寒心”[③]。清政

① 王闿运．湘绮楼日记［M］．长沙：岳麓书社，1997：579.
② 郭嵩焘．郭嵩焘全集：十一［M］．长沙：岳麓书社，2012：91.
③ 李鸿章．复周筱棠京卿［M］//李鸿章全集．长春：时代文艺出版社，1998：3694.

府对郭嵩焘的责难和免职，不仅仅对郭嵩焘本人造成了很大的伤害，更令其他的官员对洋务事宜持谨慎的态度，甚至于噤若寒蝉，这对整个洋务派都是一个不小的打击。

从总体上看郭嵩焘的洋务思想是十分卓越和丰富的，在绝大部分中国人对西方文明还懵然不知时，他就已经较清醒地意识到“西洋之入中国，诚为天地一大变”[①]，中国社会已经不可自拔地被卷入了资本主义的世界体系之中，面临危机和挑战，如果不学习和了解西洋文明必定会被世界潮流所淘汰，遭受的失败和伤害也会越来越多。为此他提出“虽使尧舜生于今日，必急取泰西之法推而行之，不能一日缓也”[②]。又说“出使西洋为今日之创举，而关系中外大局，以立国家久远之基，诚莫急于洋务，出使亦其一端”[③]。在他看来，只有学习西方先进的文明、推广洋务，加强与西方国家的正常交往，才是促使中国走向自强的唯一办法，不仅呼吁清政府必须要根据数千年未有的骤变不断调整政策和学习洋务，而且还根据自己的亲身经历和多方考证，提出了切实可行的全面学习西洋的主张和步骤，强调“凡为富强者，必有其本。人心风俗政教之积，其本也”[④]。郭嵩焘学习西洋立国本末相辅的观点，远远超越了洋务派“中体西用”说，具有很强的前瞻性。他提出“习人之长，攻我之短，持之以恒勿求急，一切从根本做起”，是对洋务派急功近利弊端的矫正。郭嵩焘卓越的见解，开启了中国文化的一个新方向，代表了清王朝同光时期中国人学习西方的最进步的力量，与他的湖南前辈魏源一样，郭嵩焘的洋务思想在当时也是曲高和寡。然湖南人特有的独立根性，铸就了他倔强的个性，自勉曰：“傲慢疏慵不失真，惟余老态托传神。流传百世千龄后，

① 郭嵩焘 . 郭嵩焘诗文集［M］. 长沙：岳麓书社，1983：225.

② 郭嵩焘 . 铁路议［M］// 郭嵩焘全集：十五 . 长沙：岳麓书社，2012：690.

③ 郭嵩焘 . 郭嵩焘奏稿：何如璋等员可备出洋之选片［M］. 长沙：湖南人民出版社，1983：359.

④ 郭嵩焘 . 郭嵩焘诗文集：复姚彦嘉［M］. 长沙：湖南人民出版社，1983：367.

定识人间有此人。”[1] 他准备效仿乡贤王夫之，即便湮没于世两百多年，也要坚信自己的理念，终会为后人知晓。事实也正如此，历史的车轮不断地前行，中国自觉与不自觉地被近代化裹挟着前进，郭嵩焘的思想和见解也不断被验证，其“勋名虽不比曾、左、李之煊赫，而其德行、政事、文学，皆足抗古人而参时贤，与中兴元功，羸绌相权，实无所让，而识解之宏通，议论之精辟，或犹过之”[2]。

（四）刘坤一的洋务思想及其洋务活动

刘坤一（1830—1902），字岘庄，湖南新宁人。湘军集团著名将领，曾任广西布政使、两广总督、两江总督兼南洋通商大臣等要职，是晚清王朝重臣之一。在担任两广、两江总督期间，刘坤一接触和处理了大量与洋务有关的事，同时也结交了很多洋务派人士，提高了他对时势的了解和认识，也促使刘坤一转变为提倡改革推崇近代化的洋务派。在曾国藩、左宗棠等人去世以后，李鸿章、刘坤一成为了后期洋务运动的中坚力量，尤其是甲午战争后，李鸿章失势，刘坤一更是成为了湘淮两系集团中官高位显者。在他的倡导之下，南方各地的督抚积极响应发展洋务，有理有据地处理与外国人的关系和事务，很好地维护了东南地区的稳定和发展，也为中国近代历史的发展起到了一定的促进作用。刘坤一的洋务思想在他倡导的东南互保运动和“江楚会奏三折”等行动中体现得淋漓尽致。

义和团运动兴起后，慈禧幻想借助义和团的力量将西方列强驱逐出中国，于清光绪二十六年（1900）以光绪皇帝的名义向英、

① 郭嵩焘．戏书小像［M］// 郭嵩焘全集：十四．长沙：岳麓书社，2012：78.
② 柳定生．郭嵩焘传［M］// 李定一，包遵彭，吴相湘．中国近代史论丛第二辑：第八册．台北：正中书局，1979：81.

美、法、德、意、日、俄、西、比、荷、奥十一国同时宣战。眼看中国即将陷入与西方诸国混战的局面，在此关键时刻，以两江总督刘坤一、湖广总督张之洞为首的东南各省督抚宣称皇室诏令是义和团胁持下的“矫诏、乱命”，抗命不遵，并与西方列强签订《东南保护约款》等协定，称“上海租界归各国共同保护，长江及苏杭内地均归各督抚保护，两不相扰，以保全中外商民人命产业为主”[①]，以抑制义和团运动在东南地区的发展和维护列强的利益，史称“东南互保”。东南互保协议签订以后，既保证了东南诸省免遭义和团的影响，又遏制了列强借口剿灭义和团、保护自身利益而增兵长江各口岸，趁火打劫的企图，避免了清兵、义和团和列强之间在东南地区的冲突，一定程度上维持了东南地区的稳定。江南地区是清王朝最富庶的地区，避免当地卷入纷纭复杂的战乱局面，客观上即是保障了晚清经济的发展要地。据盛宣怀《愚斋存稿》记载，《东南互保章程》是由盛宣怀与列强周旋联络，再由上海道余联元与各国驻沪领事商定的，但这个章程的基调和主题却是刘坤一确定的，而且协议签订以后，与朝廷进行沟通的也是刘坤一，东南各省的督抚基本上唯其马首是瞻。协议能够获得这么多南方高级官吏的支持，也与刘坤一对国内政局和国际局势的准确把握有关。他认为义和团和太平天国一样都是很危险的组织，清政府与义和团合作不可能将列强驱逐出境，相反他还认为支持义和团只会造成更多的麻烦和引发更严重的社会危机。西方诸国经济、军事力量强大，一旦开战，中国几乎没有胜利的可能，只会陷入更加糟糕的境地。因此他说服江南地区其他的督抚，私下里违背朝廷的宣战诏令，选择与列强合作。刘坤一站在基于维护清政府统治的立场上，选择与列强有条件地妥协，“地方上获得完整无缺，避免了兵祸，保全了民命”，是近代外交史上的一个创举，

① 龚书铎，方攸翰．中国近代史纲［M］．北京：北京大学出版社，1988：268.

"南省的自保，对于后日议和，以及索还东北，在外交上增强不少力量"。①

在对待义和团问题上尽管选择了与列强合作，但刘坤一对列强的肆意侵略持厌恶和反对态度，对无原则的投降行径也持批评态度。面对西方列强的咄咄逼人态势和野心，再环顾周遭晚清官场的腐败颟顸状况，身为朝廷重臣的刘坤一除了秉承传统经世派官吏的治国理念和措施外，更是认识到必须学习近代先进科技，选拔人才，改革时弊，方能拯救清王朝日渐衰败的境遇。在与同僚的通信中，他阐述了期待政府实行改革，重视实学，重用人才的想法，说:"中国受病在习非所用，用非所习，有实学乃有真才。综览古今，参酌中外，而新政可成；不揣其本，而齐其末，害立可见，新政终不能行矣。官府一体，尤为扼要，是在政府得人。"②他和同为洋务派的张之洞在倡导新政方面，成为了东南各省的领军人物，他们共同向朝廷上奏，建言清廷务必尽快实行改革挽救日渐颓废的时局。二人连续向朝廷上了几份奏折，系统地提出了改革方案。奏折分为《谨先就育才兴学之大端拟四条折》《谨拟整顿中法十二条折》和《谨拟采用西法十一条折》三个部分，涉及教育、政治、军事、经济、农业等多个领域，强调改革首先要重视选拔人才，提出了改革科举、兴办新式学校、鼓励留学等建议；其次则是要重视整饬内政，提出了"整顿中法 12 条"，涵盖了"崇节俭，破常格，停捐纳，课官重禄，去书吏，考差役，恤刑狱，改选法，筹八旗生计，裁屯卫，裁绿营"③等方方面面；最后则强调必须重视学习西方文明，提出不仅要学习西方先进的科学技术，还要借鉴西方的法律制度和经济管理经验。这些奏折合称为《江

① 王尔敏．拳变时期的南省自保（下）[J]．台北：大陆杂志，1962，25（6）．
② 刘坤一．刘坤一奏疏：复盛京堂并寄张制军袁中丞[M]．长沙：岳麓书社，2013：1675.
③ 白寿彝．中国通史：第十一卷：近代前编（1840–1919）[M]．上海：上海人民出版社，2013：1146.

楚会奏变法三折》，这是刘坤一、张之洞为清末新政的实施提供的可行性蓝图，以后清政府颁布的新政措施几乎不出其左右。为了维护清王朝统治，刘坤一可以说是竭智尽忠，他坚持倡导中体西用原则，强调传统文化和传统制度的本体地位。但随着时代的变化，他也更进一步地认识到单纯地创办几个军事企业或武装几支部队是无法实现国强民富的，只有全面地学习和了解西方，才能实现真正意义上的振兴。所以在对洋务的认识上，刘坤一赞成采用循序渐进的手段积极全面地学习洋务，引导中国逐渐走上自强的道路，最后达到比肩西方的境界。

刘坤一每在一地任职，都适时地推动洋务活动。与其他洋务派一样，他首先最为重视和关注的也是军事方面的建设，"方今之势，非日日练兵，人人讲武，不足以转弱为强"[①]。任江西巡抚期间，他对练兵制器表现出了浓厚的兴趣，向朝廷上了《整饬绿营兵丁折》，提出"若不将绿营及早整饬，致国家费千百万帑项，养之于平时，不能用之于临时，身任封疆者，问心何安"[②]！他借鉴江南练兵章程，制定了适合江西绿营军的训练制度，并聘请熟悉西方练兵之法的专家到江西来训练军队。并对江西省的军队进行了整饬和近代化改进，"会同九、赣两镇严行淘汰，精加挑补，以期一兵得一兵之用。并令自都、守以下各官弁，及弓箭、藤牌各兵丁，均习鸟枪、抬枪，庶可临阵制胜"[③]；又"咨取直隶、江苏教演枪炮阵势口号到江，刊发各营，令其一律讲求，俾收成效"[④]；还大量采购洋枪、火药和铜帽装备军队，"代向上海地亚士洋行定购刀头洋枪三千杆，自来火大铜帽五百万颗，细洋火药二十五万磅，粗洋

① 刘坤一．刘坤一遗集：第五册［M］．北京：中华书局，1959：2133.
② 刘坤一．刘坤一奏疏：整饬绿营兵丁折［M］．长沙：岳麓书社，2013：271.
③ 同②.
④ 同② 272.

火药五万磅”[1]。西洋器械的购入，对提高江西军队的作战能力起了很大的作用，同时也有力地促进了江西军事队伍的近代化转型，这对地处内陆的省份来说是十分不易的。

调任两广总督以后，刘坤一对创办近代化的军事企业兴趣更浓，他上奏朝廷在广东设立机器局，并恳请朝廷给予充分的支持。从着手筹备建立机器局开始，刘坤一就将建设的规模定位于比肩天津、江南等机器局，要求购买西洋先进的设备设施，一步到位建设一个先进的近代军事企业，其创办洋务的眼光和气魄令人赞叹。他提出“今广东省设立机器局，系初次创办，其制造军火器械式样，固与旧例不同，即应用一切物料，亦多系内地所无，必须购诸外洋，方能适用。而外洋物料，价值较重，难以例价相绳。核与天津、上海事同一律，应请援照直隶、江南等省报销成案”[2]。同一时期湖南巡抚王文韶也向朝廷奏请设立湖南机器局，然王文韶的理念和眼光与之相比，则相差甚远。湖南机器局建成后仅一年就夭折了。广东机器局在刘坤一的督促和指导下蒸蒸日上，生产的枪炮，制作精良，价格比西洋武器便宜，引得各省争相购买。随即机器局还仿照外国样式制造了 14 艘小轮船，加强了广东内江巡防的能力。除了制造西式武器，刘坤一对培养具有近代军事理论知识的人才也很重视。清光绪二十二年（1896），在张之洞的支持下，刘坤一创立了江南陆师学堂，学制三年，学生在校期间全面学习西方军事理论知识和实际操练方法，主要“以经史为体，以武备为用，分门别类，昕夕讲求，如兵法、行镇、营垒、军械、地势、测量、算学、绘图、工程各理法，以及步队、行军、炮队、

① 刘坤一．刘坤一奏疏：采买外洋枪炮火药片［M］//. 长沙：岳麓书社，2013：382.

② 刘坤一．刘坤一奏疏：刘坤一等奏广东机器局经费请援案专案报销折［M］刘坤一奏疏．长沙：岳麓书社，2013：507.

马队、打靶、体操各艺”[①]。经过三年的学习，江南陆师学堂培养了一批具有近代军事技能的人才，这些学生中的一、二等优生，分发各营旗担任教官，有力地充实和提高了军队的素养及作战能力，对晚清军事改良不啻为一大福音。

除了军事，刘坤一也十分重视教育的近代化，他认为学校建设和人才培养对国家的发展起着重要的作用。“学堂之设，为自强根本要图”[②]，因此“兴贤育才，诚为当务之急，鼓励振作，尤赖学堂为转移，大政所关，岂容延缓”[③]。他认真考察了西方国家经济飞速发展的原因，认为西方诸国主要是重视对各行各业人才的培养，因此他上奏朝廷建议仿效西方设立农、工、商、矿等专业学堂，积极培养各方面的专业性人才。对江南各省创办学堂，他也给予大力支持并提供参考性的意见，要求学堂“中西并课，由浅入深，无论初级、普通、专门，总应恪遵谕旨，以四书、五经纲常大义为主，以历代史鉴、中外政治、艺学为辅，务使文行交修，讲求实用，仰副朝廷图治作人之至意”[④]。刘坤一对教育的发展有十分系统的考量，他建议挑选传统文化功底深厚、人品端正的学生进入师范学堂学习算术、绘图等西学，学成以后颁发文凭给合格的学生，然后让这些师范学堂毕业的学生进入小学担任教习，这样小学就不用担心师资问题了。又建议编书局编撰刻本，送京师大学堂审核后颁行，以解决小学教材缺失的问题。小学建设完备以后，再依次建立中学、大学，从而使中国的教育体系渐趋完善，而他期望的广育人才、复兴国家民族的梦想就有了实现的可能。

---

① 刘坤一．刘坤一奏疏：陆师学堂期满请奖折［M］．长沙：岳麓书社，2013：1301.

② 刘坤一．刘坤一奏疏：创立江省郡县学堂折［M］．长沙：岳麓书社，2013：1144.

③ 刘坤一．刘坤一奏疏：奏陈筹办江南各学堂折［M］．长沙：岳麓书社，2013：1467.

④ 同③ 1466.

在推动教育发展的过程里，刘坤一对女性的受教育问题也很关注，他突破了传统男尊女卑的思想，认为女性在国民中占有将近一半的比例，从国民素质的提高、传统经典的传播和国家经济的发展等多方面考虑，女性都应该接受教育。因此他积极支持乡绅经元善创办女学公塾，感慨地说："中国人民四万万，以男女各半计之，妇女得二万万之数。其在搢绅族，读书识字者尚不乏人，至若农、工之家，大抵操作有余，灵明未辟，终身不识一字，圣经贤传无由而知。东西洋各国，于女学一事，莫不加意讲求，中国为数千年礼乐之邦，似未可因陋就简。"[①] 作为一个传统的士大夫和封建官员，刘坤一能够打破传统男尊女卑的认识，鼓励女性接受教育，这是十分值得称道的。在其去世前几年他还将江南的名流如张謇、缪荃孙等召集起来，商议创办近代学校事宜。他向朝廷上了《筹办学堂折》，恳请朝廷同意和支持在南京设立师范学堂。然而很遗憾的是，没有等到学堂筹备完善，刘坤一就因病去世了。但南京历史上第一所具有现代意义的高等学府——三江师范学堂能够建立，刘坤一的首创之功很重要。在刘坤一的支持和鼓励下，江南地区的官吏、士绅积极投入近代教育的实践活动中，在其任职期间相继出现了一批倡导学习近代化科学知识的公立和私立的学校，有力地促进了西方文化与中国文化的交流和融合，对江南地区风气的开放和西学的传播起到了积极的作用。

除了鼓励兴办近代教育，刘坤一也十分重视发展民用企业和民族工商业，他对采矿、炼钢、修筑铁路、架设电线等近代化建设都表现出浓厚的兴趣。他特别强调铁路建设的重要性，说："今者强邻逼处，雄视寰瀛，铁路纵横，与轮船相辅，为开辟来别成一局，此天地自然之气机，而未可以人力胜。英、法、俄争造铁路以通中国矣，现已包我三面，合之海疆竟成四面受敌之势，则

① 刘坤一．刘坤一奏疏：御制内则衍义一书请颁发刊行女塾片［M］．长沙：岳麓书社，2013：1145.

铁路安可以不修？”[1]他向朝廷上《请设铁路公司借款开办折》,呼吁“窃维时至今日,谈国是者,莫不以富强为要图。顾非富无以致强,非强无以保富。而究之富强之本，求是其收效速、取利宏，一举而数善备，则莫急于铁路。铁路之裨于军务、商务今已尽人知之矣”[2]。难能可贵的是,他不仅看到了修筑铁路的重要性,还大胆地提出了铁路修筑采用民营的方式进行，反对官办和官督商办，说：“然则仍归官办，值此库帑支绌之时，无以筹此巨款，即令分年筹画，事难逆料，中辍堪虞，纵使有成，而旷日持久，计利亦不合算。若复狃于官督商办之说，无事不由官总其成，官有权，商无权,势不至本集自商、利散于官不止。”[3]刘坤一对清政府以往采取招股方式，却言而无信的做法颇有微词，因此在铁路修筑的方式上，他坚决要求清政府设立商部，专门派铁路商务公司督办，而具体事务则完全由民营企业操办，政府一概不插手。另外就铁路修筑涉及的筹款、用人、技术和选址等问题他都做了可行性的分析,他也考虑到中国富商少，要筹集到巨额款项修筑铁路不容易，建议采用“中外合股”或“华商参股”等方式快速筹款。在技术上他也承认西洋技术先进，必须引进外国人才帮忙建设铁路，但他也更加深刻地意识到为避免长期受制于洋人，中国应该设立铁路、矿务学堂，培养专门人才，这样才能真正走向独立自强。刘坤一在铁路建设方面提出的股份制、商务公司、专业技术学校等概念,在当时是十分先进的商业理念，具有很强的实际操作性。他倡言：“铁路一成，天下商务必日新月异，不十年而立致富强，中国转圜之机,孰有外于是者！”[4]他坚信铁路修筑可以起到国强民富和“维国势而收利权”的作用。在他的不断游说之下，清政府终于迈出

① 刘坤一 . 刘坤一奏疏：请设铁路公司借款开办折［M］. 长沙：岳麓书社，2013：968.
② 同① 964.
③ 同① 965.
④ 同① .

了修筑铁路的第一步，决定修筑芦汉铁路，这对中国铁路事业的发展起到了很好的奠基作用。在两江总督任上，他还在上海设立了商务局，鼓励江浙等地的商人投资办厂、兴办实业，当时的著名实业家张謇、杨宗瀚等在创办企业时都得到了刘坤一的支持和鼓励，南通大生纱厂、无锡业勤纱厂、苏州苏纶纱厂等有名的近代民族企业都建于刘坤一在任期间，他为东南地区的民族工商业提供了一个宽松、有利的发展空间，进一步促进了东南地区经济的发展，尤其是苏沪地区经济发展成为了全国之首，这与刘坤一的倡导和支持是分不开的。

刘坤一对洋务的认识不断加深和不断成熟是经历了很长的过程的，他原本接受的是传统的儒学教育，能够逐渐转型为一位思想开明的洋务派官员，这首先得益于湖湘文化里经世致用精神的熏陶，使得他对时事和时局的变化持发展的观点，而不是选择固步自封、保守落后。其次也得益于许多师友、同僚的沟通、交流和影响，例如曾国藩、左宗棠、李鸿章、郭嵩焘、张之洞、盛宣怀、张謇、沈曾植等都曾经给予过他影响和支持，对他思想的进步和完善提供了帮助。再者不断变化的社会时局和国际形势，使得处在重要职位的刘坤一不断学习、不断提高，加强了自身适应社会变化的能力。刘坤一在湘淮两系中享有很高威望，在东南各省的督抚中也具有很强的号召力，于是成为了帝、后两党竞相拉拢和依靠的对象，但他却不愿曲意奉承迎合帝、后中任何一派，故而帝、后两党对其评价都毁誉掺杂。例如在慈禧有废掉光绪、改立新主的想法时，他据理力争坚决反对。在光绪实行维新变法时他又对维新过激的做法不满，致使光绪帝指责他支持变法不力，被斥为守旧顽固分子。但从刘坤一的遗折中却可以看出他的良苦用心，他不愿介入帝、后两党的派系斗争中，也不希望派系内耗加速清政府的衰败。在临终前上书朝廷，说："方今强邻环伺，天步艰难，惟愿皇太后、皇上敬天述祖，勤政爱民。法无论乎中西，而要以核实为贵；人无分乎新旧，而必以忠爱为先。选将练兵，借收众志成城之效；讲信修睦，免启外人借口之端。庶几国祚永延，民心益固，天下幸甚，万世幸甚！”[①]他希望帝、后两党能摒弃前嫌，选贤与能，讲信修睦，令清王朝国祚绵长。谨慎稳重的刘坤一在处理国家事务时始终秉承的是湖湘文化倡导的经世致用理念和以天下为己任的精神，针对实际情况实事求是地采取措施，力图最大可能地保全国家利益。正因为有着坚定的经邦济世的理念，故而刘坤一在面临国家大政方针和时局变化时，他总是积极地参与其中，热心筹划，并提出切实可行的解决方案和办法，颇有大将风度和名臣风范。张之洞称赞他是“居官廉静宽厚，不求赫赫有名，而身际艰危，维持大局，毅然担当，从不推诿，能忠定明决，能断大事，有古名臣风”[②]。

（五）曾纪泽弱国外交下的洋务思想和洋务活动

曾纪泽（1839—1890），字劼刚，号梦瞻，湖南双峰人，曾国藩长子。晚清著名外交家，曾担任清政府驻英、法、俄国大使，也是当时积极推崇洋务新思维的湘籍官员。曾纪泽长期随侍在父亲身边，他利用父亲首创洋务的有利条件，较早地接触到了西方文明，亲眼见证了西学的先进之处，对他震撼很大。具有强烈经世致用理念的曾纪泽主动展开了对这一新颖事物的学习和探究。经过多年的努力，曾纪泽遂成为了晚清掌握丰富洋务知识的士大夫，甚至可以用英文直接和洋人进行沟通和交流，这在当时晚清官吏中实属凤毛麟角，因此识者每以“学贯中西”誉之。曾纪泽渊博的洋务知识受到了清政府上层的关注和重用，他成为了继郭

① 刘坤一．刘坤一奏疏：口授遗折［M］．长沙：岳麓书社，2013：1500.
② 赵尔巽．刘坤一传［M］// 清史稿：卷四百十三．北京：中华书局，1977：12050.

嵩焘之后又一位杰出的湘籍外交家，在晚清的外交史和湖湘文化上都书写了浓墨重彩的一页，“在清季外交史上，曾纪泽可以说是没有给中国带来更多的失败和屈辱的罕见的一人”[①]。

作为一位积极倡导洋务的晚清官吏，曾纪泽对洋务的理解和传播与他的父辈们有着明显的不同。如果从传承上看，魏源、林则徐等是第一代倡导洋务的人士，曾国藩、左宗棠等则是第二代将这一伟大思想落实于实际的践行者，而曾纪泽作为第三代学习洋务的杰出湘籍人士，他既继承了前辈们的优良传统，又结合时代发展进一步将洋务思想与晚清时局的变化紧密结合，积极为国家、民族争取权利和谋取利益，很好地诠释了弱国外交下的爱国主义精神。具体来看，曾纪泽的洋务思想具有如下三个特色。

第一，在学习洋务时曾纪泽坚持“中体西用”，倡导谨慎、稳健的洋务学习步骤。曾纪泽认为中国传统文化的博大精深和优越感是不容置疑的，在对待洋务上他与其他的洋务派一样奉行“中体西用”的原则。他曾经不无自豪地认为《易经》是形而上的“道”，而西方科技是形而下的“器”，《易经》中早就蕴含了自然科学的许多原理，不啻为一部百科全书。他说：“西洋人近日考求者，中国圣人已曾道破……火轮汽机，以制舟车，以勤远略，圣人亦于数千年前见之矣。《易》于中国学问，仰观天文，俯察地理，形上谓道，形下谓器……即以西学而论，种种精巧，亦不能出其范围。”[②]这是当时典型的“西学中源说”，作为中国近代较早觉醒的士大夫，曾纪泽还如此坚持中国本源说和本体论，实在有点不可思议。这种观点与郭嵩焘热情讴歌西学，犀利抨击中国传统制度弊端相比，相距甚远，显出曾纪泽对洋务的理解和推崇比郭嵩焘保守得

① 钟叔和．走向世界——近代中国知识分子考察西方的历史［M］．北京：中华书局，2000：277.

② 曾纪泽．使西日记（外一种）［M］．长沙：湖南人民出版社，1981：84.

多。但实际上曾纪泽个人广泛涉猎了西方的数学、物理、化学等自然科学，而且还精通英语，能够用英文与洋人直接交流，能够译、拟外交文书，明显是晚清不可多得的新潮官员。如此精通洋务，按理说他应该能够更加清醒地洞察出中西方文明之间的差距，更能够看出中国政治体制的落后和腐朽，应该是积极倡议改良和呼吁学习洋务的急先锋，但为什么他还会采取倡导中体西用，认为中华文化还优于西方文明呢？深入分析曾纪泽所处的环境和他的出身，就可以发现他在学习洋务时坚持中体西用的方针，而没有成为一个激进的改良主义者，是由多方面原因促成的，是其长期坚持稳健、谨慎作风的结果。作为官宦子弟，曾纪泽接受了长期正规的儒学教育，受传统文化的熏陶和影响是十分深刻的，甚至可以说是根深蒂固的。作为一个传统的知识分子，他对儒学的信仰是不容置疑的，曾纪泽接触西学主要也还是在其成年之际，因此传统文化对其人格和精神的塑造早就已经完成了。所以即便是后来他了解到西方文明的优越性，更多思考的也是用西学的长处来弥补中学的不足而已，绝对不会打破传统的罐子，来重塑中学体系。

曾纪泽所受的家庭教育也培养了他谨慎、稳健的学风和作风。曾国藩是坚定的传统制度的维护者，也是程朱理学的忠实信徒，他时常督促曾纪泽多阅读儒学经典和先人乡贤的书籍，培养了曾纪泽坚实的文化功底和道德信仰。曾国藩对子女的教育十分严苛而又谨慎，可能是他阅历了战争的残酷和官场的混浊黑暗，他屡屡告诫后辈子弟不要加入行伍，甚至不要做官。他如是说："凡人多望子孙为大官，余不愿为大官，但愿为读书明理之君子。"[①] 甚至还告诫曾纪泽"八股文、试帖诗皆非今日之急务，尽可不看不作。

① 曾国藩．谕纪鸿［M］// 曾国藩全集：19. 长沙：岳麓书社，1994：324.

至要至要"[1]。他给予子女的教育更多的是理学家讲究的修身、养性和明理。要求曾纪泽"于史鉴略熟，宜因而加功，看朱子《纲目》一遍为要"[2]。对于诸弟和儿侄辈，曾国藩也要求他们以陈文恭（即陈宏谋）《五种遗规》一书，严格培养自己的修身齐家之道。这种注重个人内在修养和相对开明的家庭教育培养了曾纪泽开阔的视野和不拘泥于传统的开放式治学风格，为其以后学习西学、办理洋务奠定了基础。

曾纪泽坚持"中体西用"和谨慎宣传洋务，也是吸取前任郭嵩焘的教训，避免重蹈覆辙。郭嵩焘高调宣扬西学而遭排挤、谩骂，甚至为湘人和国人不容的尴尬处境，曾纪泽是看在眼里的，这也给作为继任者的他多少敲了警钟。从后来曾纪泽的履职经历来说，对洋务采取谨慎的态度，不完全否定中国传统文化和传统制度，循序渐进地倡导西学确实是明智之举。郭嵩焘因为言辞犀利以及下属的弹劾，担任公使两年后被迫返回。而曾纪泽在驻外公使的职位上任期则长达八年。在这八年里，曾纪泽竭尽全力地维护清王朝的尊严，但又不失时机地宣传和推广了西学，对促进中国的近代化做出了卓越的贡献。这种审时度势、务实的风格和做法，是一个典型的受经世致用理念浸染下的传统士大夫的从政方式。

虽然主张中体西用，但是曾纪泽与李鸿章、左宗棠等早期洋务派强调发展军事企业，侧重购买舰船武器的做法还是有很大的不同，他以一种较理性的态度，来甄别中西文明，并且深入考察西方政治、经济制度和思想文化的优点和长处，希望能够弥补中国文化的不足，真正达到挽救清王朝的目的。父亲的光芒太过耀眼，以至于年近四十，曾纪泽也没有取得什么值得称道的成绩。曾国

① 曾国藩.与澄、温、沅、季四弟书［M］// 曾国藩全集：19.长沙：岳麓书社，1994：292.
② 同①.

藩去世后，他于清光绪三年（1877）因承袭一等毅勇侯爵位入京，次年被任命为出使英国、法国大臣，年近不惑才获得了独当一面、施展才华的平台。因此曾纪泽对于这份职务是充满珍惜和憧憬的，步入仕途这是一个经世派儒者实现修齐治平理想的必由之路，没有平台一切都是空谈，郭嵩焘的失败就是最现实的教训。因此尽管精通洋务，曾纪泽还是选择了温和地坚持中体西用模式，最大可能地争取到了清政府对他的肯定和支持，由此他的政治抱负和救世理念在很多方面也才会得以实现。这对于他短暂的政治生涯（40 岁入职，51 岁不到即去世）不啻为一件幸事。

曾纪泽在洋务方面的第二个特点，是倡导审时度势应对洋务和全面学习西学。他以开放的心态学习西学，不仅自学了英语，还主动结识了不少的外国朋友，在日记里就记录了多次与美国人丁韪良沟通交流的事。在担任驻英法公使前，曾纪泽的英文水平就已经很不错了。他到达欧洲后，随郭嵩焘一起拜访外国政要，用英语直接与他们打交道，取得了令人欣喜的效果，彼此相谈甚欢。由此郭嵩焘感慨地说："出使以通知语言文字为第一要义，无可疑也。"[①] 除了学习语言，曾纪泽随侍父亲多年，当时曾国藩的幕僚中汇集了容闳、徐寿、华蘅芳、李善兰等许多中国近代精通西学的著名知识分子和科学家，由此曾纪泽也涉猎了医学、理工、天文等多个西学领域，收获颇丰。到达欧洲后，他的视野更为开阔，曾赋诗曰："九万扶摇吹海水，三千世界启天关。从知混沌犹余窍，始信昆仑别有山。"[②] 他坦然地承认中国之外还有更广阔的世界，等待他去探索和开创。求真务实是曾纪泽对待洋务最基本的态度和方式，他清醒地知道唯有知晓彼之所长，才能弥补我之所短，中国才会有自强的希望。曾纪泽一直坚持处理与洋人的关系和办理洋务，都要根据时代的变化审时度势，不断调整政策和措施，因

① 郭嵩焘．郭嵩焘日记：第三卷［M］．长沙：湖南人民出版社，1987：740.
② 曾纪泽．曾纪泽遗集：口占一律［M］．长沙：岳麓书社，1983：276.

为“洋务之要端，谓必知彼之所长，我之所短，然后办理不致孟浪。至哉言乎！兹三语者，即是普天下办洋务之圭臬南针，再贡千言万句，亦不能出此范围矣”[①]。履职驻英法公使以后，他不仅关注西方的船坚炮利，也更留意西方的政治体制和思想文化。他参观工厂、倾听学术会议、与欧洲学者和民众交流，由于没有语言的障碍，他对西方社会的了解更加深入。

和郭嵩焘一样，曾纪泽也认识到了西方在政治、经济和教育上的先进性，也希望政府能够接受建言，进行改良。但与郭嵩焘犀利的讽刺和抱怨不同，在他的日记中愤世嫉俗的语言较少。他在倡导洋务时更讲究方式方法，也更加注重实际效果。为了帮助国内的洋务派购买到最先进最新式的武器，他不惜亲自到各地军工厂考察，甚至自学军事知识，致远号便是曾纪泽亲自在英国订造的。他还亲自到当时德国最大的兵工厂克虏伯军工厂考察，在每一次实地考察时曾纪泽都留心观察，认真记录，正如他在日记中所说：“臣所游各厂，大半携有图说，将来带呈海军衙门，可命译官择要译成汉文，以供采择。”[②]他主张不仅要学习西方先进的制造技术，还要深入考证西方强大的根源，同时也要比较和反省中国落后的原因，进而博采西学之长而补中国之短，这样中国才会有救矣！曾纪泽仔细考察了西方的政治制度和文化教育事业等其他领域。他发现泰西“各邦虽不尽民主，而政则皆由议院主持，军旅大事，尤必众心齐一，始克有成”[③]。这种制度与中国的政治制度实际上有相通之处，“今之论西国者，曰财货之雄、炮械之利而已。岂知西国制胜之本，不在富强；其君民相视，上下一体，实有暗和于儒者之言，则其为政教必有斐然可观者。……窃谓国家

① 曾纪泽．曾纪泽遗集：复陈俊臣中丞［M］．长沙：岳麓书社，1983：194.
② 曾纪泽．曾纪泽遗集：游观英德局厂情形片［M］．长沙：岳麓书社，1983：105.
③ 曾纪泽．曾纪泽遗集：敬陈管见疏［M］．长沙：岳麓书社，1983：26.

盛衰，系乎风俗人才”[①]。于是他建言朝廷“选择西国政教书籍以备采择”，然后“取各国学校书院章程，翻译成书，寄归中国，先于通商各埠设蒙养书院，取古人教子弟之法，而略以西法参之，冀渐推广”[②]。每一次建言曾纪泽都十分讲究策略，措辞也很温和，尽管是倡导学习西方的教育，但他在建言时慎重地考虑了国内的环境，建议在通商口岸先试行，而且还参照传统的教学方法，十分顾及清王朝统治者和同僚们的感受与反应。故而虽然和郭嵩焘一样都是倡导学习洋务，但曾纪泽在国内受到的非议明显要少得多，这也就更有利于西学的传播和推广。

第三，曾纪泽洋务思想中最具特色的是他充满强烈爱国主义色彩的外交活动。弱国无外交，尤其是像近代中国这样处在半殖民半封建的国家，要在外交上争取到一点权益都是十分不易的。他在回禀清朝最高统治者时说："臣从前读书到‘事君能致其身’一语，以为人臣忠则尽命，是到了极处了。近观近来时势，见得中外交涉事件，有时须看得性命尚在第二层，竟须拼得将声名看得不要紧，方能替国家保全大局。"[③] 寥寥数语，既表明了曾纪泽投入外交事务的决心，却又说出了在晚清时期办外交的艰难和心酸，以孱弱、闭塞的国家去和强大的西方诸国进行外交谈判和交涉，其难度可想而知。为了维护国家的主权和利益，有时候还要不惜牺牲个人的生命和声誉，其情可叹可泣，曾纪泽在随后的外交生涯里基本上尽心竭力地做到了这一点。担任驻外公使后，他积极学习和运用国际法为中国争取权益。乌石山教案是曾纪泽出使欧洲后利用国际惯例处理的第一个外交事件，他在交涉中有理有据，合理运用国际法，与教案中的英国教士胡约翰对簿公堂，最后胡约翰败诉。以往中国处理教案，为了偃旗息鼓，总是采取媚外策

① 曾纪泽．使西日记（外一种）［M］．长沙：湖南人民出版社，1981：28.
② 同①．
③ 曾纪泽．曾纪泽日记［M］．长沙：岳麓书社，1998：776.

略，不仅赔礼道歉，还要给予高额赔偿，甚至要惩罚国人以儆效尤。其父曾国藩在处理天津教案时的做法，就受到了同僚的抨击和世人的诟病。曾纪泽运用国际惯例，解决中外纠纷，这是近代外交史上一次伟大的成功尝试。

真正彰显曾纪泽在外交上的强烈爱国主义精神，令他名垂青史的是与俄国交涉伊犁问题。清光绪五年（1879），崇厚在俄国胁迫下，擅自签订了一个严重损害中国主权和领土完整的《里瓦几亚条约》。条约签订以后，朝野上下极为愤怒，清廷也因为条约中丧失的权益太多而不予批准，遂将崇厚革职查办，改派曾纪泽为驻俄公使，重新修约。让俄国放弃已经得到的利益，无异于与虎谋食，“障川流而挽既逝之波，探虎口而索已投之食，事之难成，已可逆睹”[①]。俄国的野蛮强悍在国际上是出了名的，曾纪泽也认为在与各国的交往中，俄国是最不好打交道的，“俄罗斯为西洋著名杂霸之国，正与战国时嬴秦无异，狡狯多端，上下一致，处心积虑，图占便宜”[②]。关于对俄态度和修约事宜，国内各群体也有各种不同的态度和看法，“总署有总署意见，京官有京官意见，左帅有左帅意见，俄人有俄人意见，纪泽纵有画策，于无可着棋之局，觅一劫路。其奈意见纷歧，道旁筑室，助成者鲜，而促毁者多，盖不蹈地山覆辙不止也”[③]。如此烫手的山芋，对曾纪泽的职业生涯和人生无疑都是一次重大的考验。在重重压力下，曾纪泽冷静客观地分析了伊犁问题，说“窃惟伊犁一案，大端有三，曰分界，曰通商，曰偿款。筹办之法亦有三，曰战，曰守，曰和”[④]。就国内群情激奋地要求重罚崇厚的做法，他也提出了自己的看法，认为重罚使臣会激怒俄国，对于以后的谈判不利，因为“罚使愈重，则辱俄愈甚，

① 曾纪泽．曾纪泽遗集：巴黎致总署总办［M］．长沙：岳麓书社，1983：170.
② 曾纪泽．曾纪泽遗集：伦敦复译署各堂［M］．长沙：岳麓书社，1983：174.
③ 曾纪泽．曾纪泽遗集：伦敦致丁雨生中丞［M］．长沙：岳麓书社，1983：171.
④ 曾纪泽．曾纪泽遗集：敬陈管见疏［M］．长沙：岳麓书社，1983：25.

改约愈难。将有所求而故激怒之，所求其能获耶”。国内有观点认为，俄国国内内乱纷争，君臣应接不暇，以战争相威胁可以逼迫俄国改约。他也驳斥道：“俄之君臣常喜边陲有事，借征战之役，以消纳思乱之民。左相以前事得手，遂欲轻为戎首，盖亦一隅之见，未尝统筹全局耳。”[①] 通过多方面深入地研究，曾纪泽确定了周密的谈判计划，与俄国人在谈判桌上打了一场没有硝烟的硬仗。

与俄国交涉谈判是一项十分艰巨的工作，耗时将近一年，前后交涉达 50 多次，没有坚强的毅力和为国家奉献的精神是根本不可能完成的。凭借着卓越的外交才华和强烈的爱国信念，曾纪泽有理有节、不卑不亢地与俄国进行了拉锯式的外交谈判，最终于清光绪七年（1881）2 月 24 日在彼得堡签订了中俄《伊犁条约》，又称《中俄改订条约》或《圣彼得堡条约》。条约部分地纠正了崇厚所犯的错误，收回了特克斯河流域两万多平方千米的土地，使得边疆重镇伊犁有了重要屏障，对中国的损害也减少了一些。中俄《伊犁条约》在本质上还是一个不平等条约，但是曾纪泽凭借过人胆识和才华，一定程度上降低了中国的损失，维护了国家的权益和尊严，开创了弱国外交的新模式，国内外好评如潮。外国学者称赞他“光荣地用和平方式收回了伊犁；中国在他的许多世纪的历史上，向来是惯于军事胜利的，但是像曾纪泽这样的不流血的外交胜利，在他的经验中却还是一个创举”[②]。以后曾纪泽运用国际法维权的意识越来越强烈，在议结洋药税厘并征的交涉中，曾纪泽利用英国国内对洋药即鸦片的禁止为契机，又据理力争，为清政府每年争回烟税白银 200 万两。但在与法国交涉越南问题的失败中也使得曾纪泽清醒地认识到，一个孱弱的国家要很好地解决全部的国际争端和外交交涉，完全依靠国际法是不可能办到

① 曾纪泽．曾纪泽遗集：伦敦致丁雨生中丞［M］．长沙：岳麓书社，1983：172.
② 马士．中华帝国对外关系史：第二卷［M］．北京：生活·读书·新知三联书店，1958：372–373.

的，大国的欺凌时刻存在。因此从根本上说，中国必须走上国强民富的道路，才有机会真正实现外交的独立和强大。为此他呼吁“中国商民仿效欧洲富国强兵之术、格物致知之学”[①]，中国只要熟练地掌握了西方先进的科学技术，并逐渐向近代化国家转型，则改变中国受侮辱和宰割的局面就为时不远了。

纵观曾纪泽的一生，在晚清的政治舞台上真正活动的时间仅仅十余年。但其从早年开始一直跟随父亲生活和学习，对晚清的时局是谙熟的，接触到的人和事物也是丰富而复杂的，这既增长了他的见识，也锻炼了他应变处事的能力。这一时期他就已经在“潜讨天下之变，求所以康济之，又益究通四夷之学”[②]。在父亲的培养和自己的努力下，他很早就朝着经邦济世和究心洋务的方面发展，这是中国近代史上十分具有卓识眼光和远见的父子俩，也是湖湘大地上走出去的精英人才。与父亲相比，曾纪泽是无法望其项背的，但他另辟蹊径，在洋务和外交方面获取了乃父不曾达到的高度，成为了学贯中西的外交家，书写了近代外交史上光辉的一页，这是十分值得称赞的。当绝大部分的国人还执迷于天朝上国的美梦时，他已经敏锐地意识到洋务已经成为了近代中国无法回避的新事物，必须主动积极地认识和了解它，只有适应了近代世界发展潮流，才能够真正地挽救走向衰败的清王朝。正是因为有着像曾纪泽这样的觉醒者和爱国者，中国这艘古老的大船，在遭遇了千疮百孔的伤害下，还可以艰难而又缓慢地主动向近代化的航线靠近。

近代中国历史呈现出十分复杂的面貌和现象，洋务运动开启了中国的近代化之门，在洋务运动中充当先锋和骨干力量的湘籍官吏占了很大的比例，他们对中国近代社会的进步和发展做出了

① 曾纪泽．曾纪泽日记［M］．长沙：岳麓书社，1998：884.
② 吴汝纶．吴汝纶全集：一［M］．施培毅，徐寿凯，校点．合肥：黄山书社，2002：24.

巨大的贡献。这一批杰出的湘籍人士中又有很多是来自湘军集团，作为晚清政治舞台上最活跃的一个政治群体，他们对维护晚清统治和推动晚清社会的改革都起到了很重要的作用。以曾国藩、左宗棠为代表的湘籍经世学者们在继承传统文化的同时，又进行了许多的创新和突破，他们被自觉或不自觉地赋予了新的时代特点。与林则徐、魏源等早期“开眼看世界”的官绅们相比，湘籍官员们对洋务的理解更加注重时效性和现实意义，在他们的鼓动和宣传之下，中体西用的洋务思想最终发展成为了晚清社会的一股主流社会思潮，这也是晚清社会从帝制的末世向近代演化过程中出现的一种具有进步性质和近代化因子的思想潮流，因此曾国藩、左宗棠等湘籍经世派也可以看作是中国由传统社会向近代化转型的先行者。

二、保守与排外——湖南士绅与民众反洋务、反洋教运动

湖湘文化中的经世致用理念和敢为天下先的创新精神在其他省份获得了施展的平台和实践的机会，湖湘文化在全国其他地区获得了很高的赞誉和肯定，大量的湖南人也走出了湖湘大地，其中许多杰出的湘籍人士还成为了时代的先行者。然而奇怪的现象出现了，这批倡导洋务运动和西学的湘籍官吏，对于湖南却没有尽到桑梓之谊，他们没有在湖南兴办一家近代企业，甚至连鼓励和建设性的意见也没有提出来。湖南省对洋务运动表现出十分冷漠的态度，在全国掀起学习西方先进技术“自强求富”的洋务运动中,湖南几乎没有采取过什么举动和措施去配合洋务运动。相反，在卫道的旗帜下，湖南保守和排外的名声反而远扬。

（一）湖南士绅、民众反洋务活动

从 19 世纪 60 年代开始至 90 年代结束，洋务运动在中国持续开展了 30 多年，全国绝大部分省份和地区对兴办洋务实业都做出了积极的反响和回应。其中以东南沿海各省的支持力度最大，先后创办了将近 200 个军事和民用企业，同时还进行翻译西方书籍、创立报馆、设立新式学堂、派遣留学生等一系列的洋务活动。即便是西北内陆省份如陕西、甘肃、新疆等地也对洋务表现出了一定程度的热情。在这场由洋务派发起的几乎波及整个中国的改良自救运动中，湖南成为了少数几个对筹办洋务表现极为冷漠的省份之一。30 余年间，湖南仅仅办了两起洋务，一是清光绪二年（1876）创办湖南机器局，一是清光绪二十六年（1890）架设电报线。这两个项目所取得的成绩均收效甚微，于湖南的洋务活动和近代化发展几乎没有什么作用。因此在维新运动前很长一段时间内，湖南算得上是中国最保守的省份之一。湖南士绅和民众不仅对兴办洋务不感兴趣，在洋务运动中寂静无声，而且他们坚决抵制洋务的态度还名声在外，令有志于西学和洋务事业的人畏怯而舍弃湖南，这对于湖南在近代的发展起了很负面的效应。湖南士绅和民众反洋务最典型的事件有三，即长沙上林寺被焚、羞辱出使大臣郭嵩焘和澧州“反洋线”事件。

上林寺是湖南著名的古刹之一，始建于唐朝，清代曾经多次修复。清同治初年，在郭嵩焘的倡议和捐助之下，寺庙进行了较大规模的修葺，成为湖南颇为壮观的古刹，然而这一名胜古迹却不幸于清光绪二年（1876）毁于一场大火。从郭嵩焘的日记对这一事件的记载来看，上林寺被毁完全是湘籍绅士抵制和仇视洋务的结果。他在日记中说：“罗筱垣过谈，言及丙子（即光绪二年）秋焚毁上林寺，其源由崔贞史欲怙众人狂逞之力毁撤机器局，约期会议。人知机器局奏请设立，不宜毁，一泄其毒于上林寺。王夔石以上林寺由我创修，闻其毁，大喜，急据之以为士气，从而嘉奖之。又令首府出示揭寺僧西枝之罪，驱逐拿办，为之扬其波。而于毁庙滋事、乘机纵掠之士民一置不问。自是而民气之坏乃益不可支，至于动辄榜示，揭督抚、司道之名，指斥为勾通洋人。藐法玩上，导民于乱，而湖南乱机之动，至是而益烈。"① 郭嵩焘清楚指出，焚毁上林寺是因为湘籍学子对湖南机器局的设立感到十分的愤怒，但又苦于机器局是朝廷批准设立的，毁坏明显是抗旨之罪不敢为；于是仇视创办洋务的湘籍人士转而以泄私愤，将怒气发泄到了郭嵩焘捐款修建的上林寺。因为郭嵩焘是洋务运动的鼎力支持者，而且当时他被朝廷委任为驻英公使，正准备赴欧洲执行公务。基于对洋务的排斥、仇视以及对郭嵩焘推崇洋务的不满，这些学子们不仅焚烧寺庙、追打住持，甚至还一度冲击了郭嵩焘的住宅。上林寺焚毁事件发生以后，湖南巡抚王文韶不但没有追捕和惩处参与闹事的人员，反而命令长沙府贴出告示治寺僧西枝之罪，要求对西枝驱逐拿办，这种做法无疑进一步助长了湘籍人士的反洋务情绪。由此也可以看出，焚毁上林寺事件，既反映了湖南官绅之间复杂的矛盾纠葛，更体现了湘籍人士严重的守旧倾向。

湖南仇视洋务的第二个典型案例是对郭嵩焘出使欧洲的讽刺。郭嵩焘以思想开明、积极宣传洋务思想闻名于世，却受到了湖湘士绅和民众的排挤和讽刺，处境十分尴尬。清光绪二年（1876），郭嵩焘被任命为驻英公使，后又兼任驻法公使，他成为了中国近代第一位驻外使节，在中国近代外交史上是具有开创性作用的人物。原本是为国家排忧解难，郭嵩焘才不惜以年迈之躯远涉重洋与列强交涉处理外交事务，但在湖南官场和士绅中对他的批评、嘲笑和谩骂却铺天盖地，耻于与他为伍。有人写了一副对联挖苦

① 郭嵩焘．郭嵩焘日记：第三卷［M］．长沙：湖南人民出版社，1982：855.

他说："出乎其类，拔乎其萃，不容于尧舜之世；未能事人，焉能事鬼,何必去父母之邦？"① 一时间郭嵩焘在湖南的声誉一落千丈，甚至以往的友人也对他颇有微词。两年以后即清光绪五年（1879）郭嵩焘从海外归来，湘人仍然对他很不友好。郭嵩焘位居二品，并享有钦差大臣的头衔，按理湖南的官绅应该对他礼遇有加。但湖南重要官员对其十分冷漠,巡抚以下的地方官员都"傲不为礼"，甚至未到场迎接。长沙、善化两县的绅士甚至阻止其用小火轮拖带大船靠岸进省城，郭嵩焘对同僚和家乡民众极端看待洋务的态度也感到十分的惋惜和愤慨，他指出中国如果不认真了解和学习西学，就不可能对中外形势做出正确的分析，在与西方诸国打交道的时候，我们必然会因为无知而处于受欺负的劣势地位，因此他认为一味地盲目以华夏文明自傲自大，对中国是一件百害而无一利的事情，必须根据时代的变化学习和了解洋务。尽管受到国内环境和故乡的掣肘，但性格倔强而又特立独行的郭嵩焘，对洋务的推广矢志不移，这也就给他带来了更多的非议和责难，各种指斥他勾通洋人的揭帖和匿名信不断出现，流言蜚语蜂拥而至，直至清光绪十七年（1891）在愤懑和孤寂中病逝。无独有偶，接续郭嵩焘担任驻英法公使职务的又是湘籍官吏——曾纪泽，湘人听闻后对曾纪泽也是一番嘲讽和无端攻击。实际上在清同治十一年（1872）曾国藩去世，曾纪泽乘坐小火轮从上海返湘奔丧时，湖南士绅和民众就责骂他有辱先祖。可见，湘人对洋务的非议和排斥是十分根深蒂固的，羞辱和排斥郭嵩焘只是其中典型的个案而已。

湖南人反对洋务事件在全国影响最大的是澧州"反洋线"事件。热衷于洋务活动的湖广总督张之洞，从增强湖南与外省的沟通、交流以及强化对湖南、湖北管理的愿望出发，于清光绪十六年

① 王闿运．湘绮楼日记：第一卷［M］．长沙：岳麓书社，1997：460.

（1890）向朝廷上奏，建议在湖南架设电线。这原本是一件很简单的政府行政事务，是张之洞为了提高湖南、湖北两省的行政效率和加强政府对地方的管辖而采取的一个惠民措施。当时湖南、湖北两省之间隔着一个洞庭湖，广阔的湖面和汹涌的湖水对两省交往增加了难度，尤其是碰到水患时期，两地之间的沟通几乎处在停滞状态，这对政府处理紧急事务和日常管理都十分不利，基于此，张之洞提出了架设电线的构想。清廷很快同意了张之洞的奏请，于是由盛宣怀负责实施这个项目。电线从湖北进入湖南的首站是澧州地区，澧州绅士和民众听闻电线将从当地通过，反对之声一时炸开了锅，他们一致认为架设电线无异于在湖南打开了一个缺口，以后必定会有大量洋人进入湖南，其后患不可想象。他们将架设电线看成了是引狼入室的祸端，坚决抵制在澧州施工，制作了“痛逐洋人，禁其洋线”的旗帜，四处煽动民众的反对，宣传、鼓动激起了几乎整个澧州地区对实施这个近代化通讯项目的反对。当盛宣怀率领技术人员和工匠进入澧州境内准备施工时，澧州民众将各处的电线杆、瓷碗、铁钩等架设电线的器材悉数捣毁焚烧，甚至一度在冲突中还发生了人员负伤的事情。盛宣怀和施工人员根本无法应付澧州地区阻挠施工的局面，只得频频向湖广总督张之洞告急。面对愈演愈烈的阻挠、破坏事件，张之洞被迫上报朝廷，咨询处理方式和意见。清廷知晓事件以后发布上谕，要求张之洞确切查明事情并妥速办理，这样澧州士绅和民众将“反洋线”运动，演变成了一个震撼两湖和惊动朝野的政治事件。澧州地方政府迫于上级的压力拘捕了一些肇事民众，也责令澧州绅民赔偿了所有焚毁的物质，但澧州民众对架设电线的抵制情绪却一点也没有得到平息。一方面当时逢夏季涨水，架设电线经过的地方多处被水淹没，根本无法施工，于是架设工作基本上陷入了停顿状态。另一方面，张之洞对在澧州架设电线的兴趣和信心也被完全消耗殆尽，趁着水患的借口，他下令暂缓在澧州实施这个项目，这样湘鄂之间架设电报线路的工程就此夭折了。湖南人再一次以他的强悍霸蛮遏制了迈向近代化的步伐，当时除湖南一省外，全国其他 19 个省普遍都架设了电线，湖南在洋务活动中顽固的态度，对湖南政治、经济等各方面的发展都是十分不利的。

上述案例说明湖南士绅和民众对洋务以及一切新生事物的排斥和抵制态度是十分坚决和顽固的。湖南民众守旧心理的缘由，湖南巡抚陈宝箴认为:“自咸丰以来削平寇乱,名臣儒将,多出于湘;其民气之勇，士节之盛，实甲于天下，而恃其忠肝义胆，敌王所忾，不愿师他人之所长，其义愤激烈之气，鄙夷不屑之心，亦以湘人为最。”[①] 陈宝箴的话击中了湖南保守意识严重的一个要害因素,湘军兴起后对湖南产生的影响。参与镇压太平天国起义的湘人骁勇善战，但是在战争结束以后，他们凭借军功和赏赐回到故乡，在湖南又造就了一大批军功士绅，形成了不可一世的虚骄之气，而且这批军功士绅与以往的乡绅不同，他们通过军功起家，文化素养不高，退伍返乡后基本上是不思进取且封建卫道思想十分浓厚。但是他们作为地方秩序的实际维护者和执行者，对当地的风俗习气的发展趋势却起着重要的导向作用。在他们的引导之下，湖南由劲悍血性而渐趋于顽固保守，使湖南成为了一个维护封建纲常伦理的最顽固的堡垒。对外来的新生事物和新颖的科技发明创造一概采取排斥和抗拒的态度，在近代化的发展道路上，湖南越来越落后于其他省份。直到甲午战争以前，“湖南没有产生一位早期维新思想家，没有创办一所新式学堂、一份新式报纸、一个真正的近代企业，而且还在保守的传统文化意识驱动下，掀起一次又一次的反洋教运动”[②]。传统绅士的保守性和顽固性在中国是一个普遍现象，正如著名的历史学家费正清所说 :“至迟到 19 世纪末，

① 陈宝箴 . 奏设时务学堂折［M］// 汪叔子，张求会 . 陈宝箴集（上）. 北京 : 中华书局，2003 : 593.

② 郑焱 . 近代湖湘文化概论［M］. 长沙 : 湖南师范大学出版社，2008 : 55.

在许多情况下还要晚得多，大多数中国社会中的上流社会是绅士集团。绅士比中国任何其他社会阶级都更加深刻地与中国的文化水乳交融，更全面地坚持中国是一切文明的中心的主张。他们从孩提时起接受儒家传统和价值的教育，他们的社会地位和声望在很大程度上建立在积极同这种传统和价值打成一片的行动上。”① 因此，任何对传统社会有所影响和冲击的行为都会招致顽固乡绅势力的反对和排斥，洋务只是其中之一，外来宗教和文化也是传统势力反对的重要对象之一。

（二）湖南士绅、民众反洋教运动

反洋教运动，首先可以看作是一种自发的反对西方列强侵略的爱国主义斗争。因为绝大部分的传教士来华的目的并非传播异域宗教那么简单，他们还时常利用在中国的特殊身份和地位胡作非为，不仅掠夺和侵害老百姓的财产和权益，而且还充当了各国侵略中国的先遣队。在中国人的眼里，传教士和西方宗教都是列强侵略中国的一种方式和手段，他们和列强使用的军舰、大炮没有本质区别，都是对我华夏文明古国的欺凌和破坏。因为，“耶稣之入中国，先由英国与法国用兵，以枪炮逼其立约保护传教，此事一开华人之疑心，至后来每逢闹教一场，传教诸国必以兵威索偿，是无异于传教以势，而非传教以道矣”②。

不过从文化的角度看，反洋教也是一种变相的抗拒西方文明的手段和方式。鸦片战争以后进入中国的传教士和基督文明，在欧洲经历了宗教改革的洗礼，已经发展成为了近代西方文明的重要部分。他们所宣扬的教义、所遵守的教规以及所演绎的仪式都

① 费正清．剑桥中国晚清史：上册［M］．北京：中国社会科学出版社，2007：548.

② 郑焱．近代湖湘文化概论［M］．长沙：湖南师范大学出版社，2008：55.

与中国的传统文化和生活习俗迥异。文化背景的差异和传统夷夏大防的偏见，导致中国社会各阶层对这种外来的宗教文化持抵制和仇视的态度，越是传统文化根基深厚的地区，对外来宗教的排斥情绪越强烈，湖南即是如此。湖南是程朱理学的重镇，一直以来卫道意识浓厚，曾国藩率领湘军剿灭太平天国起义，将这种卫道意识上升到了国家层面，也发展到了顶峰，湖南人时常以自己的卫道精神自豪，这也就更加强化了湖南人的传统观念和传统意识。由此，近代湘人的排外意识和反洋教行为之强硬也就愈加远近闻名了。“湖南之对于中国，正如拉萨之对于西藏一样。多年以来，它是大陆腹地中一座紧闭的城堡，因而也是一个无与匹敌的、特别引人注意的省份。中国的保守主义，以及对于所有外国事务的反应，都在这儿集中起来了。因此，这里不仅产生了中国最好的官吏和军队，也出现了对基督教的最激烈的攻击。不管别的省份采取什么态度，湖南仍然毫不容情。所以，在中国其他各省向传教士和商人开放很久以后，湖南人继续吹嘘没有一个外国人胆敢进入他们的省境。”[①] 从 19 世纪 50 年代的衡州教案开始到 20 世纪初，湖南共发生了大大小小 40 多起反洋教事件，其中对晚清社会产生重大影响的反教案件就达七次之多，它们分别是：衡州湘潭教案、周汉反教案、临湘教案、衡州教案、辰州教案、邵阳教案和长沙教案等。[②] 湖南士绅、民众为了反洋教而制作的揭帖文告更是数不胜数，这些反洋教的揭帖文告不仅在湖南流传，而且还扩散至全国很多地方，对各地的反洋教运动产生了很大的影响，尤其是声援了长江中下游各省声势浩大的反洋教斗争。在湖南的反洋教运动中，以衡州地区的反洋教斗争和周汉的反洋教宣传尤为突出和激烈。

① 马歇尔·布朗荷．中国内地传道团亚当·多尔瓦和其他传教士在湖南的开拓工作［M］// 周锡瑞．改良与革命——辛亥革命在两湖．杨慎之，译．北京：中华书局，1982：39.

② 赵树好．教案与晚清社会［M］．北京：社会科学文献出版社，2001：199-247.

衡州是外国传教士在湖南南部的基地和大本营，早在清康熙年间，外国传教士就已经进入了衡州。但是截至鸦片战争爆发前，传教士在衡州地区的影响还不是很大，在很长一段时间里传教还是一种非法的行为，因此衡州地区的教民人数也很有限。但是在第二次鸦片战争结束前后，基督教在衡州地区的活动开始活跃起来。清咸丰六年（1856），天主教为了加强在湖南地区的传教，特意将湖南从南京教区分离出来成为独立的教区。清光绪五年（1879），罗马教廷又将湖南全境分为南北两个教区，南部教区以衡州（今衡阳）为中心，北部教区以澧州（今澧县）为中心。衡州成为了传教士在湖南的主要集结地之一，这也就为衡州地区持续不断的反洋教斗争埋下了伏笔。清咸丰五年（1855），衡州民众捣毁道友堂的斗争是衡州地区较早的有影响力的一次反洋教运动，起因是衡州道友堂的西班牙籍传教士陆怀仁不顾当地的习俗，威逼利诱当地的一名教民，要求他在结婚时按照天主教的结婚仪式举行婚礼，此举遭到了女方家庭的强烈反对和愤怒，于是他们冲击和捣毁了教堂，并将陆怀仁赶出了衡州，这是近代以来湖南民众进行的第一次反洋教斗争。清咸丰十一年（1861）前后，衡州地区又发动了第二次较大规模的反洋教运动，这次斗争是对湖南省反洋教斗争的有力配合，也声援了全国的反洋教运动。清咸丰八年（1858），清政府与列强签订了《天津条约》，允许基督教、天主教传教士在内地自由传教和游历，进一步加剧了教会在各地的非法活动和嚣张气焰。清咸丰十年（1860），英法联军又攻陷了北京，咸丰皇帝逃至热河病逝，年幼的同治皇帝即位，清朝政权在外力打击之下岌岌可危，中国民众对列强的侵略和掠夺行径十分的不满，反洋教斗争即是他们表达愤怒的一种方式。清同治元年（1862）初，长沙士绅联名刊布了《湖南省阖省公檄》，揭露教会的恶劣罪行，呼吁将传教士驱逐出湖南，湖南各地掀起了反洋教斗争的高潮，衡州是这次运动的中心和焦点。衡州是传教士在湖南南部的汇聚地，当地老百姓受教会的欺压和骚扰比较频繁，衡州地方官府也更多地受到教会的压制和干涉，因此民族矛盾和宗教冲突在这一地区显得尤为明显。清咸丰十一年至清同治元年（1861—1862），由于传教士的为非作歹欺凌百姓和教民的倚势扰民，再一次激起了衡州地区人民的仇教情绪，但是腐败懦弱的清政府压制了衡州人民的爱国热情，革除衡阳、清泉两县的知县和衡永郴桂道冯崑的职务，且永不叙用，并允诺赔偿教堂的损失和修建被捣毁的教堂。在清政府的干预之下，衡州人民的反洋教斗争被平息下去，但人民对外来侵略者的仇恨种子则一直埋藏在心底。清光绪二十六年（1900），在义和团运动的影响下，衡州地区爆发了反洋教运动以来规模最大的一次斗争。教案的导火线是衡州的传教士以扩建教堂、培植果园为名，企图霸占衡阳县江东岸一带的土地，外国传教士掠夺房地产建教堂传教，是教会欺凌和压榨中国老百姓的惯用伎俩，也是国人反洋教斗争的重要内容之一。教会不理会衡州民众交涉的要求，甚至还将前往教堂理论的居民代表诬陷为“妨碍宣讲、侮渎圣母”而捆绑送至当地官府治罪，这种做法彻底激起了衡州民众的愤怒，他们先后捣毁了英国福音堂、法国天主教总堂及育婴堂，愤怒的群众在冲突中还击毙了五名传教士，其中就包括衡州地区主教范怀德。衡州地区声势浩大的反洋教运动令西方列强十分恐慌，纷纷向清廷施加压力，要求严惩凶手和保护不力的地方官吏。在外国势力的胁迫之下，湖广总督张之洞要求湖南巡抚俞廉三对参与反对洋教的民众实行大肆搜捕和镇压，湖南地方政府也被迫签订了《湖南衡州议结天主教合同》。在西方列强和清政府的双重胁迫和镇压之下，衡州的反洋教运动被平息下去。

湖南各地的反洋教斗争在近代一直此起彼伏，络绎不绝，由此也涌现出了一批领导反洋教斗争的斗士和骨干分子。在这些众多的反洋教人士中，周汉是颇具特色和代表性的人物。

周汉，字铁真，晚号铁道人，笔名周孔徒，湖南宁乡人。周汉的反洋教行为鲜明地反映了中国地方上保守绅士阶层偏执的爱国情怀和文化自卫心理。周汉自幼饱读诗书，接受的是正规的儒学教育，是一个具有深厚文化功底的传统读书人。后投笔从戎，参加湘军，此后 20 多年基本上是在戎马生涯里度过的，他先后参加过镇压太平天国起义、平定陕甘回民暴动和收复新疆行动，足迹遍布大半个中国，对当时中国日渐衰落的时局和各地纷乱的社会状况谙熟于心。清光绪十年（1884），因其弟周浑病逝于新疆，他悲痛不已，护送灵柩返回湖南后，遂绝意军营和仕途，在长沙定居，致力于刊布善书和劝化桑梓等文化、慈善活动。周汉返回故里时，中法战争正在激烈地进行中，伴随着第二次工业革命的成果，西方列强掀起了瓜分中国的狂潮。与此相应的是教会的势力也乘机不断向内地扩张，周汉亲眼目睹了传教士在内地的嚣张和狂妄，因此反洋教运动可以看作是周汉展现其爱国的意愿和诉求的一种特殊的表达方式。

周汉出生和成长在湖南，清咸同之际，曾国藩、左宗棠、郭嵩焘、胡林翼等湘军集团领袖在湖南积极推崇理学经世救国理念，为挽救清王朝竭尽所能，周汉就是在这种召唤之下加入湘军的。在剿灭太平天国的斗争中，周汉认为太平天国起义就是受西方“邪教”蛊惑而起的，“洪秀全、杨秀清、石达开就是鬼叫（洋教）大头目，一反就闹乱遍天下”[①]，可见他对西方宗教的厌恶和仇恨早就有之，只是由于一直忙于军务和其他事宜，因而这种情绪也就被潜藏了起来。等到周汉从边塞返回长沙定居，他惊讶地发现教会势力已经完全渗透进入了湖南，湖南的传教士和教民人数不断增加，教会依仗特殊身份和地位，抢占土地、干涉诉讼、欺压百姓的事件屡见不鲜，更有部分中国民众为蝇头小利所诱惑加入

① 刘泱泱．周汉反洋教案述论［J］．益阳师专学报（哲学社会科学版），1985（1）：10.

教会而舍弃了传统习俗和礼仪，还有一些人甚至投靠教会来胡作非为扰乱地方治安，这些都引起了周汉的恐慌。如同对付当年的太平天国一样，周汉从思想文化的角度出发，发起了一次旨在维护传统文化和儒学道统的保卫战，号召广大民众“崇正黜邪，反教卫道”。周汉曾经用一副自挽联表达了自己彻底反对洋教的决心和态度：“以遵神训、讲圣谕、辟邪教而杀身，毅然见列祖列宗列圣列仙列佛之灵，稽首自称真铁汉；若忧横祸、惑浮言、惧狂吠而改节，死犹贻不忠不孝不智不仁不勇之臭，全躯岂算大清人？”[①] 该挽联透着强烈的为了捍卫名教而不惜献出生命的殉道精神。

周汉早年在家乡就阅读过同乡崔暕的反洋教读本《辟邪纪实》，受此影响，周汉反教的形式也以编辑各种反对基督教的文本，宣传和发动民众反教为主。他基本上没有直接参与过捣毁教堂、殴打传教士这样的暴力反教活动，但是他在反教运动中很好地充当了鼓动者和宣传者的作用。周汉创作和刊刻反洋教宣传作品前后长达数十年，撰写的反教文本种类繁多，印刷数量惊人，其中仅《鬼叫该死》一种，在湖南便刊了80万册。这些反洋教宣传作品，从内容上看，主要涉及两方面，一是表明他维护儒学正统地位，反对邪说邪教的卫道情怀和决心，论述以他为代表的中国传统乡绅和民众身处乱世对安身立命的思考和忧虑。这部分内容让周汉获得了崇儒卫道的好名声，也在社会上获得了一些有名望和地位的人士的认可和支持，为他开展反教活动提供了帮助，也找到了一把保护伞，以后湖南地方政府在处理他的问题时确实感到很棘手，不敢把他当作一个简单的反洋教人士对待，主要就是基于这一点。宣传品的第二个方面就是大量罗列基督教的罪行和邪恶，号召广大的国人认清教会的真实面目，团结起来将基督教驱逐出湖南乃

① 戚其章，王如绘．晚清教案纪事［M］．上海：东方出版社，1990：189.

至中国。这些反洋教作品形式多样，有的是可以用民间小调唱诵的歌谣、有的是绘有图片的画册、有的是说理的文本，还有的甚至假托为官府的文告和绅民的公议，灵活多样的宣传手段和通俗易懂的内容，使得周汉的反洋教作品广为流传，鼓动了越来越多的人加入到反洋教的斗争中去。这些反洋教作品言辞激烈，具有很强的煽动性，里面还充斥了大量的谣言迷信和捏造事实，甚至还有许多谩骂和侮辱基督教和传教士的内容，这些非理性的宣传具有很大的破坏性鼓动，导致民众与教会之间的冲突不断发生和升级。周汉的这些反洋教作品和反教名声还传到了外国传教士和驻华公使那里，据日本人安井正太郎记述："各国教会的牧师侵入湖南的越多，湖南人排斥也越厉害，有名的排斥派首领周汉，使得各国牧师为之胆寒。"① 他们对周汉的行为充满了恐惧和愤怒，强烈要求中国政府严惩周汉，说："中国士大夫阶级中的反外人和反基督教分子，正在系统地煽动仇恨，这些分子的大本营和中心是湖南，但他们的宣传品传播到整个帝国内。"② 英汉口领事要求湖南巡府直接采取行动抓捕周汉，说："深盼贵抚部院刻即赶紧将造帖之人周汉拿押究办，免生意外之虞。"③

对缉拿和惩处周汉的事情，从湖广总督张之洞到历任湖南巡抚都觉得十分棘手，张之洞分析事情难以处理的原因时说："周汉性情迂谬，而在湘省颇有名，长沙三书院亦多推重，故代为传播之人甚多。……自以崇正黜邪为名，以杀身报国为辞，若加参办，既于政体有妨，且湘省无知之人必为激愤。闻曾经扬言：若办周某，立将长沙省中教民七十余家先行杀害。若付之不问，彼自鸣得意，益肆鼓煽，揭帖愈出愈多，后患难弥补。"最后湖南巡抚陈宝箴给周汉一个"疯癫成性，煽惑人心"的罪名，发付司狱长期监禁了

① 杨世骥.周汉与反洋教斗争（附供词）[J].湖南历史资料，1958（4）.

② 同①.

③ 汉口英领事咨文[N].湘报，第73号.

事，实际上就是长期软禁，让周汉再无机会进行反洋教活动。在反洋教运动中，像周汉这样矢志不渝、长期坚持的乡绅是不多见的，很多人迫于教会和清政府的压力，最后都会偃旗息鼓，而周汉却坚持至生命的最后一刻。作为一个固守传统的乡绅来说，周汉用他的方式体面地走完了一生，他的这种维护传统秩序和道统的方法，不乏极端和偏激，也饱受世人的非议和争论。

反洋教运动是近代中国社会的特殊产物。在这场抵制西方文明和宗教文化的运动中，乡绅充当了领导力量，普通民众成为了主要支持者，这也是传统社会阶级构成决定的。正如有的史学家评论的那样，周汉之辈是“介于官民之间的士绅，在反教斗争中一直占着某种特殊而醒目的地位。作为社会的晴雨表，他们是社会中最敏感的阶层，往往扮演先知先觉的角色。他们最先意识到基督文化与中国传统文化有着本质的差别，基督教的侵入是近代外国侵略中国的一个重要组成部分。他们是最早产生反教意识的阶层，作为民族的良心，他们具有最大民族优越感，最深的民族忧患心，对于基督文化霸权凌侵中国的传统文化有着切肤之痛，对于保护民族的传统有着强烈的愿望。作为社会文化的代表，他们既能够最深切地感觉到基督教文化对中国传统文化的冲击，也往往成为传教士攻击的对象”[①]。综观西方宗教进入中国或湖南的经历，我们可以发现，传教士们不请自来，采取蛮横的方式加以传播，无视中国人的传统文化和习俗，这既伤害了中国人的自尊，又践踏了中国人的权益。尤其是鸦片战争以后，他们依仗西方强大的军事力量，更是肆意地进入中国各个地区，充当了列强侵略中国的先锋队。由此绝大多数的国人都认为西方宗教与列强的侵略是息息相关的，因此他们也将反洋教运动视为了一种爱国的行为，于是从士大夫、官绅乃至普通百姓都积极参与这场持续了半

① 郭卫东．中土基督［M］．昆明：云南人民出版社，2001：287.

个世纪的反洋教运动。

（三）保守和排外对湖南近代社会进程的影响

镇压了太平天国起义以后，曾国藩曾经豪气地预言湖南在近代一定会崛起，震耀于寰宇。他说："方今大难削平，弓矢载櫜，湘中子弟忠义之气，雄毅不可遏抑之风，郁而发之为文，道德之宏，文章之富，将必有震耀于寰区。"① 然而湖南在随后的发展却出乎意料，在剿灭太平天国起义以后的数十余年时间里，除了湘军誉满四海外，在经济发展、政治改良等各方面湖南明显滞后于周边的省份，保守与排外却成为了晚清湖南最响亮的两张名片。历时30多年的洋务运动，似乎与湖南无缘，强烈的排外情绪让任何具有近代色彩的东西都很难在湖南扎根。"湖南省人，向未知西法为天下之良法，更未知新法为今日之要法，是以逞其私见，悉力拒之"，而且"湖南仇教更烈，自昔年兰月旺神父致命于长沙，数十年来，未改方针，一意仇教。长沙省垣，不准西士驻足，虽有和约，抗不遵照矣。魔鬼与天主教为敌，盖无计不施也"②。湖南的保守和排外情绪不是来自一两个阶层或一些团体，它充斥在社会的各个角落和各个领域，笼罩在整个湖南，因而对湖南在近代的发展造成了很大障碍。

以湖南机器局的设立为例，清同治十三年（1874）日本发兵侵犯台湾后，沿海沿江督抚大臣纷纷奏请朝廷，要求加强海防。湖南巡抚王文韶则认为湖南是内陆省份，离海较远，不需要过于张皇，因此对加强海防、河防没有兴趣。后来见各省都积极筹备海防，王文韶才上书朝廷，奏请筹办湖南机器局。他在一份奏折

① 曾国藩．湘乡县宾兴堂记［M］// 曾国藩全集：14. 长沙：岳麓书社，1994：241.

② 萧若瑟．天主教传行中国考［M］. 上海：上海书店，1989：440.

中这样写道："同治十三年海防议起，臣以辖境滨江，预闻其事，尝谓离海较远省份，不必过事张皇，虚靡经费，要在共谋久远，实事经营。近年以来，上海、天津、江宁等处，均设有机器局，制造军火，自强之计，莫亟于此。然臣以为滨海固宜筹备，而内地亦应讲求，滨海有事则利害恐适参半，内地有备则缓急尤觉可资也。"[①] 在随波逐流和有备无患的消极指导思想之下，湖南开始创办第一家近代化企业。湖南机器局在创建的过程中秉承自力更生原则，经费由湖南善后局拨发，工厂不用洋人，并精简管理人员，原料也尽量就地取材，机器局从筹备到建成投产总共用银 22540 两，还够不上江南制造局创办经费 54.3 万的零头。在经费捉襟见肘的情况下，机器局只投产一年就因财务困难而宣告停办。从机器局的筹办到停产可以看出，湖南官绅对洋务是十分缺乏兴趣的。首先，作为地方政府首脑的巡抚王文韶对办洋务认识是不足的，湖南是经济落后的省份，投资创办军事企业开支大，仅仅依靠地方政府的力量是不够的，王文韶既没有尽力向朝廷去争取财政支持，也没有发动地方绅士支持机器局的筹建，他这种消极办厂的态度势必失败。其次，湖南士绅阶层思想守旧，对创办洋务发展近代军事和经济缺乏兴趣，甚至持反对态度，故而他们坐视机器局资金短缺也不支持这个地方公共事业的发展，眼睁睁看着这个新生的近代化企业夭折。再者，机器局创办过程中强调不用洋人，节约经费和精减管理人员，往好的方面说是自力更生、勤俭节约，但是从另外一个方面看则明显是保守排外思想在作祟，西方的制造技术处于世界前列，这是回避不了的事实，创建近代化的企业，必须要主动加强与世界的联系和交流，努力学习先进的技术和管理经验才能把企业真正办好，刻意强调回避洋人，也就是主动放弃与世界先进技术打交道的机会。作为一个

① 中国史学会．中国近代史资料丛刊：洋务运动（四）[M]．上海：上海人民出版社，1961：333.

近代化的企业，对资金、技术、管理和工人的熟练程度都有很高的要求，如果把一切都局限在家门口的范围内，仅仅靠小规模的模仿生产，企业肯定是没有发展前途的。机器局停办以后直至维新变法之前，湖南再也没有出现一家近代化的企业，这对湖南商品经济的发展和民族资本主义的兴起都十分不利，也促使湖南的近代化止步不前。

非理性的反洋教运动和盲目的排外情绪，一方面让西方各国对湖南畏惧止步；另一方面也让湖南拘囿于传统而无法自拔，丧失了许多与世界接触的机会；反洋教宣传中对西方的介绍存在着很多夸大其词和扭曲的地方，导致民众对西方的认识产生错误和误区，也滞缓了民众对近代文明的了解。有资料统计，发生教案最多的地方，不是传教士和外国人聚集最多的广州、上海等沿海城市，而是湖南、四川这些内陆省份。可以看出教案的频繁发生与当地民众思想守旧，易于蛊惑煽动还是有一定关系的。民众保护自身权益与教会进行的斗争，是值得肯定的，对胡作非为的传教士的驱逐也是正义的行为，近代史上反洋教斗争在很多时候是具有爱国主义色彩的，这一点毋庸置疑。不过仅仅以湖南的反洋教斗争来看，文化守旧和排外情绪起了很大的主导作用。以周汉的反洋教来看，他的反洋教宣传品中主要斥责教会破坏了中国传统的纲常礼教和风俗习惯，谴责和揭露教会以“邪术”害人，宣传品中充斥了大量对教会、传教士和教民谩骂诬蔑的用语，例如将天主教称之为“猪叫”，教民称之为“鬼”“鬼夫人”等，并且还将许多未经证实的谣言和传闻，例如“猪叫剜眼图”“猪叫取胎图”和“鬼拜猪精图”等用图画的形式描绘下来四处传播，形象生动的图画更具鼓动性。周汉的宣传品中使用的反洋教方法沿袭了近代以来反洋教斗争的手段，显得太过陈旧和落后，宣传中也缺乏科学、理性的批判，因而明显缺乏说服力。与披着进步文明、慈善外衣还依仗列强势力的基督教比起来，这场反洋教斗争注定无法取得最终的胜利。而且湖南的反洋教斗争中还极力宣扬“华夷观”“人禽观”，强调夷夏大防思想，号召排斥西方的一切事物，充满了狭隘和偏激，体现了中华文化中的保守性和落后性，尤其是他们倡导的盲目排外思想更不可取，凡是与洋人有关的东西都要排斥，这样湖南就主动将自己隔离在了近代社会的边缘。总之，采用简单粗暴方式、不加思考地采取捣毁教堂、殴打甚至杀害传教士来抗议和抵制外来文化和宗教的做法，是不可取的。长期采用这种方式，不仅达不到自强和驱逐洋教的目的，反而会制造更多的教案纠纷，还会将简单的教案纠纷演变为更加复杂和更加严重的外交纠纷。从 1861 年至 1910 年半个世纪的时间里，湖南发生的教案多达 50 余起，涉及湖南省的各个地区，造成的损失和危害也十分严重，基本上每一次教案都以赔偿教会损失，惩治参与教案的民众而告终。郭嵩焘在很早就看到了这一点，他明确强调用理性的方法处理教会和民众的冲突，他说：“如果该教士实有毒吾民种种情弊，尔等身受其殃，或确知其事，即当呈控地方官听候查办。”[①] 但是郭嵩焘的建议也只是代表了一部分开明绅士的理想的愿望，在一步步沦陷为半殖民地半封建的中国，清政府逐渐沦为列强统治中国的工具，普通民众是不可能获得真正的法律上的平等和权益的，郭嵩焘的想法有点过于美好。因此保守和排外是湖南老百姓，同时也是内地落后地区的老百姓消极保护自己的一副封闭的铠甲，由此湖南有了“铁门”之称。近代湖南地区的落后是多种原因造成的，反洋教运动导致的近代化滞后只是其中的一个因素，而且从整个近代中国人民的反侵略的斗争史看，反洋教运动是中国人民自发地反抗外来侵略的爱国主义表现，展现了中国人民面对外敌的侵略不屈不挠的抗争精神。如果没有中国人民的英勇不屈的反抗，或许中国早就如同亚洲

① 郭廷以．郭嵩焘先生年谱（上）[M]．台北：“中央研究院”近代史研究所专刊，1971：209.

其他的国家一样沦为了殖民地或被瓜分完毕，而基督教势力也会更迅速地占领中国，那么中国为寻求解放和独立自主也将会付出更多的努力和代价。

三、湖湘文化两重性原因探究

近代湖湘文化呈现出鲜明的两重性特点。一方面，湖南人具有强烈的创新进取精神和敢为天下先的勇气，在近代发生的诸多重要运动和革命中都冲在了最前列，展现了大无畏的气魄，令国人瞩目湖南。但另一方面，固守传统、排斥近代化的力量在湖南也拥有不小的市场。与其他地域文化相比，湖湘文化对西方文明和其他外来文明的抵制和抗拒明显激烈很多。这两个特点在近代湖湘文化和近代湘籍人物身上都表现得尤为突出。创新与保守，进步与落后，在近代湖湘文化和湖南社会发展中交替呈现，互相博弈，导致近代湖湘文化在省内外表现为冰火两重天。从前面陈述的近代湖湘文化的发展历程亦可佐证这一点。

社会学家认为，任何人的政治行为和政治性格都是在一定的社会文化背景下形成的。深受湖湘文化浸染的湘籍人士活跃在近代历史舞台上每一个阶段，虽然受共同地域文化的熏陶，但是湖湘文化鲜明的二元性对不同个体的影响确是不一样的，而且不同的个体对湖湘文化的择取也各有侧重，于是也就有了他们对中国近代社会不同的作用和贡献。从各个时期湘籍人物的不同作用和表现，我们来深入地探究一下湖湘文化中二元性特点的形成，可以发现这种文化特质的形成是多种因素共同发展的结果，它与湖南的地理位置、湖南人的性格特征、湖湘文化的历史渊源以及近代湖南社会的发展进程都有着很大的关系。

（一）湖湘传统文化中的二元性

湖湘文化是扎根于湖南大地上的区域性文化体系，它生于斯，长于斯，首先受到的必然是湖南地理环境的影响，湖南封闭落后的环境造就了湖南人的双重性格，一部分湖南人受闭塞环境的影响，接触不到新鲜事物和新的知识，只能坐井观天安于现状，故而形成了固执、保守和迟钝的性格。然而也有一部分湖南人不安于这种封闭的生活，他们对外界充满了好奇，勇于尝试新的事物，渴望走出大山、大湖，见识外面的世界，这些人就有了湖湘文化中敢为天下先的创新精神和特立独行的性格。

湖湘文化在很久以前就表现出了这种二元性的特质。“湖南之为省，北阻大江，南薄五岭，西接黔蜀，群苗所萃，盖四塞之国。其地水少而山多，重山叠岭，滩河峻激，而舟车不易交通。顽石赭土，地质刚坚，而民性多流于倔强，以故风气锢塞，常不为中原人文所沾被。抑亦风气自创，能别于中原人物以独立。人杰地灵，大儒迭起，前不见古人，后不见来者，宏识孤怀，涵今茹古，罔不有独立自由之思想，有坚强不磨之志节。湛深古学而能自辟蹊径，不为古学所囿。义以淑群，行必厉己，以开一代之风气，盖地理使之然也。”[①] 钱基博这段关于湖南地理环境对湖湘文化的形成和湖湘文化特质的描述是比较符合实际的，群山阻挡，交通不便，促使湖南与外界的接触有限，形成了湖南闭塞的地理环境。在很长一段时间里湖湘文化是处在被漠视的状态，湖南政治经济等方面的发展也落后于中原等地区。封闭的环境，必然会导致信息滞后，其思想观念也自然会趋于守旧。

保守性和落后性原本是小农经济下农耕文明的一个特征，不仅湖南有，古代中国其他地区的传统地域文化中都蕴含有这个文

① 钱基博．近百年湖南学风［M］．北京：中国人民大学出版社，2010：3.

化特征，但是湖南独特的地理环境将这一特点进一步扩大到了意识形态领域，以两湖分闱为例就可以看出地理环境对湖湘文化发展的制约和影响。清雍正统治以前，湖南学子必须要到湖北去参加乡试，才有获取功名的机会。然而洞庭湖湖水浩瀚无涯，波涛不测，许多优秀的学子或因路途遥远、家境贫寒不得不放弃乡试；或因畏惧过洞庭湖有溺毙之险而裹足不前。为此湖南历次参加科举考试的人数就十分有限，人才的选拔对地域文化的发展有着很重要的榜样模范作用，对促进地区文化风气的发展也会起到很直接的作用，这是导致古代湖南保守、落后的一个重要原因。清雍正元年（1723），清政府诏谕实行分闱，第二年，湖南在长沙举行了第一次乡试，参试人数就比往年赴湖北武昌参试者增加了很多。两湖分闱对推动清代湖南地区文化教育事业的发展、人才的勃兴起到了不可估量的作用，至此越来越多的湖湘学子通过科举考试获取功名，走上仕途，也走出了湖南，陶澍、贺长龄、曾国藩就是其中的佼佼者。他们走出湖南以后，积极发挥湖湘文化中经世致用的特质，锐意改革，勇于接受新的事物和思想，扩大了湖湘经世派在全国的影响，拉开了近代湖南创造辉煌历史的帷幕。可见地理环境对湖南文化、经济乃至政治的影响是十分明显，毕竟能够走出湖南的还是一少部分人，绝大多数的湖南人终身都生活在这个三面环山一面阻水的内陆省份，对外界的发展变化无法充分了解，因而固守传统也就是常理之事了，以至于到了近代，守旧还是湖南人的标签，谭嗣同在与友人的书信中说："三十年来，湘人以守旧闭化名天下。"[①] 梁启超也称湖南守旧之坚过于他省。

而从另一方面看，湖南险恶的环境和少数民族杂居的状况，又培养了湖南人兼容并蓄的特质和奋勇拼搏的血性精神。在中国

① 谭嗣同．谭嗣同集［M］．长沙：岳麓书社，2012：290.

的各类史书及地方志中，均有湘人（或楚人）劲悍之血性的记载。《史记》说湖南人“俗剽轻，易发怒”①，《隋书》称湖南人“率多劲悍决烈，天性然也”②，概括起来说，“湘人之特质，总之不离乎劲悍决烈，忍苦习劳者近是”，尤其是“西、南之民刚而朴，其失也悍”③。湘人这种坚毅顽强、踔厉敢死的强悍之气，不仅在国难当头之时总能挺身而出，不惜流血牺牲，而且其进取和创新的意识也十分浓郁，这一点在近代史上尤为突出。蔡元培就说：“湖南人性质沉毅，守旧时固然守得很凶，趋新时也趋得很急。遇事能负责任，曾国藩说的‘扎硬寨，打死仗’，确是湖南人的美德。但也有一部分的人似带点夸大、执拗的性质，是不可不注意的。”④蔡元培关于湖南士风民性的分析，还是比较公允的。湖南人在近代社会的发展中文化的二元性确实比较明显，对近代社会所起的滞缓或促进作用都是比较突出的。在近代的历次改良和革新运动中许多湘籍人士参与其中，并且充当了重要的角色，为中国近代社会的发展做出了重要的贡献。例如曾国藩组建湘军镇压了太平天国起义，谭嗣同、唐才常为支持维新变法果敢献出生命，黄兴、宋教仁为倡导辛亥革命鞠躬尽瘁，直至毛泽东领导下的新民主主义革命取得胜利，真正实现了中华民族的独立自主，实为开天辟地的创新和超越之举。

地理环境与湖湘文化特质和湖南人性格特征的形成虽然有密切的关系，但湖湘文化二元性的形成还受到其他因素的影响。从中国历史发展的进程来看，湖南远离北方核心统治区域，早期受中原王朝的影响较弱，故而形成了自己独具特色的精神、气质和性格。主流观点认为，中华民族起源于黄河流域，隋唐以前，中

① 司马迁．史记全本：货殖列传［M］．南京：凤凰出版社，2012：551.
② 湖南省文史研究馆．湖湘文化述要［M］．长沙：湖南人民出版社，2013：436.
③ 湖南调查局．湖南民情风俗报告书：第一章［M］．印本．1912（中华民国元年）.
④ 蔡元培．何谓文化［M］// 文艺美学丛书编辑委员会．蔡元培美学文选．北京：北京大学出版社，1983：113.

国政治、经济和文化的重心都在北方，而湖南与中原发达地区相距遥远，交通不便，阻塞了先进文化和先进技术的传入，导致在很长的一段时间里湖南远远落后于中原及沿海地区。王闿运说："湖南自郡县以来，曾未尝先天下。"① 早期的湖湘文化受中原文化的影响也比较小，它主要是受楚文化和当地的少数民族文化的影响融合而成的湘楚文化。湖南人性格中霸蛮、刚烈、倔强的特质，主要来自苗蛮文化，有人形容湖南人，只要认准了一个目标，有了一种思想主张，就不愿轻易改变，倔强而执着，无论是王夫之"六经责我开生面，七尺从天乞活埋"的气概，还是曾国藩"打落牙齿和血吞"的坚韧，抑或是谭嗣同的"我自横刀向天笑"的血性，无不体现了湖湘文化里的优良品质。蔡冠洛《清代七百名人传》，对清代名人按地域进行了分类统计，在 714 位名人中，湖南占 51 位，名列全国第四，尤其是鸦片战争以后，湖南人才更是如雨后春笋般地涌现出来，对近代中国产生了举足轻重的影响。无怪乎梁启超曾深有感触地说："其可以强天下而保中国者，莫湘人若也！"② 但另一方面湖南人因循守旧、抱残守缺的特质又与自强不息的开创精神相伴相生，成为世人诟病湖南的依据，前面提到的反洋务和反洋教运动就是典型事例。因为担心外来的文化和事物会对湖南稳定的社会环境产生冲击和影响，部分湖南民众和乡绅选择了固执地囿于传统，排斥外来的新生事物，从而导致湖湘文化中守成有余而进取不足的特征也很明显。这样也就导致了湘人在认知上的两极分化现象十分严重，具有创新意识和包容开放精神的湘人大胆地走出湖南，驰骋域内，书写了湖南壮丽的篇章；而缺乏创业开拓精神的湘人则顽固地坚守在湖南一域，对新的变化和新事物保持高度的警惕。由此湖南在近代获得了双重的名声，

① 王闿运．湘军志：湖南防守篇第一［M］．长沙：岳麓书社，1983：1.
② 梁启超．饮冰室合集：第 2 册［M］．北京：中华书局，1989：66.

誉者说“无湘不成军”“若道中华国果亡，除非湖南人尽死”[①]，毁者说“它是中国保守主义集中的地区”“是大陆腹地中一座紧闭的城堡”。深入探究还可以发现，湘军对湖湘文化中近代保守意识的加强具有不可推卸的责任。

（二）湘军对湖湘文化中保守意识的强化

太平天国起义为湘军的出现提供了机遇，但湘军能够异军突起则主要还是得益于湖湘文化。如若没有一大批饱受湖湘文化濡染的士子和官绅加入湘军，湘军也不可能取得如此辉煌的成绩。因此可以说湘军的形成和发展，完全是湖湘文化的产物。“湘军是在卫道的旗帜下和太平天国相对抗的，湘军的胜利也就意味着传统伦理纲常的胜利，因此以后的时间里传统的保守意识在湖南得到了强化。”[②]当然湘军的勃兴对湖湘文化的发展还做出了其他的突出贡献，此处仅讨论强化保守意识这一种现象。湘军对强化湖南保守意识主要体现在下面几个方面。

1. 湘军将士群体扩大了湖南保守阶层——士绅群体的力量。

在与太平天国战斗的过程中，湘军的人数不断增加，至清同治三年（1864）年七月，曾国藩解散直接统领的湘军部队时，人数达12万人之多。[③]这些军人在与太平军长期的战斗中屡获战功，许多人被保举获得了功名。按照当时的惯例“计百人中保二十人”计算，湘军保至武职三品以上的就多达万人。按照当时军营的保举惯例，是从低到高，级别越低保举的人数越多，因此当时实际获得大大小小功名的湘军将士人数是非常多的，据记载“湘、淮、

① 杨度. 湖南少年歌［M］// 刘晴波. 杨度集. 长沙：湖南人民出版社，1986：95.
② 郑焱. 近代湖湘文化概论［M］. 长沙：湖南师范大学出版社，2008：51.
③ 罗尔纲. 湘军兵志［M］. 北京：中华书局，1984：161.

楚营士卒，徒步起家，多擢提、镇、参、游以下官，益累累然”[①]。这些被保举的武职人员，并不是授予实际的官职，只能称之为候补，必须等到有空缺才可以按照比例补缺，成为实授官员。但是当时武职保举的人数太多，而武职员数有限，在这种不相称的情况下，武职补缺十分困难。如果再加上左宗棠、彭玉麟、李元度、刘长佑等湘军将领保举的人员，则候补的武职人员真的是不胜枚举。当曾国藩下令遣散湘军时，大量被保举的武职官员只能回家等待补缺机会。于是大量的有官衔的在籍候补官员回到湖南，充斥了湖南的士绅群体。“由湘军将士转化而来的这一士绅阶层的保守的价值取向，并不限于他们中的个人的活动与行为，他们作为一个群体而给予湖南士人的影响更为巨大。”[②] 曾国藩将湘军与太平天国农民军之间的战争，上升成为了一场维护民族文化和儒学道统的保卫战，湘军将士也赋予了自己“卫道”的角色，镇压太平天国起义取得胜利以后，功勋卓越的湘军成为了湖南人心目中的道德典范和榜样，湘军的卫道也就得到了湖湘人士的广泛认可，于是在湖南境内回归传统的心理和呼声自然就高涨了。湘军将士转化为地方士绅以后，他们自觉地将维护清王朝的统治和维持地方的传统秩序视为自己应尽的职责和任务，不遗余力地维持现有的政治制度和伦理纲常。周汉的反洋教行动就是湘军将领转型为地方士绅以后开展的最激烈的保守性活动之一。周汉即是湖南人数众多的保守乡绅和回归故里的湘军将士的代表，他们将维护传统秩序当作是不朽的事业，固执地坚持着。

2. 湘军将领热衷于修葺和创立地方学校和各地书院，强化了传统思想教育的阵地。

太平军所到之处镇压豪强地主、捣毁庙宇学宫、焚烧文契书籍，对传统文化和传统秩序进行肆意地践踏和抨击。经过十几年

① 罗尔纲．湘军兵志［M］．北京：中华书局，1984：162.
② 王继平．湘军集团与晚清湖南［M］．北京：中国社会科学出版社，2002：137.

的战乱，湖南的传统统治秩序也受到了严重的打击。刘蓉在与友人的通信中不无忧虑地说："天下之士群趋于浮诡虚诞，矜速化而务苟得，不耻不仁，不畏不义，而先王之礼教荡然矣。厥或不然，则辈起而迂笑之，以为称古训而昧时趋，非今世之所贵也。故曰：士行之不修，由于学术之不正也。"[①] 郭嵩焘也指出："今且问人心风俗所以日坏，其本源何在？在人心不肯向学而已。试看国初诸老是何等气象，乾隆中叶何等气象，道光、咸丰以后何等气象。正气日微，人心风俗亦愈益坏，无可改移。"[②] 可见，他们都敏锐地洞察到了重新恢复战乱地区的社会秩序和伦理道德体系对维护清王朝统治和维持社会稳定的重要性。于是湘军将领纷纷捐款修复被战火焚毁的书院和学校，刊刻经典古籍，积极倡导学习传统文化和礼仪制度。岳麓、城南、狮山、洞溪等一大批旧式书院得到了修葺，各地方上的县学也得到了相应的重修或扩建，另外湘军将领还出资新建了不少教育机构，例如胡林翼捐建了益阳箴言书院，李元度、张岳龄捐建了平江天岳山馆，彭玉麟捐建了船山书院。而湘军将领在长沙创建的求忠书院更是明确地说明了湘军将士捍卫传统道统的意图，就是栽培在战争中殉难的湘军将士的后裔，故取名"求忠"。学校、书院是文化传播的重要场所，修葺和扩建后的这些教育机构都以教授传统典籍、训练时文考取科举和弘扬程朱理学为己任，这明显强化了传统文化和思想意识。另外因为湘军的战绩卓越和湖南士绅积极捐献饷银，清政府还给予湖南文武学额的奖励，使湖南参加科举考试的人数和中式的人数都迅速上升，湖南学子步入仕途的道路无疑会比以往更加宽阔些，也促使更多的湖湘学子投身到维护传统秩序的行列中。

① 刘蓉．刘蓉集：赠贺角生征士序［M］．长沙：岳麓书社，2008：25.
② 郭嵩焘．郭嵩焘全集：十一［M］．长沙：岳麓书社，2012：409-410.

3. 湘军集团致力于重修地方志，设立忠烈祠，强调传统道德观念和伦理秩序。

在与太平军交战期间，湘军就在各地设立了忠义局、褒忠局，对在战争中殉难的湘军将士进行褒扬，对于英勇牺牲的将领还专门上奏朝廷，要求建立专祠，如英年早逝的胡林翼、江忠源、罗泽南、李续宜、王鑫、刘腾鸿等都建有专祠，弘扬他们的事迹和节操。曾国藩还带头为这些战争中遇难的将士撰写墓志铭，以激励人心，维持风化。湖南各州县都相继为死难的湘军将士建立了宗祠和专祠，这些宗祠和专祠饬地方官春秋致祭，以宣传朝廷褒忠励节之道，起到了强化传统道德和伦理秩序的作用。郭嵩焘主持编纂的《湖南褒忠录初稿》专门记录在镇压太平天国起义中殉难的湘军将士和地方乡绅，褒扬他们"舍生取义"的行动和事迹。湘军将领和士绅还热衷于重修地方志，"据统计，同治一朝的十五年中，湘省共有武陵、宁乡、长沙、衡阳、湘阴、巴陵、浏阳、醴陵、桂阳、新化、保靖、桃源等五十多个州府县厅编纂了新的地方志。这既是为了标榜中兴，粉饰太平，更是为了借地方志来褒扬忠孝节义等传统的封建道德观念"[①]。清同治五年（1866）新修的《桂东县志》称："不独以记时事供采择，而亦使后之贤者足以感发而兴起，夫诵诗读书以论世，儒者曰与忠孝节义之人对习，闻忠孝节义之言自奋斗而有为。"清同治十三年（1874）新修的《湘乡县志》也声称："是志之修，义例精严，文辞尔雅，固为有目所共睹，而其大者，尤在于阐扬忠烈，发挥节义，足以励风俗而正人心，且俾官斯土者亦得征文考献，有所遵循焉。"[②] 可见湘军将领热衷于重修地方志，重点就是为了宣扬封建的忠孝节义思想和纲常伦理道德，当然其最终的目的还是教化百姓，重新恢复原有的社会秩序。

---

① 郑焱．近代湖湘文化概论［M］．长沙：湖南师范大学出版社，2008：52.
② 齐德五．湘乡县志：卷首序［M］．同治十三年刊本．长沙：岳麓书社，2011：2-3.

4. 湘军将领还热心于设立书局、刊刻古籍，劝世向善。

设立书局、刊刻古籍本来是一种文化作为，但在湘军倡导的这个文化事业中则蕴含了深刻的政治背景。因为在与太平天国起义军交战的过程中，饱受湖湘文化和儒学浸染的湘军将领们认为，导致老百姓揭竿而起的思想根源就是世风日下，传统的纲常礼教背弃了人们的日常生活，从而促使异端邪说肆意流行，导致人们的思想混乱，人心不古。于是许多的普通百姓受到蛊惑和煽动加入了起义军，对国家政权和社会造成了极大的危害。从匡救时弊和挽救世风人心出发，湘军在与太平天国战斗的间隙就开始设立书局，刊刻传统典籍和乡贤大儒的作品，希望能够扭转风俗，矫正民心。从曾国藩、曾国荃两兄弟积极刊刻王夫之的著述，就可以看出湘军强烈的卫道意识。刊刻《船山遗书》开始于清同治三年（1864），正值湘军与太平军进行激烈的战斗之时，曾国藩在戎马倥偬的军旅生涯中，还抽出有限的时间校正《船山遗书》，这也充分证明了王夫之的学术思想必然对指挥镇压农民起义的曾氏有所启示和借鉴。曾国藩在《王船山遗书序》中高度赞扬了王夫之对孔孟道统的继承和发扬，说："昔仲尼好语求仁，而雅言执礼，孟氏亦仁礼并称。盖圣王所以平物我之情，而息天下之争，内之莫大于仁，外之莫急于礼。……又千余年，宋儒远承坠绪，横渠张氏乃作《正蒙》，以讨论为仁之方。船山先生注《正蒙》数万言，注《礼记》数十万言，幽以究民物之同原，显以纲维万事，弭世乱于未形。其于古昔明体达用，盈科后进之旨，往往近之……以求所谓育物之仁，经邦之礼，穷探极论，千变而不离其宗，旷百世不见知而无所于悔。"[①] 可见曾国藩看中的就是王夫之的学术思想不仅"与后贤若合符契"，而且还可以起到维护纲常礼教和法度的作用，可以作为恢复和弘扬传统伦理道德体系的工具。其他的

① 曾国藩．王船山遗书序［M］// 曾国藩全集：14. 长沙：岳麓书社，1994：278.

湘军将领也纷纷致力于设立书局，例如：在骆秉章、毛鸿宾、郭嵩焘和罗汝怀的共同努力之下，在长沙设立了湖南褒忠局后又设立传忠书局。湖南清末曾盛极一时的三家书局，湖南书局、传忠书局和思贤书局的创立极发展都与湘军集团有着密切关系。另外左宗棠在任职福建时设立正谊堂书局，刊刻大儒的典籍，在督办新疆军务期间，又将清道光朝钦颁《敬阐〈圣谕广训·黜异端以崇正学〉韵文》，刊刻后颁行新疆各地，作为教化民众的普及读本，以此来倡行“正学”。刘锦棠也组织印发了《人臣儆心录》《圣谕广训真解》等宣传品鼓吹回归传统伦理体系。

由此可见，湘军集团的大部分将士转化成了中国社会中一个举足轻重的群体——士绅阶层，他们在乡村和县邑中扮演了重要的角色，参与处理各种诉讼、纠纷，调解各群体之间的利益和关系，处理家族事务，承担民风民俗的引导和社会教化，甚至还要担负起地方安全保障的重任。他们是一群拥有功名和财富的士绅，湖南的一个特殊群体，与清政府官场有着千丝万缕的联系，因此地方政府官员也对他们忌惮三分。但这又是一个缺乏生命力的群体，强烈的小农意识促使他们在地方上广置田宅，满足于中小地主的生活，毫无创新精神和进取意识。他们以卫道的名义起家，于是也就固执地抓住传统秩序不放。守旧的心态和落伍的观念使得他们与近代中国的发展轨迹渐行渐远，直至最终背离。近代湖南的发展落后于其他各省，是由多种因素造成的，湘军对湖南保守意识的强化，对近代湖南的发展所起的消极作用，这一点也是毋庸置疑的。

第四章

光宣革新、革命与近代湖湘文化新走向

甲午战争失败后，康有为、梁启超等维新志士发起了一场旨在挽救民族危亡的维新变法运动，八国联军侵华战争后，清朝当局主动开展了一场全面的新政运动，但改良终未能跑赢革命，一场资产阶级民主革命终结了清朝的统治。清光绪、宣统年间，在中国发生的这一系列令人眼花缭乱的重大事件，深刻地影响了湖南，湖南人深度参与其中，发挥了重大作用，湖湘文化在思想文化领域与时俱新，发生了急剧而深刻的变动，极大地影响了中国近代历史进程。

一、维新运动与近代湖湘文化的再次转型

鸦片战争后，魏源、曾国藩、左宗棠等人将经世致用的湖湘学风化为“中体西用”的洋务运动指导思想，在维护圣道的同时，大力学习西方坚船利炮之“长技”，从而为近代科技争得了一点地盘，这是近代湖湘文化的第一次转型。甲午战争失败后，近代湖湘文化被迫再次进行转型。

（一）近代湖湘文化再次转型的背景

1. 甲午湘军败绩及湖湘士人的深刻反省。

清光绪二十年六月二十三日（1894年7月25日），日本海军对丰岛海面的清朝舰船发动突然袭击，中日战争因日本的不宣而战爆发。与此同时，陆上日军也在汉城发动了对清朝军队的进攻。李鸿章的北洋海军和淮军在与日军的作战中，连遭败绩，甚至有将领不战而溃走，战火很快烧到中国境内，“寇遂窥奉天，朝野大震”[①]。

当此存亡之秋，朝野均瞩望于曾因收拾洪、杨之役而威名赫

① 章廷黼．李爵节帅公年谱［M］// 熊治祁．湖南人物年谱：第5册．长沙：湖南人民出版社，2013：19.

赫的湘军来挽救危局，湖南官绅亦自觉舍我其谁，责无旁贷。七月，还在朝鲜局势紧张之时，湖南巡抚吴大澂曾电奏朝廷，“请统率湘军赴韩督战”①。时在浙江任道员的李光久（李续宾之子）亦致书总督刘坤一，“淮军尽败，上意必属湘军”②，建议速选勇将，早做准备。九月初，闻淮军在朝鲜作战一败再败，皮锡瑞写下“灞上真儿戏，神州岂乏材。吾湘士犹奋，应更广招徕”③的诗句，极其希望朝廷征召湘军出战，以挽回败局。

对于湖南官绅的主动请缨，朝廷在给予褒奖的同时，谕令湖南募勇添兵。湘军在朝野的深切期望之中，陆续开赴辽东抗日前线。清光绪二十一年（1895）正月，北上湘军一部驻守山海关，其余则在田庄台、牛庄等地扼要布防。在二月初的牛庄战役中，面对强虏，湘军毫无惧色，不惜肝脑涂地，但还是输掉了这场辽东最关键的战役，六天之内，营口、田庄台随即失守，湘军辽东战役彻底失败。北洋海军全军覆没后，清政府被迫求和，甲午战争以比过往更多的割地与赔款而告终。

“自咸丰以来，削平寇乱，名臣儒将，多出于湘，其民气之勇，士节之盛，实甲于天下”④，“语战绩则曰湘军，语忠义则曰湘士”⑤，自湘军和湘军集团崛起以来，湖南人产生了一种强烈的救世情怀与担当精神，进而形成一股不可向迩的虚骄之气，似乎只要湖南人一出手，中国最难的事情也不在话下。甲午中日战争中，湖南官绅主动请缨出征，未尝不是受这种自负心态的驱使。湘军出征后，

① 王先谦，朱寿朋．东华录 东华续录：第16册[M]．影印本．上海：上海古籍出版社，2008：543.

② 章廷黼．李爵节帅公年谱[M]//熊治祁．湖南人物年谱：第5册．长沙：湖南人民出版社，2013：19.

③ 皮名振．皮鹿门年谱[M]//熊治祁．湖南人物年谱：第5册．长沙：湖南人民出版社，2013：177.

④ 陈宝箴．设立时务武备学堂请拨常年经费折[M]//汪叔子，张求会．陈宝箴集：上．北京：中华书局，2005：593.

⑤ 唐才常．唐才常集：辨惑：下[M]王佩良，校点．长沙：岳麓书社，2011：245.

皮锡瑞写有“直抵扶桑地，先收平壤城”“目已无三岛，心知有一韩”[①]之类的诗句，即是湘人虚骄之气的一种注脚。

湖南官绅原本以为湘军可以如当年平定太平军那样打败日本侵略军，从而力挽危局，再创奇迹，结果却是溃不成军。战争的失败，带给湖南人的不仅仅是耻辱，还有外省人鄙夷的目光。有广东人和湖南人吵架说：“你们是湖南的么，你们湖南人红顶子多，山海关外一仗，还杀你们湖南人不绝！”[②]

面对耻辱与鄙夷，湖南人首先是莫名的震惊与悲愤，能平大难的湘军竟然出现了难以置信的惨败，“自马关定约，胶州结案，举中国之人有死人之心，无生人之气”[③]，“世间无物抵春愁，合向苍溟一哭休。四万万人齐下泪，天涯何处是神州”[④]，“民气之勇，士气之盛”“义愤激烈之气，鄙夷不屑之心”，“实甲于天下”啊。其次是痛心疾首的自责，认为“甲午的败仗，实是我们湖南人害国家的；赔日本二万万银子，也是我们湖南人害国家的”[⑤]，将一切的一切都扛下来，心中充斥着一种对战争失败的深重负疚感。这种深沉的负疚忏悔意识，应该说是当时的湖南人所独有的。震惊、自责之后，湖南人进行了深刻的反省。谭嗣同“初闻湘军之见敌即溃也，心虽哀之，未尝不窃喜吾湘人之虚骄之气，从此可少止矣”[⑥]，认为湘军辽东的失败，未尝不是好事。还是皮锡瑞，在甲午战争失败后，一反之前的自负态度，冷静地指出：“湖南人最尚气，勇于有为，是其好处；而气太盛，多不能虚衷受益。”“挟己之长，傲人之短，

① 皮锡瑞．师伏堂诗草：卷五［M］// 吴仰湘．通经致用一代师——皮锡瑞生平和思想研究．长沙：岳麓书社，2002：102.

② 杨子玉．工程致富演义［M］// 湘报：第 94 号．影印．北京：中华书局，2006：854.

③ 樊锥．开诚篇［M］// 刘泱泱．樊锥集 毕永年集 秦力山集．长沙：湖南人民出版社，2011：13.

④ 谭嗣同．谭嗣同集：题江建霞东邻巧笑图诗［M］．长沙：岳麓书社，2012：296.

⑤ 同②．

⑥ 谭嗣同．谭嗣同集：兴算学议［M］．长沙：岳麓书社，2012：175.

且护己之短，忌人之长。”[1] 一个“气太盛”，一个不肯学习他人长处，两者皆属虚骄之气，对当时湖南人性格弱点的认识，可谓一针见血。

事情如果只是到此为止，并没有多大意义与价值，因为这有可能在不知所措的失望中，就此沉沦下去而一蹶不振；必须有进一步的反思，开出对症之方。湖湘志士“始转侧豁寤，其虚骄不可向迩之气亦顿馁矣”[2]。自古具有强悍、任性、刚直性格的湖南人，被打掉虚骄之气并经历震惊、自责和反省后，迸发出一种新的更强烈的进取心，“经此创巨痛深，乃始屏弃一切，专精致思，不敢循一孔之见而封于旧说，不敢不舍己从人取于人以为善”，更是宣称“吾湘变则中国变，吾湘存则中国存”，[3] 进一步坚定了救中国当从湖南始的责任担当意识，大有阵地由我失去我必夺回的豪迈气概。正如唐才常所言，湖南人“自吴中丞狼狈牛庄而后，介胄之夫，稍稍知旧法之不能用，而向之读书谈忠愤，攘臂诟詈，弋乡愿名者，则亦开通其耳目，充浚其智识，皤然求之中西图籍，一洗其从前迂骄之气，雍雍彬彬，怀瑾握瑜，庠序之士，靡然向风矣”[4]。湖南人中的先知先觉者已经感觉到了“旧法之不能用”，需要改变旧法，采用新法，并从“中西图籍”中探索新的挽救之法，将视野放得更为宽广。是沉沦还是变革，湖南人毅然选择了后者。湖南人这种不惧挫折、反躬自省、服气不服输、霸气外露、勇于有为的精神气度正是湖湘文化特征的重要表现。

2. 救亡图存政治议题下全国维新思潮的激荡。

与以往列强历次侵华战争相比，甲午战争失败后，中国不仅仅是割地赔款，更为严重的问题是西方列强在中国掀起了划分势

① 皮锡瑞．南学会第二次讲义［M］// 湘报：第 6 号．影印．北京：中华书局，2006：22.

② 谭嗣同．谭嗣同集：浏阳兴算记［M］// 谭嗣同集．长沙：岳麓书社，2012：188.

③ 梁启超．湖南时务学堂缘起［N］// 知新报.1897-09-26（光绪二十三年九月初一）

④ 唐才常．唐才常集：辨惑：下［M］王佩良，校点．长沙：岳麓书社，2011：245.

力范围、强占租借地的狂潮，一种被豆剖瓜分的惊慌恐惧气氛笼罩在中国的上空。空前严重的民族危机，使救亡图存成为19世纪末中国的最大政治议题。

自鸦片战争失败以来，中国就一直面临着民族危机，朝野为此曾进行过长达30年之久的洋务自强运动，并取得了一些成效。然而，洋务运动不但没有使中国实现真正的强大与富裕，反而被自己曾经的学生东邻小国日本打得一败涂地，且出现了更加严重的瓜分之祸。因此，必须改弦更辙，探索新的救亡图存之道，新的知识精英提出了变法维新的主张，代表性人物是康有为、梁启超、严复等。

康有为著《新学伪经考》，力斥东汉以来的经学之非，指尊崇了两千多年的圣贤经传皆为伪造，以此从思想上动摇封建统治的正宗地位；又著《孔子改制考》，将孔子打扮成一位“托古改制”的改革家，认为民权、平等、议院、选举等皆其所创，以此为变法改制张本。通过以上两书奠定变法维新的理论基础后，康有为又通过一系列上书，提出了变法图强、救亡图存的具体建议和措施。

梁启超宣传其师说不遗余力，在《变法通议》中较为全面系统地阐述了维新变法的主张，强调：“法者，天下之公器也；变者，天下之公理也……变亦变，不变亦变。”“变法之本，在育人才；人才之兴，在开学校；学校之立，在废科举；而一切要其大成，在变官制。”①

严复则译介当时西方最新的进化论即达尔文进化论，明确指出万物进化无不遵循物竞天择的法则，国家社会不进行变革就会被淘汰。维新派又通过与洋务派的论战，高唱西方天赋人权之说，在对洋务派全面的批判中，系统阐明自己的变法维新主张，其核心是兴民权、行君主立宪、设立议院。

① 梁启超．变法通议［M］// 翦伯赞，郑天挺．中国通史参考资料：近代部分：下册．修订本．北京：中华书局，1980：105、108.

湖南的精英人物也深入地参与了维新变法理论的构建，为维新变法思潮的发展贡献了自己的智慧，并体现出鲜明的湖湘地域文化特色。

（二）湖湘维新思想的主要内容和特色

湖湘维新思想家是一个人数众多的群体，包括谭嗣同、唐才常、樊锥、熊希龄、皮锡瑞、张百熙、欧阳中鹄、易鼐等湘籍维新志士，甚至被称为保守派的王先谦、叶德辉等亦有开通务实的一面。此处仅选取谭嗣同、唐才常、樊锥的维新思想进行简要分析说明。

湘籍维新思想家中最具代表性的人物是谭嗣同。谭嗣同最初在《治言》中称“今之夷狄，犹夕之夷狄之情也……而道之不可变者，虽百世而如操左券”[①]，完全是卫道者固守夷夏之辨的思想主张，反对变法和学习西方。在阅览了一些西方书籍后，谭嗣同不再排斥西方自然科学，在《石菊影庐笔识·思篇》中将其比附为中国古代的格致之学。后来在漫游中目睹严峻现实的谭嗣同，又萌生了改革的愿望。甲午战争的炮火，使谭嗣同的思想发生了巨大变化，自称“经此创巨痛深，乃始屏弃一切，专精致思……因有见于大化之所趋，风气之所溺，非守文因旧所能挽回者。不恤首发大难，画此尽变西法之策”[②]。谭嗣同在致友人信中指出：“足下所谓洋务，第就所见之轮船耳，电线耳，火车耳，枪炮、水雷及织布、炼铁诸机器已耳，于其法度政令之美备，曾未梦见，固宜足下之云尔。凡此皆洋务之枝叶，非其根本。执枝叶而责根本之成效，何为不绝无哉？况枝叶尚无有能讲者。”[③]谭嗣同在信中将西方长技（器物）与西方“法度政令”区隔开来，认为以前所谓洋务不过是枝叶，

① 谭嗣同．谭嗣同集：治言［M］．长沙：岳麓书社，2012：250-251.
② 谭嗣同．谭嗣同集：上欧阳中鹄书［M］．长沙：岳麓书社，2012：187.
③ 谭嗣同．谭嗣同集：报贝元征［M］．长沙：岳麓书社，2012：215.

学习西方的法度政令才是根本。由此可明谭嗣同所谓“画此尽变西法之策”，不仅要学西方国家之长技，更要学习西方国家的先进制度，通过改革变法来挽救民族危亡。在南京候补期间，谭嗣同集中精力从事变法理论的研究，撰著《仁学》一书，系统地阐述了他独具特色的维新思想。反对君主专制和无情鞭挞“君君、臣臣、父父、子子”封建伦常礼教的民主思想，反对清朝腐朽残暴统治的革命思想，成为谭嗣同政治思想的最大特色；他提出了一整套改造中国社会的方案，不仅应学习西方的物质文明、制度文明，还要求学习西方的伦理道德文明；他在书中大声疾呼，要冲决利禄、俗学、全球群学、君主、伦常、天、全球群教、佛法等一切罗网[①]，物质的、学术的、政治的、伦常的、宗教的网罗，皆在冲决之列，表现出一种扫荡一切的大无畏的革故鼎新精神，这是戊戌变法时期最为激进的维新思想。谭嗣同回湘参与维新新政后，还曾上书陈宝箴，在指出铁路、航运、工矿、练兵等皆不足以救亡后，指出：“善亡之策有二：曰国会，曰公司。国会者，群其才力，以抗压制也。湘省请立南学会，既蒙公优许矣，国会即于是植基，而议院亦且隐寓焉……无论如何天翻地覆，惟力保国会，则民权终无能尽失……公司者，群其资产，以防吞夺也。”[②]总之，“谭嗣同把改革扩展到道德上、思想上、文化上，并且提出了一个相当完整的哲学体系作为总的说明，这就把改革的范围扩大了，深度加深了”[③]。

唐才常是湘籍维新思想家中又一代表性人物，其变法改良思想萌生于甲午之败，初具中体西用色彩；从两湖书院回到湖南后，鼓吹维新变法，日趋激进；戊戌政变后，因愤极而“萌举兵除奸

① 谭嗣同．谭嗣同集：仁学：自叙［M］．长沙：岳麓书社，2012：312.
② 谭嗣同．谭嗣同集：上陈右铭抚部书［M］．长沙：岳麓书社，2012：299.
③ 冯友兰．中国哲学史新编：第6册［M］．北京：人民出版社，1989：126.

之想”[1]。唐才常的维新变法思想也较为系统,但“与谭嗣同侧重于对哲理的思考相比,唐才常更侧重于对社会政治现实的思考”[2]。政治上,唐才常反对封建专制,坚信“君民交泰”的议会民主制度代替“君民截然”的专制独裁是历史的必然,推崇西方国家的国会、议院等体现民主的政治机构,但更赞赏华盛顿“首倡民主联邦治体”[3]的民主共和制,认为君主立宪制并非人类社会必经阶段,比其他维新派的政治主张走得更远;他呼吁“尽变祖宗之成法,与天下更始,则吾虽犯天下之大不韪,负天下之恶名,粉骨齑身,所忻慕焉”[4],描绘了“张师统,以孔子纪年;易官制,以泰西为准;开国会,以日本作则;改律例,以公法相通”[5]的变法蓝图;唐认为“变之自上者顺而易,变之自下者逆而难”[6],通过君主来进行自上而下的变法才是正确的途径。经济上,唐才常主张精研“一切轮船、枪炮、开矿、挖河、抽水、磨麦、纺纱、织布”等工业技术,“复于省府州县,递验其成”,如此“则风气日开,人材日出,富强之效,如操左券矣”,[7]并提出了设“赛工艺会”“自造各种机器”、开设银行以吸收商人资本、废除厘金制度、改革币制等具体措施。文化方面,斥八股文为“塞智摧权腐心亡种亡教”之“鸩毒”[8],呼吁废除时文帖括,“广立天文、算学、武备、舆地、

① 冯自由.正气会及自立会[M]// 革命逸史:下.北京:新星出版社,2009:1024.
② 方克立,陈代湘.湘学史:二[M].长沙:湖南人民出版社,2008:828.
③ 唐才常.唐才常集:各国政教公理总论[M].王佩良,校点.长沙:岳麓书社,2011:44.
④ 唐才常.唐才常集:辨惑:上[M].王佩良,校点.长沙:岳麓书社,2011:239.
⑤ 唐才常.唐才常集:恭折密筹大计吁恳代奏折[M]王佩良,校点.长沙:岳麓书社,2011:349.
⑥ 唐才常.唐才常集:上欧阳中鹄书:十[M].王佩良,校点.长沙:岳麓书社,2011:412.
⑦ 唐才常.唐才常集:拟设赛工艺会条例[M].王佩良,校点.长沙:岳麓书社,2011:330.
⑧ 唐才常.唐才常集:时文流毒中国论[M].王佩良,校点.长沙:岳麓书社,2011:230.

格致诸科”[1]，以开民智而育人才。军事方面，唐才常提出严格挑选三军将领，采用西法练兵以及加强陆军、海军建设的具体建议。外交方面，唐才常主张平等地与各国交往，并提出了具体的联日抗俄的外交策略。

戊戌时期，樊锥是湖南倡导维新变法的又一激进人物。在《开诚篇》中，基于对世界全球化走向的认知和“今天下之病，匪直骨髓骎入膏肓已”的判断，樊锥认为必须有“出万死以图一生”的决心与“用一峻猛之大药”的魄力，“迎其机而自变”，“一革从前，搜索无剩，唯泰西者是效”，“兢兢业业于当务之振兴，政学之更革”。在政治上，樊锥主张抛弃“旧学旧政”“行平等、平权之义”“人人平等、权权平等”，废除君主专制制度，“起民权，撰议院，开国会”，实行民主宪政制度，“君民共主”，“一切用人行政，付之国会、议院，而无所顾惜”；实现这一目标，必须依靠如曾国藩等一类天下豪俊，“毅然破私天下之猥见，起四海之豪俊”；提出了包括“四海一心”“内外一途”“洗旧习，从公道”“求智识于寰宇”等方面在内的具体措施；其目的是“存中国，保教种，勿使数千年神圣之区一旦殄灭澌尽，蹈波兰、印度、阿非之覆辙而已”。[2]樊锥认为要“转灭为兴，易亡为存”，经济上必须发展工业，“夫工者，劝商之本也，无工是无商也”，必须“大兴艺学，众建学堂，宏创工厂，富购机器，广选西法，多聘西师”，如此才能使“天下事不足成，西人不足畏已”，“货可不洋矣”。[3]樊锥还主张改革科举，废除八股时文，奖励各地开办师范、农业、工业、商业等学堂，提倡移风易俗，尽革陋规恶习。

① 唐才常．唐才常集：孟子言三宝为当今治国要务说［M］王佩良，校点．长沙：岳麓书社，2011：343.

② 樊锥．开诚篇［M］// 刘泱泱．樊锥集 毕永年集 秦力山集．长沙：湖南人民出版社，2011：5-17.

③ 樊锥．劝湘工［M］// 刘泱泱．樊锥集 毕永年集 秦力山集．长沙：湖南人民出版社，2011：22-25.

维新时期，湖南还汇集了众多具有维新思想的外省籍官绅，如陈宝箴、黄遵宪、江标、徐仁铸、梁启超、陈三立等，不仅深刻影响了湖南维新运动，其维新思想也成了湖湘维新思想的重要组成部分。这其中最为突出的是梁启超、黄遵宪。

梁启超充分利用被聘任为湖南时务学堂中文总教习的机会，大“张其师说”[①],竭力贯彻“以政学为主义”的西政教育方针,将《孟子》《春秋》列为学生必须重点研讨的课程,又精心撰写了《读孟子界说》《读春秋界说》,阐发民权政治思想,宣传“素王改制说”,强调“泰西政治与中国经史是相暗合的，孔子之精髓正是西学所体现的,因而国人应予接受”[②]。在课堂问答和批改学生札记时,梁启超更是议论新奇，言辞激烈，认为儒家“无不言民权者”，“议院虽创于泰西，实吾五经、诸子、传记随举一义，多有其意者”，托改制、倡平等、伸民权；放言“去跪拜之礼”、改朔易服，暗含改朝换代之义；又称“屠城屠邑，皆后世民贼之所为，读《扬州十日记》，尤令人发指眦裂”，[③]毫无顾忌地将清朝帝国的政治传统说成是道德沦丧和政治上巧取豪夺的可耻记录。梁启超后来亦自称：“所言皆当时一派之民权论，又多言清代故实，胪举失政，盛昌革命。其论学术，则自荀卿以下汉、唐、明、清学者，掊击无完肤。”[④]“当时吾之所以与诸生语者，非徒醉心民权，抑且于种族之感，言之未尝有讳也。”[⑤]在《上陈宝箴书》中，梁启超深感瓜分之祸已迫在眉睫，认为“为今日计，必有腹地一二省可以自立，

① 苏舆．苏舆集：翼教丛编：序［M］胡如虹，编．长沙：湖南人民出版社，2008：36.
② 刘泱泱．湖南通史：近代卷［M］．长沙：湖南人民出版社，2008：469.
③ 宾凤阳，等．上王益吾院长书［M］// 苏舆集．长沙：湖南人民出版社，2008：165-166.
④ 梁启超．清代学术概论［M］．上海：商务印书馆，1930：87.
⑤ 梁启超．湖南教育界之回顾与前瞻［N］// 长沙：大公报，1922-09-03.

然后中国有一线之生路”[①]，建议湖南巡抚陈宝箴审时度势，拥湘自立，努力营一隅为天下倡，以便在国家被瓜分后失去朝廷庇护的情况下，通过地方自治来达到地方自保的目的。

黄遵宪和梁启超一样也是广东人，曾作为外交官久历外洋，著《日本国志》，清廷因“爱其才，乃放湖南长宝道”[②]，并兼署湖南按察使。黄反对封建专制，“所谓生于深宫之中，长于妇人之手，骄淫昏昧，至于不辨菽麦，亦靦然肆于民上，而举国受治焉，此宜其倾覆也”；痛斥封建官吏对权力的独揽独尊，“民反以官为扰，而乐于无官，此其何故也，官之权独揽，官之势独尊也”；主张将民权与地方自治结合起来，“所求于诸君者，自治其身，自治其乡而已”[③]；认为日本与西方的议院制度对国家的进步最具实质意义，“见欧人，其政治学术，竟与日本无大异。今日本已开议院，进步之速，为万国所未有”[④]。在对待变法的态度上，相较谭嗣同、梁启超等而言，黄遵宪比较稳健，不主张激进，“谓日本有渐进、顿进二党，今即顿进，亦难求速效，不若用渐进法，报文勿太激烈”[⑤]，对某些维新人士在《湘报》上的激进言论不以为然。

综上所述，戊戌维新运动时期，在强烈危机压迫下的湖湘维新志士均认为要免于亡国灭种，“惟变法可以救之”[⑥]，变法则国存，不变法则国亡，并提出了进行变革的种种构想。在向西方学习的问题上，他们突破了自魏源以来的中体西用的思维藩篱，由学习

① 梁启超．上陈宝箴书［M］// 郑大华．湖南时务学堂研究．北京：民主与建设出版社，2015：354.

② 黄遵宪．人境庐诗草笺注：康序［M］．钱仲联笺注．上海：上海古籍出版社，1981：2.

③ 黄遵宪．黄公度廉访南学会第一、二次讲议［M］// 湘报：第 5 号．影印．北京：中华书局，2006：34.

④ 黄遵宪．日本杂事诗自序［M］// 罗森，何如璋，王韬，等．日本日记 甲午以前日本游记五种 扶桑游记 日本杂事诗“广注”．长沙：岳麓书社，1985：571–572.

⑤ 皮锡瑞．师伏堂未刊日记［J］// 湖南历史资料．1959（1）：88.

⑥ 谭嗣同．谭嗣同集：仁学：三十四［M］．长沙：岳麓书社，2012：364.

“声、光、化、电、格算之述作，农、工、矿、商、史律之纪载”[①]的器物层面，发展到学习宪法官制、法度政令、议院国会的制度层面，显示出思想领域的近代湖湘文化出现了与前此大不相同的变化，已经走向了更高的制度变革层次，其目的是要通过一场更高层次的改革运动来解决迫在眉睫的亡国灭种问题。

（三）近代湖湘文化再次转型的原因

维新运动时期，近代湖湘文化在思想领域的上述转变是此前发生在近代中国重大历史事件影响的结果。

如前所述，甲午战争失败之耻与西方列强瓜分之祸，深刻影响了当时的湖南官绅，尤其是再次被寄予厚望的湘军在辽东的惨败，深深地刺激了虚骄矜持的湖南志士，不得不正视现实，寻求拯救湖南和中国的途径，谭嗣同、唐才常等变法思想的产生即在甲午战争后，他们认为“不变今之法，虽周孔复起，必不能以今之法治今之天下”[②]。19 世纪 90 年代由激进洋务思想演进而来的变法维新思潮，激荡全国，产生了广泛而深刻的影响，推动了湖南维新思想的生发和喷涌，如维新运动前活动轨迹没有超出过湖南的樊锥，其激进改革思想的产生来自广泛的阅读与思考，这其中就包括当时激荡全国的维新思潮；又如谭嗣同对于康有为的改制学说，大为叹服，并自称为其私淑弟子。除以上两点之外，还有如下几点值得重视。

第一，反思以“自强”“求富”为目标的洋务运动，却发现“中国数十年来何尝有洋务哉？抑岂有一士大夫能讲者？能讲洋务，

① 梁启超．湖南时务学堂学约十章［M］// 周正云．晚清湖南新政奏折章程选编．长沙：岳麓书社，2010：279.

② 谭嗣同．谭嗣同集：上欧阳中鹄书［M］．长沙：岳麓书社，2012：180.

即又无今日之事”[①]，没有真正意义上的洋务，也没有人真正懂洋务，更没有实现国家富强的目标，亡国在即，铁路、航运、工矿、练兵等洋务之于保国，“其事固急，而其效亦至缓”[②]，西方“法度政令之美备”才是洋务的根本所在。

第二，西学东渐的影响。如谭嗣同在甲午战争前就曾接触过西学，清光绪二十二年（1896）“到天津，见机厂、轮船、船坞、铁路、火车、铁桥、电线、炮台等。他如唐山之煤矿、漠河之金矿，无一不规模宏远，至精至当”[③]，又言“凡为仁学者……于西书当通《新约》及算学、格致、社会学之书”[④]。

第三，外省先进文化的影响。环顾当时湖南邻近省份，南面的广东得风气之先，湘籍维新志士对康有为、梁启超的维新思想深相接纳；北面的湖北，张之洞大力推进近代化的努力卓有成效，唐才常就读两湖书院，在那里逐渐形成维新思想；东面的江苏，早有“系心时变，日讨求中外强弱形势，慨然有矫世变俗之志”的江标来湖南出任学政，大刀阔斧地进行教育改革，湖南因此得“开化进步之速”[⑤]；谭嗣同更是遍历北京、天津、上海、南京等地，“遍见世间硕德多闻之士”[⑥]，广泛访求中外学术。湖南士子因出游而开阔视野，接受先进的新思想；外省先进知识精英来湘，则推动湖南风气的转变。兼容众家之所长，是促使湖湘维新思想形成的又一重要因素。

第四，近代湖湘文化转向维新，湖湘地域文化传统同样起到了重要的作用。古代湖湘文化基因中有尊奉程朱理学、注重经世致用、包容众家之长、砥砺道德节操的传统，这一传统的发扬光

① 谭嗣同．谭嗣同集：报贝元征［M］谭嗣同集．长沙：岳麓书社，2012：215.
② 谭嗣同．谭嗣同集：上陈右铭抚部书［M］．长沙：岳麓书社，2012：298.
③ 谭嗣同．谭嗣同集：上欧阳中鹄：十［M］．长沙：岳麓书社，2012：498.
④ 谭嗣同．谭嗣同集：仁学：仁学界说［M］．长沙：岳麓书社，2012：315.
⑤ 唐才常．唐才常集：前四品京堂湖南学政江标君传［M］王佩良，校点．长沙：岳麓书社，2011：365.
⑥ 同③ 497.

大者，明末清初有王夫之，清嘉道年间有陶澍、贺长龄、魏源等，清咸同年间有曾国藩、左宗棠、郭嵩焘等，至清光绪年间则有谭嗣同、唐才常等。就湖湘维新思想而言，传统湖湘文化中的船山学说影响最大，“船山学说中的进化哲理、反满意识、经世致用主张和一定程度的反对封建专制主义思想，为湖南士人辗转传习”[①]。清道光二十二年（1842），王夫之著作第一次刊行，参与刊印工作的邹汉勋、郭嵩焘、左宗棠、欧阳兆熊等成为最早研习船山并受船山思想影响的一批湖南人；后来，这些人纷纷进入曾国藩的湘军并成为其骨干，王夫之的著作在湘军中流传开来；清同治元年（1862），曾国藩决定重刊《船山遗书》，四年之后付印，使更多的学者得以读到王夫之的著作，船山思想得到更广泛的传播，影响也更大；郭嵩焘自署广东巡抚任上回到湖南，主讲城南书院，“于宋儒张栻祠旁，为夫之建立私祠，率诸生习礼其中，群怀感激兴奋之意”[②]。研习船山学说成为一时风气，如谭嗣同的三位老师欧阳中鹄、刘人熙、涂启先，均青睐王夫之学说。受三位恩师的影响，谭嗣同也成了王夫之的拥趸，“私淑船山”[③]，一再说“五百年来学者，真通天人之故者，船山一人而已”[④]，立志“为天地立心，为生民请命，以续衡阳王子之绪脉”[⑤]，正如杨毓麟所言，“直接船山之精神者，尤莫如谭嗣同，无所依傍，浩然独往，不知宇宙之圻埒，何论世法，其爱同胞而惎仇虐，时时迸发于脑筋而不能自已”[⑥]。

① 郑焱．近代湖湘文化概论［M］．长沙：湖南师范大学出版社，2008：12.
② 郭嵩焘．请以王夫之从祀文庙疏［M］// 郭嵩焘全集：第四册．长沙：岳麓书社，2012：799.
③ 谭嗣同．谭嗣同集：三十自纪［M］．长沙：岳麓书社，2012：60.
④ 梁启超．清代学术概论［M］．上海：商务印书馆，1930：21. 梁在引述时注明出自谭嗣同《仁学》卷上。经查，谭氏该书并无此语，当是梁启超将谭氏平日之语误记为《仁学》中语。
⑤ 谭嗣同．谭嗣同集：上欧阳中鹄［M］．长沙：岳麓书社，2012：183.
⑥ 杨毓麟．新湖南［M］// 饶怀民．杨毓麟集．长沙：岳麓书社，2001：35.

又如“长沙毕永年，幼读衡阳王氏遗书，慨然具种族思想”①。王船山赞同随历史的变化而进行社会变革，提出“天地之化日新”②的观点，认为“三代之法，不可挟以为名，治后世之天下”③，维新人士吸收其社会变动观而倡言改革，“道与时为推移，器于世为变通”；又受王船山“无其器则无其道”④思想的启发，引申出“器既变，道安得独不变”的思想，因为“故变法者，器既变矣，道之且无者不能终无，道之可有者自须亟有也。……不变今之法，虽周、孔复起，必不能以今之法治今之天下”⑤，要求“酌取西法，以补吾中国古法之亡”⑥，突破了洋务只可学西方技艺不可行西方政治制度的思维藩篱。湖湘维新思想是对船山学说的继承和发展，船山学说是湖湘维新思想的重要思想渊源之一。

（四）湖湘维新思想推动了近代湖南和中国的发展进程

湖湘维新思想在推动湖南和中国近代进程方面所起的作用，主要表现在以下几个方面。

1. 湖湘维新思想造成了湖南最富朝气的维新局面，湖南成为全面实践维新思想的实验田。

马克思说：“人是由思想和行动构成的。不见诸行动的思想，只不过是人的影子；不受思想指导和推崇的行动，只不过是行尸

---

① 黄鸿寿．清史纪事本末：自立军之失败［G］// 中国史学会．戊戌变法资料丛刊：第 4 册．上海：上海人民出版社，1957：265.

② 王夫之．思问录：外篇［M］// 船山全书：一二．长沙：岳麓书社，1988：434.

③ 王夫之．读通鉴论：卷末［M］// 船山全书：一〇．长沙：岳麓书社，1988：1180.

④ 王夫之．周易外传：卷五［M］// 船山全书：一．长沙：岳麓书社，1988：1027.

⑤ 谭嗣同．上欧阳中鹄［M］// 蔡尚思，方行．谭嗣同全集．北京：中华书局，1998：160-161.

⑥ 谭嗣同．谭嗣同集：报贝元征［M］．长沙：岳麓书社，2012：214.

走肉——没有灵魂的躯体。”[①] 湖南因有陈宝箴为首的具有维新倾向、力主改革的湖南省政当局大力支持，具有维新思想的谭嗣同、梁启超等省内外维新志士的积极倡导，官与绅密切合作，以无所畏惧的胆略，合力奏响了一曲激昂悲壮的维新乐章，使湖南在戊戌变法时期成为最富朝气的一省。

维新运动期间，湖南维新运动以浏阳算学社的成立为发端，大刀阔斧地进行教育改革，培养维新人才；创办《湘学报》《湘报》等维新报刊，进行了卓有成效的舆论宣传；创立南学会、不缠足会、延年会等众多的领先全国的维新社团，极力推动各项社会改革措施的贯彻落实；设立课吏馆、保卫局、迁善所等新政机构，积极尝试进行具体的类似西方的官制改革；开办湖南矿务总局、鄂湘善后轮船局、宝善成机器制造公司等近代工业企业，尽量弥补湖南因盲目拒斥而落后沿海省区几十年的“洋务”短板；编练新军、创设武备学堂，使湖南军事近代化开始起步。维新运动的开展，京津、上海、两广和湖南均是全国开展得较有声势的地区，但正如尹飞舟先生所言：“真正赋予维新运动以实践意义的则是湖南维新运动，它最具体地展示了维新派的思想主张与当时的社会现实相结合的历史图景。”[②] 湖南维新运动在全国居于龙头地位，康有为说“中国变法自行省之湖南起”[③]，强调的应该就是湖南维新运动的实践意义。湖南虽不是维新思想的发源地，却是维新思想实施得最全面的实验田。

思想是行动的先导，湖湘维新思想对湖南维新运动起到了直接的推动作用，全面开启了湖南近代化的历程；民主、平等等现代性价值的初步移植，提升了近代湖湘文化的内涵，促进了当时社会生活和思想观念的变革。

---

① 陈力丹．人所具有的我都具有——马克思恩格斯人生格言［M］．北京：中国青年出版社，2008：264.

② 尹飞舟．湖南维新运动研究［M］．长沙：湖南教育出版社，1999：19.

③ 黄遵宪．人境庐诗草笺注：康序［M］．钱仲联，笺注．上海：上海古籍出版社，1981：2.

2. 湖湘维新思想与变法活动，对全国维新变法运动产生了关键性的影响。

湖湘维新思想是全国维新思潮的重要组成部分，受全国维新思潮的影响，反过来也对其他地区的维新人士产生了影响，梁启超在《清代学术概论》中自认受谭嗣同的“影响亦至巨”，其在时务学堂学生课艺批语中的反清言论即是受谭的影响。湖湘维新志士对儒教思想霸权和名教纲常的批判，对变法的倡言及从湖湘文化传统中所获得的变法理论根据，对西方平等、平权学说的阐扬及其他种种变法主张的提出，丰富和发展了中国资产阶级维新思想的内涵，呼应了全国维新思想宣传，形成了对传统意义秩序的深刻冲击，加强了维新变法的舆论宣传和引导。

谭嗣同被梁启超誉为“晚清思想界的彗星”，被保举参与新政后，以四品卿衔军机章京上行走，进入当时中国变法中枢，获得草拟谕旨和阅览奏章的权力，深度参与京城变法活动，其思想与主张也一度得以进入朝廷的最高决策。其所拟皇帝谕旨中有“国家振兴庶政，兼采西法，诚以为民立政，中西所同，而西人考究较勤，故可补我未及”之语，主张吸取西方国家那些能充分体现“民”的利益的东西，“以成新政，以强中国”①，开议院。

湖湘维新思想中，有一种激进暴力倾向。谭嗣同《仁学》下卷中有非常激烈的反清言论，在长沙曾窃印散发加有按语的《明夷待访录》《扬州十日屠》等以传播革命思想，又曾派唐才常、毕永年往汉口联络哥老会以“备缓急之用”②；梁启超在时务学堂有去跪拜礼、变服色等异端色彩浓厚的设想和“屠城、屠邑皆后世民贼之所为”等反满意识。这种激进的倾向，引发了激烈的新旧之争，导致湖南维新从兴盛转向停滞；它同时也引发了在京城参与变法的维新

① 中国史学会．戊戌变法：(二)［M］．上海：上海人民出版社，1961：84-85.
② 张难先．湖北革命知之录［M］// 中国史学会．戊戌变法：(四)．上海：上海人民出版社，1961：90.

派内部摩擦，杨锐认为激进的变法主张是“万不可行之事”[1]，与谭嗣同、林旭意见相左；康有为对谭嗣同开议院的主张表示反对，但在捕杀慈禧为变法扫清维新障碍这一点上，两人又惊人的一致，“有为谋召外兵，实嗣同阴为之主”[2]。因此，湖湘维新思想，不仅影响了湖南维新运动，与北京的维新政局也有着密切的内在联系，也在某种程度上影响了整个维新变法运动的走向与结局。

3. 湖湘维新思想直接导致了自立军起义，对许多辛亥革命志士思想的成熟起了直接而重要的启导作用。

湖湘维新志士谭嗣同、唐才常、樊锥、易鼐、毕永年等，均曾有过激进改革的主张。唐才常与谭嗣同为“刎颈之交”，忧心国事，“恒两人对坐，彻夜不寐，热血盈腔，苦无藉手，泣数行下。不得已欲就一邑，为新中国之萌芽”[3]。清光绪二十四年（1898）八月，唐才常应谭嗣同电召赴京，行至汉口，却传来了戊戌政变、谭嗣同遇害的消息。悲愤不已的唐才常对“满朝旧党仇新党”痛恨不已，发誓“拔刀誓斩佞臣头”[4]。原先激进的变革思想，由对旧党的痛恨、誓为好友报仇的悲愤，迅速转变为“树大节，倡大难，行大改革”[5]的坚定革命意志。得到改良与革命两派支持后，唐才常从日本回到国内，成立正气会（后改名“自立会”），召开国会，宣布要“保全中国自立之权，创造新自立国”[6]，以便为中国争取光明的前途。随后奔走长江流域，组织自立军，准备讨贼勤王，但起义不幸夭折，唐才常、秦力山、沈荩等志士殉难。由此使得许多原先徘徊于改良与革命之

① 杨参政公家书［M］// 中国史学会．戊戌变法：（二）．上海：上海人民出版社，1961：572.

② 胡思敬．戊戌履霜录：卷四［M］// 续修四库全书．影印．上海：上海古籍出版社，2002：337.

③ 唐才常．唐才常集：兴算学记［M］．王佩良，校点．长沙：岳麓书社，2011：262.

④ 唐才常．唐才常集：戊戌八月感事［M］．王佩良，校点．长沙：岳麓书社，2011：431.

⑤ 唐才常．唐才常集：前四品京堂湖南学政江标君传［M］．王佩良，校点．长沙：岳麓书社，2011：367.

⑥ 刘泱泱．湖南通史：近代卷［M］．长沙：湖南人民出版社，2008：525.

间的人士，开始抛弃对清廷的幻想，毅然走上反清革命的道路。

维新思想最早并不产生于湖南，但在全国各省份中，湖南维新思想宣传动员最为到位，同时又是最为激进的。特别是谭嗣同等人的急进社会政治思想，对许多辛亥革命志士思想的成熟所起启导作用，不仅直接而且十分重要。谭嗣同的影响远远超出湖南，也超越了时代。在革命党人的眼中，谭嗣同等是他们的前驱和同道，称谭和毕永年“佥谓非推翻异族政府，无以救国”[①]，更有人将谭入京说成其“目的是在革命，他的牺牲完全是受了康有为的骗”[②]。民主革命宣传家和启蒙思想家陈天华在新化读书期间就深受维新思想的影响，后在《猛回头》中，高呼谭为“轰轰烈烈为国流血的大豪杰”[③]。被誉为“革命军中马前卒”的邹容，竭力推崇谭嗣同，将谭嗣同的遗像挂于书房座侧，表示要以其为榜样，“仁义所在，虽粉身碎骨不计”[④]，完全继承了谭嗣同“冲决一切网罗”的精神；其《革命军》一书对清朝专制统治和封建道德观念的批判，则继承了《仁学》的思想并加以发展。吴樾在其遗书中大倡“暗杀主义”，即首揭谭嗣同《仁学》中“任狭为仁”思想而大加发挥。因此，正如李泽厚先生所言，在辛亥革命志士的言论以及行动中，“我们几乎可以直接嗅出谭嗣同反清反封建急进思想的影响”[⑤]。而湘籍与寓湘的维新志士从生理、心理、地理等诸方面对中外平等的论证，则再次动摇了几千年来的夷夏之辨观念。“这种观念的更新，还为20世纪初进一步学习西方，以及大规模留学高潮的兴起，准备了一定的心理条件。”[⑥]

---

① 冯自由．毕永年削发记［M］// 革命逸史：上．北京：新星出版社，2009：63.
② 李泽厚．中国思想史论：中［M］．合肥：安徽文艺出版社，1999：522.
③ 陈天华．猛回头［M］// 刘晴波，彭国兴．陈天华集．长沙：湖南人民出版社，2008：22.
④ 周勇．邹容与苏报案档案史料汇编［G］．重庆：重庆出版社，2013：434.
⑤ 李泽厚．谭嗣同研究［M］// 中国思想史论：中．合肥：安徽文艺出版社，1999：522.
⑥ 郑焱．近代湖湘文化概论［M］．长沙：湖南师范大学出版社，2008：116.

二、清末新政、预备立宪与近代湖湘文化内涵的进一步丰富

清末新政是清政府最后一次主导的重大社会改革，包括政治、经济、国防、文化教育、法制建设、社会公益事业等各个领域，正式而全面地拉开了中国近代化的帷幕。新政后来又发展为预备立宪，即政治权力再分配的政治体制改革。湖南人在这场自上而下的改革运动中发挥了重要作用，新政的推行又进一步丰富了近代湖湘文化内涵。

（一）义和团事件和八国联军之役后朝廷重启新政

康有为等维新派在清光绪二十四年（1898）秋天被清除出局，慈禧太后再次亲政并完全控制了朝政，但清朝统治的内外危机却更加严重。废黜光绪之事遭到了西方列强的反对，流亡海外的康有为、梁启超等改良主义者将慈禧太后和她的政权宣传成近代中国一切罪恶的根源，一场盲目排外的义和团运动也声势浩大地开展起来，唐才常等组织的自立军既"勤王"又"保国保种"，以孙中山为首的反清革命党人势力也开始产生影响。

义和团声势浩大，不满列强反对废黜光绪皇帝之事的慈禧太后，以为即使法术不可信，至少还有民心，幻想通过"运动"盲目排外的义和团来打败洋人的奇迹发生，以解其心中之恨。义和团针对外国人甚至中国基督徒的大规模集体屠杀事件的普遍发生，招致列强组成联军进行强力干涉，最终演变为严重的国际军事冲突。事态的发展使朝廷对局势完全失去控制，京城被占，两宫西狩，大清江山差点因此而被断送。战争的结局，除赔偿本息达9.8亿多两白银外，中国的武装被列强解除，武器遭禁运，那些坚持抵抗但又盲目排外的王公大臣则被妖魔化为顽固的守旧者而被处

死，并规定了改造官民思想文化的条款。

近代以来，每一次反侵略战争失败后，受到刺激的清政府都会有所反省并进行政策调整，失败得越惨烈，政策的调整力度也越大。八国联军之役的结局比以往任何一次都更为严重，以慈禧太后为首的清朝统治集团，改弦更张的决心也比以往任何一次更大、更强烈，政策的调整更主动、更全面。

清光绪二十六年（1900）七月二十六日，还在流亡途中的清朝廷即以光绪帝名义发布《罪己诏》，除表示“今见国家阽危若此”，“皆朕一人之罪”外，并谓：“自今以往，斡旋危局，我君臣责无旁贷……用人行政、筹饷练兵，在在出以精心，视国事如家事；毋怙非而贻误公家，毋专己而轻排群议，涤虑洗心，匡予不逮。”[①] 该《罪己诏》可视为初步反思，也为以后的政策调整做了铺垫。两天后（8 月 22 日）又发上谕，除承认此次内讧外侮使“频年所全力经营者毁于一旦”的残酷事实外，更期望“自今以往，凡有奏事之责者，于朕躬之过误，政事之阙失，民生之休戚，务当随时献替，直陈毋隐”，[②] 要求内外臣工对朝廷之失误直言不讳，随时呈递有利国计民生之良策，在创巨痛深之后，展示了虚衷就教、虚己以听的诚恳态度，表达了集思广益、祛弊扶衰的坚定决心，很有重回戊戌年改革的味道。清政府展现出的革新政治姿态，也得到了日本、英国等西方列强的积极回响。[③] 当时稍具新思想的官绅均清醒地意识到，唯有锐意改革，才是唯一出路。在此背景下，清光绪二十六年（1901）十二月初十日，尚在回銮途中的清朝廷发布了一道长长的变法上谕，对实行新政的理论根据、主要原因、根本目的、所涉事项等均做了说明，要求内外臣工在两个月内提

① 王先谦，朱寿朋．东华录 东华续录：第 17 册［M］．影印本．上海：上海古籍出版社，2008：202–203.

② 同① 203.

③ 马勇．晚清二十年［M］．北京：人民文学出版社，2011：171–173.

出意见，不可空言塞责。强调行新政是慈禧太后的意思，她将主导这场在力度、深度、广度上均属空前的政治变革，是改革的实际掌舵人和操盘手。谕旨同时也对戊戌年的变法和现在的变法做了区隔，称康有为等不是变法而是乱法，是借变法之名行其阴谋之实，不能因康有为等曾经主张变法，就否定变法本身。该上谕是清廷在内外危机双重作用下做出的一个使中国重回近代化发展轨道的正确决策。

朝廷再次变法，且比以往任何时候更为高调，重新唤起了国内政治改革的热情，中枢、督抚大臣“陆续条陈，已复不少”，考虑到“此举事体重大，条件繁多，奏牍纷繁，务在体察时势，抉择精当，分别可行不可行，并考察其行之力不力，非有统汇之区，不足以专责成而挈纲领”，遂有光绪二十七年1901年三月初三日“着设立督办政务处”之上谕，以之作为筹办、规划和推行新政的专门机构，负责处理“变通政治，力图自强”的各种建议。[①] 督办政务处实为清末实行新政的总汇机关，凡新政措施，多由督办政务处集议上奏后，由慈禧太后决定，标志着清末新政正式开始施行。

袁世凯、张之洞、刘坤一是最为积极响应变法的外大臣。其中，张、刘二位大员分别于五月二十七日、六月初四日、六月十一日联衔上奏《变通政治人才为先遵旨筹议折》《遵旨筹议变法谨拟整顿中法十二条》《遵旨筹议变法谨拟采用西法十一条》，史称“江楚会奏变法三折”，分别就教育改革、除旧弊、采西法提出具体建议。三折上达朝廷后，得到慈禧太后和光绪皇帝的高度重视，成为清廷指导新政的纲领性文献，极大地影响了20世纪初清政府的变法新政。

① 王先谦，朱寿朋．东华录 东华续录：第17册［M］．影印本．上海：上海古籍出版社，2008：247.

（二）湘籍官员与清末新政的启动和推进

清末新政时期，深度参与朝廷新政筹划工作的湘籍大臣主要有两位，一位是两江总督刘坤一，一位是管学大臣张百熙。

1. 刘坤一力促新政的启动，并提出行动纲领。

刘坤一是湖南新宁县人，由诸生入刘长佑湘军楚勇，因功屡迁，官至两江总督兼充南洋通商大臣。戊戌政变后，反对废黜光绪皇帝，请求继续变法。义和团事件和八国联军之役发生时，拒绝接受朝廷形同儿戏式的宣战诏令，联合张之洞等人倡“东南互保”，冒险逆旨而行。事后，清朝廷被迫承认其互保之举是“度势量力，不欲轻构外衅，诚老成谋国之道”[①]，赞其“保障东南，匡扶大局，厥功尤著”，“实为国家柱石之臣”[②]。在倡导互保的同时，刘坤一还竭力倡导再行新政，力求改变戊戌政变以来朝廷的倒退保守政策。清光绪二十六年十月二十六日（1900 年 12 月 17 日），刘坤一奏上《时局危艰谨陈愚见折》：“值此创巨痛深，尤当惩前毖后”，“非坚苦一心，不足以自立；非忍辱努力，不足以图存”，要求清政府进行改革，“重邦本”“节国用”“慎教案”“杜祸根”，[③]对推动清末新政之发端，功不可没。

清廷做出行新政以图自强的决策后，刘坤一马上邀集盛宣怀、张謇等江南名士进行商议，并与张之洞联名呈递“江楚会奏变法三折”。第一折筹议四条，“一曰设文武学堂，二曰酌改文科，三曰停罢武科，四曰奖劝游学”[④]；第二折“酌拟中法之必应整顿变通者”12 条，“一曰崇节俭，二曰破常规，三曰停捐纳，四曰课官

---

① 故宫博物院明清档案部．义和团档案史料：上册［M］．北京：中华书局，1959：187.

② 王先谦，朱寿朋．东华录 东华续录：第 17 册［M］．影印本．上海：上海古籍出版社，2008：394.

③ 刘坤一．刘坤一奏疏：卷三十四［M］．长沙：岳麓书社，2013：1373-1374.

④ 刘坤一．刘坤一奏疏：卷三十五［M］．长沙：岳麓书社，2013：1395.

重禄，五曰去书吏，六曰去差役，七曰恤刑狱，八曰改选法，九曰筹八旗生计，十曰裁屯卫，十一曰裁绿营，十二曰简文法”[①]；第三折就采行西法问题，胪举11条，“一曰广派游历，二曰练外国操，三曰广军实，四曰修农政，五曰劝工艺，六曰定矿律、路律、商律、交涉刑律，七曰用银元，八曰行印花税，九曰推行邮政，十曰官收洋药，十一曰多译东西各国书”[②]。“变法三折”，遵循重人才、祛积弊、行西法之次第，具体措施限定在必改易改的范围，大方向则是小步推进中国的近代化，这种审慎稳健的建议，深得最高统治层的欣赏，朝廷几乎照单全收。直到清光绪三十一年（1905）之前，清政府所行新政内容，基本在三折所奏定的范围之内。督办政务处成立时，清廷又命刘坤一、张之洞遥为参与，实际上为刘、张二人所遥制，可见朝廷依赖之深，于朝局影响之大。

刘坤一未来得及看到清末新政的实施，即于清光绪二十八年（1902）去世。刘坤一等倡导的新政，“仍有着很多的局限性，但新政的实行毕竟推进了二十世纪初年中国资本主义的进一步发展，使得中国民族资产阶级得以形成，并引发了其后轰轰烈烈的立宪风潮和革命运动的到来”[③]。

2. 张百熙构架现代新教育，推动中国教育近代化。

如果说刘坤一对清末新政的功劳主要在新政的启动和行动纲领的提出，张百熙则将教育新政切实付诸实施，促成了中国传统教育体制的解体和现代教育体制的建立。

张百熙是湖南长沙县人，曾就读郭嵩焘任讲席的城南书院，深受湖湘文化的熏陶。戊戌政变后受到“开除留用”处分的张百熙，因其维新改革背景而在庚子事变后被朝廷重新起用，为清末新政的具体实施做出了重大贡献。当朝廷发布变法自强上谕时，张百

① 周正云．晚清湖南新政奏折章程选编［M］．长沙：岳麓书社，2010：29.

② 同① 53.

③ 薛学共．刘坤一与晚清政局述论［J］．西南交通大学学报（社会科学版），2000（4）：30.

熙即上疏胪陈“变通科举”“广建学堂”“创立官报”“翻译书籍”“经理财政”五事，[①]予以响应。出任管学大臣后，在构架现代新教育、推动中国教育近代化方面，堪称一时无两。

（1）整顿和改革京师大学堂。张百熙奉谕经理京师大学堂一切事宜后，即上疏指出“非徒整顿所能见功，实赖开拓以为要务”，并提出以暂不设本科而先办预科和速成科为总立大纲，以广购各种书籍仪器、附设译书局为讲求实用，以增拓、扩设讲舍为渐拓规模，以宽筹经费为诸事根原等办法五条，[②]在增加经费投入、改善办学条件、创新办学机制、优化教学内容等方面下功夫。又拟定《京师大学堂章程》，以“激发忠爱，开通智慧，振兴实业”“端正趋向，造就通材”为宗旨，[③]并在办学纲领、科系设置、课程安排、规章制度、管理体制、教师聘用等方面提出了一套新的办法。同时，淘汰迂腐官员，大胆起用学贯中西的吴汝纶、张鹤龄、于式枚等人，聘请杨仁山、屠敬山、严复等学贯中西的海内知名之士为教习。京师大学堂草创于戊戌变法之时，历经庚子事变，到张百熙奉命经理时，已破烂不堪。经过数年努力，张百熙“终于把京师大学堂办成了中国第一座具有现代意义的、基本符合国际标准的大学”[④]，“京师大学堂的完善和发展对各省学堂的兴办起了积极的推动作用”[⑤]，张百熙也因此被世人誉为“中国大学之父”。同时，京师大学堂对大量西学教材的编译和采用，“有利于科学、民主等现代思想的传播，有助于启蒙中国人民的心智，在很大程度

① 张百熙．敬陈大计疏［M］// 谭承耕，李龙如．张百熙集．长沙：岳麓书社，2008：15-17.
② 张百熙．奏办京师大学堂疏［M］// 谭承耕，李龙如．张百熙集．长沙：岳麓书社，2008：19-26.
③ 张百熙．钦定京师大学堂章程［M］// 谭承耕，李龙如．张百熙集．长沙：岳麓书社，2008：115.
④ 谭承耕，李龙如．张百熙集：前言［M］．长沙：岳麓书社，2008：3.
⑤ 江琳．张百熙与晚清教育改革［J］．高等师范教育研究，2000，12（4）：47.

上促进了中国教育近代化的步伐”[1]。

（2）主持或参与制定中国近代最早的两个统一学制，推动了晚清教育改革。张百熙是管学大臣，经理京师大学堂只是其职责的一部分,更为重大的职责在于主持全国教育,更好地“兴学育才”。张百熙上任之初，即提出应“预定办法”，即制定各级学校章程，进行教育改革的顶层设计。他和他的核心团队“上溯古制，参考列邦”，经过大半年的努力，完成了新学制的制定工作，于清光绪二十八年（1902）秋上奏朝廷，得到谕允之后，颁行全国，史称“壬寅学制”。该学制以“激化忠爱,开通智慧,振兴实业”为宗旨，将各级学校教育划分为三段七级，初等教育三级，中等教育不分级，高等教育三级，学业年限 20 年；详细规定了各级各类学校的办学纲领、入学年龄、功课教法、课程设置、考试办法、领导体制、教学纪律等。这种纵向以初等、中等、高等教育为主，横向以实业、师范学堂为辅的学制设计，打破了传统科举教育的弊端，“将整个学堂教育系统地连成一体，建立了一整套完善的学校教育制度”，虽没有真正实行，但这是中国教育史上第一个具有近代色彩的学制，成为后来制定癸卯学制的蓝本，“对中国教育近代化的进程具有不可估量的作用”,[2] 实开确立新学制之先河。壬寅学制遭保守派之责难后,张百熙为“慎重学务起见”,呈递《请派重臣会商学务折》,恳请“当今第一通晓学务之人”湖广总督张之洞“会同商办京师大学堂事宜”。[3] 张之洞、荣庆、张百熙会商后，于清光绪二十九年十一月二十六日（1904 年 1 月 13 日）联合呈递《奏定学堂章程》,然后颁行全国实施，史称“癸卯学制”。该学制虽由张之洞主持制定，但与壬寅学制相比，两者在办学宗旨、整套教育体系的构建

① 张倩. 张百熙与中国教育近代化［D］. 重庆：西南大学，2006：13.

② 同① 19.

③ 张百熙. 请派重臣会商学务折［M］// 谭承耕，李龙如. 张百熙集. 长沙：岳麓书社，2008：35.

上均有相通和相连之处，是对壬寅学制的损益，体现出张百熙对癸卯学制的深刻影响。张百熙主持或参与制定的学制，成为清末兴学的纲领性文献，推动了中国近代学校的发展，客观上加速了科举制度的废除。

（3）力促教育行政与学校事务管理分离，推动教育行政管理近代化。清光绪二十七年（1901）秋，张百熙即曾疏请专设总理学务大臣统辖全国学务；清光绪二十九年（1903），在《改订学堂章程》中，会同张之洞再次奏请设立总理学务大臣统辖全国学务，京师大学堂另设大学堂总监管理，树教育行政与学校事务分开管理之先声；至清光绪三十一年（1905）冬，清朝最高教育行政机构学部正式设立。各省则设学务处总理全省学务，各地学堂另派专员管理。

（4）促成科举制度的废除，推动人才选拔制度改革。对科举制度之弊，张百熙曾多次予以痛斥，力主废除。清光绪二十四年（1898）六月，即曾上奏改变科举章程12条。清光绪二十七年（1901）七月，提出变通科举的建议；九月，再次对科举选士予以批评。在整顿和改革京师大学堂的过程中，更是深切感受到科举不废，学堂无成，将极大阻碍新式人才的培养。清光绪三十年（1904），在《递减科举注重学堂折》中，张百熙与荣庆、张之洞联名建议“从下届丙午科起，每科递减中额三分之一。俟末一科中额减尽以后，即停止乡会试”[①]。清光绪三十一年（1905）八月，在一片请停科举以广学校的呼声中，朝廷正式下诏自丙午科起停止一切乡试岁考，科举制度至此寿终正寝。科举制度的废除，对发展新式教育、培养新式人才，起到了十分积极的作用，加速了传统社会的分解和转型。张百熙是重要的促成者之一，功不可没。

① 谭承耕，李龙如．张百熙集［M］．长沙：岳麓书社，2008：62.

（三）新政在湖南的全面推行，进一步丰富了近代湖湘文化的内涵

晚清新政，大致可分为两个阶段。清光绪二十七年（1901）至三十一年（1905）为第一阶段，包括现代新教育的构架、现代军事体制的重建、自由经济的恢复振兴、现代法律体系的确立等。清光绪三十二年（1906）七月开始的仿行宪政为第二阶段，实行以宪政改革为中心的政治体制改革。

清朝廷推行新政时期，先后有俞廉三、赵尔巽、陆元鼎、张绍华、端方、庞鸿书、张曾敭、岑春蓂、杨文鼎、余诚格等巡抚主政湖南。由于社会大势的整体变化，朝廷变革的意志坚定与力度空前，湖南守旧士绅势力的衰微，推行新政既名正言顺，又阻力减少，除任职时间过于短暂和庸碌者外，整体而言，湘抚们均主动跟进，积极落实各项新政措施。兹择其主要方面叙述如下。

1. 新政推动湖南现代新教育的构建。

教育属于精神文化范畴，教育先行是人类文明进化的通例，清廷亦选择教育改革作为新政的切入点。清光绪二十七年（1901）八月初二，上谕称："着各省所有书院，于省城均改设大学堂，各府及直属州均改设中学堂，各州县均改设小学堂，并多设蒙养学堂。"[①] 清末新政之地方教育改革，由此正式开端。各地督抚纷纷遵旨办理，湖南亦未敢后人。

（1）书院改制，加快了传统教育向近代教育转型的步伐。

省城长沙书院，主要有岳麓、城南、求忠、校经和求实等。其中，求实书院系由时务学堂改名而来，湘省新政伊始，湘抚俞廉三即将其改为省城大学堂，"成了新一轮湖南传统教育变革的起点与近代湖南高等教育的发端"[②]。但因规模过小，次年降格为高等

---

① 戴逸，李文海．清通鉴：卷二五八［M］．太原：山西人民出版社，1999：8663.
② 伍春辉．湖南教育近代化研究［D］．长沙：湖南师范大学，2007：94.

学堂。赵尔巽抚湘后，对省城书院仅有求实书院改设学堂不以为然，上任伊始，即对省城书院大加整顿。岳麓书院改为高等学堂，将原高等学堂并入其中，课程以西学为主，成为后来湖南大学的基础，千年传统书院由此实现了向近代高等教育的华丽转身。其后，又有借贡院为校址的实业学堂的创办，该校在曹典球掌校时日臻完善，至清宣统元年（1909），经湘抚岑春蓂奏请，升格为路矿本科，醴陵瓷业学堂并入，设有矿业、土木、机械、化学、窑业等科，各类设备也较齐全，在当时全国的工科学堂中，其完善程度仅次于北洋大学堂。

省城最负盛名的岳麓书院的改制，加快了省内其他书院改设学堂的步伐。城北的师范馆迁往城南书院，校经书院与孝廉堂合并为校士馆，求忠书院改为忠裔中学堂。又通令全省，裁撤书院，各府中学堂次第设立。至此，全省改书院为学堂的工作基本完成。新式学堂直接取代书院，既充分利用了其原有办学设施，又使保守势力失去立足之地，加快了传统教育向近代教育转型的步伐。

（2）各级各类教育体系粗具雏形，传统精英教育向大众教育转变。

按照新政上谕，全国学校教育体制依次为大学堂、高等学堂、中学堂、小学堂以及蒙养学堂。新政之初，大学堂之办理条件尚不成熟，故湖南主要在中小学教育方面着力。

俞廉三对各地“应设之中、小、蒙养学堂，一面通饬开办”，认为“中小学堂为省城大学堂之基础，尤难稍缓”，蒙养学堂则“责成地方官切实劝导，年终核其办成数目以为功过”。[①] 清光绪三十一年（1905），湖南各府、州共建官立中学堂14所；至清宣统元年（1909），先后有善化、新化、湘乡等八县开办中学堂，一些师资缺乏的县如宁乡、武冈等则在省城设立驻省或旅省中学堂。

① 俞廉三．奏为遵旨改设学堂并派人出洋游学筹办大略情形折［M］// 周正云．晚清湖南新政奏折章程选编．长沙：岳麓书社，2010：291.

除官立、公立中学堂外，全省有明德、周南、修业等男女私立中学堂共十余所。此外，美国长老会、圣公会等差会在湘亦办有中学。

小学属于义务教育，俞廉三称之为“强制教育”①，在当时财力、师资两相缺乏的情况下，推行单级授课的简易小学堂，实为不得已的变通办法。赵尔巽抚湘时，主持学务的张鹤龄认为多设半日学堂，方能收普及之效，此举专为贫困无力之家的幼童读书而设，以解决贫民子女无力入学问题。湘抚端方规定官立小学不得以贫富为去取。无论是强调不以贫富为去取的小学还是免费入学的半日学堂，都是为了促使精英教育向大众化教育的转变，是教育平等思想的具体落实。

除中小学教育外，清末湖南也出现了实业教育热潮。清光绪二十八年（1902），俞廉三奏报遵旨“现已专设农务工艺学堂”②，开近代湖南实业教育之先河，后逐步完善，成为湖南最具实力的中等实业学堂。次年，赵尔巽又于省城贡院开办实业学堂。清光绪三十二年（1906）二月，醴陵瓷业学堂开办，曾得到端方的支持。整个清末新政时期，湖南各地创办的官立、公立、私立各种实业学堂，总计为 24 所。③这批实业学堂虽存在水平程度参差不齐、规模大小不一等问题，但大多注重近代自然科学和实用技术知识，对转变陈旧观念、满足近代经济发展所需技术人才起到了积极作用。

新式教育面临的最大挑战是师资问题，特别是创办之始，能执教新设课程的师资尤其缺乏，所谓“不难于规模之粗具，而难于师范之得人”④。聘用外籍教师教授新课程可解燃眉之急，却不

① 俞廉三．奏为遵旨改设学堂并派人出洋游学筹办大略情形折［M］// 周正云．晚清湖南新政奏折章程选编．长沙：岳麓书社，2010：291.

② 俞廉三．遵旨开办农务工艺学堂片［M］// 周正云．晚清湖南新政奏折章程选编．长沙：岳麓书社，2010：300-301.

③ 伍春辉．湖南教育近代化研究［D］．长沙：湖南师范大学，2007.

④ 同① 290-291.

是长远之策，必须培养自己的教师队伍。湖南所采取的解决办法，一是派遣速成师范班生赴日本学习，二是从乡试落选的年轻士子中挑选一部分送京师大学堂学习，三是自办师范教育。俞廉三首开师范馆于省垣，赵尔巽继开校士馆，后改为师范传习所。但仍无法满足对新式教员的需求，遂有中路、西路、南路师范学堂开办，一些有条件的府县开始自办师范，省城较有规模的中学也开设有速成师范班，以应急需。清光绪三十四年（1908），省城贡院改建为优级师范学堂，以造就初级师范学堂和中学堂教员。清末湖南师范教育，多为应急而办，自然存在着种种不如意之处，但使近代湖南拥有了第一批在教育理念、知识结构、教学方法等方面均不同于旧式塾师的正规的教师队伍，在解决当时急需的师资方面贡献良多。

（3）新学堂的建立，促进了教育行政体制的改变。

新政之前，湖南管理教育的机构为学政，以下各级设学官，仅管科举考试，不涉及其他教育事务。新政开始后，因湖南已有40余州县开办中小学堂，“县各异制……转无以收一同风之效”[①]，湖南巡抚俞廉三于清光绪二十八年（1902），奏准设立湖南学务处，专司兴学事务，湖南走在了朝廷教育行政改革的前面。清光绪三十二年（1906），湖南学务处奉谕裁撤，改设提学使司；省会并置学务公所，主要负责对提学使司所订方针政策予以评价审议；劝学所作为州县新式教育行政机关，由劝学所所长和劝学员负责学区内的劝学工作，以期推广普及教育。省及各州县设有视学，监督各地学务。这是一套完全不同于旧式教育行政的管理机构，促进了新式教育的进一步发展。与此同时，作为民间组织的湖南省教育会也照部章成立，湖南学界、绅界名流萃聚其中，成为推动湖南教育发展的重要力量。

---

① 俞廉三．奏开办湖南学务处情形片［M］// 周正云．晚清湖南新政奏折章程选编．长沙：岳麓书社，2010：108.

（4）教育新政的实施，使湖南官绅对教育的认识得以重构。

对教育的地位作用，过去认为“事关人心风俗之转移”，现在视为立国之本，富强之基，开民智所必须。俞廉三曰：“人皆知学，则国势自强，人民自富，理有不诬，事无容缓”，“务使县无不学之户，家无不学之人”。[①] 端方认为“本原所在，教育为先”，“东西各国之富强，莫非发源于教育”，“今日之艰窘，实由民智之未开，故民智之开通，当谋教育之普及”。[②] 胡元倓认为“窃维生存竞争，愈剧愈烈，非兴学无以图存”[③]。新政时期，湖南新式学堂种类甚多，大多是以前所没有过的。对这些新出现的教育机构，湖南官绅亦多卓见。关于蒙养学堂即学前教育，他们视为开化之基，“立国之本在于教育，开化之基始自蒙养”[④]。对于小学教育，认为是普及教育的根基，“为今之计，惟有赶紧兴办小学堂，以为造端之本”[⑤]，“苟非多建初等小学，则升选无资，根基不立，欲教育之普及，其道无由”[⑥]。关于女子教育，赵尔巽认为“女学堂之设，即古师氏保姆之遗意，所以端阃于幼稚，植蒙养之始基，意至良，法至善也”[⑦]；“振兴学务必有本末，非从初等小学、蒙养院入手则始基不植，困难滋多”[⑧]。朱剑凡认为“女子沉沦黑暗，非教育无以拔高明，要自立于社会，有学识材能，才能拔于黑暗”[⑨]。关于实业教育，湖南“老成耆宿皆以形下之道，必取西人之长，故主持实业教育，众口同心，

① 俞廉三．饬办蒙养中学堂札［M］// 周正云．晚清湖南新政奏折章程选编．长沙：岳麓书社，2010：292.

② 端方．光绪三十年十一月现办学堂情形折［M］// 端敏公奏稿：卷四．影印．台北：文海出版社，1967：63.

③ 胡元倓．明德中学开办呈文［M］// 吴三文．胡元倓集．长沙：湖南师范大学出版社，2013：48.

④ 俞诰庆．湖南官立初等小学堂纪略（1906）［A］．未刊．湖南省教育厅史志办藏．

⑤ 同④．

⑥ 湖南学务处：转饬筹办初小札文（1905）［A］．未刊．湖南省教育厅省志办藏．

⑦ 赵尔巽．抚院赵保护女学堂示［N］．湖南官报，1903（347）．

⑧ 端方．建设初级小学片［M］// 周正云．晚清湖南新政奏折章程选编．长沙：岳麓书社，2010：348.

⑨ 周秋光，莫志斌．湖南教育史：第 2 卷［M］．长沙：岳麓书社，2002：222.

无有以为可缓者”[①]。师范教育，被视为教育之母，振兴教育，首要师范，“惟学堂命脉所在，全在师范得人”[②]，这种认识至今且永远都不会过时。湖南官绅关于教育的这些见解，既是实施新政的结果，也是促使他们积极兴办新式教育的思想根源。

综上所述，清末新政时期的湖南教育改革，打破了传统的不适应时代发展潮流的旧有体制，构建起新的符合社会发展要求的近代教育体系。它不仅包括较为完整的办学体制、全新的行政管理体制，还包括教育理念、内容、方法的更新，改变的不仅仅是教育制度文化，更重要的是教育思想观念。作为近代湖湘文化重要组成部分的湖湘教育文化，从此走上了更合乎人类文明发展进程、更有利于人的自身全面发展的征程。尽管存在的问题不少，但今人应给予同情之理解。

2. 振兴商务、鼓励实业政策的推行，使新的工商业文化开始落地生根。

清末新政的中心内容是经济改革，重点是振兴商务，奖励实业，发展自由经济。新设立的商部通过制定一系列工商业规章和奖励实业的办法，为商业振兴、创办工商企业提供法律保障，实行登记制、备案制，尽量减少垄断，营造出一种较浓厚的发展自由经济的氛围，从而出现了一股投资办实业的热潮。晚清时的所谓实业，包括农、工、商三个方面。

湖南财政向来困窘，本省开支原本捉襟见肘，现又新增每年70万两白银的庚子赔款，在此情况下，不能只有向民众摊派一途，必须开辟新的财源，鼓励投资兴办近代实业成为不二选择，故新政时期主政湖南的巡抚都热衷于商务的振兴与实业的举办。湘抚

---

① 熊庶常希龄上前湖南巡抚端方推广实业学堂办法［J］. 东方杂志，1905（光绪三十一年）（9）.

② 俞廉三. 奏为遵旨改设学堂并派人出洋游学筹办大略情形折［M］// 周正云. 晚清湖南新政奏折章程选编. 长沙：岳麓书社，2010：292.

俞廉三奏上《振兴农工商业折》称：欲挽回利权，非振兴农工商务不可，中国议兴工商多年，但官督商办却亏损严重，原因就在于“专之于官，固不如散之于民也，以官代为之谋，不如令民自为之谋收效易也”①,并提出了奖励有关人员的具体措施。继任湘抚赵尔巽认为：“实业为万事之本，强国富民皆导于此”②；“湘省物产虽丰，生齿日繁，自非振兴实业，亟图改良，必足以自给”③。端方任湘抚时，正是外商争夺湖南矿产最烈之时，主张“择矿产之尤者自办一二处，俟其成效大著，树之风声，则足以坚绅民爱护之心，即隐以消异族觊觎之志”④。为促进农工商业的发展，湖南修订《湖南矿务简明章程》后予以重新颁布，又颁发了《举办农务章程八条》等。

受当局政策的鼓舞，投资者信心指数大增，湖南出现一股投资兴办工矿业的热潮。官商矿业尤其是商办矿业成绩显著，“截至民国元年（1912）9月止，中、南、西路除原有官办矿场外，其余已行开采或即将开采的商办矿业共有540矿界，按每一矿界合900方丈计算，共有面积48.6万方丈”⑤。与矿产开采密切相关的炼锑业、炼铅业都有相当发展，华昌公司采用西法提炼纯锑大著成效，湖南黑铅炼厂炉座容量每日可炼矿砂达50多吨。其他工业也有所发展，其中以醴陵瓷业制造公司、湖南电灯公司、发昌机器厂、德昌机器厂等较著，肥皂、油墨、玻璃等日用工业企业出现，还修通了粤汉铁路长株段，近代内河航运企业则有开济轮船公司等。

此一时期的湖南工矿企业以商办为主，实行股份制运作模式，

① 俞廉三．振兴农工商业折［N］．湖南官报，1902-01-19（清光绪二十七年十二月十日）．

② 抚辕批示汇录［N］．湖南官报，1904-04-20（清光绪三十年三月初五日）．

③ 赵尔巽．批内阁中书刘隶芬等禀请创设西路实业学堂并筹款由［N］．湖南官报，1904-04-05（清光绪三十年二月二十日）．

④ 端方．湘省矿务自保权利折［M］// 端忠敏公奏稿：卷五．台北：文海出版社，1967：628.

⑤ 刘泱泱．湖南通史：近代卷［M］．长沙：湖南人民出版社，2008：648.

采用当时较为先进的机器设备或技术，生产效率和产品质量得以提高，加大了资本主义自由经济在经济结构中的占比，增强了社会阶级结构中的新生力量，政府越来越倾向于做一个发展经济的引领者、政策的制定者，一种新的工商业文化开始在三湘大地生根，湖南维新志士追求过的经济近代化愿望已经在某种程度上化作了现实的图景。

3. 新政推动了湖南近代军事、司法、行政体制的初步构建。

（1）清末湖南军事体制的近代化改革。

在迎战西方列强的侵略战争中，清朝旧有军事体制的弊端暴露无遗，必须进行军事改革成为朝野上下的共识。清朝的军事改革在维新运动期间就已开始了，后因政变发生而基本中断，至清末新政再次重启。主要措施是废除武科考试，"广建武备学堂"，各省"将原有各营严行裁汰，精选若干营，分为常备、续备、巡警等军，一律操习新式枪炮"等。①

湖南"旧有各营"主要包括绿营和巡防营，陈宝箴任巡抚时，曾对绿营进行过小规模的裁汰，巡防营改为旗，并建立武备学堂，成为湖南军事近代化的开端。新政时期，湖南军事改革采取裁汰绿营、改造巡防营与编练新军、创办新式军事学堂同步进行。

清光绪二十八年（1902），湖南抚院裁减绿营，仅保留两镇、两协、四营，次年又制定《整顿营务章程》进行整顿。至辛亥革命前夕，先后历经 8 次裁撤整顿，湘省绿营仅剩 1.3 万余人。巡防营是归地方巡抚直接统管的地方警备部队，地位重要，装备较好，改革时偏重于整顿和改造。清光绪三十二年（1906），湘抚庞鸿书遵朝廷"各省续备军一律改为巡防队"之旨，将湘省"现有防营编为中、南、西、东四路巡防队"，共 36 队，"每队设管带一

① 俞廉三．遵旨筹办湖南练兵事宜酌议常备续备军营制饷章折［M］// 周正云．晚清湖南新政奏折章程选编．长沙：岳麓书社，2010：98.

员”,“统由兵备处节制调度”。[1] 清宣统三年(1911),按陆军部要求,湖南巡防队整编为五路巡防营。整顿改造后的巡防营,仿西法训练,武器装备亦较先进,但因沿袭旧制,训练也不严格,管理混乱,战斗力较新军所差较远。

水师方面,清代湖南先后自建有选锋、澄湘、长胜、飞翰、靖湖 5 支水师共 12 营,分防各地。清宣统元年(1909),岑春蓂奏准改编,靖湖营改名飞翰后营,拨归飞翰水师;将原设帮办、帮带裁撤为三哨,统归长胜营管辖;将原衡、永两府官运局之缉私船只归并澄湘营管带。[2] 整顿之后,湖南水师由原 5 支变为 4 支,营数不变,力量加强。

清末编练新军自袁世凯天津小站练兵始,湖南新军编练始于维新运动时期,政变发生后停办。朝廷明令实行新政后,湖南于清光绪二十八年(1902),开始遵旨编练常备军。清光绪三十一年(1905),湘抚端方遵章在长沙设立督练处,以统一管理全省新军的编练事宜,自兼总办,下设参议官若干,“兵备、参谋、教练三处总办”[3];因饷项支绌,按照其在江苏的办理办法,“先练一协,即以姚广顺为协统”,拟练成两标;“至营制饷章,一切均按新章办理”。[4] 至清光绪三十二年(1906),始编练成新军步兵第一协第一标和炮兵一队,次年扩大为步兵两标和炮兵一营,以后陆续添募。清宣统元年(1909),岑春蓂奏准将第一协暂编为陆军第二十五混成协,辖第四十九、五十两标,由步兵、骑兵、炮兵、工兵、辎重各兵种组成,按协、标、营、队、排、棚编组。新军的编制、

① 庞鸿书.奏为遵旨改编巡防队一律更换关防事(清光绪三十二年八月初二日)[A].中国第一历史档案馆藏朱批奏折原件:04-01-30-0203-035.

② 岑春蓂.奏为改编湘省水师各营事(清宣统元年)[A].中国第一历史档案馆藏朱批奏折原件:04-01-01-1097-028.

③ 端方.设立督练处片[M]// 周正云.晚清湖南新政奏折章程选编.长沙:岳麓书社,2010:104.

④ 端方.奏报湘省改练新军拟先练成一协筹办情形折[M]// 周正云.晚清湖南新政奏折章程选编.长沙:岳麓书社,2010:104.

管理较绿营、巡防更科学，充任新军的各级军官大多为新式军事学校的毕业生，新军的训练执行朝廷统一制定的新的训练操法，新军因此粗具近代军队专业化、正规化的特点，锐气方盛，战斗力有了很大提高。后来，革命党人利用当局对新军的不信任和某些限制，将新军运动成为首先呼应武昌起义、光复湖南的有生力量。

旧军的改造和新军的编制，使得具备近代军事知识与素质的军官成为急需，创办新式军事学堂以培养将才成为必须。早在清光绪二十四年（1898），陈宝箴即将省城求贤书院“改为武备学堂，略仿天津、湖北新设规制，以备将才而肄武事”[①]，成为湖南近代军事教育的发端。新政开始后，湘抚俞廉三秉承朝廷“亟应于各直省会建立武备学堂，以培养将才，练成劲旅”[②]之旨意，经过筹备，于清光绪二十九年（1903）再次开办武备学堂，后又附设将弁、兵目、陆军三所速成学堂。至清光绪三十一年（1905），武备学堂停办，湖南陆军小学堂在原址设立，前后办有五期。唐生智、贺耀组、刘兴、陶峙岳、刘峙、曹伯闻等均毕业于湖南陆军小学，后来升入陆军中学或保定军校，在辛亥革命中起了重要作用，或后来成为国民政府军队的高级将领。因“改练新军，需才孔急，特开设陆军速成学堂，以备二三年内教练新军之选，其学科程度仍以养成完全将校为宗旨”[③]。

（2）新政使湖南近代司法体制得以初步确立。

中国传统社会政治架构是“在皇权主导下的三权分立，行政、立法和司法三权的权力来源和法律凭借，最终都落实到皇帝一人”[④]，面对强大的西方社会文化以及国内日益发展的新经济因素，

① 陈宝箴．奏办时务学堂武备学堂折［M］// 陈宝箴集：上．北京：中华书局，2005：593.

② 俞廉三．奏为遵旨建立武备学堂折［M］// 周正云．晚清湖南新政奏折章程选编．长沙：岳麓书社，2010：93-94.

③ 端方．奏为湘省拟办陆军速成学堂事（清光绪三十一年七月初八日，此系奉旨日期）［A］．中国第一历史档案馆藏军机处录副片：03-6001-084.

④ 马勇．晚清二十年［M］．北京：人民文学出版社，2011：189.

对于奉行了两千多年的与国际规则脱轨的中国律例，朝廷终于认识到“非参酌适中,不能推行尽善”[①],于清光绪三十年（1904）设立修订法律馆，中国传统法律自此开始变革。

清光绪三十二年（1906），刑事、民事两部诉讼法拟定后，朝廷将其下发征求意见。次年，湘抚岑春蓂奏称：“陪审一端亟宜设法培养”，“律师一项又亟宜讲求速成”，建议先行试办，认真整顿法政学堂，“民智日进，人才辈出，陪审、律师无复乏才之患，将见刑事、民事诉讼各法自可次第推行，即治外权亦不难从此收回”。[②]

在司法改革的过程中，对于过去对待犯人的许多不人道的做法，朝廷亦开始改变，“律例重刑酌改，并禁止刑讯”，谕令“各衙门内监、外监一律大加修造”。湘抚端方视察关押犯人之监狱羁所后，深感其“湫隘卑湿”“黑暗闭塞”，致“各犯蝼伏猬缩，或罹疾荡”，“饬令昼夜趱工，限期竣事”，奏报已于清光绪三十一年（1905）六月初旬“一律竣工”。[③]是年四月，朝廷谕令根据罪犯习艺所新章，要求各府、州、县一律分别设立。“凡窃盗均令收所习艺”，“俾一技能娴，得以糊口”，以减少再犯、三犯之人。此前，湘抚赵尔巽已在省城创设自新习艺所，“成绩昭著”，“省中一城之地，习艺所收有二百数十名之多”；端方抚湘后，“委派员绅分劝各属仿照办理”，至五月三十日止，全省已有 38 州县开办罪犯习艺所，354 名罪犯入所习艺。[④]野蛮落后的传统监狱管理，开始步入文明、人道的发展轨道。

随着新法律的颁布和实施，司法制度的改革也同步进行。湘

① 戴逸，李文海．清通鉴：卷二五九［M］．太原：山西人民出版社，1999：8691.

② 岑春蓂．刑事民事诉讼各法拟请先行试办折［M］// 周正云．晚清湖南新政奏折章程选编．长沙：岳麓书社，2010：82.

③ 端方．奏为遵旨改造监狱羁所输情形（清光绪三十一年六月初十日）［A］．中国第一历史档案馆藏军机处录副奏折：03-7399-032.

④ 端方．奏为遵旨筹办罪犯习艺所（清光绪三十一年六月初六日）［A］．中国第一历史档案馆藏军机处录副奏折：03-7420-022.

省遵旨改过去地方行政长官兼理司法审判的旧制，设立三级审判机关，在省城设立高等审判厅，各府州设立地方审判厅，各县设立初级厅，各级审判厅内设立相应的检察厅，本省司法制度改革开始启动。一面“择定厅基，兴工建筑”，一面“参照历奉新章，体察本省地方情形，拟定暂行章程十二条，而以省城各厅应设官吏暨分掌职务系诸其后，其各厅办事细则，亦经条分缕晰，拟定成编，都为二十五章共一百十条”。① 这些司法改革措施还未来得及实行，清朝就灭亡了，但其司法与行政分离原则的确立，为民国司法制度所继承和发展，迈出了近代司法转型的第一步。

司法新政的开展，使法政人才一时供不应求，为造就本省完全法政通才，湖南巡抚庞鸿书于清光绪三十二年（1906）在长沙贡院创办了湖南公立法政学堂。次年改名为法政绅校，仕学馆和附设法政速成科则改为法政官校。清宣统二年（1910），官、绅两校合并后改名为湖南官立法政学堂。学堂分本科、预科、别科和讲习科。

（3）机构改革使行政管理体制开始由传统向近代转型。

机构改革是清末新政的重要内容，包括旧有机构的裁撤、改造和新机构的设立两个方面，湖南在这方面也曾有所作为。

湖南维新运动中，曾设立课吏馆、保卫局和迁善所，是为清末湖南机构改革之滥觞。维新运动失败后，保卫局被改为湖南保甲总局，其他两项则被取消。但政变发生半年多后，湘抚俞廉三又奉旨成立农工商务局，专管全省农工商业及交通、驿传、营缮等事宜，兼办理开设口岸事宜，在岳州开埠过程中又改称洋务局，“是湖南行政机构中第一个全面管理经济贸易的机构”②。

新政开始后至清光绪三十二年（1906）《各省官制通则》颁布

① 杨文鼎．奏为拟订湘省各级审判检察厅暂行章程请饬部立案事（清宣统三年二月二十八日）［A］．中国第一历史档案馆藏军机处录副奏折：03-7592-021.

② 谭仲池．长沙通史：近代卷［M］．长沙：湖南教育出版社，2013：467.

前，湖南进行的机构改革主要有：教育方面，专司兴学事务的湖南学务处于清光绪二十八年（1902）奏准设立。警政方面，湖南保甲总局先是改名为省城保甲团练总局，后又改为湖南省城巡警总局，并增设巡捕局。裁汰冗员浮费方面，湖南巡抚陆元鼎遵照朝廷"破除情面"的要求，于清光绪三十年（1904）奏请"将湘省各局所差使裁并"，已清闲无事之湖南督粮道及道大使一并议裁，"总计每年约可省出银21000余两"。[1]

随着新政的进一步推行，依靠旧有官僚体制推行改革的办法越来越失灵，改订全国官制，为立宪之预备的呼声十分强烈，朝廷不得不全面启动官制改革。根据《各省官制通则》，省级行政机构改革可分新设和改造两种情况。

清光绪三十四年（1908），湖南增设劝业道，专管全省农工商及交通事务，原设农工商矿各处所，均归该道管理，设劝业公所作为其办事机构，分总务、农、工、商、邮传、矿等六科；又增设巡警道，省城巡警总局改为湖南警务公所，作为其办事机构，设总务、司法、行政、卫生四课。

科举制度废除后，管理科举事宜的学政撤销；清光绪三十二年（1906）改设提学使司，负责全省教育事务，湖南学务处改为学务公所，作为其办事机构，下设总务、专门、普通、实业、图书、会计六课。原设按察使司于清宣统元年（1909）改为提法使司，掌全省司法行政，下设民刑、典狱、总务三科。为配合财政清理，度支部奏请各省原设布政使司统管本省财政，湖南于清宣统二年（1910）九月奏准设立财政公所，分总务、田赋、管榷、制用、会计、行政六科治事，隶属布政使，布政使由原来管理民政的机构改组成管理财政的机构。

① 张之洞，陆元鼎．奏为遵旨议裁湖南粮储道等缺并陈夔麟遇有道员缺出尽先补放事（清光绪三十年十一月初四日）［A］．中国第一历史档案馆藏军机处录副奏折：03-5094-056.

作为行省最高权力机构的清代巡抚衙门，原无属官，聘幕僚或文案委员佐理政务。筹备地方制度改革后，朝廷于清光绪三十三年（1907）做出设幕职、佐理文牍、分科治事的要求，本署应设会议厅，定期传集司道以下官，就紧要事件做出实施决定。清宣统三年五月十九日（1911年6月15日），湘抚杨文鼎奏报已遵章设秘书员一人，交涉科、吏科、民政科、度支科、礼科、学科、军政科、法科、农工商科、邮传科等十科各设参事员一人，均系从抚署原设文案各员内遴选委充，但因秘书只设一员，实有不敷，故"于参事各员内酌派五员，兼充秘书，俾资襄理"。[①]

湖南州县新设官职，有株洲县同知和巡检。萍醴铁路建成后，株洲地当要冲，"商贩、行旅络绎于途"，经岑春蓂奏请，"将长沙府督捕水利同知移设该处，名为长沙府株洲抚民同知，所有湘潭县大河以东地方统归管辖"，"并将湘潭县黄茅驿巡检一并移驻，名为株洲巡检，兼管司狱事务"[②]，吏部会议核准，事在清光绪三十四年（1908）。

这一时期，除以上新机构外，还大量裁撤佐贰杂职。根据朝廷《续订直省官制》的要求，"从前各省直隶州、直隶厅及各州县所设佐贰杂职应即一律裁撤"，湘抚岑春蓂于清宣统元年（1909）正月奏准"将茶陵州州判、浏阳县丞、永绥厅茶峒知事、乾州厅河溪巡检、澧州顺林巡检、桃源县郑家巡检六缺一并裁撤"[③]。随着绿营裁撤的基本完成，曹志忠于清宣统三年闰六月初一日（1911年7月26日）交卸提督印信，湖南提督最后裁撤。[④]

---

① 杨文鼎．奏为具陈湖南遵章设立幕职分科治事情形事（宣统三年五月十九日）［A］．中国第一历史档案馆藏军机处录副奏折：03-7440-040.

② 岑春蓂．奏新设株洲同知改为冲繁要缺折［M］// 周正云．晚清湖南新政奏折章程选编．长沙：岳麓书社，2010：120.

③ 吏部，民政部．议复裁撤湖南茶陵州州判等缺折［M］// 周正云．晚清湖南新政奏折章程选编．长沙：岳麓书社，2010：117-118.

④ 杨文鼎．奏为裁缺湖南提督卸任日期暨移交印信汇咨请销事（宣统三年七月二十七日，此系奉旨日期）［A］．中国第一历史档案馆藏军机处录副奏折：03-7487-180.

清末新政中的地方机构改革，是近代中国地方机构近代化转型的一次重要尝试。遵照上谕和章程，湖南当局汰旧开新，力图有所作为，按照层级管理、分科治事、三权分立的精神与原则，撤销或改组旧机构，增设新机构，加强经济与社会事务的管理职能，无论是省级机构的调整，还是省级以下机构的变动，均取得了一定成绩，在管理专业化、组织正规化、职能明确化方面进行了初步尝试，迈出了由传统行政管理体制向近代行政管理体制转型的重要一步，刷新并丰富了近代湖湘文化中的制度文化。旧体制转型为新体制本就艰难，而新体制本身需要在实际操作中来完善，再加牵涉各个方面的利益主体与纷繁复杂的人事纠葛，清政权又未几而亡，清末湘省机构机制改革的成效有限。

（四）湖南立宪派对全国立宪运动的影响及预备立宪在湖南的开展

清末新政启动后的改革是全方位的，一切变革必须维护大清王朝的统治和不可碰触封建政治体制也是必须守住的底线。但随着改革的进行，这种“旧秩序范围内的激烈变革”[①]发展的结果，必然触及整个政治体制问题。促使清朝当局最终走向政治体制改革深水区的是两件事：一是孙中山以暴力推翻清朝统治的革命思想获得了更多人的支持，革命势力影响日益扩大；二是在日俄争夺中国东北的战争中，俄军的不堪一击使中国君主立宪的倡导者毫不犹豫地认定是立宪的日本战胜了专制的俄国，国内政治力量的对比朝着有利于日本式君主立宪的方向变化，立宪政治成为中国人除革命之外最重要的政治诉求，清朝统治者终于启动了政治体制改革。

① 芮玛丽．同治中兴：中国保守主义的最后抵抗（1862—1874）[M]．房德邻，郑师渠，郑大华，等，译．北京：中国社会科学出版社，2001：304.

1. 湖南立宪派对全国立宪运动的影响。

清光绪三十一年（1905），清政府选派载泽等五位大臣出洋考察宪政，作为预备立宪的第一步。考察团队中，有直接由湖南巡抚任上钦派出洋考察的五大臣之一的端方，有湖南维新运动中的活跃分子后因此而被“革职、永不叙用并交地方官严加管束”的随行参赞熊希龄，曾任湖南时务学堂教习的杨毓麟也是五大臣随员。熊建议物色一位平时对宪政有研究的人士，撰写关于东西各国宪政情况的文章，作为将来宪政考察报告的蓝本。而以精通宪政著称的人士，非杨度和梁启超莫属，两人当时均在日本。

清光绪三十二年（1906），载泽等五大臣抵达日本东京，与杨度是同乡旧友的熊希龄随即商请杨度代写关于东西各国宪政情况的文章。杨度视此为实现自己政治主张和救国抱负的机会，欣然受命。但杨度自知对于宪政的了解不及梁启超，于是他又把“枪手”的任务分出一半给梁启超，梁亦欣然应允。杨度写成《中西宪政大纲应吸收东西各国之所长》《实施宪政程序》两文，梁启超则写了《东西各国宪政之比较》一文。七月下旬，当戴鸿慈、端方等一行抵达上海时，熊希龄也随后从日本带回了杨度、梁启超这两名“枪手”的文章。五大臣递交的考察各国宪政奏折，在很大程度上参考了杨、梁文章，此可视为杨度与梁启超对朝廷预备立宪决策的间接参与。

慈禧太后下诏“预备仿行宪政”后，杨度积极响应，上书朝廷，要求速开国会，实行君主立宪；又于日本东京创办《中国新报》，自任总编撰，参与同《民报》的论战，视君主立宪为最优政体，撰写了一系列文章，宣传其速开国会、成立责任政府、实行君主立宪的政治主张；为推动立宪实践，杨度与方表、陆鸿逵、杨德麟等人在东京组织政俗调查会，后又改为宪政讲习所；又联络谭延闿、廖名缙等在长沙成立宪政讲习会湖南分部，后改名为湖南宪政公会。宪政编查馆成立后，因曾为出洋考察宪政大臣捉刀的经历以及因鼓吹立宪而名声远扬的杨度，被保荐为宪政编查馆提调，后担任宪政编查馆总核，参与清末预备立宪大纲、谘议局章程和地方自治章程的起草，是清末筹划预备立宪的主要智囊之一。不仅如此，杨度阐述君主立宪的文章“常有其独到之处，在清末立宪运动中起有很大影响，如召开国会、建立责任政府的主张很快就成为各立宪团体共同认可的政治宗旨”[①]。

在全国请开国会运动中，湖南立宪派率先上书请开国会，又先后两次派代表赴京催促都察院呈递请愿书，震动朝野，此后各地请开国会的函电，交驰至京，有力地促进了立宪运动在全国的迅速兴起。朝廷定九年预备之期后，对此不满的立宪派成立国会请愿同志会，再次掀起请愿运动，要求缩短预备立宪期限，组成责任内阁。在此过程中，湖南先是派代表赴上海与各省代表共商大计，后又参与全国规模的请愿行动，尤其是参加第三次请愿的湖南代表在资政院召开的大会上态度非常强硬，措辞异常激烈。当清廷应允让步后，仍不满足的湖南等省代表还准备发动第四次请愿。当皇族内阁名单揭晓后，湖南代表谭延闿、周煦蜓火速赶到北京，由谭主持的各省谘议局联合会向都察院呈递了《亲贵不宜充内阁总理，请实行内阁官制章程，另简大员组织折》；没有结果后，谭延闿等率代表继续上书，招来一道措辞严厉的上谕；谭延闿等人立即以各省谘议局联合会的名义发表《宣告全国书》，除揭露所谓内阁、立宪实为军机、专制外，并大声疾呼“希望绝矣”“救亡之策穷矣”，又发出《通告各团体书》，逐条批驳上谕的同时，表示将再聚北京续行请愿。

湖南当选资政院议员的易宗夔、唐右祯、罗杰、汤鲁璠、黎尚雯敢说敢干，几乎每会发言，每案发言。其中，易宗夔居发言议员之首，罗杰发言居前十名，成为“资政院三杰”中的两杰。

① 郑焱．近代湖湘文化概论［M］．长沙：湖南师范大学出版社，2008：182.

资政院影响最大的几宗议案如“弹劾军机案”“陈请速开国会案”和“陈请剪辫易服案”，均由湖南议员首先提议；在审议各议案的过程中，湖南议员议论精辟，态度鲜明，据理力争，为议案的通过起到了较重要的作用。

2. 湖南宪政的筹备及地方自治工作的开展。

清光绪三十四年（1908）六月，清廷颁布《各省谘议局章程》及《谘议局议员选举章程》，谕令各省成立谘议局，选举议员，“限一年内一律办齐”。[①] 湖南巡抚岑春蓂先是于年底在长沙设谘议局筹办处，接着又设立选举调查研究所，各厅、州县设立选举调查事务所。清宣统元年（1909）六月二十一日，完成了82名谘议局议员的选举；八月二十五日，省谘议局预备会议在长沙召开，议员们选举谭延闿为议长，冯锡仁、曾熙为副议长。

九月初一日至十月二十日，省谘议局第一届会议在长沙举行，议员们以极大的政治热情积极参与。主要表现在：一是共有29名议员参与提案，自提议案39件，远远超过巡抚提案20件之数；二是所提议案关注的问题广泛，包括经济、政治、教育、军事、社会风俗、交涉、交通等方面，关注的重点是地方政治权利和地方兴革事务；三是积极参会，出席率高达81.7%；四是发言踊跃，发言议员占参会议员的65%；四是对议案的审议认真，共审议抚院交议案、议员自提案和人民陈请建议59件，通过35件。其中抚院交议案中，合并2件，通过18件，否决1件；议员提案，通过25件，否决1件，撤回1件，合并18件，未提议7件。

清宣统二年（1910）九月初一日，湖南谘议局第二届会议在长沙召开。省议员与湖南抚院不仅在审议向朝廷争取地方税收比例、征收田房契税等问题时发生激烈争执，更因不满新任巡抚杨文鼎未经谘议局审议径行向朝廷奏准发行地方公债，以奏办公债，

① 戴逸，李文海. 清通鉴：卷二六五［M］. 太原：山西人民出版社，1999：8964.

未交局议，违法侵权为由，联名上呈资政院，控告其逾越权限，请求资政院提出质询。资政院据实上奏，军机大臣却替杨抚辩护，资政院随即提出弹劾军机的奏章，双方闹得水火不容，成为震动全国的湘省公债案。“士民驳斥督抚本是稀有之事，弹劾军机大臣更是破天荒的事情”[①]，湖南谘议局将公债案由地方推向中央的这一空前举动，体现出捍卫地方议会尊严和地位的巨大勇气。在保路运动中，湖南地方绅士纷纷起来开展保路斗争，湖南谘议局成为这一运动的领导机构，强烈要求湘抚杨文鼎代递奏折，陈述湘路力能自办，不甘借债。

根据朝廷部署，在举行谘议局选举的同时，还要求各厅、州、县地方筹办地方自治，设立自治研究所。为此，湖南先在省城长沙设立自治研究所，由各厅、州、县选送品学较优、素有乡望之士绅到省，经考核合格后入所学习，首批学员 270 名，毕业后派赴各地充当讲员。巡抚杨文鼎于清宣统二年（1910）八月二十八日奏报：各厅、州、县“先后报告设所，虽长期、短期办法不同，要皆具有规模，逐渐毕业”，自治经费亦大多筹定，“至调查户口区域，举行各会选举，均按照自治筹备处原定期限，次第办理”。[②]各镇、乡地方自治，由谘议局筹办处兼理，选举结束后，将选举事务研究所改为筹办地方自治公所。

清宣统二年（1910）七月十九日，湖南首次试行财政预算制度，定宣统三年（1911）财政预算年收入为 7661554 两，支出为 9232704 两，赤字为 1571150 两，两个月后提出修正案，赤字减为 28 万两。

综上所述，一方面在清末实行新政过程中，近代湖湘文化的代表性人物在促进朝廷新政的启动、帮助确定新政的行动纲领、

① 刘建强．湖南自治运动史论［M］．湘潭：湘潭大学出版社，2008：38.
② 杨文鼎．湖南第四届筹办宪政情形折［G］// 杨鹏程．湖南谘议局文献汇编．长沙：湖南人民出版社，2010：39-40.

促成中国传统教育体制的解体和现代教育体制的建立方面，起到了十分重要的作用；当新政发展到预备立宪阶段时，湖南立宪派代表人物杨度间接参与朝廷的预备立宪决策、直接参与预备立宪的顶层设计，湖南立宪派发动国会请愿运动最早而又坚持到最后，推动了立宪运动的高涨。另一方面，在朝廷的统一部署下，湖南全面落实各项新政措施，在积极构建近代新教育体系，移植近代工商业文明，改革近代军事、司法、行政体制，以及筹备实施宪政、推进政治体制改革等方面，呈现出前所未有的广度与效果，进一步丰富了近代湖湘文化的内涵。总之，近代湖湘文化对清末新政产生了重要影响，清末新政则使近代湖湘文化开始全面刷新，不仅表现在器物层面，还体现在制度与思想观念层面，新政的推行成为近代湖湘文化发展的关键环节。

三、辛亥革命与近代湖湘文化内涵的剧变

自清光绪二十七年（1901）主动实行新政以来，当局出台改革措施的速度前所未有，涉及的领域几乎无所不包，连最忌讳的政治体制也在半推半就的“预备”中急急地进行着。之所以如此紧锣密鼓地推进新政，其中一个重要原因是先前不被认同的革命思想开始蔓延，必须在与革命的赛跑中掌握主动并战胜政治对手。就改革内容而言，虽然顺应了中国社会历史发展的客观要求，符合人类文明发展进步的方向，但遗憾的是，新政不仅有增加财政开支、加重百姓负担之弊，且有急于求成之嫌，更由于背负的历史包袱太多且太重，积重难返，反而招致了更多的民怨与官怨，清廷以维护自身统治为前提的改良最终未能跑赢以推翻清廷统治为目标的革命。在这场革命中，湖湘文化不仅提供了反清革命的重要思想资源，湖湘辛亥志士以其特别独立之根性为革命的成功

做出了重大贡献，湖湘文化在政治思想领域也随之由改良转向了革命。

（一）船山思想中的民族主义成为反清革命斗争的重要思想资源

自王夫之《船山遗书》在清道光末年由邓显鹤首次大规模刊刻，清同治初年由曾国藩及其弟曾国荃更为全面系统地重刻以来，“其说大倡于湖湘而遍天下”①，一股始于湖南进而波及全国的研习船山学的热潮长盛不衰。湖南士人获近水楼台之便，对船山学的研习不仅走在全国前列，而且前后相继，代代相传。之所以如此，是因为王船山有着坚忍不拔的精神品质，“其学无所不窥，于六经皆有发明”②，思想体系广博，不同时代的有志者均能从中获取有益的思想资源，并诠释出合乎时代要求的理论武器。如本书前面所述，理学经世派视船山学为经世致用的典范，湘军领袖利用其重“礼”的思想来为经世致用找到一种落实的具体途径，维新人士则将王船山塑造为倡导变革、反对专制的改革派哲学家。而在资产阶级民主革命运动兴起的过程中，船山学说则又“被民主革命者诠释为中华民族复兴的思想武器”③。

王船山身处民族矛盾极为尖锐的时代，早年曾走出书斋，投身抗清救亡斗争十余年；清朝建立起在全国的稳固统治后，王船山先是“随地托迹”以避侦缉，后又拒绝入清朝为官，隐居避世，始终坚守民族气节，虽“饥寒交迫、生死当前而不变”④。“抑湖南

① 章士钊．王船山史说申义［M］// 丁仕原．章士钊辑．北京：民主与建设出版社，2014：122.

② 刘献廷．广阳杂记：卷二［M］．北京：中华书局，1957：57.

③ 刘觅知．近代社会思潮演进格局下的船山学研究［D］．长沙：湖南大学，2015.

④ 王敔．大行府君行述［M］// 王夫之：船山全书：第一六册．长沙：岳麓书社，1996：73.

者，民族主义之出产地也”[①]，生活在明清鼎革之际的王船山就是这样一位具有强烈民族主义情感和意志的典型。王船山在其著作中特别强调夷夏之辨（或称华夷之辨、夷夏之防），在评价历史人物时以民族大义为最高标准，甚至提到了“天下古今之通义”的高度，比维系君臣名分还重要，以此宣传反清复明思想。船山所讲华夷之辨，主要着眼于文化上的先进与落后，认为华夏文化是最高尚的，若不与落后的夷狄划清界限，天、地、人三维就会断裂，导致国家民族灭亡。王船山又指出：“圣人先号万姓而示之以独贵，保其所贵，匡其终乱，施于孙子，须于后圣，可禅、可继、可革，而不可使夷类间之。”[②]也就是说，华夏子孙可以“禅”“继”“革”，“夷类”则不可，必须有严格的畛域界限。

王船山以华夏族至上的态度，严守“夷夏大防”，其他的汉族士大夫也多以此对清朝政权的合法性从理论上予以否定，实际上是基于满洲入关，颠覆了明王朝，创痛巨深，有感而发。清廷则搬用历史上“夷狄入中国则中国之”的证据，以证明其统治的合法性，并采用笼络汉族知识分子的政策，随着统治的巩固，其合法性问题逐渐淡出，而广大汉族知识分子也逐渐接受了清朝统治全国的现实。但是到了近代社会矛盾丛集而清朝统治日益腐朽无能的时候，其合法性问题又再次出现；尤其是进入到与王船山生活年代有着相似时代特征的近代中国，在清末革命排满的青年人和革命者那里，王船山等民族至上的爱国主义思想，成了强化民族凝聚力，集结更多的力量来反对满洲贵族无能腐朽统治的理论旗帜。“条别宗法，统于黄帝，以迄今日，以述吾种人兴替之迹”；“衡阳王氏当有明鼎革，抱种族之痛，发愤著书，乃取轩辕肇纪，推

① 柳亚子．湘狱［M］// 王夫之．船山全书：第一六册．长沙：岳麓书社，1996：857.

② 王夫之．黄书［M］// 船山全书：第十二册．长沙：岳麓书社，2011：501.

所自出，以一吾族而统吾国”。[1] 这种以“夷夏之辨”为核心的旧民族意识，曾被湖南维新志士用来暗中反清排满；而辛亥革命志士更是借助王船山的民族意识公开倡言反满革命,将其“尊黄攘夷”的思想引申到“驱除鞑虏，恢复中华”的资产阶级民族革命纲领中来，使之成为近代民族主义思想的直接理论来源之一。

当时，“凡论种族者，皆依托王船山”[2]，无分省内和省外。对于明末清初的三大学者王船山、顾炎武、黄宗羲，浙江章太炎评述最多最崇敬的是王船山，“季明之遗老，惟王而农为最清”[3]；并认为“当清之际，卓然能兴起顽懦以成光复之绩者，独赖而农一家言而已”[4]。对王船山夷夏大防的思想，江苏刘师培称赞有加：“王船山先生有言，夷狄之于中国，厥类均也，中国不自畛绝夷则地裂矣。大哉言乎！可谓识华夷之别矣。”[5] 湖北熊十力“读船山、亭林诸老先生书，已有革命之志，遂不事科举而投武昌凯字营当一小兵,谋运动军队”[6],在船山思想激荡下走上革命道路。民主革命的先行者孙中山说：“余之民族主义，特就先民所遗留者发挥而光大之，且改良其缺点。”[7] 又说：“故老遗民如史可法、黄道周、倪元璐、顾炎武、黄宗羲、王夫之诸人，严《春秋》夷夏之防，抱冠带沉沦之隐，孤军一族，修戈矛于同仇，下笔千言，传楮墨于来世。或遭屠杀，或被焚毁，中心未遂，先后殂落。而义声激越，流播人间，父老遗传，简在耳目。”[8] 也就是说，孙中山从包括王船

① 黄节．黄史［M］// 国粹学报：第 3 册．扬州：广陵书社，2006：404、419.
② 王闿运．邗江王氏族谱叙［M］// 王夫之．船山全书：第一六册．长沙：岳麓书社，1996：663.
③ 维铮，姜义华．章太炎选集注释本［M］．上海：上海人民出版社，1981：401.
④ 章太炎．重刊船山遗书序［M］// 王夫之．船山全书：第一六册．长沙：岳麓书社，2011：441.
⑤ 刘师培．攘书［M］// 刘申叔遗书．南京：凤凰出版社，1997：632.
⑥ 郭齐勇．熊十力及其哲学［M］．北京：中国展望出版社，1985：5.
⑦ 孙中山全集：第七卷［M］．北京：中华书局，1984：60.
⑧ 孙中山．同盟会本部宣言书［M］// 方李邦琴．孙中山与少年中国——从美国当年的报纸看辛亥革命．北京：北京大学出版社，2012：165.

山在内的“故老遗民”那里汲取了丰富的思想营养，所提出的民族主义是对“夷夏之防”思想予以扬弃的结果。

船山学说特别是其民族主义思想，对外省籍知识阶层的影响尚且如此之大，湘籍辛亥志士受船山学说的熏染就更巨了。杨度于清光绪二十八年（1902）初到日本时，一度倾向革命，认为“未有不经骚动而能入于和平者”，“骚动者所以促进文明之进步，而非阻文明之进步者也”；[①] 次年又称“惟有船山一片心，哀号匍匐向空林。林中痛哭悲遗族，林外杀人闻血腥。留兹万古伤心事，说与湖南子弟听”[②]。喜读《船山遗书》的革命家、实业家禹之谟坚信“非我族类，其心必异。依赖民族政府改行新法，等于与虎谋皮”[③]。杨毓麟则竭力褒扬王船山种族、家国的悲戚之情和以种姓作为安身立命第一要义的观点，称“王船山氏平生所著书，自经义、史论以至稗官小说，于种族之戚、家国之痛，呻吟呜咽，举笔不忘，如盲者之思视也，如痿者之思起也，如喑者之思言也，如饮食男女之欲一日不能离于其侧，朝愁暮思，梦寐以之。虽以黄梨洲之刚侠，至其沉酣没溺，持此为第一义谛，为毕生归根立命之所，或尚未之及”[④]。蔡锷“尝间常读王船山氏《黄书·宰制篇》，深喜中国尚有具野蛮之体质，而富于尚武之精神者”[⑤]，服膺王船山的尚武精神。章士钊著《王船山史说申义》，引用王船山《读通鉴论》九段原文，并分别加以按语，斥责清廷为“夷狄盗贼”，不忍“见数百年无君父之国”，呼吁国人驱除异种，重兴沦亡之国。[⑥] 陈天

① 杨度．支那教育问题［M］// 刘晴波．杨度集．长沙：湖南人民出版社，2008：57，59.

② 杨度．湖南少年歌［M］// 刘晴波．杨度集．长沙：湖南人民出版社，2008：92—93.

③ 姚渔湘．禹之谟传［M］// 陈新宪．禹之谟史料．长沙：湖南人民出版社，1981：6.

④ 杨毓麟．新湖南［M］// 饶怀民．杨毓麟集．长沙：岳麓书社，2001：34.

⑤ 蔡锷．采王船山成说证中国有尚武之民族［M］// 王夫之．船山全书：第一六册．长沙：岳麓书社，1996：839.

⑥ 章士钊．王船山史说申义［M］// 丁仕原．章士钊辑．北京：民主与建设出版社，2014：122.

华在新化求实学堂读书时，“当时风气，喜谈顾亭林、黄梨洲、王船山三先生之学，于山川险寨，制度利弊，以及行军理财，均反复研讨，以求至深”[①]，受到王船山等人的民族主义与民主启蒙思想的熏陶。仇鳌革命念头之起，亦与“早年好读《船山遗书》”[②]等有关。王船山具有强烈的爱国感情和民族气节，船山学强烈的民族主义适应了辛亥革命反清排满的需要，船山民族至上的爱国主义成为辛亥革命时期湖湘思想文化的核心价值，在湖湘志士以及其他志士心中，王船山是民族精神的人格象征。“被视为改革派哲学家的王夫之，此时摇身一变成为湖南当地反满、反帝国主义的典范”[③]，其实也是外省籍知识阶层的典范。

有人说，“辛亥革命以前，船山之说大张，不数年而清室以亡”[④]，话虽有点夸张，但他的“许多话，在过去百多年间，大家熟视无睹”，到这时确实“忽然像电气一般，把许多青年的心弦震得直跳……蓦地把二百年麻木过去的民族意识觉醒转来……从事于推翻几千年旧政体的猛烈运动”。[⑤]可见，“王船山尊黄攘夷的民族思想在近代已经成为了汉民族主义者的共识，它对于清末文化民族主义、种族民族主义、政治民族主义的形成和发展都产生了不可估量的影响，它有力地唤醒了国人救亡图存的意识，推动了革命排满思想的传播，为辛亥革命的成功奠定了坚实的理论基础”[⑥]。

① 杨源浚．陈天华殉国记［J］．湖南历史资料，1959（1）：127.

② 仇鳌．辛亥革命前后杂忆［M］// 辛亥革命回忆录：第 1 辑．北京：文史资料出版社，1981：437.

③ 裴士锋．湖南人与现代中国［M］．北京：社会科学文献出版社，2015：111.

④ 章士钊．疏黄帝魂［M］// 章士钊全集：第 8 卷．上海：文汇出版社，2000：199.

⑤ 梁启超．中国近三百年学术史［M］．北京：东方出版社，1996：30-31.

⑥ 刘觅知．近代社会思潮演进格局下的船山学研究［D］．长沙：湖南大学，2015.

（二）湘籍辛亥志士对资产阶级民主革命理论的探索与贡献

思想是行动的先导，理论是实践的指南，思想理论准备是一场深刻的社会革命或变革所必不可少的。中国最早进行资产阶级民族民主革命理论探索的是孙中山，他在清光绪二十年（1894）将“驱除鞑虏，恢复中华，创立合众政府”作为兴中会入会誓词，第一次提出推翻清朝封建专制、建立汉族政权、实行美式民主共和国的政治目标，将民族革命与民主革命结合起来。但在接下来的几年内，孙中山的方案只是孤独的革命先行者的选项，当时国内政治思潮的主流仍是维护清朝中央政府，只是希望有所改良。清光绪二十六年（1900）事件后，人们更进一步加深了腐朽的清政府根本不能使国家和民族摆脱受列强欺凌命运的认识，孙中山的革命思想在汉族知识分子中间被激活，其中姚宏业、禹之谟、秦力山、樊锥、毕永年、杨毓麟、陈天华、黄兴、宋教仁、蔡锷、章士钊等众多辛亥志士，就是这群被激活的湘籍知识分子中的代表性人物，他们积极投身民族民主革命理论的探索与宣传，做出了卓有成效的贡献，兹择其主要方面简介如下。

1. 深刻揭露帝国主义侵略中国的罪行与危害，以证明反帝救亡的必要性。

据目前所知，湖南人杨毓麟是最早明确地提出反对“帝国主义”口号的近代革命家，其反帝爱国思想集中体现在清光绪二十八年（1902）所写《新湖南》一书中。杨毓麟在该书中指出：“国民生殖蕃盛之力之所膨胀也”，“国民工商业发达、资本充实之所膨胀也”，是导致“民族主义而变为民族帝国主义”的根本原因；[①]进而指出，当资本主义发展到帝国主义阶段后，因世界领土已基本

① 杨毓麟．新湖南［M］// 饶怀民．杨毓麟集．长沙：岳麓书社，2001：41.

瓜分完毕，它们对中国的侵略也更加贪婪而猖狂，除在中国掀起瓜分的狂潮外，更“以殖民政略为主脑，而以租界政略、铁道政略、矿产政略、传教政略、工商政略为眉目，用以组织此殖民政略，使达于周密完全之地”[①]；且“其手段愈高，其方法愈巧，其议论愈精，其规画愈细，于是以扶植满洲政府为兼弱攻昧之秘藏，以开放中国门户为断腰绝膂之妙术”[②]。基于对帝国主义发展过程、历史特点、侵略本质及侵略手段等方面的这种认识，杨毓麟勇敢而明确地吹响了反对帝国主义的战斗号角：“故欲横遏此帝国主义之潮流者，非以民族主义筑坚墉以捍之，则如泛桃梗于洪涛之上而已矣。夫胡越之人，不能相为忻戚，天性然也。故民族主义者，生人之公理也，天下之正义也。有阻遏此主义使不得达者，卧薪尝胆，炊矛折剑，冀得一当而已矣，公理然也，正义然也。欲起国民之痿痹者，此其一事矣。”[③]

另一位具有完整丰富反帝爱国思想的湘籍辛亥志士是陈天华，其反帝爱国思想集中体现在他于清光绪二十九年（1903）所著《猛回头》《警世钟》等警世著作中。陈天华在其著作中直陈中国被列强瓜分的险恶局势：“日本占了台湾，俄国占了旅顺，英国占了威海卫，法国占了广州湾，德国占了胶州湾，把我们十八省都画在那各国的势力圈内，丝毫也不准我们自由。”[④]在帝国主义侵略下，“枪林炮雨是我们同胞的送终场，黑牢暗狱是我们同胞的安身所。大好江山变做了犬羊的世界，神明贵种，沦落为最下的奴才”[⑤]，列强已经全面侵犯中国的领土、司法、航运、铁路、矿山等主权，“亡

① 杨毓麟．新湖南［M］// 饶怀民．杨毓麟集．长沙：岳麓书社，2001：43.
② 同① 44.
③ 同① 51.
④ 陈天华．猛回头［M］// 刘晴波，彭国兴．陈天华集．长沙：湖南人民出版社，2008：22.
⑤ 陈天华．警世钟［M］// 刘晴波，彭国兴．陈天华集．长沙：湖南人民出版社，2008：52.

国灭种就在眼前”[①]。在亡国灭种的危急关头，陈天华号召沉睡的亿万同胞要敢于斗争，“洋兵不来便罢，洋兵若来，奉劝各人把胆子放大，全不要怕他。读书的放了笔，耕田的放了犁耙，做生意的放了职事，做手艺的放了器具，齐把刀子磨快，子药上足，同饮一杯血酒，呼的呼，喊的喊，万众直前，杀那洋鬼子，杀投降那洋鬼子的二毛子”，“手执钢刀九十九，杀尽仇人方罢手”[②]；强调要全民团结，弓箭“分开易断，合聚难折”[③]，做官的、当兵的，富的、穷的，会党、教民，男子、妇女，都要担当起救国的责任，“人人当以救国为心”[④]；人人都要有不怕死的牺牲精神，“一人舍得死，万夫不敢挡。一十八省，四万万人，都舍得死，各国纵有精兵百万，也不足畏了”[⑤]，只有“这时多死几人，以后方能多救几人”[⑥]。但陈天华反对盲目排外，明确提出："要拒外人，须要先学外人的长处”[⑦]，“要学那，法兰西，改革弊政”，“要学那，美利坚，离英自立”[⑧]，并提出了除党见、同心同德，讲公德、有条有纲，重武备、能战能守，务事业、可富可强，兴学堂、教育普及，讲演说、思想遍扬，兴文学、培植根本，禁缠足、敝俗矫匡，把洋烟、一点不吃，凡社会、概为改良等十个方面要学习的内容。[⑨]

蔡锷比较系统的反帝救国思想，首先体现在他于清光绪二十八年（1902）发表在《新民丛报》上的《军国民篇》一文中。面对中华民族当时面临的严峻形势，蔡锷大声疾呼，“居今日而不

---

① 陈天华．警世钟［M］// 刘晴波，彭国兴．陈天华集．长沙：湖南人民出版社，2008：53.

② 同① 62-63.

③ 陈天华．猛回头［M］// 刘晴波，彭国兴．陈天华集．长沙：湖南人民出版社，2008：37.

④ 陈天华．狮子吼［M］// 刘晴波，彭国兴．陈天华集．长沙：湖南人民出版社，2008：144.

⑤ 同① 64.

⑥ 同① 71.

⑦ 同① 75.

⑧ 同③ 42、44.

⑨ 同③ 39-40.

以军国民主义普及四万万，则中国其真亡矣”，只有全体国民皆具有“军人之智识，军人之精神，军人之本领”，[①]才是实现救国图存的有效途径。借鉴欧美和日本的经验，在分析中国缺乏军国民原因的基础上，蔡锷提出了改革教育、提倡尚武精神、增强国民体魄、“陶铸国魂”、整军经武、全民皆兵等主张，以造就爱国、尚武和勇于为国捐躯的军国民精神。“吾国军国民主义之输入，以此为嚆矢”[②]。蔡锷是提出以“军国民主义”抵御列强入侵、拯救中国主张的第一人，反映了近代中国知识分子的救国思路从关注器物、制度层次转向注重精神观念的层次，对于近代中国社会“军国民主义”思潮的形成以及“军国民教育”思想的勃兴，以至“军国民教育会”的出现，无疑起到了积极的推动作用。[③]从日本毕业回国后，蔡锷抱着把广西塑成“中国普鲁士”的愿望去广西练兵，并悉心研究边境防务，后又去云南军界任职。在此期间，蔡锷先后发表《云南外交之失败及挽回》《日法协约问题》和《西江警察权问题》等文章，运用国际法知识，配合各地兴起的收回利权运动，及时揭露英、法帝国主义在西南各省的政治、经济侵略行径，提出挽回外交失败、夺回利权的办法。

作为民主革命思想家的宋教仁，虽不曾见其明确的反帝主张，但他以极大的注意力关注反帝救亡这一主题，并善于从历史角度探讨问题，注意运用国际法理论维护国家主权和领土完整。他曾扮作日人深入东北，实地考察延吉间岛，并查阅朝鲜汉城、日本东京帝国大学图书馆的档案资料，于清光绪三十四年（1908）著成《间岛问题》一书，以确凿的证据，证明了延吉间岛为中国领土，抱持“政府固所反对，然国家领土，国民人人当宝爱之”的态度，将所著之书送交清政府驻日公使，公使抄送外务部，“果大有所资

① 蔡锷．军国民篇［M］// 曾业英．蔡锷集．长沙：湖南人民出版社，2008：164.
② 谢本书．讨袁名将蔡锷［M］．兰州：兰州大学出版社，1997：33.
③ 邓江祁．论蔡锷的反帝爱国思想［J］．怀化学院学报，2005，24（1）.

于谈判，而获斥退日人之口实”。[1]清宣统三年（1911）春，中俄发生《伊犁条约》修订风波，宋教仁经过认真研究，撰写了《二百年来之俄患篇》《讨俄横议》等文章，揭露“俄人此次对于蒙古、新疆之举动，其蓄意深而规划甚巨，其目的所在，要不外乎欲握蒙古、新疆之政治势力经济势力，以图展其极东政策中东政策（中亚方面）之雄略”[2]，根据《国际法》论证了中国要求修订《伊犁条约》商务条款的正当性，并提出上、中、下三策。宋教仁在时评中指出，日俄战争之后，中国被瓜分豆剖的危险依然存在，“而为导火线者，又必为满洲问题，或监督支那财政问题。斯时吾国若犹不克为主动的外交，以折冲于角逐场中，吾恐第二之波兰问题将复见于东方矣”[3]，认为沙俄与日本是危及中华民族生存的主要祸源，日本正在贯彻其“包举满洲，以雄飞东西大陆之方针”[4]而成为中华民族更危险的敌人。在清末革命党人中，宋教仁是少有的绝不以牺牲国家某部分权利换取外国势力支持反满革命、严格区分爱国与反清统治以及不因帮助过中国革命志士而放松对日本侵略中国警惕性的革命的爱国志士，湖湘文化爱国与务实的精神实现了完美的结合。

湘籍志士与其他辛亥志士痛言危机、抒发爱国精义的反帝救亡言论，揭露了帝国主义侵犯中国主权的罪行，唤起了中国人民的觉醒，激活了同胞的现代国家认同，对动员民众奋起救亡、投身民族民主革命起到了巨大的推动作用。

2. 深刻揭露清政府黑暗专制，以论证革命排满的合理性。

辛亥革命前，民主革命志士认为反帝必须排满，不推翻清朝

① 宋教仁．致李、胡二星使书［M］// 郭汉民．宋教仁集．长沙：湖南人民出版社，2008：67.

② 宋教仁．二百年来之俄患篇［M］// 郭汉民．宋教仁集．长沙：湖南人民出版社，2008：210.

③ 宋教仁．论近日政府之倒行逆施［M］// 郭汉民．宋教仁集．长沙：湖南人民出版社，2008：272.

④ 宋教仁．东亚最近二十年时局论［M］// 郭汉民．宋教仁集．长沙：湖南人民出版社，2008：175.

专制统治，就不可能实现独立富强，因此，排满革命思潮弥漫全国，湘籍辛亥志士杨毓麟、陈天华、蔡锷、秦力山、宁调元、章士钊等，深刻揭露清朝统治的黑暗、专制、腐朽与卖国，成为排满革命的积极鼓吹者。

杨毓麟通过揭露清王朝自建立以来的种种暴政，指出“二百年来之历史，皆爱新觉罗氏之罪状也”，说明清朝的统治已经完全失去了合法性；并用种种实事，揭露清朝廷“自光绪初政以迄于今，皆那拉氏西邸卖官之贸易所、梨园歌舞之淫乐图也”[1]，将清朝实际最高统治者慈禧太后在“同治中兴”所赢得的最后一丝光环砸得粉碎。因此，推翻清朝统治，已具有天然的合理性。又指出造成中国黑暗、苦痛的是那些“倾宗覆社、日事淫乐之宫中圣人，城狐穴鼠、贪叨富贵之王爷、大学士”以及“婉娈事人绸缪旦夕之野鸡政府、全无心肝不知死活之王八官场”，“不消灭傀儡场之威权，则无以伸张吾国民之主权”，要实现中华民族的独立与解放，必须坚决推翻清朝傀儡政府。[2]

陈天华则明确指出满洲政府已是“洋人的朝廷”，因为清朝统治者事事依着洋人，句句依着洋人，一副奴颜婢膝、谄媚畏惧的丑态，“这朝廷，原是个，名存实亡；替洋人，做一个守土长官；压制我，众汉人，拱手降洋”，“你道现在的朝廷仍是满洲的吗？多久是洋人的了”，[3] 所以革命必须排满。

蔡锷对清政府在对外政策方面的丧权辱国给予了猛烈的抨击，斥责其“不知处置保护国”，坐视英、法侵占缅甸、越南，从而直接威胁西南边境的安全；签订不平等条约，将中国利权“捧而献之乐人”；并指其所谓开放主义是“开门缉盗”“引贼入室”之主

① 杨毓麟．新湖南［M］// 饶怀民．杨毓麟集．长沙：岳麓书社，2001：55.
② 杨毓麟．满洲问题［M］// 饶怀民．杨毓麟集．长沙：岳麓书社，2001：90.
③ 陈天华．猛回头［M］// 刘晴波，彭国兴．陈天华集．长沙：湖南人民出版社，2008：28.

义。对清政府及官吏不学无术、愚昧无知也给予无情批评，“滇中大吏奏准英法（在云南）合办之隆兴公司，规定章程约二十四款，犹自以为得计。不知抛弃土地，丧失主权，污辱国体，莫此为甚”；悲叹“物必自腐然后虫生之，人必自伐然后人伐之，其理有毫不容爽者”。[①]

秦力山自参与自立军起义失败后，即“大倡革命仇满学说，措辞激昂”[②]。其后，秦力山连续撰文，指“今之亡人国者，则有其地而弗守，即以其若臣守之”[③]，暗批清廷是帝国主义灭亡中国的工具；又云“夫清国云者，一家之私号，一族之私名也”[④]，将清廷定性为一家一姓之专制政权；再云“此三百年中屠戮聚敛及钳制之所以为我汉人地者，昔吾犹痛斥其为暴君，今则始知其为大盗。戴盗以立国，尚有昌种之一日乎！我生不辰，逢此丧乱，人之将死，发此哀音。虽然，吾今而后知主张改革者之谬也，国与国可以协商，君与民可以协商，盗与主人非有可以协商者”[⑤]，这种专制政权是靠强盗行为建立起来的，强盗与被抢劫者之间是没有可以商量的。对此种专制政权，“必荡涤其邪秽，斩绝其根性，斩之以刃，荡之以血……支那欲立新国乎，则必自亡旧始”[⑥]。在秦力山看来，清朝统治本就不具有合法性，现在则已完全失去了存在的必要性，只能以武力去推翻，以建立新的国家，推翻专制卖国的清朝统治是革命的重要目标。

宁调元曾发表《仇满横议》《三合会讨满清檄文》等，历数清朝统治者诸如大兴文字狱、横征暴敛、吏治腐败、丧权辱国种种

① 击椎生．云南外交之失败及挽回［M］// 中国科学院历史研究所第三所．云南杂志选辑．北京：北京科学出版社，1958：627-628.

② 冯自由．革命逸史：东京国民报［M］．北京：新星出版社，2009：79.

③ 秦力山．中国灭亡论［M］// 刘泱泱．樊锥集 毕永年集 秦力山集．长沙：湖南人民出版社，2011：173.

④ 秦力山．亡国篇［M］// 刘泱泱．樊锥集 毕永年集 秦力山集．长沙：湖南人民出版社，2011：187.

⑤ 秦力山．说革命［M］// 刘泱泱．樊锥集 毕永年集 秦力山集．长沙：湖南人民出版社，2011：234.

⑥ 同④ 188-189.

罪恶，提出非排满“决不足以立宪也”“决不足以救亡也”“决不足以存汉也”，不耻立宪派“献媚卖虁”的“卑劣人格”，反对同清朝统治者的任何妥协，认为只要“满胡得驱窜于塞北”，哪怕“新政府仓卒又建专制”，“虽死亦瞑目，不复怨天尤人”，并鼓吹以暗杀、暴动等手段来达到排满之目的。[①]

和当时大多数革命者一样，湘籍辛亥志士的排满革命思想大多具有严重的种族主义成分，往往把单纯的排满作为主要目的，“重种族而轻政治”；但也有认识清醒者，如杨毓麟等就认为应该首先利用满汉不平等的积年界限，宣传鼓吹民族革命，然后进一步推行民权革命。秦力山是较早提出反满主张的，但他又广为宣传民主。章士钊也在清醒者之列，在《读〈革命军〉》中，他认为“今日世袭君主者”“占贵族之特权者”“驻防各省以压制奴隶者”皆为满人，“夫革命之事，亦岂有外乎去世袭君主、排贵族特权、复一切压制之策者乎？是以排满之见，实足为革命之潜势力，而今日革命者，所必不能不经之一途也”；但章士钊又认为“仅仅以仇满为目的，而不灌输以国民主义，则风潮所及，将使人人有自命秦政、朱元璋之志……非酿成第二次革命不止”。[②] 从中我们可以看到，排满只是手段而不是目的，目的不能被手段绑架，革命的目的是要造就“以其知识技能尽国民之职”的共和国公民，这种理性与远见在当时湘籍辛亥革命志士中是比较少见的。

和全国其他辛亥志士一样，湘籍志士的排满革命宣传，激活了民族意识的认同，对动员群众推翻清朝专制统治起到了巨大作用，从而推动了中国资产阶级民族民主革命的发展进程；但排满意识的局限性和对封建意识批判清算的严重不足，也成了后来民

① 宁调元．仇满横议［M］// 杨天石，曾景忠．宁调元集．长沙：湖南人民出版社，2008：429.

② 章士钊．读《革命军》［M］// 丁仕原．章士钊辑．北京：民主与建设出版社，2014：8-9.

主共和理想不断遭遇严重挫折的思想根源。

3. 提倡兴民权，主张建立资产阶级民主共和国。

辛亥革命前，越来越多的人接受了来自西方的民主共和思想，将扩大和保障国民的基本权利，实行西方民主政治，作为革命所要追求的主要目标。湘籍辛亥志士杨毓麟、陈天华、宋教仁、章士钊等在研究阐发民主共和理论方面，做出了重要贡献。

杨毓麟发表有《新湖南》长篇论文，“所研究者在存中国，在存湖南以存中国”，专从学理上阐述政治革命和种族革命学说。该文指出，仅有民族建国主义还不够，必须有个人权利做辅翼，个人权利是天赋个人之自由权，“放弃其自由权者，失人格也；侵害他人之自由权者，损伤他人之人格者也；失人格与损伤人格者，皆乱术也。是故主权者国民之所独掌也，政府者股东之司事也”，人民对国家、政府对国家、人民对政府均有各自的责任，是相互联系着的，应各自负起自己的责任。然后通过对西方三权分立说的解释和赞扬，对国民权利和国家民主论说进行总结：“立法权，由国民全体付之少数人之部分，以达全体之意识者也；行法权者，国民少数之一部分，受全体之委托而奉行主权之职务者；司法者，所以监督行政者，与人民之奉法者也。”①

陈天华在《国民必读》中指出，中国落后的病根在于封建专制统治，“国民不能参与政治，全凭皇帝、官长几个人独断专行，红就红了，黑就黑了，国事任凭他们弄坏到怎么样，国民说不得一句话”；并进一步指出，国民应拼命争取属于国民自己的政治参与权、租税承诺权、预算决算权、生命财产权、言论自由权、集会自由权、外交参议权、地方自治权等基本权利，“不要再任做皇帝、官长的胡做乱为，把中国弄得稀糟”。通过“国民之革命”，推翻

① 杨毓麟．新湖南［M］// 饶怀民．杨毓麟集．长沙：岳麓书社，2001：55.

清朝的腐朽统治,从而实现“宣布自由,设立共和”的革命目标。[1]他在《论中国宜改创民主政体》中说:“君主专制,政敝而不能久存也”,“欲救中国,唯有兴民权,改民主;而入手之方,则先之以开明专制,以为兴民权、改民主之预备;最初之手段,则革命也”。[2]陈天华这里所说民权是指人民的权力,民主则是指共和政体。对中国为何要实行民主,国民应该拥有的基本的民主权利、实现民主的手段以及民主革命的目标,陈天华均做了精辟的阐释。

宋教仁也是研究、宣传民主共和思想的主要人物,是西方议会政治的忠实信奉者。宋教仁十分关注各国民主政治实践的新经验、新教训,如俄国1905年革命、英国1911年国会革命、葡萄牙资产阶级民主革命发生后,他都有专门的评论文章,并从“葡国革命大告成功”中得出“一、革命不得外国之承认,则其目的不得完成;二、革命进行时,不可预计对外关系,而出以使外国乐于承认之手段;三、革命成功后,不必虑及对外关系之困难而恐其不承认”[3]之教训,表达了应独立自主进行国内革命的思想。宋教仁在研究各资本主义国家的政治制度与政权组织形式后,认为“今后吾国政治变革,结局虽不可知,然君主专制政体,必不再许其存在,而趋于民权的立宪政体之途,则固事所必至者”[4],提出了较明确的政治改革目标。正因为所追求的是“民权的立宪政体”,对清政府正在推行的以君主立宪政体为目标的预备立宪,宋教仁指责其是虚伪的立宪,不过是“欲假之以实行专制者也”[5]。因

① 陈天华.国民必读——奉劝一般国民要争权利义务[M]// 刘晴波,彭国兴.陈天华集.长沙:湖南人民出版社,2008:182.

② 陈天华.论中国宜改创民主政体[M]// 刘晴波,彭国兴.陈天华集.长沙:湖南人民出版社,2008:199.205.

③ 宋教仁.葡国改革之大成功[M]// 郭汉民.宋教仁集.长沙:湖南人民出版社,2008:386.

④ 宋教仁.论都察院宜改为惩戒裁判所[M]// 郭汉民.宋教仁集.长沙:湖南人民出版社,2008:336.

⑤ 宋教仁.希望立宪者其失望矣[M]// 郭汉民.宋教仁集.长沙:湖南人民出版社,2008:309.

为，在宋教仁看来，立宪国家国民，“其义务必平等”，“纳国税”则是最普通的义务；“其权利必平等”，“人人有被选举之权利”，且“有监督财政之权”。[①] 而在清朝统治之下，根本谈不上这些。宋教仁还对社会主义学说进行研究与介绍，在学理上对其颇为赞赏，但认为不适合于当时的中国。

章士钊是 20 世纪初对西方民主宪政最有研究的湘籍人士，发表过许多介绍这方面内容的文章，对中国如何实施宪政制度，提出了自己的看法和主张。在《国会万能说》一文中，章士钊指出，“巴力门有权力通过及废止各法案，惟其所欲，凡属巴力门已通过之法案，无论何种立法、司法机关，不得取消之”乃国会万能之原则，同时也指出立法是很慎重的事情，“英国如不觉有政治之痛苦，彼不轻立一法。故一法立而其用莫大，其力莫御”，故“主张吾国当采用此说也”。[②] 在另文中，章士钊认为“内阁者，国务大臣之集合体，而一国政策所由出者也”，斥“北京组织中之内阁为畸形”。[③] 章士钊主张中国应实行具有宽容品格的两党政治，“凡一政策，必有正负两面……一党守其正，一党守其负，谁得国民多数之拥护，即谁胜利”[④]，政纲不同的政党，政见必然有分歧，这就要求政党必须具备“有容”“尚异”的宽容精神，也就是在政争中一定要讲党德。章士钊关于议会、内阁、政党的主张，既是为了反对清朝封建专制统治，也是对中国将来实行民主宪政的学理探讨。

4. 竭力筹谋革命实施方略，并作审时度势的调整。

革命实施方略是革命理论不可或缺的重要组成部分，在中国

① 宋教仁．清太后之宪政谈［M］// 郭汉民．宋教仁集．长沙：湖南人民出版社，2008：18.

② 章士钊．国会万能说［M］// 丁仕原．章士钊辑．北京：民主与建设出版社，2014：15-17.

③ 章士钊．论畸形内阁［M］// 丁仕原．章士钊辑．北京：民主与建设出版社，2014：18、20.

④ 章士钊．何谓政党［M］// 丁仕原．章士钊辑．北京：民主与建设出版社，2014：22-23.

资产阶级民主革命方略的讨论和制定过程中，我们不难看到强烈的湖湘元素，也不难看到湖湘智慧所做出的重要贡献。

在湖湘志士看来，湖南应该全力肩负起革命的重任。杨度在《湖南少年歌》中，力倡“先救湖南后全国”，这成为黄兴当时极欲实行的革命方略。华兴会起义时期，关于发难地点与方法，黄兴曾提出过“倾覆北京首都，建瓴以临海内”或“采取雄据一省，与各省纷起之法”[①]的策略，亦即以湖南为中心，最后夺取全国革命的胜利。陈天华在《新湖南》中强调，应该通过“存湖南以存中国”。后来，《洞庭波》曾发文提出“湘军首树光复之旗，一旅创起，遣使各省，宣告复汉，身先海内，直捣北京”的构想。[②]

各资产阶级革命团体建立后，均将清朝统治作为共同反对的对象，在此情况下，统一的革命方略成为革命力量考虑的重大事项。清光绪三十一年五月二十八日（1905 年 7 月 30 日），孙中山、黄兴等 70 多位革命人士，在日本东京举行了革命方略讨论会，一致同意将分散的革命力量组成一个大团体，协力从事反清革命，组建中国同盟会，以“驱除鞑虏，恢复中华，创立民国，平均地权”为宗旨。同盟会的著名文告《革命方略》即出自湘籍志士陈天华的手笔。

革命党人虽有了统一的革命方略，但从何处下手突破，却有着不同的认识。孙中山、黄兴在较长的一段时间内曾将革命着手处锁定为两广和云南的边境地区，展开过一系列武装斗争，却陷入了屡战屡败、屡败屡战而不能得手的绝望境地。说明此种选择可能存在着比较大的问题，一些革命志士在进行评估，作为辛亥革命中最具影响力和最具主动精神的湖湘志士也在进行思考，并

① 黄兴．在华兴会成立会上的讲话［M］// 刘泱泱．黄兴集．长沙：湖南人民出版社，2008：4-5.

② 铁郎．二十世纪之湖南［J］．中国国民党中央委员会党史史料编纂委员会．洞庭波，1983（1）：148.

再次贡献出自己的智慧，这其中以宋教仁最为突出。

早在家乡漳江书院读书时，宋教仁就有过“得志于天下”的战略构想，即“雄踞武昌，东扼九江，下江宁，北击武圣关，断黄河铁桥。西通蜀，南则取粮于湘，击鄂督之头于肘，然后可得志于天下”①，这是宋教仁以武昌为中心的长江中游革命方略的萌芽；后来，宋教仁在思考革命方略时，提出过上、中、下三策：“上策为中央革命，联络北方军队，以东三省为后援，一举而占北京，然后号令全国，如葡、土已事，此策之最善者也；中策在长江流域各省同时大举，设立政府，然后北伐，此策之次者也；下策在边隅之地，设秘密机关于外国领地，进据边隅，以为根据，然后徐图进取，其地或东三省，或云南，或两广，此策之又次者也。”②当时孙中山一心在华南边境地区发动起义，宋教仁自己也曾在东北从事过革命活动，但都不成功，许多人“对于长江各省一点也不注重”的做法产生了怀疑和不满，对以往专注南部的方略持有了不同意见，在重新思考比较后，宋教仁审时度势，认为“下策太不济事，上策太不容易，我们还是取中策为好”③，及时调整革命方略，将革命的重心转移到长江流域，“拟定分步做法，从长江结合，以次推行河北，为严密之组织，期以三年，养丰毛羽，然后实行”④，并进而提出组织中部同盟会。根据宋教仁提出的方略，中部同盟会做出了武昌首义、长江流域各省同时响应的决策。事实证明，这一方略的调整不仅是及时的，而且也是十分成功的。

以上简要梳理了湘籍辛亥志士在辛亥革命准备时期对中国资产阶级民主革命的理论探索与贡献，主要体现在反帝救亡、革命

① 文思．宋教仁二三事［J］．桃源文史资料，1985（1）．
② 徐血儿．宋先生教仁传略［M］// 辛亥革命在上海史料选辑．上海：上海人民出版社，1981：943．
③ 邹永成．邹永成回忆录［J］．近代史资料，1956（3）：93．
④ 居正．辛亥札记［M］// 罗福惠，萧怡．居正文集．武汉：华中师范大学出版社，1989：11．

排满和实行民主政治三个方面。需要指出的是，在民族危机的刺激下酝酿、发展起来的中国近代民主革命思想，深受民族矛盾的制约，反帝救亡、革命排满在民主革命思想中所占的比重远远超过反封建思想与制度的内容。虽然民族革命在客观上也带有反封建的性质，但民权主义才是资产阶级民主革命最核心的内容，相对而言，这方面的探索略显单薄。因此，真正深入人心的是民族主义而非民主主义，这是辛亥革命在思想文化领域的一大缺陷。整体上看，湘籍革命志士存在着同样的问题。

（三）湘籍志士在辛亥革命斗争实践中的卓越功勋

湘籍志士既是革命的理论家，同时又是革命的实行家，曾进行过卓有成效的革命宣传、稳慎进取的革命组织工作、艰苦卓绝的武装斗争，几乎在海内外各地都可以看到三湘健儿从事革命活动的身影。孙中山曾特别指出湖南烈士的功绩说："或谋未遂而身赴西市，或难未发而瘐死囹圄，或奋铁弹之一击，或举义旗于万夫，或声嘶去国之吟，或身继蹈海之烈。"[①] 湖南志士的这种独特贡献，也引起了本省学者的高度重视，刘泱泱、饶怀民先生均作过系统而全面的梳理。[②] 笔者大体借用其框架，综合其研究成果，结合自己的认识，略述于后。

1. 进行了卓有成效的舆论宣传。

武昌起义成功前夕，湘籍志士同全国各地革命志士一道，编撰了不少宣传资产阶级民主革命的著作，振聋发聩，影响广泛而巨大。最为突出的有《新湖南》《猛回头》《警世钟》和《黄帝魂》等。

① 孙中山全集：第二卷［M］. 北京：中华书局，1982：183.

② 刘泱泱. 湖南志士与辛亥革命［J］. 湖南文史，1991（43）：1–25. 饶怀民. 湖南人与辛亥革命［M］// 湘学研究. 北京：中国社会科学出版社，2013（1）：33–40.

1902 年冬，杨毓麟用文言写成的《新湖南》先后在东京和上海出版，“鼓吹湘省脱离满清独立之说甚力”[①]，“把湖南人的历史责任放到民族运动的整体中进行考察，同时又把振兴中华的事业放在新世纪的世界全局中来认识，因而使自己的著作具有超越同时代革命党人的思想深度”[②]。《新湖南》与“粤人欧榘甲著之《新广东》同风行于世”[③]，大量传布内地，成为当时散布最多、影响最大的读物之一。

继杨毓麟之后，有“革命党之大文豪”美誉的陈天华用白话文陆续写成《猛回头》《警世钟》《狮子吼》等作品。据刘静安自述：“各兵士每每读《猛回头》《警世钟》诸书，即奉为至宝，秘藏不露，思想言论渐渐改良。有时退伍，散至民间，则用为歌本，遍行歌唱，其效力之大，不可言喻。而文学堂之青年，亦时以偷看《猛回头》为乐。”[④]这些小册子紧靠时代主题，虽然文字通俗，但思想内容深刻，其中的论断和名言如清政府已是“洋人的朝廷”，“革命者，救人救世之圣药也”等，脍炙人口。陈天华蹈海后，其遗著“皆风行于世，就中以《猛回头》《警世钟》二种为效力伟”，由于“所著咸用白话文或通俗文，务使舆夫走卒皆能读之了解，故其文字小册散播于长江沿岸各省，最为盛行，较之章太炎《驳康有为政见书》及邹容《革命军》，有过之无不及”。[⑤]孙中山先生在民国成立后还在一份批文中特别提及陈天华为革命宣传所产生的重大作用：“发愤著书，凡数十万言，皆发扬民族之精义，至今家有其书。此次义师一呼，万方响应，实由民族学说灌输人心，已匪朝夕，

① 冯自由．革命逸史：新湖南作者杨笃生［M］．北京：新星出版社，2009：271.

② 饶怀民．辛亥革命时期湘籍志士的舆论宣传［J］．湖南师范大学社会科学学报，2001（5）：75.

③ 同①．

④ 曹亚伯．武昌革命真史前编［M］．上海：上海书店，1982：130.

⑤ 冯自由．革命逸史：猛回头作者陈天华［M］．北京：新星出版社，2009：273、272.

故铜山崩而洛钟应，光复大业，期月而告成。”①

湖南人黄藻，自号“黄帝子孙之一个人”，于清光绪二十九年（1903）辑录清末报刊中有关反清革命论著而成《黄帝魂》一书，凡45篇，成为当年“综合舆论、画龙点睛”“鼓吹高潮中典型著述之一”②。该书所收《中国灭亡论》《驳〈革命驳议〉》《王船山史说申议》等文章广为流行，影响较大。

除编撰宣传民主革命的著作外，湘籍志士还翻译了不少颇具影响的外国著作。赵必振译有日本人幸德秋水所著《二十世纪之怪物帝国主义》《广长舌》，福井准造著《近世社会主义》，还译有《日本维新慷慨史》《东亚将来大势论》《扬子江流域大势论》等十余部著作。清光绪二十九年（1903），黄兴、蔡锷、杨毓麟、张孝准、魏肇文、许直等创办湖南编译社，于日本东京设总编辑部，上海设总社，湖南设分社，出版发行月刊《游学译编》，刊物既连载所译书籍（主要为日文），也发表所译论文，其内容包含学说、教育、军事、时事、历史、传记、地理、外论等，在介绍西方近代自然科学知识和宣传民族主义革命思潮方面，厥功甚伟。

湘籍志士始终把创办报刊作为民主革命事业的一个重要组成部分，对推动辛亥革命的发展起到了重要的作用。或自行组创，如《国民报》《游学译编》《国民日日报》《二十世纪之支那》（后改名为《民报》，作为同盟会的机关报）《洞庭波》（改名为《汉帜》）等；或改造旧有报刊宗旨，如湖南衡山人陈范接办《苏报》后，聘长沙人章士钊主笔政，进行大刀阔斧的改革，该报始以“鼓吹革命为己任”；或担任主编、主笔，如杨毓麟任《神州日报》主编，宋教仁任《民立报》主笔。至武昌起义前，湘籍志士创办或主编的宣传民主革命思想倾向较为明显的报刊总数至少有16种。这些

① 孙中山全集：第二卷［M］. 北京：中华书局，1982：183.

② 章士钊. 疏黄帝魂［M］// 章士钊全集：第8卷. 上海：文汇出版社，2000：183.

报刊宗旨明确、内容丰富、舆论宣传与现实斗争结合紧密，深受读者欢迎，对革命高潮的到来起了巨大作用。

2. 开展了稳慎进取的革命组织工作。

大规模革命运动的成功，除卓有成效的舆论动员外，还须有坚强的组织领导做保障。湘籍志士在辛亥革命中，或自组革命团体，或鼎建革命政党，或参与其他革命组织，发挥了十分重要的作用。

清光绪二十八年（1902），中国内地最早的革命组织华兴会成立，该组织由以黄兴为首的湘籍志士所建，存在虽不到两年时间，而会员人数和联络人员远较孙中山的兴中会多得多，且广泛分布于中国腹地、大江南北；该会会员后来大批来到日本东京，在留学界鼓吹革命，广事联络，“留东青年，以黄兴为革命实行家，多倾向推重，益以张溥泉、宋教仁、陈天华辈为之结纳，黄可操东京革命志士之牛耳”[①]，产生了巨大而深刻的影响。

清光绪三十一年七月二十日（1905 年 8 月 20 日），中国第一个资产阶级政党同盟会成立，标志着资产阶级民主运动进入到一个新的发展阶段。华兴会除个别成员外，几乎全部加入。在起草章程时，同盟会的领导机构中湘人均执牛耳，黄兴由孙中山直接指定为执行部庶务，后又有宋教仁、刘揆一等代理庶务干事，主持本部工作；孙中山担任同盟会总理，同盟会实际是以孙中山、黄兴为核心。黄兴等湘籍人士鼎建同盟会，功莫大焉。

清光绪三十三年七月初十（1907 年 8 月 18 日），焦达峰联络川人张百祥、赣人邓文翚、鄂人刘公等，组织共进会，作为同盟会的外围组织，以加强会党的联络工作，推进长江流域革命，后来与文学社一道领导组织了武昌起义。湖北的革命团体，湘籍志士积极参与其中，有的甚至还是其主要领导者，如胡瑛、宋教仁分任科学补习所总干事、文书，辜天佑任日知会干事，杨王鹏、

① 左舜生．中国近代史四讲［M］．香港：香港友谊出版社，1962：283.

钟畸、章裕昆等为军队同盟会骨干成员，钟畸为群治学社庶务，杨王鹏、蒋翊武分别为振武学社、文学社社长。武昌起义前夕，文学社的会员已达3000人，与共进会同为当时该省最有影响的革命团体，一起促成并领导了武昌起义。

清光绪三十四年（1908）冬，在广州成立的保亚会，系湘籍志士谭馥、葛谦等运动广州巡防营起义而设立的革命团体，曾策动广州巡防营起义，但失败了。

清宣统三年（1911）闰六月初六（7月31日），湘人谭人凤、宋教仁分别掌理交通、文书部的同盟会中部总会在上海成立，推进了长江流域特别是两湖地区的革命形势的发展。

3. 确立并捍卫了孙中山的领袖地位。

孙中山开始革命的很长时间内，其革命理想并没有产生全国性的影响，主要活动范围也一直囿于海外华人圈子里，而且他的形象也被扭曲、误解；就是在后来成为公认的革命领袖后，也曾遭遇过两次倒孙风波。在此过程中，一批湘籍志士主动宣传、维护孙中山，对孙中山领袖地位的确立和巩固，起到了无可替代的作用。

毕永年是率先加入孙中山所创兴中会的湘籍志士代表人物，并与陈少白等共同推戴孙中山为兴中会总会长。章士钊节译日文版《三十三年落花梦》，以《大革命家孙逸仙》为书名出版，予孙中山以“近今谈中国革命之初祖，实行革命者之北辰”之高度评价，秦力山在序中亦推崇孙中山为“天诱其衷，天锡之勇者”①。该书是国内第一部介绍孙中山的著作，出版后成了人人争看的畅销书，使孙中山被扭曲、误解了的形象得以扭转，进而对全面了解、重新认识孙中山起到了十分重要的作用，其在知识分子中的领袖地位亦得以初步确立。同盟会成立时，大会通过黄兴提议，由孙

① 彭国兴，刘晴波．秦力山集：《孙逸仙》序［M］．北京：中华书局，1987：91.

中山担任总理，孙中山的领袖地位正式确立。

此后，同盟会领导层因经费分配等问题和某些政见分歧，陶成章、章太炎、张继等将矛头指向孙中山，要求开除孙中山，后又要求孙中山辞去同盟会总理职务。当此关键时刻，黄兴与一度代理庶务的刘揆一等，一方面顶住逆流，严词拒绝无理要求；另一方面严厉驳斥对孙中山的攻击，要求倾心拥护。虽然湖南籍的宋教仁、谭人凤等也曾不满过孙中山，但并无根本分歧；甚至参与过反孙活动，但是有限度的。湖南志士在维护同盟会的团结方面，起了非常重要的作用。正是由于对团结的维护，对大局的顾全，才使同盟会这面革命的旗帜没有倒下，孙中山的领袖地位才没有动摇，辛亥革命的最后胜利才有更可靠的保证。

4. 坚持了艰苦卓绝的武装斗争。

辛亥革命是以推翻清朝专制统治，建立资产阶级民主共和国为目标的民族民主革命运动，暴力革命是实现这一目标的主要手段。在这场革命运动中，和全国各地革命志士一样，湘籍志士的武装斗争与他们的舆论宣传相辅而行，前仆后继。

华兴会成立后的长沙起义，虽谋泄事败，但黄兴、宋教仁、刘揆一等大批湖南志士从此走上武装革命的道路。清光绪三十二年（1906），黄兴主持和策划，刘道一、蔡绍南（江西人）、龚春台等直接领导的萍浏醴起义，是同盟会成立后的第一次大规模武装起义，“揭开了以后同盟会领导的一系列武装起义的序幕”[①]。此后，黄兴奔波华南，接连领导或参与了钦廉防城、镇南关、钦廉上思、云南河口、广州新军等起义。在钦廉上思战役中，黄兴率200余华侨青年对抗2万多清兵，“转战数月，所向无前，敌人望而生畏，克强之威名因以大著”，孙中山惊叹为“不可以常理论”。[②]武昌

① 饶怀民．湖南人与辛亥革命［M］// 湖南省湘学研究院．湘学研究．北京：中国社会科学出版社，2013（1）：39.

② 孙中山全集：第六卷［M］．北京：中华书局，1981：240.

起义前，湖南志士的武装反清斗争更形踊跃，不仅有黄兴等人率革命党人在广州的孤注一掷、碧血黄花岗，而且有蒋翊武、刘复基等在武汉的运筹帷幄、首举义旗。

5. 武昌起义后力撑危局，为各省独立创造了条件。

武昌起义是在黄花岗起义失败而革命党人几近失望的时候，由另一部分革命党人另辟蹊径但准备尚不充分的情况下爆发的，虽取得了出乎意料的成功，但面临的压力也因此十分巨大。清政府迅速调集海陆各军开往武汉，企图采取水陆夹攻的办法，将武汉革命势力迅速扑灭。幸亏被敦请出山的袁世凯借故拖延，北洋军也就不肯卖力作战，革命党获得休整和发展力量的机会。

清宣统三年八月二十三日（1911 年 10 月 14 日），谭人凤到武昌，建议黎元洪立即驱除刘家庙的张彪残部和新到的河南新军，派兵扼守武胜关，以消弭湖北军政府的肘腋之患。接连几天，谭人凤都催促黎元洪下令出击，均遭拒绝。直到二十六日（17 日），在谭人凤等的坚决要求下，黎元洪才勉强下了决心。经过两天的英勇作战，革命军刘家庙之战告捷，"坚定了武汉军民保卫武汉的信心，也大大地鼓舞了全国各地革命人民纷起响应的斗志"①。

但是，武汉革命军因无得力军事指挥，在与源源不断南下的清军作战中伤亡重大，形势十分危急。当此之时，黄兴偕宋教仁、刘揆一等从上海启程，于九月初七（10 月 28 日）赶到武昌，会晤黎元洪，力主坚守汉口、汉阳，等待各省响应，并毅然应承了指挥汉口军事的重任，给苦战中的革命军以极大鼓舞。此时清军的力量也因袁世凯出山而加强了。清军冯国璋在汉口采取放火烧城战术，革命军在烈火中坚持了三天三夜，最后不得不撤退。九月十三日（11 月 3 日），渡江返回武昌的黄兴出任战时总司令，设总司令部于汉阳。随着全国独立省份不断增加，袁世凯也开始

① 李新．中华民国史：第一编：中华民国的创立（下）[M]．北京：中华书局，1981：294.

进行和平试探。战事沉寂了近半个月后，袁世凯进京，同时布置冯国璋拿下汉阳，通过严厉的军事打击来使革命党人就范。十月初一（11 月 21 日），汉阳保卫战开始。黄兴虽是战时总司令，但必须听命于军政府都督，其汉阳司令部与军务部、参谋部是平行机构，互相牵制，意见不一致；加上两湖部队之间的矛盾，革命军方面处于不利状态。在清军优势兵力的进攻下，汉阳陷落。黄兴悲愤莫名，想以死殉职，在同志的力劝下，撤离汉阳回到武昌。十月初七（11 月 27 日），在军政府紧急会议上，黄兴建议放弃武昌，顺流而下进攻南京，得到黎元洪的赞同，但多数革命党人强烈反对。在此情况下，黄兴乘轮离鄂。黄兴离开武昌后，战时总司令一职由湘籍革命党人时任文学社首脑的蒋翊武护理。黎元洪分电独立各省都督援鄂，各省纷纷派出援军。但当各省援军到来时，双方业已签订停战协定，南北开始议和。黄兴亲自领导武汉保卫战，血战经月，吸引了大批清军主力，为其他各省独立赢得了时间或创造了条件。

武昌起义得手后，一方面宋教仁认为最紧要的问题是发动各省策应武汉，扩大战果，所以仍留上海，在《民立报》大张革命舆论，发文论述武昌的重要性，宣传革命的目的“在推覆恶政，出人民于水火之中”，指出视革命为叛乱举动是“误谬之甚者也，此无意识之结果也”；[①] 另一方面，积极策动长江下游举义响应。黄兴从香港赶到上海时，宋教仁即劝黄兴去南京策动起义，控制长江下游一带。黄兴没有采纳，并力邀其前去武昌支撑局面。宋教仁到达武昌后，一方面发挥其所长，协助湖北军政府办理外交，此时各国虽已经宣布中立，但仍有许多事情需要交涉办理，列强没有明火执仗地站在清政府一边，其中“教仁折冲樽俎的功劳是极其

① 宋教仁．上海市面无意识之恐慌［M］// 郭汉民．宋教仁集．长沙：湖南人民出版社，2008：407.

伟大的”[①]；另一方面从全局考虑，宋教仁深感下游各省必须立即发动，写信给陈其美称：“此间战事吃紧，亟望各处呼应……皖北如动，亟宜出河南，以为牵制北兵之计，否则仅恃鄂兵与彼硬战，恐难支也。”[②] 又致函杨谱笙：“今日得电，云南、山西又克复。宁、皖不动，实不能对人，乞速行。”[③] 当黄兴所主持的军事境况不佳时，宋教仁埋怨黄兴当初不听其言，决定“不拘黄兴之成败”，亲自去南京打开新的局面，“此处已有老谭，无重复再来二人之必要，我欲策率南京新军，夺江南诸省以制天下……得南京则汉口亦易恢复”。[④] 此时正好有南京代表来迎请，宋遂于九月二十三日（11 月 13 日）晚离开汉口，顺流东下。当宋教仁等到达镇江时，上海、浙江、苏州已光复，于是督促速攻南京，十月十二日（12 月 2 日），南京宣告光复。江浙联军克复南京后，发生江苏都督人选之争，宋教仁积极进行调解，最后以举程德全驻南京为江苏都督、林述庆为北伐军总司令、徐绍桢为援鄂军总司令，纷争因此得以平息。南京的光复和稳定，使长江以南全部为革命军所有，稳定了汉口、汉阳失守以后的战局；而武昌起义胜利以后，焦达峰等在湖南长沙首应武昌起义成功，随即派出大批湘军援鄂，以湘鄂互为犄角之势，对稳定曾经一度成为全国革命中心的湖北军政府起到了十分重要的作用。

6. 推动了全国一些省份的反清独立。

武昌起义与湖南首应起义，这一两湖革命党人的革命方略基本成功后，湖南除派兵援鄂外，为争取辛亥革命在全国的胜利，湖南志士还在全国许多省区进行了卓有成效的活动。

---

① 转引自李元灿，李育民，迟云飞．宋教仁传［M］．香港：国际展望出版社，1992：175.

② 宋教仁．致陈英士等函［M］// 郭汉民．宋教仁集．长沙：湖南人民出版社，2008：426-427.

③ 宋教仁．致杨谱笙函［M］// 郭汉民．宋教仁集．长沙：湖南人民出版社，2008：430.

④ 吴相湘．宋教仁——中国民主宪政的先驱［M］．台湾：正中书局，1987：105.

蔡锷长期在云南担任军职，暗中与同盟会保持联系，并保证革命一旦发生，给予绝对同情支持。武昌起义后，他与革命党人李根源等于九月初九日（10 月 30 日）在昆明领导新军起义，随后被推为云南都督府都督，“使云南成为辛亥革命时期西南地区第一个取得革命胜利，并且基础比较稳固的省区”[①]。

李燮和通过同乡关系策反清军军警，掌握了上海、吴淞一带大部分清方武装，与陈其美于九月十三日（11 月 3 日）在上海闸北和市区同时领导了起义，后出任吴淞都督，不久改称光复军总司令，攻克南京等地，孙中山高度评价：“当夫开府吴淞，联军苏浙，横江锁铁，竟胶王濬之楼船；断水投鞭，直慑苻秦以草木，定倒悬之大局，推发踪之功人。”[②]

九月十六日（11 月 6 日），广西独立，其后推沈秉堃为广西军政府都督，“然则谓广西反正，为湘人之原动力可也”[③]，因广西巡抚沈秉堃、新军协统赵恒惕均为湖南人，而掌握巡防营的藩司王芝祥是浏阳刘人熙的妻弟兼学生，湖南独立后曾派人前往活动。

九月十八日（11 月 8 日），福州起义，随后孙道仁被推为福建都督。孙道仁所部福建新军第十镇系由旧时驻闽湘军扩建而成，士兵多湘人和哥老会员，同盟会会员兼哥老会会员彭寿松利用乡谊和哥老会关系，进行了广泛而深入的发动工作，促使孙道仁归顺革命。

刘先俊在武昌起义后，奔赴新疆谋响应，在迪化（今乌鲁木齐）联络了当地社会和军营中的哥老会会众，于十一月初九日（12 月 28 日）晚发动起义，揭开了稍后新疆独立的序幕。

同盟会会员黄钺利用在甘肃任职的机会，联络兰州新军，在

---

① 刘泱泱．湖南志士与辛亥革命［J］．湖南文史，1991（43）：13.

② 孙中山全集：第二卷［M］．北京：中华书局，1982：219.

③ 子虚子．湘事记：卷一：军事篇四［M］// 郭汉民，杨鹏程．湖南辛亥革命史料：第 1 册．长沙：湖南人民出版社，2011：480.

向燊的协助下，于1912年正月二十二日（3月10日）发动秦州起义，宣布独立，两人分别被举为甘肃临时军政府正、副都督。

湖南独立后，时任都督谭延闿曾“飞书知旧，乘时响应”，又“分电各省，派员运动”，“先用庞光志领兵一标援蜀，其赴广西者为罗松涛等”；“孙道仁在福建，力有可为”，“迭电促之”，“由是福建亦独立”；“无何，黄钺、向燊等起义于甘肃，称秦州都督；郭人漳起义于广东廉州，称钦廉都督，龚子沛谋反正于寿州，皆为谭延闿响应也。他如蔡锷起滇南，李燮和、黄汉湘据长江，柳大年等与张榕之谋关外，杨德邻说张绍曾之师于滦州，湘人颇居多数，而民军遂张”。① 这一记载虽有夸大谭延闿的作用之嫌，但这些省份的独立与反正，或因有湘籍革命党人的长期活动，或因有湘人的直接领导，或因有湖南都督的重点争取，无一不说明湖南在推动反清独立过程中的切实努力与重要作用。

湘籍志士对辛亥革命的卓越贡献在全国是独一无二的，更重要的是他们以自己的行动诠释并丰富了近代湖湘文化的内涵，即以天下为己任的爱国精神、愈挫愈勇的奋斗精神、百折不挠的忍性精神、视死如归的牺牲精神、脚踏实地的务实精神和顾全大局的团队合作精神，成为鼓舞后来者继续奋发前进的巨大力量。

① 子虚子．湘事记：卷一：军事篇四［M］// 郭汉民，杨鹏程．湖南辛亥革命史料：第1册．长沙：湖南人民出版社，2011：479-480.

第五章

民主共和政体的建立与湖湘文化的多重取向

晚清政权似一辆破旧的列车，修修补补后，摇摇晃晃地前行着，但最终还是没能逃脱覆亡的命运。铁路国有计划几乎使所有参与众筹者血本无归，皇族内阁几乎使所有立宪派倒戈，好不容易建立起来的新军却在革命党人的运动下做了大清政权的掘墓人。在各方的努力下，中国最后一个封建王朝得以体面地退出历史舞台，近代中国迎来了一个新的时代。为了这个新的时代，湘籍志士亲自参与了民主共和政体的顶层设计，并为建立、维护共和政体做出了不懈的努力。然而现实的骨感往往不如理想来得那般丰满，民主共和政体的建立一时并未带给民众设想中的幸福生活与美好世界，国家、社会的问题和矛盾反而更加凸显。社会转型的阵痛促使各阶级、各阶层的有志之士苦思治世之良方，纷纷提出各种主张，湘籍精英同样献出了他们的智慧。这些探索主要发生在思想文化领域，并呈现出多元多重的特征，但学习西方文化是主流，从而使湖湘文化在近代实现了第三次转型，即从学习西方的器物、制度发展到了思想文化层次。

一、湘籍志士与民国初年的民主共和政治

从武昌起义爆发至南京临时政府成立，是辛亥革命中一个虽然短暂却复杂而关键的历史阶段。不仅各种政治势力之间彼此博弈，革命党人内部也充满了政见分歧。过去运动中贡献十分突出的湘籍革命党人，在此时期的作用同样举足轻重，甚至在某些问题上起着十分关键的作用。

（一）南京临时政府成立前湘籍革命党人的建政努力

武昌起义后，各省纷纷响应，截至 11 月底，已有 14 个省份

宣告独立，清朝的灭亡指日可待，建立资产阶级民主共和国的目标即将成为现实，组建临时中央政府的工作提上了议事日程。在这一过程中，湘籍革命党人不仅提出了方案，还为这一方案的实现做出了不懈的努力。

1. 宋教仁最早提出组建临时中央政府方案。

武昌起义后，随黄兴到达武昌的宋教仁曾打算在两湖建立中央军政府，但条件显然不够成熟，转而从地方政权着手，因与首义同志集议，制定了《中华民国鄂州临时约法草案》及《官制草案》。《鄂州约法》共七章60条，主要内容[①]包括两个方面：

在政府权力架构上，约法规定“鄂州政府以都督及其任命之政务委员与议会、司法构成之”，其中，都督由人民公举，任期三年，连任以一次为限，代表鄂州政府，总揽政务，有依法公布法律、宣战、媾和、统率水陆军、任命文武官员、宣告戒严、赦免等权力，都督对议会负责；政务委员会为行政机关，委员由都督任命，执行政务，发布命令等；议会由人民选举的议员组成，有制定法律、审理预决算、议定条约，向政务委员提出条陈、质问或弹劾的权力。从以上规定可知，鄂州政府的组建依三权分立原则，“行政权力则为政务委员和都督所共享，表现出了责任内阁制的倾向”[②]。

在人民权利与义务方面，《约法》第二章18条中有14条是对人民基本权利的规定，包括人民一律平等，享有言论、集会、结社、通信、信教、居住、保有财产、营业等自由，享有人身、住宅不受侵犯、非依法律不得逮捕及任官、考试、选举与被选举等权利；涉及义务的条款有两条，即依法纳税、当兵之义务。这些规定，“开创了中国历史上通过宪法性文件完善的规定公民基本权

① 以下所引《鄂州约法》内容均见：郭汉民．宋教仁集［M］．长沙：湖南人民出版社，2008：412-416.

② 代温世．鄂州约法研究［D］．重庆：西南政法大学，2013.

利的先河”[1]。

宋教仁起草的《鄂州约法》，虽只是一部湖北省的地方性根本法，且因形势的变化而被束之高阁，但它是资产阶级革命党人在革命成功后设计的第一个完整且颇具理想化色彩的共和国方案，无论是理念、完整性、操作性，均堪称中国法制史上的重要文献；集中反映了革命派尤其是宋教仁的宪政思想，“彻底否定了此前以皇权为核心的专制主义法制，确立了一套全新的国家和法的体制”[2]；开创的模式具有全国性意义，成为后来江西、江苏、浙江、广西等省制定约法以及《中华民国临时约法》的蓝本。

12 月 25 日，孙中山从国外回到上海，迅速被各方面代表公认为临时政府最高领导人的不二人选。讨论临时政府的组建方案时，在采用总统制还是实行内阁制的问题上发生了政见分歧，宋教仁是同盟会内部主张责任内阁制的代表人物，孙中山是主张总统制的代表人物。宋教仁对西方政治体制做过深入的探索和深沉的思考，执着于建立“民权的立宪政体”，在美国的总统制和法国的内阁制之间，选择的是后者，“吾人不取总统制而取内阁制”，因此主张实行内阁制，最好是实行总统不掌握实际权力的内阁制，“盖内阁不善而可以更迭之，总统不善无术变易之，如必欲变易之，必致动摇国本，此吾人所以不取总统制而取内阁制也”[3]，也可能还有当时不便说出来的更长远考虑，即从根本上防止旧的专制重现以及新的领袖专权、独裁，毕竟信任不能代替监督，权力需要制衡。孙中山则主张采取总统制，认为“内阁制乃平时不使元首当政治之冲，故以总理对国会负责，断非此非常时代所宜。吾人不能对于惟一置信推举之人，而复设防制之法度。余亦不肯徇诸人之意

① 代温世．鄂州约法研究［D］．重庆：西南政法大学，2013.

② 同①．

③ 宋教仁．国民党沪交通部欢迎会演说辞［M］// 郭汉民．宋教仁集．长沙：湖南人民出版社，2008：548.

见，自居于神圣赘疣，以误革命之大计"[①]。孙中山在这里有几重考量：一是当时的政治现实；二是用人不疑、疑人不用的原则；三是只有不当傀儡，拥有实权，才能不误革命大计，这也与他早年所订《革命方略》中须经军法之治阶段的思想相一致。两者各有其道理，相较而言，宋教仁考虑得更为长远，民主政治理念更为超前；孙中山似乎有着更多的传统强人政治思想基础。在争论过程中，黄兴曾居中调解，"劝钝初取消提议，未决"[②]。经过反复争论，孙中山曾一度认可宋教仁的主张，"派张继与先生磋商，以克强不允任总理，拟请先生代之。先生不允，邀居正、田桐、吕天民至克强处力劝，克强始允。于是中山为总统，克强为总理之议始定"[③]。十一月初八日（12月27日），黄兴、宋教仁带着新方案乘专车赴南京，以便提交谘议局出席各省代表大会讨论，修改临时政府组织法。各省代表原已通过临时政府组织大纲不设总理，现在却要改为内阁总理制，代表们否决了宋教仁的提议，仍维持总统制。

宋教仁坚持责任内阁制的主张，得到了章太炎的揄扬，并称宋教仁是内阁总理的最佳人选，由此而引起了人们对宋教仁的猜疑，"世人诬吾运动总理，由来已久，吾虽无其事，实不欲辩"[④]，胡汉民就曾揣测"克强不敢夺首领之地位，遁初始欲戴为总统，已为总理"[⑤]，指宋是为个人权力而要求采用内阁制。虽然宋教仁认为如果有人"愿为国家负最大之责任，此国家所应欢迎者"[⑥]，但在中国政治传统中是大逆不道，是野心家和阴谋家的代名词，这种

① 胡汉民．胡汉民自传［J］．传记文学，1969，14（3）．

② 居正．辛亥札记（后更名为《梅川日记》）［M］．上海：大东书局，1945（民国三十四年）：110.

③ 徐血儿．宋教仁先生传略［M］// 郭汉民，杨鹏程．湖南辛亥革命史料：二．长沙：湖南人民出版社，2011：178-179.

④ 宋教仁．答匿名氏驳词［M］// 郭汉民．宋教仁集．长沙：湖南人民出版社，2008：576.

⑤ 同①．

⑥ 同④．

猜疑因此也影响到宋教仁的政治声誉和他后来在临时政府中的任职。民国元年（1912）1 月 3 日，孙中山提名宋教仁为内务总长，被各省代表否决。宋教仁说："总长不总长，无关宏旨，我素主张内阁制，且主张政党内阁，如今七拼八凑，一个总长不做也罢。"[①]临时政府设立法制院时，宋教仁被委任为总裁（也称"法制局局长"），在《中华民国临时组织法草案》设计中，倾向内阁制，内阁对总统权力有一定制约，但也给了大总统一定的权力，但终被众议院退回。可见宋教仁从来没有放下对内阁制的追求。

2. 革命领导权之争与湘籍政治重要人物的态度。

武昌起义事起仓促，起义者虽把孙中山当作革命领袖来号召和组织群众，但毕竟尚在国外；黄兴、宋教仁等到达武汉时，首义志士已把与革命毫无瓜葛的旧军官黎元洪推上了湖北军政府都督的位置，宋教仁深为遗憾。不久，又发生湖南正、副都督被杀和更换事件，引起宋教仁的警觉。为统一指挥各省赴援民军，宋教仁等于清宣统三年九月十二日（1911 年 11 月 2 日）召集会议，拟推举黄兴为两湖大都督或南方民军总司令，以剥夺黎元洪的权力；但有人主张只用战时总司令头衔并由黎元洪委任，曾婉劝黎元洪出为都督的吴兆麟持后一种意见，并与杨王鹏发生激烈争辩。宋教仁感到黎元洪在首义党人中有相当的后援，夺回领导权的时机不成熟，只好说："黄廑午此来，是为奋勇杀贼而来，不是来争权位的。同志们要他为大都督，是要他指挥统一，好迅速的消灭敌人，也不是替他争权位的。我们初到湖北来，于湖北的军队情形不大熟悉，既是有利害冲突，就作为罢论好了。"[②]次日，黄兴接受战时总司令的委任，黎元洪已毫无疑问地成为革命党的上级。

① 居正．梅川日记［M］// 罗福惠，萧怡．居正文集：上册．武汉：华中师范大学出版社，1989：84.

② 蔡寄鸥．鄂州血史［M］// 辛亥革命资料选编：第 2 卷．北京：社会科学文献出版社，2012：516.

九月十九日（11 月 9 日），黎元洪通电已经宣告独立的各省派代表到武昌，筹商组织临时中央政府。九月二十三日（11 月 13 日），沪督陈其美致电各省，请派代表到上海开会，筹建临时政府。因陈电先于黎电到达独立各省，各省代表大都到了上海。宋教仁以湖南都督府代表身份参加了上海会议。上海方面主张在中国建立美国式的资产阶级共和国，临时会议总机关设于上海；武昌鄂军都督府可以执行中华民国中央军政府的政务，但代表会议应在上海召开。武昌方面则要求将会议地点定在武昌，上海方面向其妥协，但各省仍需留一人在上海，联络声气，为通信机关。

十月初十日（11 月 30 日），各省都督府联合会代表会议在武昌召开。出席会议的湖南代表为谭人凤、邹代藩。会议推谭人凤为议长，议决：由湖北军政府代行中央军政府职权；公布《中华民国临时政府组织大纲》；如袁世凯反正，当公举为临时大总统，以争取袁世凯的反戈一击。江浙联军攻克南京后，即议决临时政府设于南京，各代表随即前往南京，并规定俟有十省以上代表报到，即开临时大总统选举会。各省都督代表会议召开地点的争议由此止息。

陈其美、宋教仁等同盟会会员对承认鄂军都督执行中央政务且又跑到武昌开会十分不满。当南京攻克时，黄兴也到了上海，这是争取由真正的革命党人领导中央政府的极好机会。十月十四日（12 月 4 日），他们策动召开了光复各省留沪代表会议，出席此次会议的湖南代表为廖名缙、刘揆一。会议议定南京为临时政府所在地，投票公举黄兴为“假定大元帅”，即以大元帅组织临时政府，举黎元洪为副元帅，兼任鄂军都督，仍驻武昌。但遭武昌方面抵制，上海方面意见也不一致。在这种情况下，黄兴坚辞大元帅，并在次日举行的各界欢迎会上表示：“愿领兵北伐，誓捣黄龙，以还我大汉河山而后已；至于组织政府，则非兴所能担任者也。”当时有代表问：“现今事机危迫，战事未息，黄大元帅苟不俯从众请，其如全国人民何？”黄兴回答说:“孙中山将回国，可当此任。”[1]最后，黄兴只得答应暂时勉任，以作为孙中山回国前的一时权宜之计。

十月二十一日（12 月 11 日），武汉各省代表通过的《中华民国临时政府组织大纲》在《民立报》全文发表时，加有按语云：“此草案不适合者颇多。如人民权利义务毫不规定，行政官厅之分部则反载入，以制限其随时伸缩之便利。又如法律之提案权不明，大总统对于部长以下文官吏之任免权不具，皆其失也。”此按语为宋教仁所拟定，语多批评，引起各省代表的不满。

十月二十四日（12 月 14 日），独立十四省代表齐集南京召开全体代表会议，出席会议的湖南代表为谭人凤、邹代藩、廖名缙、宋教仁。会议决定于 12 月 16 日选举临时大总统。这时，传来袁世凯的代表唐绍仪带来的消息：“袁内阁主张共和，但须由国民会议议决后，袁内阁据以告清廷，即可实行逊位。”为虚位以待袁世凯，代表会议遂又决定暂缓选举临时大总统，而承认上海代表所举之大元帅、副元帅，“大总统未举定以前，其职权由大元帅暂任之”[2]。但黄兴坚不就职，于次日通电力辞，其意仍在等待孙中山的归来。接黄兴电后，代表会议又于当日改举黎元洪为大元帅，黄兴为副元帅。正、副元帅位置在不到半月时间内发生互换，如此儿戏之做法，引得舆论讥评。黄兴更坚意不就，而黎元洪也不能来南京。面对此一僵持局面，黎元洪表示愿接受大元帅名义，并委黄兴代行大元帅职权。黄兴更不肯就职，组织临时政府之事陷入停顿。

获悉孙中山即将归国，黄兴曾于十一月初四日（12 月 23 日）连续发表谈话[3]称：

---

① 黄兴．在欢迎临时政府大元帅会上的话［M］// 刘泱泱．黄兴集．长沙：湖南人民出版社，2008：154.

② 刘星楠．辛亥各省代表会议日志［M］// 辛亥革命回忆录：第六集．北京：中华书局，1963：205.

③ 黄兴．致陈其美书［M］// 刘泱泱．黄兴集．长沙：湖南人民出版社，2008：161–162.

其一，中山先生为首创革命之先进，奔走海外数十年，苦心孤诣，久为吾党同志所钦。今闻讯驰归，必有新猷以飨国人。是宜静待其归，主持一切。

其二，中山先生首创革命，倡导共和，作始造端，不可不慎。今各省代表云集宁垣，正宜于此时机投票选举，推其为临时大总统，然后再由总统组织政府，名正言顺，一劳永逸，计莫善于此者。

其三，顷接孙中山先生来电，他已起程回国，不久可到上海。孙先生是同盟会的总理，他未回国时，我可代表同盟会；现在他已在回国途中，我若不等待他到沪，抢先一步到南京就职，将使他感到不快，并使党内同志发生猜疑。太平天国起初节节胜利，发展很快，但因几个领袖们互争权力，终至失败。我们要引为鉴戒。肯自我牺牲的人才能从事革命。革命同志最要紧的是团结一致，才有力量打击敌人。要团结一致，就必须不计较个人的权利，互相推让。

从以上谈话可以看出，黄兴之所以坚辞不就，一是基于对孙中山的衷心维护与拥戴，对大局的顾全与对革命的忠诚；二是基于太平天国领导集团内部分裂致败的教训，反映了黄兴宽广的胸怀和超群的见识。

孙中山从海外归来，抵达上海时，受到各界群众的热烈欢迎。黄兴则以中国同盟会代表名义致书孙中山、胡汉民称："闻驾抵沪，同志欢忻无极。兹特派时功玖、田桐两君前来接待，以表同人敬意。"①

十一月初十日（12 月 29 日），十七省代表和华侨代表共 47 人在南京开正式选举会，出席会议的湖南代表为谭人凤、邹代藩、廖名缙。会议以高票通过孙中山为临时大总统，并推举代表至上海恭迎孙中山先生南京就职。

---

① 黄兴．致孙中山胡汉民书［M］// 刘泱泱．黄兴集．长沙：湖南人民出版社，2008：163.

孙中山当选为临时大总统，固然由其声望所致；但在革命成功后迫切需要最高领导人而孙中山尚在国外的情况下，黄兴以其当时的影响和地位，完全可以接受代表们的推举。如果出现这种情况，孙中山回国后，难免不会出现更大的纷争，甚至重演历史上因领导集团的争权夺利而分裂致败的悲剧。正是由于黄兴的谦让和对孙中山的维护，才有孙中山的顺利当选，避免难堪局面的出现。

（二）湘籍重要政治人物在南京临时政府中的独特贡献

从民国元年（1912）1 月 1 日孙中山就任临时大总统，到 4 月 1 日孙中山正式解临时大总统职，5 日临时参议院决定政府迁往北京，南京临时政府存在了三个月时间。在南京临时政府存在期间，形势依然严峻，局面仍然复杂，湘籍重要政治人物一如既往地参与着国家事务并发挥了重要作用。

1. 湘籍革命党人与南京临时政府的组建。

中华民国宣告正式成立后，接下来在进行临时政府的组建工作时，却遇到了一个法律问题。原来，在代表会议制定的《临时政府组织大纲》中，只设大总统，行政各部只有外交、内务、财政、军务、交通五部，颇感不便。宋教仁以湖南代表身份，与湖北代表居正等提议，在大总统外加设一副总统，并规定临时大总统可以制定官制官规，意即行政各部可以增减，不加限制。

在确定行政各部人选时，宋教仁主张“初组政府，须全用革命党，不用旧官僚，理由甚足”[①]。但当时的现实情况既不允许也不

① 黄兴．与孙中山的谈话［M］// 刘泱泱．黄兴集．长沙：湖南人民出版社，2008：165.

可能，孙中山和黄兴商量后，确定“部长取名，次长取实”[①]的原则。从最后通过的名单看，各部次长除汤芗铭外，其余都是同盟会的重要骨干。且那些立宪派和旧官僚出身的部长们基本不驻南京，各部均由次长代理，时人称临时政府为“次长内阁”。武昌首义人员初只有居正一人入阁为次长，因黄兴示意，黎元洪被代表们选举为副总统，当选后黎极为高兴。

南京临时政府行政各部中虽只有黄兴是湖南人，但所任部长的陆军部在临时政府中居各部之首，同时又兼参谋总长，集军事全权于一身，当时又值战争未已，具有举足轻重的地位。由于孙中山长期在海外而黄兴在国内主持同盟会并领导革命的历史原因，南京临时政府期间，凡属军国大事，人们都习惯于请示黄兴，“诸事由克强作主”，“虽无内阁（总理）之名，实各部之领袖也”。[②]

孙中山本来有意让宋教仁担任内务总长一职，但由于大元帅、《临时政府组织大纲》按语和内阁制等问题，各省代表对宋教仁有很深的误解，其提名遭到多数代表反对，只好更换。1 月 12 日，孙中山向参议院提议于各部之外设立若干局，其中包括法制局，宋教仁出任了该局局长。对于特别重视法制的宋教仁来说，法制局长不失为一个合适的岗位；而且“临时政府成立，所有一切法律命令，在在须行编订”[③]，这项工作不仅具有开创性，尤其具有重要性。法制局曾拟定过各部官制通则，陆军部、外交部、内务部、交通部、教育部官制，改订法制院官制，及公报局、铨叙局、印铸局官制等；而海军部官制、法官考试令、律师法草案、南京府官制等，都曾经法制局审定。在此过程中，宋教仁所起作用十分

① 黄兴．与孙中山的谈话［M］// 刘泱泱．黄兴集．长沙：湖南人民出版社，2008：166.

② 胡汉民．胡汉民自传［M］// 丘权正，杜传和．辛亥革命史料选辑：上．长沙：湖南人民出版社，1981：220.

③ 孙中山．咨参议院请核议法制局职制草案文［M］// 孙中山全集：第二卷．北京：中华书局，1981：17.

关键，“先生乃本平日之经纶，草定法制，故临时政府法令多出先生之手”[①]。特别应指出的是，宋教仁虽没有参与《中华民国临时约法》的起草，但他在担任法制局长期间，起草了《中华民国临时政府组织法》(后更名为《中华民国临时组织法草案》)，如果把之前的《鄂州约法》《临时组织法草案》和《临时约法》相互比较，就会发现《临时约法》正是在前两者基础上制定的。因此，可以认为临时政府的各项法规、法律均氤氲了湘人特别是宪政专家宋教仁的智慧，是转型中的近代湖湘文化在法治领域所取得的重要成果，推动了中国近代法治建设进程。

2. 湘籍重要政治人物与南北统一共和国的构建。

武昌起义后，许多革命党人对于推翻清朝专制统治和实现民主共和的目标坚定不移，但又很想尽快结束战乱。尽管对当时尚属清朝营垒里的政治强人袁世凯并不信任，但又特别希望他能反戈相向，投向革命。湘籍重要政治人物的态度亦复如此。

在南北议和的准备阶段（12 月上旬至 17 日），湘籍革命党人宋教仁、黄兴等曾表达过愿推举袁世凯为总统的意见。宋教仁对袁世凯并无好感，曾在给好友的信中称“其人本不学无术，其品更恶劣可鄙”[②]，但对争取袁世凯并不反对。早在武昌时，宋教仁就曾告诉袁世凯的议和代表蔡廷干、刘承恩，袁希望仍实行君主立宪等是不可能的，“望二君将此意转达项城，乞速转戈北征，驱逐建虏，立此奇勋，方不愧为汉族男儿。果尔，我辈当敬之、爱之，将来自可被推举为大总领，较诸现在之内阁总理，实有天渊之别。不然，吾辈一面当长驱北伐，一面当实行暗杀主义，后悔无及矣”[③]。

① 徐血儿．宋教仁先生传略［M］// 郭汉民，杨鹏程．湖南辛亥革命史料：二．长沙：湖南人民出版社，2011：179.

② 宋教仁．致李燮和书［M］// 郭汉民．宋教仁集．长沙：湖南人民出版社，2008：433.

③ 宋教仁．在武昌议和会议上的发言［M］// 郭汉民．宋教仁集．长沙：湖南人民出版社，2008：432.

因预计袁世凯有叛清的可能，宋教仁甚至有“赴北京和袁谈判”[①]的打算。清宣统三年十月十九日（1911 年 12 月 9 日），黄兴在给与袁世凯有密切联系的同盟会会员汪精卫的电文中让其转告杨度，袁世凯若能赞成共和，“中华民国大总统一位，断举项城无疑”[②]。

十月二十八日（12 月 18 日）起，南北双方正式进入议和阶段，北方袁世凯的代表为唐绍仪，南方革命党人的代表是伍廷芳。至月底，共举行五次会议，实行民主共和制还是君主立宪制是双方争议的焦点。其实袁世凯并不反对成立共和国，但他需要借君主立宪制来与革命党人讨价还价，以进一步坐实革命党人之前推其为大总统的承诺，同时以革命党之要求威逼清帝退位。与此同时，作为南方黄兴私人代表的顾忠琛与作为北方袁世凯方面私人代表的廖宇春，也在上海秘密会谈。公开的、秘密的南北和谈基本达成了确定共和政体、优待清皇室、先推覆清政府者为大总统等协议。

当此之际，从海外归来的孙中山被推举为临时大总统，这使得袁世凯大为恼火，立即中止和议，但同时又密电在上海的湖南人杨度，利用特殊身份，疏通南北关系。杨度早在清廷实行预备立宪时即与袁世凯结交，又曾为袁世凯出山出过力，并认定袁世凯为可以成就非常之功的非常之人。接获密电后，杨度随即以袁世凯的私人代表身份，一方面会晤孙中山和革命党人，说明袁世凯赞成共和的意向，并指出和谈破裂的原因是对袁世凯的不信任；另一方面则联合立宪派的张謇等人向孙中山施压。孙中山对袁世凯的印象是“狡猾善变”，但因渴望早日推翻清朝统治，虽不信任却仍将其看作是可以利用的力量，故在就任临时大总统后，一再表示虚位以待，“如清帝实行退位，宣布共和，则临时政府决不食言，

① 中国人民政治协商会议全国委员会文史资料研究委员会．辛亥革命回忆录：第 7 集［M］．北京：文史资料出版社，1982：55.

② 黄兴．复汪精卫电［M］// 刘泱泱．黄兴集．长沙：湖南人民出版社，2008：155.

文即可正式宣布解职;以功以能,首推袁氏”[①]。杨度游说孙中山表态成功后，又与湖南益阳人薛大可等于民国元年（1912）1月25日在北京组织共和促进会，并发表宣言称：“夫使君主立宪尚可救今日之危亡，则度等素持此义，岂至今日而反昧然？特以时势所迫，断不能以党见之私，召瓜分之祸。且度等前此主张君主立宪，乃以救国为前提，而非仅以保存君位为目的；乃以促政治之进步，而绝不愿以杀人流血勉图君位之保存。今者事机急矣，危亡在即，别无他计，唯于促进共和，求南北之统一，以此保全国家，即以此保全皇室,否则南北并败,满汉俱亡。”[②]一改过去君主立宪的立场，转而支持共和立宪，为袁世凯做舆论上的鼓吹。

得到南方的确实保证后，袁世凯随即施展要挟与拱卫的逼宫手段。在此情况下，清廷被迫接受优待条件，颁布退位诏书，并授予袁世凯全权组织临时共和政府之权。清帝退位诏书的颁布，宣告了清王朝统治的结束，新旧政权的更替在没有大规模流血斗争的情况下得以实现，是袁世凯、革命党人与清王室三方所代表的势力之间妥协的结果，如果从国家和民族的新生来看，无疑是一种值得庆幸的多赢局面，袁世凯在此过程中的政治协调能力与政治智慧应当得到肯定。湘籍重要政治人物以一种矛盾的微妙心态，自愿或不自愿地参与其中，最终以一种平和或妥协的但又不失原则方式，成就了新的共和国的构建，为革命目标的达成贡献了湘人智慧，做出了自己的努力。

清帝退位后，孙中山践诺提出辞职，袁世凯被参议院举为临时大总统。3月10日,承诺“永不使君主政体再行于中国”[③]的袁世凯在北京宣誓就职。4月初,孙中山解职,临时参议院迁往北京,南北统一的新共和政府正式成立。

---

① 孙中山.复伍廷芳电［M］// 孙中山全集：第二卷.北京：中华书局，1982：23.
② 共和促进会宣言书［N］.正宗爱国报，1911-11-21.
③ 袁世凯就清帝退位致孙中山等电［N］.临时政府公报：第15号，1912-02-14.

（三）湘籍政治领袖与民初民主政治实践

民国成立，给中国资产阶级以实践其民主政治理想的现实机会与政治舞台，但在实行何种民主政治的问题上，政治人物所抱持的理念并不一致，甚至各执一词。湘籍政治领袖中的宋教仁、黄兴、蔡锷等主张建立民主共和政体，而杨度则是彻头彻尾的君宪救国论者。他们各自的政治主张与实践，对民国初年的政局产生了重大而深远的影响。

1. 宋教仁建设共和政体的主张及其实践活动。

《中华民国临时约法》规定“中华民国主权属于全体国民”，国家政权由谁掌握即国体问题似乎已然解决，且完成了国家统一，接下来要做的是解决好共和国的行政体制建设问题。宋教仁对此有着比较清醒的认识，他说：“今革命虽告成功，然亦只可指种族主义而言，而政治革命之目的尚未达到也。推翻专制政体，为政治革命着手之第一步，而尤要在建设共和政体。”[①]

早在武昌起义前，宋教仁就已提出实行“民权的立宪政体”的基本政治主张，并以法律保障来加以落实。一是从法律上规定全体国民一律平等，明确所享有的权利和应履行的义务；二是要设计一套好制度，选出“少数优秀特出者组织为议会与政府，以代表全部之国民”参与国家管理[②]，主要包括政党政治、责任内阁制度、中央集权与地方自治相结合的行政体制。

宋教仁认为，国家主权属于全体国民，但全体国民都参与国家管理并不现实，必须选出其中的优秀分子做代表，并“由此少数优秀特出者集合为政党，以领导全部之国民”，所以政党“在共

① 宋教仁．国民党沪交通部欢迎会演说辞［M］// 郭汉民．宋教仁集．长沙：湖南人民出版社，2008：547.

② 中国同盟会本部，统一共和党本部，国民公党本部，等．国民党宣言［M］// 郭汉民．宋教仁集．长沙：湖南人民出版社，2008：496–497.

和立宪国实可谓为直接发动其合成心力作用之主体，亦可谓为实际左右其统治权力之机关”，“为政治之中心势力”，“非如他之普遍结社，可以若有若无焉者也”；[①] 从国家的稳定发展出发，宋教仁认为中国只宜搞两党制，“不宜小群分立”；现在建设新的国家，宋教仁认为必须尽快完成由“革命党”到“革命的政党”的转变，由以前的秘密的以破坏为主的武装推翻专制腐朽政权的政党，转变为公开的建设的通过政治见解来与反对党进行竞争的政党。宋教仁还指出：“世界上的民主国家，政治的权威是集中于国会的。在国会里头，占得大多数议席的党，才是有政治权威的党”，所以“我们要国会里头，获得过半数以上的议席，进而在朝，就可以组成一党的责任内阁制，退而在野，也可以严密的监督政府”。[②] 以上就是宋教仁政党政治理论的主要内容。

“若关于总统及国务院制度……吾人则主内阁制，以期造成议院政治者也。”[③] 如本书前面所述，宋教仁是责任内阁制的坚定主张者。临时政府迁往北京后，宋教仁更进一步提出应建立政党内阁，“欲取内阁制，则舍建立政党内阁无他途”，“欲建设良好政府，则舍政党内阁莫属”；[④] “今吾国之现行制，责任内阁制也。然有责任内阁制之名，而无责任内阁制之实”，针对此一现状，宋教仁主张“将来宪法上仍采用责任内阁制，并主张正式政府由政党组织内阁，实行担负责任”。[⑤]

宋教仁所设计的政体形式是，打破过去以行政权力为核心的一元权力结构，实行立法、行政、司法三权初步分立的权力结构，

---

① 中国同盟会本部，统一共和党本部，国民公党本部，等．国民党宣言［M］//郭汉民．宋教仁集．长沙：湖南人民出版社，2008：497.

② 宋教仁．国民党鄂支部欢迎会演说辞［M］//郭汉民．宋教仁集．长沙：湖南人民出版社，2008：542-543.

③ 宋教仁．国民党沪交通部欢迎会演说辞［M］//郭汉民．宋教仁集．长沙：湖南人民出版社，2008：548.

④ 同③ 548、551.

⑤ 宋教仁．代草国民党之大政见［M］//郭汉民．宋教仁集．长沙：湖南人民出版社，2008：581.

“夫政府分三部，司法可不必言，行政则为国务院及各省官厅，立法则为国会”。这种制度应该以宪法来保障，“宪法者，共和政体之保障也”，所以国会初开第一件事则为宪法；而“行政、立法、司法三权如何分配，中央与地方之关系及权限应如何规定，是皆当依法理，据事实，以极细密心思研究者”。①

在国家结构问题上，宋教仁主张单一国制，“吾国今日之当采单一国制,已无研究之余地。《临时约法》已规定吾国为单一国制，将来宪法亦必用单一国制，自不待言”。在中央与地方的关系问题上，宋教仁认为应采取适当分权的行政体制，“有若干权应属诸中央者，有若干权归之地方者”。“如立法权自应属之中央议会，而地方亦当有列举之立法权，如此则既非联邦制，又非完全集权制矣”，这是就立法权而言。至于行政权，“何者宜归中央，何者宜归地方，须以其政务之性质与施行便宜为标准”，“对外的”“消极的维持安宁”之行政，多归中央；“对内的”“积极的增进幸福之行政”，多归之地方。行政长官的产生，省长“由民选制以进于委任制”，“国务院总理由众议院推出”。② 宋教仁又主张地方分权应与地方自治相结合，“地方所以同时设地方官与地方自治团体者，盖一国行政，中央必不能无巨细皆直接处理之，不得不有分理之机关……以必不可不与中央政策相同之事归之地方官，又以必不可不与民意相合之事归地方自治团体也”③。

民国初年，宋教仁不仅殚精竭虑地规划着国家的政治蓝图，更为实现自己的民主政治理想付出了生命的代价。宋教仁在民初为实现其政治理想而进行的最主要的活动是改组同盟会为国民党

① 宋教仁．国民党沪交通部欢迎会演说辞［M］// 郭汉民．宋教仁集．长沙：湖南人民出版社，2008：547-548.

② 宋教仁．代草国民党之大政见［M］// 郭汉民．宋教仁集．长沙：湖南人民出版社，2008：580-585.

③ 宋教仁．中央行政与地方行政分划之大政见［M］// 郭汉民．宋教仁集．长沙：湖南人民出版社，2008：559.

和投身国会选举。

南京临时政府结束后，由于孙中山、黄兴等人不管党务，宋教仁成了同盟会本部的实际主持人。因同盟会在议会内受到拥护袁世凯势力的排挤，为谋求抵制，实现政党内阁目标，民国元年（1912）7月，宋教仁开始了改组同盟会为国民党的工作，但遭到了一些人反对。8月10日，因有孙中山、黄兴和沪机关部来电建议以及面临即将举行国会选举的压力，同盟会与他党合并改组的提议获得绝大多数人的赞同。其他小党也谋求合并，各党联合的步伐加快。次日，各党召开筹备大会，开始草拟《国民党宣言》。随即，孙中山、黄兴联名致电各同盟会支部，同盟会本部致电各支部通知改组。至国民党正式成立前夕，已有包括同盟会在内的六党同意合并成立国民党。25日，国民党正式成立大会在北京召开，以“巩固共和，实行平民政治”为宗旨，选举孙中山、黄兴、宋教仁等九人为理事，宋教仁以仅次于孙、黄的票数当选，并实际主持党务。至9月3日，复由黄兴、宋教仁等七理事函推孙中山为理事长，旋由孙中山委托宋教仁代理理事长。国民党的成立是中国近代政党史上的一件大事，它使革命政党在议会内一跃而为第一大党，对健全政党政治，维护民主共和，具有十分重要的作用。故孙中山认为“合六党成一国民党,其功与南北统一同”①，是“吾国之盛举”②。将从事秘密暴力活动、带有会党色彩的同盟会改造成一个公开参与国家政治生活的新国民党，是宋教仁对政党政治的最大贡献。

国民党组党完毕，布置好有关选举事宜后，在民初第一届国会选举正式举行之前，宋教仁离京回了一趟老家常德，后又在长沙活动了一段时间。民国二年（1913）1月底，宋教仁到达湖北。这时，各地选举的消息不断传来，国民党最终获胜已无疑义。在

① 孙中山全集：第二卷［M］. 北京：中华书局，1982：485.
② 孙中山全集：第三卷［M］. 北京：中华书局，1982：1.

此情况下，宋教仁除准备亲自组阁外，还打算“欲以黎氏为虚位的总统”[①]以取代袁世凯；并开始在各种场合中，对袁世凯政府的种种失政大力进行抨击。2月6日，宋教仁在黄州（今湖北黄冈）出席各界欢迎会并发表演说，“对选举意义及议员对人民所负的责任，作极诚恳的演说，并抨击袁世凯的一切阴谋。词意激昂，听众无不鼓掌”[②]。2月10日，宋教仁在国民党武汉交通部欢迎会演说，又对当时的政府进行了抨击，“自民国成立，迄今二载，纵观国事，几无一善状可述”[③]。按《临时约法》和《国会组织法》，宪法由国会制定，并由参政两院各选同数委员起草议定；随着选举结果的逐步明朗，拥护袁世凯的势力主张另行成立委员会起草宪法，以期摆脱对总统权力的种种限制，但国民党方面坚决反对这种非法行为。2月19日，宋教仁在上海国民党交通部的演说中指出：“国会初开第一件事，则为宪法。”[④]3月9日，在南京同盟会国民党宁支部欢迎大会上，宋教仁更对总统、宪法、地方等焦点问题做出明确回应：“总统当为不负责任，由国务院负责，内阁制之精神，实为共和国之良好制也。国务院宜以完全政党组织之，混合、超然诸内阁之弊，既已发露，毋庸赘述。宪法问题，当然属于国会自订，毋庸纷扰。地方问题，则分其权之种类，而为中央、地方之区别。”[⑤]在限制总统权力方面，宋教仁更进一步提出：“凡总统命令，不特须阁员副署，并须由内阁起草，使总统处于无责任之地位。”[⑥]3月，国会选举全部揭晓，大获全胜的国民党在参、众

① 佚名．不公开之总统运动［N］．时报，1913-02-22.
② 蔡寄鸥．鄂州血史［M］// 近代史资料专刊．北京：知识产权出版社，2013：227.
③ 宋教仁．国民党鄂交通部欢迎会演说辞［M］// 郭汉民．宋教仁集．长沙：湖南人民出版社，2008：545.
④ 宋教仁．国民党沪交通部欢迎会演说辞［M］// 郭汉民．宋教仁集．长沙：湖南人民出版社，2008：547.
⑤ 宋教仁．国民党宁支部欢迎会演说辞［M］// 郭汉民．宋教仁集．长沙：湖南人民出版社，2008：555.
⑥ 宋教仁．代草国民党大政见［M］// 郭汉民．宋教仁集．长沙：湖南人民出版社，2008：581.

两院都占了绝对优势。踌躇满志，神采飞扬，准备以多数党资格进京组阁的宋教仁却在上海车站遭到暗杀。

综上所述，民国初年，宋教仁不仅规划了建立民主共和政体的蓝图，并且为落实蓝图而亲自投身民主政治实践。宋教仁关于共和政体的基本主张，体现了他的民主宪政思想，代表了民国初年积极和进取的中国资产阶级的理想和追求，为中国民主法制建设留下了宝贵的思想遗产，同时也丰富了近代湖湘文化在民主法制思想领域的内涵。宋教仁在投身民初民主政治实践的过程中，严格遵守规则程序，通过演说、发表文章、会见选民等活动，展现了政治家的风采与睿智，赢得了广泛的人心，为国民党的胜利起到了重大的作用，宣传了民主政治，丰富了人们的政治学识，对民初宪政运动产生了积极的影响。

2. 黄兴在“宋案”前后建设与维护民主共和的主张和努力。

临时政府北迁后，黄兴任南京留守，解职后卜居上海，后又应袁世凯之邀赴京。自民国元年（1912）10月5日离京南下，直至“宋案”发生，黄兴均在南方。在此期间，黄兴无论是在位还是赋闲，心不忘国，深知“民国初建，百端待理”①之艰，以极为负责的态度，开始了“建设共和新事业”②的探索与努力，主要体现在以下几个方面。

（1）出任南京留守，竭力维持国家统一和社会安定。

南京临时政府撤销后，袁世凯同意设立南京留守府，以“办理政府机关的结束事项和接收管理驻宁的军队”③。“诚恐遽将经手未完事件均置不顾，或于大局转致违碍，负我同胞”④，本欲归息林泉的黄兴最终同意出任留守一职，“务使南方军队布置得宜，各安

① 黄兴．致袁世凯等电［M］// 刘泱泱．黄兴集．长沙：湖南人民出版社，2008：370.

② 黄兴．为陈翼龙书联［M］// 刘泱泱．黄兴集．长沙：湖南人民出版社，2008：514.

③ 李书城．辛亥前后黄克强先生的革命活动［M］// 辛亥革命回忆录：第一集．北京：中华书局，1961：202.

④ 黄兴．致唐绍仪等电［M］// 刘泱泱．黄兴集．长沙：湖南人民出版社，2008：290.

其所”[1]。

南京留守“有维持整理南方各军及南京地面之责”[2]，这是一项十分棘手的工作，不仅仅是因为军队数量的庞大，饷项的奇绌，更有复杂的政治博弈牵涉其中。袁世凯接任临时大总统后，即指“近日军队复杂，数逾常额几倍，消耗过巨”，应“实行收束之方”。[3]据称当时南方各军“以声势言之，几乎三分天下有其二（包括起义省份）。即以实权论，亦掌握百万以上军队，可以与北方军阀抗衡”[4]，让袁世凯十分忌惮，必定要裁撤。黄兴也表示：“既经让出政权，为了表示和平建设，也同意裁兵倡议，当即通令南方各省革命军严加裁汰。”[5]但南方革命党人在局势尚不稳定的情况下，希望能够保存实力和地盘，视南京留守府为革命派最后的大本营和残存的军事指挥中心。

当时两江一带的军队，除少数系由正规军扩编，具有一定的战斗力外，其他新招入伍的士兵，未受过正规的军事训练，纪律性很差，实系乌合之众；当时南京库存仅3万，北京库存也不到6万，无法解决供养军队的开支。在此情况下，留守府的主要工作就是裁撤军队，并拟订了裁遣整编计划。驻宁赣军兵变事件后，黄兴加快了裁遣军队的步伐，当地部队就地遣散，外来部队押回原籍遣散，“召集诸将士会议府中，晓以大义，策其进行”[6]，对于一些裁遣不力的师旅则采取“限期裁遣、饷项包干的办法”[7]。到6月初，

① 黄兴.致段祺瑞等电［M］// 刘泱泱.黄兴集.长沙：湖南人民出版社，2008：284.

② 南京留守条例［M］// 毛注青.黄兴年谱长编.北京：中华书局，1991：296.

③ 袁世凯莅参议院宣言［M］// 朱宗震.民初政争与二次革命：上编.上海：上海人民出版社，1983：13.

④ 居正.梅川日记［M］// 罗福惠，萧怡.居正文集：上册.武汉：华中师范大学出版社，1989：122.

⑤ 周震麟.关于黄兴、华兴会和辛亥革命后的孙黄关系［M］// 辛亥革命回忆录：第一集.北京：中华书局，1961：337.

⑥ 黄兴.致袁世凯呈［M］// 刘泱泱.黄兴集.长沙：湖南人民出版社，2008：449.

⑦ 李书城.辛亥革命前后黄克强先生的革命活动［M］// 郭汉民，杨鹏程.湖南辛亥革命史料：二.长沙：湖南人民出版社，2011：161.

军队裁遣已达六七万人。其他各省民军也大部分被裁汰，只有江西李烈钧还编练了一支较有战斗力的部队。

南京留守府在艰难地进行工作，拥袁舆论却横加指责，“或疑与政府对峙，或谓机关不一，易兆分离”①，攻击“黄兴留守权力太大”，“存割据东南之心”②，“留守机关裁撤，民国即号称统一”③。面对猜忌，黄兴明确表示：“统一政府既经成立，断不可于南京一隅，长留此特立之机关，以破国家统一之制，致令南北人士互相猜疑，外患内忧因以乘隙而起，甚非兴爱国之本心也。”④这时留守任务已大体完成，黄兴电请“迅赐取消留守府，立予解职”⑤，获得袁世凯允准。

南京留守府工作，实处万难局面。黄兴虽然对袁世凯也不无疑虑，但仍能从大局出发，尽量跳出各自利益格局的框框，从国家统一和社会安定的高度来处理留守事宜，心地光明，忠诚为国，为建设共和新事业做出了重要贡献。至于后来政局的发展所出现的非正常情况，则不是黄兴个人力量所能左右的。

（2）北上调解政争，力促民主共和政体走上正常运行轨道。

民国元年（1912）9月11日，黄兴抵达北京，他是在孙中山的促成下，应袁世凯电邀来共筹大计的，因为北京临时政府的运作出现了不少问题。先是国务总理唐绍仪因王芝祥任职问题未经副署而离职出走，第二届内阁的组成则因建立混合内阁还是建立政党内阁的争执而几经周折方告凑成，不久总理陆征祥又因不称职而遭到弹劾，袁世凯无可奈何之下乃令赵秉钧代理。

《临时约法》改总统制为责任内阁制，在很大程度上是出于

① 黄兴．布告各界文［M］// 刘泱泱．黄兴集．长沙：湖南人民出版社，2008：446.
② 佚名．北京专电［N］．民立报，1912-04-23.
③ 佚名．民权报［N］.1912-06-01.
④ 黄兴．复袁世凯电［M］// 刘泱泱．黄兴集．长沙：湖南人民出版社，2008：349.
⑤ 黄兴．致袁世凯等电［M］// 刘泱泱．黄兴集．长沙：湖南人民出版社，2008：361-362.

对袁世凯的不信任，临时大总统的权力几乎每一项都有限制，内阁基本上对议会负责。袁世凯本已承诺赞同共和并愿意遵守《临时约法》，但该约法本身的一些不合理规定使大总统的意志屡遭共和制度的掣肘时，开始对共和大为不满。但鉴于当时同盟会在国会的势力，使袁世凯感到需争取同盟会的支持，于是力邀孙中山、黄兴北上。黄兴后来在北上途中发表演讲，表示愿意进行调解，"到京后，定当调和一切，使我同胞无稍隔阂，和衷共济，以巩固民国基础"①。

先期进京的孙中山对袁世凯有着格外的好感，多次表示："袁总统大才，予盼其为总统十年。"②后期进京的黄兴也因袁世凯的诚恳热忱而视其为"今日第一人物，深致倾服"③，又说："兴此次来京，亲见大总统为国宣劳之苦心及一切规画，尤为感佩。以后国家困难之事，或较今日为尤甚。凡中华民国之人民，无论在政界、在社会，须出真实爱国心，以赞助大总统建设之伟业。"④孙中山、黄兴的这一态度，对国民党与袁世凯的矛盾冲突起到了短暂的缓解作用。在总理内阁人选问题上，黄兴提议可遵照袁世凯的意愿，但总理及阁员必须加入国民党，以符合政党内阁的精神。这一提议照顾到双方的要求，获得袁世凯和国民党总部的同意，于是代理总理赵秉钧由参议院顺利通过为国务总理，赵随后加入国民党，迁延三个多月的内阁总理问题至此终于得以解决。在内政外交方针上，袁世凯也与孙中山、黄兴取得统一认识，袁提出的八大政纲，在征得孙、黄二人和黎元洪的同意后，向全国通电宣布。

黄兴应邀进京，在遵守民主共和原则、维护国家统一的前提下，

① 黄兴．在烟台各社团联合欢迎会上的演讲［M］// 刘泱泱．黄兴集．长沙：湖南人民出版社，2008：479.
② 孙中山．与汤漪的谈话［M］// 孙中山全集：第二卷．北京：中华书局，1981–1986：411.
③ 毛注青．黄兴年谱长编［M］．北京：中华书局，1991：329.
④ 黄兴．在袁世凯宴会上的答词［M］// 刘泱泱．黄兴集．长沙:湖南人民出版社，2008：506.

和孙中山一道与袁世凯商谈要政，增信释疑，不回避矛盾，妥善处理分歧，达成共识，“为袁世凯摆脱困境，以及改善与参议院、国民党的关系，均发挥了重大作用，对国家和社会的稳定也产生了良好的影响”①，民主共和政体的正常运作也出现少有的希望光芒，黄兴为民初建设共和新事业又一次做出了重要贡献。

（3）力主实行政党政治，以推进中国近代民主政治建设进程。

在中华民国采用何种政体的问题上，黄兴原本是总统制之坚持者，但因对袁世凯的不放心以及随着对民主宪政认识的加深，转而支持责任内阁制，主张通过政党内阁来实现民主，巩固共和。政党内阁这一重要政治主张是黄兴民初政党政治思想的核心内容。黄兴对政党政治理论进行了积极探索，并做过许多精辟阐释。

他一再强调政党在国家政治生活中的极端重要性，认为民初问题重重，必得有政党来负起责任，“处今日危险时代，内忧外患相逼而来，政党之责任尤为重大”②，“欲民国现象日臻良好，非政党不为功”③，“惟政治谋其统一，必藉最良之政党”④；政党是建设真正共和政治之所必需，“在今日之民国，所以不可不有政党者，因为欲产出真正之共和政治，必待政党对于政治为专门之研究”⑤。针对民初林立的政党生态，黄兴虽认为在当时是一种必然的正常现象，但“小党互起，是非不一，精神不固，断难免扰乱之祸”⑥，主张借鉴西方国家之经验，“造成伟大政党”，“政党太多，于政策之进行不无妨碍。欲追踪法、美，以收共和之美果，

① 萧致治．黄兴评传［M］．南京：南京大学出版社，2001：281–282.

② 黄兴．在北京国民党本部欢迎大会上的演讲［M］// 刘泱泱．黄兴集．长沙：湖南人民出版社，2008：493.

③ 黄兴．在国民党湘支部大会上的演讲［M］// 刘泱泱．黄兴集．长沙：湖南人民出版社，2008：543.

④ 黄兴．在国民党南京支部欢迎大会上的演讲［M］// 刘泱泱．黄兴集．长沙：湖南人民出版社，2008：525.

⑤ 黄兴．在国民党鄂支部欢迎会上的演讲［M］// 刘泱泱．黄兴集．长沙：湖南人民出版社，2008：533.

⑥ 同③．

不可不造成伟大政党……国家之发达亦于此基之矣”。[①] 黄兴特别重视党德，认为应正确处理好政党与国家、政党与政党之间的关系。针对民初政党多为争权夺利之工具，轻视国家前途、漠视民众幸福的现状，黄兴指出，政党是国家政治生活中的引领者，“政党者，对于国家负完全维持之义务，为国民之耳目，使全国之人免于盲人瞎马、半夜深池之危险者也”[②]，所以应该正确处理好政党与国家之间的关系，“以改造为精神，以促进为目的，以爱国为前提”[③]；针对民初政党之间竞争的杂乱无序甚至使出贿选等不正当手段的情况，黄兴力主构建合作、公正的党际关系，政党之间竞争应该是“以政见相折冲”[④]，彼此应该“以国家为前提，只求真理，固无丝毫成见于其间也”[⑤]，不得抱各党之私见，“凡他党之所主张，不可为无意识之反对，只当以国利民福为前提，平心静气为稳健之批评，以待国民之抉择”，“务期互相提携，交换意见，俾克砥砺观摩，收他山之助”，[⑥] 并警告政党之间若只知自顾其私，不择手段地进行恶性竞争，“长此以往，吾国且将因政党而召亡”[⑦]。黄兴所提出来的这些党德要求，应该成为成熟民主政治伦理常态。

关于国民党自身建设，黄兴也提出了不少卓见。首先，他积极支持改组同盟会为国民党。黄兴向往欧美各国的两党制，说民

① 黄兴．在国民党鄂支部欢迎会上的演讲［M］// 刘泱泱．黄兴集．长沙：湖南人民出版社，2008：534.

② 同① 535.

③ 黄兴．在国民党湘支部大会上的演讲［M］// 刘泱泱．黄兴集．长沙：湖南人民出版社，2008：543–544.

④ 黄兴．复袁祖成书［M］// 刘泱泱．黄兴集．长沙：湖南人民出版社，2008：248.

⑤ 黄兴．在北京共和党欢迎会上的演讲［M］// 刘泱泱．黄兴集．长沙：湖南人民出版社，2008：500.

⑥ 同①．

⑦ 黄兴．复上海政见商榷会等电［M］// 刘泱泱．黄兴集．长沙：湖南人民出版社，2008：391.

国成立已半年，而一切未能就绪，“其原因在于政党未能成立”[①]，同盟会应从革命党转变为建设党，贯彻三民主义，尤其是民生主义；“国民党于此时能大加扩张，成立一极大政党，使国家日趋于巩固，是则鄙人之所最希望者也”[②]；“今所以与各党合并而改称国民党者，盖将应时势之要求，为解决建设问题之研究，自然之归结也”，其所以要“结合多数小党，组成一极强有力之大党”，目的是为了“相与制定党纲，以表示将来政治进行之方针”。[③]其次，黄兴特别强调党规、党德、党略、党才建设，“民国建设，政策异常繁多。就本党现状言之，所宜注重者有三事，一曰党规，二曰党德，三曰党略”[④]。党规即党的纲领和章程，“一党有一党之政纲，一党有一党之规则，党员所共应遵守”[⑤]；党德是指党的道德，要有责任心、谦卑心和包容心，应“以人民为国家的主人，起而担负国家之重任”[⑥]，“对于国民，无论如何反对，本党皆宜引为己咎，归罪于自己感化力之不强。凡与他党交接，皆宜同兄弟一样，彼此互相携手，以救国家”[⑦]，尤其“宜以宏大之心理对待他党”[⑧]，“吾党自身，则当养成政党的智识道德，依政党政治之常轨，求达利国福民之目的，不可轻易主张急进，以违政党进步之原则”[⑨]；而“党略云者，即言

① 黄兴．在中国同盟会上海支部夏季常会上的演讲［M］// 刘泱泱．黄兴集．长沙：湖南人民出版社，2008：456.
② 黄兴．在北京国民党本部欢迎大会上的演讲［M］// 刘泱泱．黄兴集．长沙：湖南人民出版社，2008：493.
③ 黄兴．在国民党鄂支部欢迎会上的演讲［M］// 刘泱泱．黄兴集．长沙：湖南人民出版社，2008：533，534.
④ 黄兴．在湘潭国民党支部欢迎会上的演说［M］// 刘泱泱．黄兴集．长沙：湖南人民出版社，2008：579.
⑤ 黄兴．在醴陵国民党支部欢迎会上的演说［M］// 刘泱泱．黄兴集．长沙：湖南人民出版社，2008：583.
⑥ 黄兴．国民月刊出世词［M］// 刘泱泱．黄兴集．长沙：湖南人民出版社，2008：620.
⑦ 同④ 579−580.
⑧ 同① 455.
⑨ 黄兴．在国民党上海交通部欢迎会上的演说［M］// 刘泱泱．黄兴集．长沙：湖南人民出版社，2008：606.

党员须具有种种之魄力，之手段，以谋扩充其党务是也”[1]；所谓党才建设，就是说要聚天下英才而用之，“欲求政党之发达，必集地方之人才”[2]，如讲学问者、能办事者等。第三，对于国民党当时的选举目标，黄兴毫不隐晦是要争取执政地位，明确宣布，“本党主张政党内阁，专为维持政府，使得负完全责任”[3]，“使内阁得一大政党之扶助，与国会多数议员成一系统，其平日所持政见大略相同，一旦发表，国会乃容易通过，不致迭起纷争，动摇内阁，陷国家于危险，对于内阁可令负完全责任，对于总统，可永远维持尊荣，而大政计划，始能贯彻”[4]；对于国会选举，黄兴动员与号召“党员须大家共负责任，多赴地方演说，使人人知共和之真精神，并告知本党之精神所在，而后国人皆知本党之可恃，共表同情，以助成本党之所主张”[5]；当选举结果出来后，黄兴甚感欣慰，“国会议员发表，吾党实占多数，是征吾党之政见合乎公理，所以得人民之赞同，占优胜之势力，而有左右政治之机会”[6]。

民国初年首次国会选举，因国人对政党政治的理解大多流于肤浅，以致政坛乱象丛生。黄兴因此而提出的关于政党政治的一系列论述，有利于人们正确认识政党政治和对待选举，对当时的国会选举和政党的良性竞争具有正面指导意义，有力地促进了国民党的健康发展，并对其赢得国会选举的胜利起到了十分积极的作用。黄兴关于政党政治的一般论述，立足在中国实现近代民主政治这一核心目标，构想的蓝图美妙，论证的逻辑清晰，具有重

① 黄兴．在湘潭国民党支部欢迎会上的演说［M］// 刘泱泱．黄兴集．长沙：湖南人民出版社，2008：580.
② 同① 579.
③ 黄兴．致胡瑛电［M］// 刘泱泱．黄兴集．长沙：湖南人民出版社，2008：593.
④ 黄兴．复杨度电［M］// 刘泱泱．黄兴集．长沙：湖南人民出版社，2008：592.
⑤ 黄兴．在国民党鄂支部欢迎会上的演讲［M］// 刘泱泱．黄兴集．长沙：湖南人民出版社，2008：535.
⑥ 黄兴．国民月刊出世词［M］// 刘泱泱．黄兴集．长沙：湖南人民出版社，2008：620.

要的理论参考价值；关于国民党自身建设的论述，事关一个政党的生存、发展、壮大，至今仍具现实借鉴意义。黄兴的政党政治思想与主张，是近代湖湘文化的重要内容，它产生于近代中国的民主政治实践，反过来又在一定程度上推动了中国政治近代化的进程，并丰富了中国近代政治学说与政党理论，为后人留下了一笔宝贵的政治思想财富。

（4）宋教仁被刺案后，黄兴维护民主共和的努力。

正当国会选举以一种比较正常的状态进行，国民党赢得选举的大势已经十分明朗之际，民国二年（1913）3 月 20 日，凶手将三颗邪恶的子弹射向了国民党代理理事长宋教仁，并导致其不幸身亡，是为宋教仁被刺案[①]。

宋教仁被刺是民初极为严重的政治暗杀事件，且发生在国会正式开议之前，国内舆论一致声讨，国民党人更是义愤填膺，多将袁世凯、赵秉钧视为幕后主使，原先与袁世凯的矛盾还只是政见分歧，暗杀事件后，袁世凯被视为反对共和的代名词，连他的政府一起,成为众矢之的。但在讨论如何处理“刺宋案”的问题上，国民党内部却产生了激烈的争论。孙中山等认为武力讨袁是正当且唯一有效的方法，黄兴等则视法律解决为正当之手段。

在未得“刺宋案”证据以前，黄兴认为“民国已经成立，法律非无效力，对此问题，宜冷静态度，而待正当之解决”，“此时正在全国愤怒中，诉诸舆论、诉诸法律，不能说没有希望”，既有正当性，又具较大的可能性。而武力讨袁，在并无确实证据证明袁世凯是“刺宋案”的主谋的情况下，不仅师出无名，“南方武力

① 宋教仁被刺案主谋，百多年来争论未已。尚小明先生认为“宋案”不能等同于“刺宋案”，是多个环节次第演进而成的复杂案件，杀宋之意产生于构陷“孙黄宋”计划失败之后,洪述祖转而以子虚乌有的“毁宋酬勋位”及“债票特别准”，诱使应夔丞杀宋，故洪述祖是“刺宋案”唯一主谋，杀宋是“宋案”最后一个环节。参见尚小明．洪述祖——“刺宋案”唯一主谋［J］．史学集刊,2016（1）．

不足恃，苟或发难，必致糜烂大局”。[①]

“刺宋案”证据公布，虽然袁世凯方面辩称与刺宋并无直接关系，但洪述祖是政府中人，政府难逃政治责任，而民众和国民党激进势力不仅无法信任政府，而且已经认定袁世凯就是杀人主谋。孙中山认为正是武力讨袁的好时机，而黄兴则认为“宋案的证据已获，可以公布证据，当可循法律的途径解决”，“证据确凿，等到国民开大会发表后，可以组织特别法庭，作缺席裁判，何患效力不复产生？何况袁世凯不经国会审议，违法借款；各省都督，也必定起而力争。在这三方面抨击之下，袁世凯终当会屈服而取消借款案了”[②]。为人道计，为大局计，黄兴提议组织特别法庭，期望一劳永逸地解决，但被司法部以于法无据驳回。自“刺宋案”发生后的四个多月时间里，法律解决进展十分有限甚至陷入僵局，国民党激进势力渐渐不能容忍，却又发生了未经国会同意的善后大借款，国民党对袁世凯政府完全失去信任，各地抗议声浪越来越大，袁世凯的态度也十分强硬，武力解决手段成为国民党人的共识，袁世凯也开始军事准备，法律解决的希望越来越渺茫，黄兴被迫走上了武力讨袁的道路,“以武力济法律之穷”[③]。由于得不到最低限度的民意支持，加上军政实力过于悬殊，黄兴不得不抱憾地再次流亡海外，武力讨袁很快失败。

“刺宋案”是在民国成立后发生的，且被国民党人认定为政府违法杀人，并违约借款，都是对民主宪政体制的破坏。黄兴之所以坚持寻求在法律框架内解决宋教仁被刺案，除有对国民党的军事实力和对国家大局的担忧外，更重要的是对依据《临时约法》初步建立的五族共和、宪政民主制度框架的一种坚守。民国体制

① 蔡寄鸥．鄂州血史［M］// 近代史资料专刊．北京：知识产权出版社，2013：261.
② 方祖燊．三湘渔父——宋教仁传［M］．台北：近代中国出版社，1980：475.
③ 孙中山．致参议院等通电［M］// 孙中山全集：第三卷．北京：中华书局，1984：67.

是国民党人创立的，民主法制是国民党人坚持的理念，若抛开体制和法律途径，以武力讨伐袁世凯，无异于对国民党人宪政理念的自我否定。在民初政局混乱、动荡与局部割据的情况下，虽然法律解决很难发挥效用，但黄兴仍然以对法治的坚守来维护民主共和，即武力讨袁必须是在穷尽法律手段之后，应该说合理合情且合法，这种法治思维同时也符合中国政治近代化的发展方向。

3. 杨度在袁世凯帝制自为活动中的思想主张及活动。

袁世凯是清末民初政坛上的强势人物，是具有很强改革精神并欲成就一番大业的政治家，却因上演称帝丑剧而被钉在历史的耻辱柱上。他本是君主立宪的真诚拥护者，但后又做出了一个机会主义选择，转而赞同共和，承认“共和为最良国体，世界之所公认”[①]。这一转变，对稳定辛亥革命后的国内局势，促成清帝退位，实现南北统一，做出了积极贡献。对此，黄兴曾称赞说：“项城处两难地位，苦心孤诣，致有今日，其功不可没。”[②]因其所拥有的势力、声望和表现出来的行政协调能力，袁世凯顺利地被选举为临时大总统，后又以全票当选为中华民国大总统，成为当时中国最重要的政治领袖。袁世凯承诺遵守《临时约法》，但该约法却将原来的总统制改为内阁制，很明显是为了制约袁世凯，带有相当浓厚的因人立法色彩。而在实际运作中，《临时约法》所规定的政治架构却不断出现危机，大总统所受约束太多，使政府的政策往往难以有效地贯彻执行，再加以地方普遍的独立倾向，袁世凯为此苦不堪言。当民主政治出现挫折时，袁世凯只看到了它的不足，想到的不是如何完善现有的政治体制，而是回到过去的老路。他操纵制定了《中华民国约法》，使大总统具有至高无上的权威，且可任职终身。这就很容易使人联想到既然共和国的总统可以实行

① 白蕉．袁世凯与中华民国［M］．北京：中华书局，2007：136.
② 黄兴．致伍廷芳等电［M］// 刘泱泱．黄兴集．长沙：湖南人民出版社，2008：216-217.

终身制，要是实行帝制就可能更有助于政府权威的重建。由于袁世凯是来自旧营垒中新旧杂拌的人物，并不是一个坚定的共和主义者，内心深处的帝王意识在一定条件下很容易被唤起，“当各方面的压力潮水般的涌来的时候，他便放弃先前对民主共和的庄严承诺，而走上帝制自为的道路”[1]。

民初帝制派包括君主立宪派和封建复辟派两部分，作为帝制活动中坚者之一的湖南人杨度属于前者。在袁世凯帝制自为的过程中，杨度不仅从理论上鼓吹，更在行动上予以推动。

杨度于民国四年（1915）4月以问答的形式，抛出《君宪救国论》，由内史夏寿田转呈袁世凯。袁世凯大为赏识，亲题“旷代逸才”四个大字，并制成匾额，赐赠杨度。杨度所著《君宪救国论》包括三个部分，上篇述君宪救国的理由，中篇分析当时总统制的缺点，下篇批评清末假立宪和民国成立后的民主立宪。杨度认为民国初年社会的普遍失序，其原因在于选择了不适合当时中国国情的民主共和制；根据中国的历史与国情民俗，只有实行君主立宪制才是救亡之策、富强之本。因此，“不思所以改弦而更张之，欲为强国无望也，欲为富国无望也，欲为立宪国亦无望也，终归于亡国而已矣”。在陈述各种理由之后，杨度指出，“盖欲求富强，先求立宪，欲求立宪，先求君主故也”，“共和绝不能立宪，惟君主始能立宪，与其行共和而专制，不如立宪而行君主”，“非立宪不足以救国家，非君主不足以成立宪。立宪则有一定法制，君主则有一定之元首，皆所谓定于一也”，“不改君主则已，一改君主，势必迫成立宪”。[2] 这种法理研究，对在清末就曾积极推动君主立宪的袁世凯来说，是颇具说服力的。杨度的文章一出，舆论一片哗然，不久梁启超发表《异哉所谓国体问题者》予以批驳。杨度

① 马勇．袁世凯帝制自为的心路历程［J］．学术界，2004（2）：78.

② 杨度．君宪救国论［M］// 刘晴波．杨度集．长沙：湖南人民出版社，2008：568.

则声称："予之宗旨非立宪不能救国，非君主不能立宪，虽举国反对，予必一人坚持，无论何种利害祸福皆非所计。"① 在袁世凯帝制破灭后，杨度仍然表示："政治运动虽然失败，政治主张绝无变更。我现在仍是彻头彻尾主张君宪救国之一人，一字不能增，一字不能减。"②

在具体行动上，杨度开展活动的主要平台是筹安会。筹安会系"承极峰之旨"③ 而设，自 8 月 10 日起开始着手联络，列名发起人为杨度、孙毓筠、严复、刘师培、李燮和、胡瑛等六人，史称"筹安会六君子"④，但实际操盘手是杨度、孙毓筠，前者是领衔发起人并担任理事长，后者是副理事长，筹安会的有关文件主要是由杨度起草的，该会开展有关复辟帝制的运动也主要是由杨度、孙毓筠等人出面负责组织实施的。筹安会"以发挥学理，商榷政论，以供国民之研究为宗旨"⑤，在 8 月 20 日的通电中又表述为"将筹一国之治安，研究君主、民主国体二者以何适于中国"⑥，名为学术团体，实为公开推动帝制活动的重要政治团体。9 月 2 日，筹安会组织公民请愿团，向参政院请求变更国体。9 月末，杨度代表 10081 名筹安会会员，两次发表请愿书，要求立即决定君主国体。11 月，杨度受袁世凯委派，与周自齐、夏寿田、孙毓筠、张镇芳一起参加大典筹备处。12 月 11 日，袁世凯以全票当选为中华帝

① 杨度．在北京与某人谈话［M］// 刘晴波．杨度集．长沙：湖南人民出版社，2008：590-591.

② 杨度．答京津太晤士报记者［M］// 刘晴波．杨度集．长沙：湖南人民出版社，2008：611.

③ 孙应祥．严复年谱［M］．福州：福建人民出版社，2014：363.

④ 筹安会六君子中，多为拉郎配。严复自称："筹安开会，以至请愿，继续劝进、庆贺，仆身未尝一与其中。"又据饶怀民载于《益阳师专学报》1998 年第 3 期的《李燮和与筹安会》一文考证，"李燮和在筹安会中仅仅只是挂名而已"。

⑤ 刘晴波．杨度集：筹安会章程［M］．长沙：湖南人民出版社，2008：587.

⑥ 杨度．筹安会通电［M］// 刘晴波．杨度集．长沙：湖南人民出版社，2008：588.

国皇帝，杨度草拟3000多字的推戴书，吁请袁氏“早登大宝”①；15日，又代国史馆馆长王闿运拟劝进电；19日，会同孙毓筠等上递促袁世凯登极折，“伏愿我皇上早布纶音，速就尊位，以立民极，以迓天庥”②。经不起杨度及各方“劝进”的诱惑，袁世凯终于决定将民国五年（1916）改为洪宪元年，准备在元旦那天正式登基。但是人算不如天算，袁世凯仅做了83天皇帝就被迫取消帝制。

杨度在袁世凯病逝后送有挽联云：“共和误民国，民国误共和？百世而后，再评是狱；君宪负明公，明公负君宪？九泉之下，三复斯言。”③那么，在袁世凯帝制自为失败的百年之际，我们来审视杨度的君宪救国论，不可否认其仍属于民主政治的范畴，在当时也不能说完全没有道理，但他将民初出现的问题完全归咎于共和政体则显然过于片面；杨度所推动的帝制虽与封建复辟派不是一回事，但他低估了当时政变政体的复杂性和所产生后果的严重性，难辞造成政局动荡之咎。杨度在民初的君宪救国思想与活动，是近代湖湘文化影响近代中国历史进程的典型案例之一，作为舆论鼓吹者和政治操盘手的杨度，在袁世凯帝制自为的过程中起到了摇旗呐喊、推波助澜的作用。

4. 蔡锷等讨袁护国，为全国同胞争人格。

蔡锷也和孙中山、黄兴等革命党人一样，对于曾承诺拥护共和的袁世凯寄予厚望，认为“衡量中国现在的情势，又非他不能维持”，并表示愿“剪除前嫌，帮助袁世凯度过这一难关”，④希望

① 杨度．参政院代立法院第二次推戴书［M］// 刘晴波．杨度集．长沙：湖南人民出版社，2008：597.

② 杨度．与孙毓筠等促袁世凯登极折［M］// 刘晴波．杨度集．长沙：湖南人民出版社，2008：604.

③ 杨度．挽袁世凯联［M］// 刘晴波．杨度集．长沙：湖南人民出版社，2008：611.

④ 李文汉．关于蔡锷的几点回忆［M］// 云南文史资料选辑．昆明：云南人民出版社，1997（10）：16.

袁世凯“替国家做些建设事业”[1]。但蔡锷是具有强烈民主共和思想的爱国者，当袁世凯决意背叛共和、复辟帝制时，蔡锷曾“多方设法，冀挽狂澜，卒归无效”[2]，痛感“袁逆之帝制成，吾民之希望绝矣”[3]，义无反顾地决定发动反对袁世凯帝制自为的斗争。

当帝制之声甚嚣尘上之时，蔡锷曾对亲信友人说：“眼看着不久便是盈千累万地人都要颂王莽功德，上劝进表了，老袁便安然登上了大宝，叫世界各国看着中国人民是甚么东西呢？我们知力量有限，未必抗得他过，但为四万万人争人格起见，非拼着命去干一回不可。”[4]蔡锷在天津与梁启超密商了反袁的文、武方案，文则由梁启超公开撰文抨击帝制复辟，武则是“云南于袁氏下令称帝后即独立，贵州则越一月后响应，广西则越两月后响应。然后以云贵之力下四川，以广西之力下广东。约三四个月后，可以会师湖北，底定中原”[5]。

时被袁世凯软禁北京的蔡锷释放了一系列烟幕，成功潜出京城，然后从天津乘轮船到日本东京，转道台湾、香港、越南入滇。蔡锷曾在云南深耕多年，尚在北京时就已进行过秘密联络，抵达昆明后，连日召开会议，策划反袁，决定立即发动反袁护国战争。蔡锷在讨袁动员大会上发表演说称，我们兴师讨袁，所争者四万万同胞之人格，而绝非个人权利地位之私利；我们与其屈膝而生，毋宁断头而死。民国四年（1915）12月25日，与唐继尧等人联名发出讨袁通电，宣布云南独立，揭开讨袁护国序幕。

舆论上，蔡锷等发起了一系列攻势。其中，曾连发四电致各

① 梁启超．护国之役回顾谈［M］// 护国文献．贵阳：贵州人民出版社，1985：303.

② 蔡锷．致陈宧电［M］// 曾业英．蔡锷集．长沙：湖南人民出版社，2008：1233.

③ 蔡锷．告滇中父老文［M］// 曾业英．蔡锷集．长沙：湖南人民出版社，2008：1243.

④ 蔡锷．蔡锷集［M］．北京：文史资料出版社，1982：6-7.

⑤ 梁启超．国体战争躬历谈［M］// 护国文献．贵阳：贵州人民出版社，1985：300.

省将军、巡按使等，先是痛陈“天祸中国，元首谋逆，蔑约法，背食誓言，拂逆舆情，自为帝制，卒召外侮，警告迭来，干涉之形既成”[①]的严峻局势；继又历数不听劝告、益煽谋逆的袁世凯“违法背誓，背叛民国”[②]等“不仁”“不义”“不智”“不信”“不让”之罪，号召“保固有之民国，定再造之旧邦”[③]。两电发出一周之后，仍有多省因对君宪政治存有幻想而持观望态度，遂又电指出“世界文明已趋共治，君主国体日在淘汰之中。即就现政而论，袁氏就职以来，摧残舆论，滥耗库储，生杀由心，法律刍狗，民生困敝，呼诉无门。名为共和总统，实无异于君主专制。凡所设施，皆以为其私耳，所谓福国利民者安在哉？其为总统犹横恣如是，则异日之君主可知。今若戮力同心，铲除帝制，推倒袁氏，重建共和，则法、美之良规俱在，我中华民国巍然继起于东亚大陆矣”，并坚定地表示“计划已定，着着进行，但有进死，更无退生，非达到还我共和民国之目的不止”[④]。“惟尚有未尽之义”，又再电历陈袁世凯之内外政策“未尝示吾侪以一线之光明”，“对外曾不闻为国防之计画，为国际经济竞争之设备，徒弄小智小术，以取侮于友邦，致外交着着失败。对内则全不顾地方之利害，不恤人民之疾苦，盗贼充斥，未或能治，冤狱填塞，未或能理，摧残教育，昌言复古，垄断实业，私为官营，师嬴政愚黔首之谋，尊弘羊利出一孔之教”；并表示“此次义师之兴，誓以四事：一曰与全国民戮力拥护共和国体，使帝制永不发生；二曰划定中央地方权限，图各省民主之自由发展；三曰建设名实相符之立宪政治，以适应世界大势；四曰以诚意巩固邦交，增进国际团体之资格”，[⑤]讨袁不是为一己之

① 蔡锷．致各省将军巡按使等电［M］// 曾业英．蔡锷集．长沙：湖南人民出版社，2008：1241.
② 同① 1237.
③ 同① 1235-1236.
④ 同① 1237-1238.
⑤ 同① 1239-1240.

私，而是为了护国，维护民主共和与国家民族的利益。民国五年（1916）元旦，蔡锷等发出长达近5000字的《讨袁檄文》，除历数“国贼袁世凯”二十大罪状外，并要约五义：“凡属中华民国之国民，其恪遵成宪，翊卫共和，誓除国贼，义一。改选中央政府，由军府召集正式国会，更选元首，以代表中华民国，义二。罢除一切阴谋政治所发生，不经国会违反民意之法律，与国人更始，义三。发挥民权政治之精神，实行代议制度，尊重各级地方议会之权能，期策进民力，求上下一心，全力外应之效，义四。采用联邦制度，省长民选，组织活泼有为之地方政府，以观摩新治，维护国基，义五。”[①] 所有这些，实际是从舆论上开展的反袁斗争，重在说明“汤武革命”的正当性，表达起兵讨袁的主要诉求，目的是为全体中国人争人格。实事求是地说，对袁世凯的指控并非全部事实，但既是反袁舆论宣传，难免言过其实，夸大其辞。

军事上，蔡锷等在云南组织护国军，自任总司令。随后又扩编为三个军，分别由蔡锷、李烈钧和唐继尧任总司令，分三路出师。云南宣布独立，袁世凯大为震惊，分化瓦解不成，立即调兵遣将，拟订三路出兵计划。双方视四川战场为主战场，而泸州战场又是重中之重。1月14日，护国军第一军宣誓后，蔡锷率约六七千官兵奔赴四川，而袁军主力已先行抵达泸州且十倍于己，颇感“师行未能大畅”[②]。蔡锷时正饱受肺结核病之折磨，但仍坚定地表示，“余素抱以身许国之志，此次尤为决心，万一为敌贼暗算，或战死疆场，决无所悔”[③]。当时以泸州为中心的川南战场的争夺十分激烈，“有枪炮以来，吾国战事，当以此役为最”[④]，鏖战经月，虽“屡

① 蔡锷．讨袁檄文［M］// 曾业英．蔡锷集．长沙：湖南人民出版社，2008：1253-1254.

② 蔡锷．致梁启超电［M］// 曾业英．蔡锷集．长沙：湖南人民出版社，2008：1337.

③ 蔡锷．致潘蕙英函［M］// 曾业英．蔡锷集．长沙：湖南人民出版社，2008：1263.

④ 云南省社科院历史研究所，贵州省社科院历史研究所．护国文献［M］．贵阳：贵州人民出版社，1985：669-670.

濒于危，皆能绝处逢生”[①]。受蔡锷所部与北洋军的英勇作战的鼓舞，各地反袁斗争迅速展开，贵州、广西相继独立；蔡锷同样受到鼓舞，指挥护国军在川南发起总反攻，并重创袁军。袁世凯被迫同意停战议和，“这标志着袁世凯武力镇压、军事围剿的计划彻底破产”[②]。此后，各地宣布独立的省份更多，袁世凯最亲信的湘督汤芗铭、川督陈宧也加入了独立行列。袁世凯此时大梦方醒，在征求身边亲信和实力派意见之后，宣布取消帝制。事后，孙中山给予这次斗争高度评价，称：“云南起义，其目标之正确、信心之坚强、士气之昂扬、作战之英勇以及民心之振奋、响应之迅速，与黄花岗之役、辛亥武昌之役，可谓先后辉映，毫无轩轾，充分表露中华民族之正气。”[③]

取消帝制后，袁世凯以为政敌的目标既已达到，自己还可以继续当他的大总统。对此，蔡锷等坚决反对，一针见血地指出：“以法理言，项城承认帝位时，已有辞退总统之明令，是国会选举之效力已无存在，此时继续旧职，直无根据。世岂有未经选举之总统？此而囫囵吞过，尚复成何国家？以情势言，项城身为总统，不能自克，及承认帝位，又不能自坚，一人之身，数月之间，而号令三嬗，将威信之谓何？”[④]并以云南军务院通告的方式郑重地先行宣告“前大总统袁世凯，因犯谋叛大罪，自民国四年十二月十三日下令称帝以后，所有民国大总统之资格，当然消灭”，“以待将来召集国会依法弹劾，组织法庭依法裁判”。[⑤]

护国运动是关乎当时中国国体问题的重大斗争，无论是舆论、

---

① 蔡锷．致唐继尧等电［M］// 曾业英．蔡锷集．长沙：湖南人民出版社，2008：1364.

② 邓江祁．蔡锷思想研究［M］．长沙：湖南师范大学出版社，2006：87.

③ 云南省社科院历史研究所，贵州省社科院历史研究所．护国文献［M］．贵阳：贵州人民出版社，1985：10.

④ 蔡锷．复政事堂统率办事处电［M］// 曾业英．蔡锷集．长沙：湖南人民出版社，2008：1356.

⑤ 唐继尧，刘显世，蔡锷，等．宣言一［M］// 曾业英．蔡锷集．长沙：湖南人民出版社，2008：1362.

军事讨袁，抑或是依法斩断袁世凯继续当大总统的梦想，蔡锷均起到了极其重要的作用。这场斗争的背后，其实双方都落入了当年日本所设下的圈套，因非本书研究主题，按下不表。但反袁护国的胜利，确实使中国再次燃起了民主共和的希望。

二、民国初期的社会转型与近代湖湘文化的多重取向

民国成立后确立的民主共和政体，是移植西方近代政治制度文明的结果，对中国而言则是政治近代化的一种全新尝试。因革命党人的选择，君主专制政体在瞬间变换成了民主共和政体，中国因此开始了实实在在的政治近代化的转型之路。对于绝大多数中国人来说，这一过程来得有点过于迅猛。在中国传统社会生存方式并没有发生根本性变革的情况下，政治体制的骤然变革不仅让尚不具备民主共和知识和经验的普通民众一时无所适从，社会精英阶层也大多不明就里，就是那些主张民主共和的倡导者中也多难以准确把握其精义。因此，在旧有的价值信仰体系崩溃之后，社会转型时期的问题和矛盾不仅没有减少，反而更加凸显，革新了的政治在革新中走向了变异。政见分歧的解决总是要通过暴力方式来见分晓，政局长期动荡、内战连绵不绝 ，严重影响了民众对民主共和的观感，更严重影响了民众的生产与生活。令人失望的现实加剧了社会转型中的阵痛，面对政局的动荡与社会秩序的混乱，各阶级、阶层利益的代表人物纷纷从各自的认知出发，寻找医治社会疾病的灵丹妙药，提出各自的主张，出现了中国历史上的又一次百家争鸣。在这场新兴的思想文化运动中，湖湘精英的深度介入，使近代湖湘文化出现了第三次转向，即由器物、制度深入到了思想文化领域，这也是近代以来反思学习西方运动的结果。

（一）以中国传统文化为本位重建社会秩序的主张

在寻求救世法宝的过程中，一部分社会精英主张回归以儒家为主的传统文化，以解决民初社会转型时期所出现的国人信仰危机，卫护民族文化，但并不完全反对学习西方。持此种主张的人，实为中国传统文化本位主义者，孔教派、东方文化派即属于这一类。这些人未必都是政治上的封建专制复辟派，更多的应该是关心中国传统文化命运的人。当尊孔读经思潮在中国兴起之时，湖南知识精英参与这一运动的情况也与此相类似。

1. 王闿运为首的孔教会湖南支部主张立"孔教"为"国教"。

民国元年（1912）10月7日，孔教会在上海成立，逗留上海的湘中耆宿王闿运曾于次年正月前往孔教会听讲。同年，孔道会在济南成立，推康有为为会长。湖南孔道会成立于民国元年（1912），舒礼鉴为会长；湖南孔教会支会于民国二年（1913）4月成立，王闿运为会长。此后，孔道会与孔教会合并，成为康有为孔教会的湖南支会。

"保守孔教以廓充光大"[①]是康有为成立孔教会的宗旨，目的在于将儒家学说宗教化，借宗教、国教的神秘性、排他性来恢复孔子的独尊地位，以达到服务于新政体的目的。王闿运亦谓："人类之所以能团为国者，以其具有磁性也，道德即其磁性之见端，道德之原出于天，而成于教。"道德是通过后天的教育而养成，以孔子为代表的儒家思想在这方面可以发挥很好的作用。又说："各国有各国之礼教，各国有各国之风俗，不相谋也，吾国以孔教为立国之本。"[②]王闿运在这里虽然将礼教与宗教混为一谈，但实际上是担心基督教代替以儒家为代表的传统文化，所以才认为不同的

① 康有为．孔教会章程［M］// 姜文华，张荣华．康有为全集：第三集．北京：中国人民大学出版社，2007：348.

② 王湘绮讲经之欢迎者［N］．申报：要闻二，1914-04-24.

国家各有不同的礼教，“孔教”是中国的“国教”，是中国的根本所在，应当成为我们国家的立国之本，所以必须保护、继承和发扬。在这一宗旨下，孔教会将立“孔教”为“国教”作为政治诉求，希望以国家法律保护的形式使儒学走出因君主政体瓦解而出现的困境。但因与维护民主共和者信教自由的主张相悖，又被一些尊孔人士指责尊之无道，更因与袁世凯帝制自为有说不清道不明的关系，这一诉求终归无果。

2. 叶德辉为首的湖南经学会主张通过对经学的倡导来恢复纲常名教。①

生活于晚清至民国的叶德辉是一位大藏书家、版本学家和经学家，但在政治上是一位既开放又保守的异见人士。对于戊戌变法，先是支持后又竭力攻击；对于清末新政，“辄有风议”，抵制兴学堂；抢米风潮中，因家中积谷不售获罪朝廷；对辛亥革命推翻清朝统治，叹为道丧礼溃；民国成立，因借坡子街改名有意挑衅及偶议湘督汤芗铭而贾祸，随后又于民国四年（1915）被推举为湖南教育会会长。时值袁世凯推行尊孔读经之际，戏剧性地成为“体制内”之人的叶德辉积极呼应，发起成立经学会，出任湖南筹安会会长，并被指定为湖南“硕学通儒”代表，成为当时文化守旧思潮中最为引人注目的一位。

在此期间，除首衔通电恳请袁世凯立颁登极诏书，竭力拥护袁世凯称帝外，叶德辉还着力大兴“尊经”“兴学”之风，企图以此来恢复纲常名教。其发起成立的湖南经学会以“研究经义，发扬国学”为宗旨，宣称“经学以发明义训、通知世用为本，本不分汉、宋门户，亦不拘守乡里私学小派，惟遵《纲要》，按经分科，

① 本目内容参阅了湖南大学博士张晶萍《叶德辉的思想与学术研究》一文中的相关论述。

经编要义，以广切磋之益”。[1]入会者可向叶德辉借阅汉宋经学之书，会友应守礼法，保持学会声誉，如有动违礼则及臆造新说、渎乱经义者，公同纠察，以后来会，即不接洽。经学会推叶德辉为都讲，定期举行演讲。他还编写了《经学通诂》一书，作为民初湖南省教育会的教科书在全省广为发行。该书宗旨“不言微言，而言大义”，认为“大义虽乖，可以随时匡正。君不君、臣不臣、父不父、子不子，是之谓乖；君君、臣臣、父父、子子，是之谓不乖”；“大义明而后六经如日月之昭垂，治经之能事毕矣”。[2]在治经方法上，叶德辉提出了“六证”“四知”“十戒”的主张，希图通过他所提出的治经门径，来重振古文经学，昌明正学，进而挽回世道人心。与此同时，叶德辉还在湖南中小学教育中全面恢复读经活动，并试图加重经学的比例，以达到经学重振的目的。他委托湖南巡按使沈金鉴代奏《明定读经程序妥定教授系统恳予饬部采用折》，要求对已经颁布的《特定教育纲要》中的读经次第与范围予以变更，增加读经门类，变节读为专门讲授，以全面恢复经学在中小学教育中的核心地位。他认为如此则“科举可废，典籍常新，保存国家固有之精神”，“树百世之仪型”，“奠万年有道之丕基”。[3]袁世凯帝制失败后，叶德辉的“兴学”以“尊经”的活动也宣告结束。叶德辉的尊经兴学活动有寄托他自身人文关怀的一面，但客观上成为袁世凯帝制自为的手段，增强了当时湖南社会的文化保守意识，很大程度上阻碍了新文化运动的发展。

3．船山学社同人的道德救世主张。[4]

船山学社成立于民国三年（1914），创办者系浏阳刘人熙，他

① 叶德辉．经学通诂：经学会简章［M］// 王逸明．叶德辉集：二．北京：学苑出版社，2007：29.

② 叶德辉．经学通诂［M］// 王逸明．叶德辉集：二．北京：学苑出版社，2007：41－42.

③ 同② 29.

④ 杨锡贵．民国初年船山学社同人的道德救世思想初探［J］．船山学刊，2011（1）．

崇仰王船山其人，服膺船山学说，并认为船山学说是救时之良方。民国四年（1915）8月20日，在刘人熙、曹佐熙、徐明谔、彭政枢、廖名缙等人倡议下，创办了《船山学报》，至1917年8月，一共出版了八期。该刊是刘人熙等船山同人传播船山学说、宣传其思想及主张的主要阵地。从所刊载的文章来看，在如何解决民国初年的社会问题上，船山学社同人视道德为救世法宝，是传统的道德决定论者。船山学社同人的道德救世思想主张主要有以下几个方面。

第一，视道德的堕落为民初国家社会问题严重的根源。和当时许多人的看法一样，船山学社同人也认为民初中国出现了重大的社会危机，其致病之源，"痛定思痛，皆以人才衰息、民德堕落为其病源"；"国体既更，未堪多难，深思其故，惟在人心陷溺，道德堕落"，[①] 国家社会问题严重的根源在于道德的堕落。

第二，只有昌明学术，才可以医国家社会之病。廖名缙认为"国家社会以病，病不可无以药之"，医治国家社会之病的药方是圣哲仁贤所创立的各种学说，"故学说者，所以药国家社会之病，畀之复于宁谧者也"。[②] 刘人熙更认为"欲正人心，舍昌明学术，实无他法"，圣哲仁贤创立的医治国家社会的学说中，只有孔子之学说才是医治当时中国社会之病的灵丹妙药，因为孔子学说"集群圣之大成，为生民所未有"；"大义微言，挹之无尽"，[③] 而独得其宗的是王船山，昌明学术，当然要昌明船山学说。方坦伯指出，"船山之学，至今不能磨灭者，以义理之充足也"，所以船山学社"对于讨论学说，须以阐发义理为主旨"，因为"义理者，固有之良知，感化默运于无形"，而"法律者，有形之范围，服从多出于勉强"，[④]

① 船山学报：第1卷［M］. 长沙：湖南师范大学出版社，2009：18、55.
② 同① 59.
③ 同① 55.
④ 同① 56.

两者不可同日而语。廖名缙认为，船山学说“皆患难生死之余，创巨痛深，如布帛菽粟之直质，如雷霆猋霰之惊悚”；“清季国俗媮靡，而湘士用倔强闻，皆渐濡先生之化于不自觉耳”；“追忆先生遗书，愈觉鞭僻向里，施之今日，尤为针对时病之方剂”。所以，“我辈今日以救时为目的，船山学说实目今救时之良方”，“不必专贩异说以求新，在温故而知新则日新之盛德在是矣”。他们认为船山著书行事最足以拯救时弊者有四，“一曰砺廉耻，一曰明责任，一曰惩慆逸，一曰祛顽旧”①。

第三，指导社会，必以提倡道德为要素。方坦伯说，“组织斯社之意，一面为抗怀先哲，表彰船山绝学；一面为拯溺救焚，亟于维护人心风俗”；“对于指导社会一切之事，必以提倡道德为要素”；“船山之人，至今动人景仰者，以道德之高尚也”。② 王船山之所以有高尚的道德，在于他有最为后人所称道的气节操守。因此，“必以提倡道德为要素”，“修至德以凝至道”，才能挽回人心风俗。刘人熙认为，提倡道德，一需“养浩然之气”，“气足以配道义，自然事事动中肯要，曲顺人心，天下归仁，不期富而富，不期强而强”；气不足配道义以行，则“国之陷于沦亡，民之困于奴隶”，若能“养浩然之气，则天地之间有变迁，天地所生之民物有忧患，皆无不可治也，无不可使有得理之常也”，每个人都有责任，尤其是“士类”，即少数精英人才，如果国家最高机关之人物“念念在国，则清明之气凝于上，恪恭之心生于下，僚属虽不尽贤，亦不敢奔走声色货利，以溃人道之大防，嗜欲浊乱之气渐消，而开国之规模乃立矣”。③ 提倡道德，还必须“知言”，如孔子、孟子、王船山等人之言，集群圣之大成，各有深浅，“格物穷理，为入德之初基；及其至也，耳顺从心”，按其次序来说，知言应略先于养气，“知言，

① 船山学报：第 1 卷［M］. 长沙：湖南师范大学出版社，2009：56.
② 同①.
③ 同① 404-406.

不能养气；既养气，尤注重于知言"，养气、知言，二者如车之双轮，鸟之两翼。[①] 彭政枢在演讲中说，"吾辈讲学之旨云何？亦修至德以凝至道而已……吾辈生圣人之后，读圣人之书，则卫道之责任，不容辞也"；维护道德，应从捍卫与保卫两方面着手。王公设险守国，整军经武，以防意外之虞，这是捍卫之义；生聚教训，使每一个人都有爱国之心，都可以成为干城腹心之选，以便不战而屈人之兵，这是保卫之义。"本社维持道德，研求卫道本旨，亦当作如是观"，奋起卫道。他指出："民国肇造，异端纷起，戴平等自由之假面具，敢于仇视圣道，侮圣乱经，以致流血成河，国基几溃。"进而质问道："诸君子同为名教中人，知名教自有乐地"，为何要"依异族而动萧墙之衅，争权利而操同室之戈"？[②]

第四，应该遵守固有的人伦道德。从维护社会正常秩序的立场出发，刘人熙主张应该遵守固有的人伦道德。他认为人伦道德事关"一身善败吉凶之数，国家存亡治乱之机"，"人伦者，人道也。君臣有君臣之道，父子有父子之道，夫妇、昆弟、朋友有夫妇、昆弟、朋友之道"，这些固有的人伦道德不能违背，应该遵守；并分专章就君臣之道、父子夫妇之道、兄弟朋友之道进行了深入的阐述。刘人熙认为，无论何朝何代，都"不可无君臣"，既有君臣，自不可无君臣之道，古今中外概莫能外，"君臣之道不可一日绝于天壤之间也"，应该如孔子所说的那样，"君使臣以礼，臣事君以忠"，如果"君臣相疑，吏民相仇，国乃不国"，所谓君权太重，只是针对暴君而言，君为臣纲之义是"言常道也"，是就正常情况来说的，如君上无权，人人都各自为政，又怎么能图治？所以君纲不能废。至于说"不慈之父虐杀其子，不令之夫虐杀其妻"，是野蛮之恶习未除的缘故。文明程度提高了，就会父慈子孝，但不孝总是莫大

① 船山学报：第 1 卷［M］. 长沙：湖南师范大学出版社，2009：407.
② 彭政枢. 论卫道之精神［M］// 船山学报：第 1 卷. 长沙：湖南师范大学出版社，2009：225-226.

的罪恶，所以父纲不可坏。至于阴盛阳衰，牝鸡司晨，更是衰世之象，夫权同样不能废，女子学校应对女生训以“四德三从”，培养她们成为贤妇贤母。[①]

第五，需造就具备时代优良道德之人。刘人熙将有“极高人格”者分为“积善成德”的“大人”、“道在吾身”的“天民”和“以安社稷为悦”的“安社稷臣”，而人格最低者则为“事君人”。他视“事君人”为“奴隶”“鹰犬”“牛马”，“大人”“天民”则为最理想的救世济世人物，如果能有“大人、天民出，则可以合地球谋乐利，而臻世界之大同”，退而求其次，“得见安社稷者斯可矣”。[②] 民国如果有“安社稷臣”，以社稷为重，只“知有社稷，而不知有己”，以身相许，则“可以与列国并峙”，若使“贤者在位”“能者在职”，“国中最高机关之人物，念念在国，则清明之气凝于上，恪恭之心生于下，僚属虽不尽贤，亦不敢奔走声色货利，以溃人道之大防，嗜欲浊乱之气渐消，而开国之规模乃立矣”，而“崛起勃兴之气象，将有包四海、理万民之势”，到时则“大国畏而小国怀，立国于地球之上，乃有光荣于世界”。[③] 因此，他大声疾呼，要通过教育来培养人才，“教育之方术，在取我国古圣先贤之遗留，钩沉索隐，发挥而光大之，博通中外时势之变迁，以期适我国情，张我国势”[④]。

第六，追求民族解放与独立。船山学社同人大多具有强烈的民族主义思想，刘人熙在《船山学报叙意》中说：“船山学报何为而作也？忧中华民国而作也。其忧中国奈何？愤政府之昏暗，悲列强之侵凌，人人有亡国灭种之惧，因以导众人之忧，令国家危

① 刘人熙．人伦道德讲义［M］// 船山学报：第 1 卷．长沙：湖南师范大学出版社，2009：229、230

② 船山学报：第 1 卷［M］．长沙：湖南师范大学出版社，2009：1123-1125.

③ 同② 410.

④ 同② 56、404-406、410.

而不亡。”[①] 不满北洋政府作为，担忧列强侵略，要求改革现状和挽救民族危亡之情溢于言表。当袁世凯接受日本提出的灭亡中国的“二十一条”的消息传到长沙后，船山学社组织会讲，声讨袁世凯的卖国和日本的侵略，听讲者数百人。廖名缙讲演，声泪俱下，场内听者为之抽咽。为了激发爱国爱民思想，《船山学报》每期还辟有《国语》《邻戒》两个专栏，分别选登国内外大事，特别是揭露了帝国主义侵华的罪行。

第七，赞成民主，拥护共和。船山学社同人清醒地认识到了民主政治是人类社会发展的必然趋势，政治民主化是中国近代化的题中应有之义。在《人伦道德讲义》中，刘人熙认为，“自元黄剖判以还，文明渐启。……由射猎时代进为畜牧时代，由酋长时代进为封建时代，由封建时代至于统一时代，由专制统一至于君主立宪、民主立宪时代”。华盛顿颁布宪法，已“开环球民主立宪之先声”，“当民智已开、民德已蒸之日，则必以宪政改造国民”。[②] 在《原盗篇》中，刘人熙指出，辛亥革命推翻清朝统治，是“杀专制之淫威，图大同之硕业”；“大总统之位由民选之，公仆之义务，非复称孤道寡、威福自由矣。地方行政，都督可斟酌众论，毅然行之，专制之时再三哀吁而卒格于部议者，今则不患其不可报矣”。廖名缙在讲演中也盛赞“国体改变，是我国无上光荣之事”[③]。由此看来，船山学社同人的道德救世主张，是以赞成民主共和为前提的，这是他们与当时同样主张道德救世的尊孔复辟派的最大的不同之处。而对孙中山、黄兴等人发动的二次革命因造成社会动乱，多有批评，“以义而开民国，武昌振臂一呼，天下响应，五族共和，渐积之热然也；以利而争总统，南昌首难，喋血长江，未六旬而逮逃洋外，

① 船山学报：第1卷［M］. 长沙：湖南师范大学出版社，2009：17.
② 同① 47、48、51.
③ 同① 66、59.

义之必利而利非可以利者，非事理之显然乎”[1]。

综上，王闿运、叶德辉、船山学社同人均主张以中国传统文化为本位重建社会秩序，认为民国成立以来出现的问题是因为旧的规则已经破坏，新的规则尚未确立，国人失去了价值信仰坐标和精神寄托，“进无所依，退无所据”[2]，遂致国家社会问题重重。基于对路径的依赖，均不约而同地将目光投向了中国传统文化，试图通过对传统学说的继承与阐发，来回应重建国人价值体系和意义世界这一重大时代课题。孔教会诉诸立孔教为国教，经学会倡导经学以恢复纲常名教，在起到卫护民族文化，寄托对文化传统的人文关怀这一积极作用的同时，客观上也给人以反对共和、为复辟帝制张目的恶劣印象。船山学社同人针对当时国家社会的种种严重问题，主张昌明学术、提倡道德，说明注意到了法律的局限性，从弥补法治的不足方面来看，不失为对症下药的补偏救弊之方；真诚地希望发扬船山思想，匡时救世，表达了不满北洋军阀统治，要求改革现状和主张抵抗帝国主义侵略，使民族得到解放的思想与愿望，在当时具有一定的进步意义。但囿于历史条件、客观环境以及对西学知识认识理解上的局限性，他们以固有的传统观念去认识和附会西方思想制度，成为船山学社同人认识西方事物的显著特征；所提倡的道德基本上是传统道德，没有也不可能有效分辨出那些不利于民主、不利于保障人权的道德糟粕，不免显得保守与陈腐；当过于强调道德的救世价值与作用时，对现实问题的解决，就会产生一种理想主义的色彩。因此，单纯从中国传统文化中寻找出路的药方，不可能担负起解决时代课题的重任。不管怎样，湖湘学者对传统学说的继承与重新阐发，实际上也是为湖湘文化的近代转型所做出的一种有益尝试。

---

① 船山学报：第1卷［M］. 长沙：湖南师范大学出版社，2009：871.
② 康有为. 致仲远书［M］// 上海市文物保管委员会. 康有为与保皇会. 上海：上海人民出版社，1982：369.

（二）学习西方文化以挽救时艰的主张

面对民国初年出现的社会问题与矛盾，当王闿运、叶德辉、刘人熙等文化本位主义者主张以中国传统文化为本位来重建社会秩序时，一部分具有较深新学背景的湖湘知识精英则主张以西方文化为武器来挽救时艰。

1. 宏文图书社同人对西方著述和思潮的译介。

民国初期最显著的新文化现象之一是现代书社和现代报刊的涌现，宏文图书社就是其中颇具规模的兼营编辑、印刷、发行的出版社，它的前身宏文印刷社是一家甚为简陋的石印社，民国三年（1914）初改组为股份有限公司，“改编教科书，兼自由讲学，附设公言杂志社”[①]，次年租浏阳门正街李星沅公馆为社址，民国八年（1919）冬因经费短缺停业。在创办人李实一的礼聘下，省内文教界名流黎锦熙、杨昌济、徐特立、方维夏、刘宗向、刘汉良、曾运乾、陈天倪、黄锡卣等20余人一时云集于此。

社内编译部，由黎锦熙负责。编译社的主要任务是编辑共和国中小学各科教科书和翻译东西著述，编有初中国文读本、农业教书、小学教科书、师范教科书（包括教育史、教育学、心理学、伦理学，未正式出版，湖南省立一师范曾采用做讲义）等31种。同年10月，该社又创办《公言》杂志，声言将“选译西洋报章杂志”，包括“欧美日本最近之种种思潮”，以求实现“刷新社会”这一“救亡至计”。[②] 该社“开设期间虽短，实为湖南文化的先锋”[③]。

① 黎锦熙．毛主席六札纪事［J］．党的文献，1995（4）：54.
② 佚名．公言杂志启事［J］．湖南教育，1914，3（1）.
③ 吴起鹤．解放前的长沙图书业概况［M］// 湖南文史资料选辑：第23辑．长沙：湖南人民出版社，1986：151.

2. 长沙《大公报》同人拥护共和、反对帝制的舆论斗争。[1]

辛亥革命后，新闻出版受到鼓励和保护，报刊通讯社风起云涌，蔚为大观，湖南特别是长沙也出现了一个办报高潮。长沙原有《湖南公报》，汤芗铭督湘后，成为进步党的机关报，一改之前持论尚属公正的立场，转而拥护袁世凯，并要求该报人员一律加入进步党。在此情况下，贝允昕、任凯南、龙兼公、张平子等人旋即以辞职相抗议，并另行筹备创办了长沙《大公报》。于"公报"之上加一"大"字，以示不忘原来的，并表达持论要比原来的更加公正的宗旨。长沙《大公报》于民国四年（1915）9月1日正式创刊，"决定为商办，以公司名义，向商会注册，向党部及政府立案，以示不依附政党、军人之意"[2]。

长沙《大公报》能成为民国时期湖南地方报刊中极有影响的一份民营大报，与该报团队成员的价值观念、知识储备、道德状况等有着极大的关系。"《大公报》记者诸君，以董马纪事之笔，写屈贾忧时之怀，必翔必实，不激不随，不偏于党系，不屈于势力，勤勤恳恳，以牖我湘人。"[3]《大公报》编辑部同人刘人熙（社长）、贝允昕（实际负责人）、李抱一（总编）、张平子（主笔兼编辑）、龙兼公（主笔兼编辑）等，在加入《大公报》之前，担任过其他报纸的编辑或主笔，既有着丰富的办报经验，又有坚定的职业操守，矢志以办报为终身职业，以监督政府、指导社会作为办报的天职。他们既受过传统教育，又受过近代新式教育，新旧学问兼备。一方面传承了湖湘文化忧国忧民、经世致用的精神；另一方面在政治上、思想上接受了西方的自由、民主和个人主义。

民主共和与实业救国是民国初年的两大社会思潮，实行民主

① 本目参考了湖南师范大学喻春梅博士学位论文《长沙〈大公报〉(1915—1927)与湖南社会思潮》的有关论述。

② 张平子．我所知道的湖南《大公报》[M]//湖南文史资料选辑：第23辑．长沙：湖南人民出版社，1986：177.

③ 陈润霖．报纸改进之我见[J]．《大公报》十周年纪念特刊，1925.

共和还是实行专制独裁是当时政争中最为激烈的问题。长沙《大公报》诸同人在这场政争中，旗帜鲜明地将拥护共和作为第一主旨。其“创刊号”上的《本报宣言》称：“当此强邻生心，鲁难未已之秋，岂容发为动摇国本之谈，以希冀个人不可靠之宝贵，而酿国家之祸？……本报则断断不附和之，唯知以维护共和，巩固国家为职志。”①

《大公报》在创刊之日即刊登大量反对帝制复辟的文章，至民国四年（1915）12月12日袁世凯发布文告、接受帝位之前，发表关于国体问题（政体问题在当时被误认为是国体问题）的文章达80余篇。除直接对筹安会及其主张进行批驳外，还对全国舆论界尤其是京、津、沪报刊对国体问题的态度进行及时报道。长沙《大公报》认为立宪是必要的，关键在于是采用共和立宪还是君主立宪。筹安会提出君主立宪，长沙《大公报》极力驳斥筹安会的观点，主张共和立宪。但在袁世凯公开宣布复辟之前，《大公报》将斗争的主要矛头对准筹安会而非袁世凯，认为鼓吹国体变更是筹安会所为。在袁世凯帝制自为期间，长沙《大公报》对国体问题的议论明显减少，社论和时评极少涉及国体问题，只在国内要闻和本省新闻中如实报道帝制实行之筹备情况，论说重点转向司法制度，以期用法律约束帝王权力。从帝制取消到民国五年（1916）6月6日袁世凯死去，长沙《大公报》围绕惩办帝制祸首、逼袁退位、各省独立、南北议和等主题展开讨论。袁死后，长沙《大公报》密切关注时局的发展，以重建共和为主旨，围绕护国军的去留、各省独立与取消独立、约法恢复、国会召集等问题展开讨论，积极为民国及湖南建设建言献策。

初期的《大公报》除了旗帜鲜明地反对帝制、维护共和外，还有两个方面比较突出。一是反对日本的经济侵略。民国六年

① 黄林.近代湖南出版史料［M］.长沙：湖南教育出版社，2012：127.

（1917），该报揭露了湘省政府与日本汤浅洋行之间的抛砂借款密约15条，并连续发表评论，指出抛砂借款的条件异常苛刻，日人在长沙开设银行为非法。省议会和各界人士也群起反对，掀起排斥日货的热潮。湘省政府不得不取消抛砂借款密约。二是敢于为湖南人民说话，批评政府与议会，尤其是在金融问题上，多次发表言论，批评谭延闿滥发纸币；对当时工农群众的痛苦，曾发表同情的言论。

长沙《大公报》是一份政论色彩十分浓厚的报纸。它一以贯之的反袁称帝立场，在同时代的报刊中极其少见；通过舆论鼓吹，推动了反对帝制斗争的发展；对共和立宪的宣传，促进了读者和公众对民主、共和、宪政的了解，有利于促进政治的进步和社会的发展。但遗憾的是，"《大公报》这种资产阶级民主主义的宣传，没有同反对封建主义文化思想的斗争结合起来"①，尽管它与《新青年》杂志是同年同月创刊。

3. 杨昌济批判旧道德、改造国民思想及反对全盘西化的主张。

杨昌济深受传统文化尤其是湖湘文化的感染陶冶，戊戌变法失败后认识到"非有世界之智识，不足以任指导社会之责"②，先后赴日本、英国留学，并曾到德国考察教育，成为贯通古今、融合中西的著名学者。回国后，杨昌济于1913—1918年在省城长沙教书育人的同时，还撰写了大量论文、讲义，翻译了许多外文著作，从事着艰苦的理论探索。

作为我国近代积极向西方学习的知名伦理学家和教育家，杨昌济最早全面而系统地向国人介绍了西方伦理、哲学、教育和心理学说；最早指出向西方学习应结合自己的国情，有所因革，有

① 刘泱泱．湖南通史：近代卷［M］．长沙：湖南人民出版社，1994：798.
② 杨昌济．杨昌济集：余归国后对于教育之所感［M］．长沙：湖南教育出版社，2008：50.

所取舍；最早总结了中国近代向西方学习的历史进程，明确提出要学习西方的精神科学，实际上是在呼唤新文化运动的出现；深入探讨了近代湖南人才辈出的原因；推动了湖湘文化的现代转换，为中国近代学术思想和文化做出了重要贡献。[①]

新文化运动兴起之前，杨昌济即已在长沙以西方资产阶级的自由、平等、博爱为武器，批判旧道德，直指“三纲”（君为臣纲，父为子纲，夫为妻纲）这一封建礼教的核心。他说：“中国三纲之说，严责卑幼而薄责尊长，实酿暴虐残忍之风。君子之为教也，与父言慈，与子言孝。卑幼者自由之意志、独立之人格，尊长者固不可蔑视之。人有自重知耻之心，乃能以进德修业相尚。过度之压制，固非训育之所宜也。”[②] 并指驸马为公主服丧三年、夫杀妇减死、妇人傲荡者沉江等种种恶习，其弊端与中世纪欧洲教会焚杀异教徒相同，“此皆过重伦理而轻视民命，不可为典要者”[③]。这与其后不久新文化运动旗手陈独秀在对待礼法、旧伦理上的主张有异曲同工之妙。杨昌济还对封建家庭主义加以揭露和批判，认为家庭制度是封建君主统治赖以存在的组织基础，而家庭主义又是族权、夫权和家长制赖以存在的精神支柱。对社会上的种种陈规陋习，诸如欺诈虚伪、好逸恶劳、铺张浪费、无谓的应酬、打牌赌博、不讲卫生等等，杨昌济也曾进行过尖锐的抨击。

在批判和否定旧道德和旧的社会恶习的同时，杨昌济主张对农业文明社会形态下的国民思想进行改造。他指出：“吾国近来之变革虽甚为急激，而为国民之根本思想者，其实尚未有何等之变化。正如海面波涛汹涌，而海中之水依然平静。欲唤起国民之

① 杨昌济．杨昌济集：前言［M］．长沙：湖南教育出版社，2008：10-16.

② 杨昌济．杨昌济集：论语类钞［M］．长沙：湖南教育出版社，2008：253-254.

③ 杨昌济．杨昌济集：日记：1914年甲寅［M］．长沙：湖南教育出版社，2008：559.

自觉，不得不有待于哲学之倡明。”① “唤起国民之自觉”，就在于以民主、科学启蒙民智。他特别强调哲学在改造国民思想中的作用，因为“近世各种科学，各研究宇宙现象之一部，哲学则以宇宙之全体为其研究之目的物，故学问以哲学为终极。宇宙为一全体，有贯通其间之大原则，宇宙间所有一切之现象悉自此大原则而生，吾人当深思默会，洞晓此大原则，所谓贯通大原也”②，不遗余力地介绍宣传自由、平等、博爱等哲学伦理，以期实现深层次的思想文化变革。

杨昌济主张学习西方文化，但反对完全照搬。“夫一国有一国之民族精神，犹一人有一人之个性也，一国之文明，不能全体移置于他国”，而应根据实际情况，正确地对待，“善治病者，必察病人身体之状态，善治国者，必审国家特异之情形。吾人求学海外，欲归国而致之于用，不可不就吾国之情形深加研究，何者当因，何者当革，何者宜取，何者宜舍，了然于心，确有把握而后可以适合本国之情形，而善应宇宙之大势”，用“新时代之眼光来研究吾国之旧学”，然后在此基础上“合东西文明一炉而冶之”。③ 在当时对东西方文化普遍存在着绝对肯定或绝对否定之际，杨昌济的这种文化观是十分难得的理智之声，而且也直接而深远地影响着他的学生如毛泽东、蔡和森等人，因此有新民学会的精神导师之誉。

新文化运动揭幕后，杨昌济热烈欢迎《新青年》的出版，是它在湖南最早的宣传者。他除自己认真阅览外，还积极向友人和学生推荐，并出资购买分赠一些学生，并在《新青年》上发表过《治生篇》《结婚篇》等论著和译文。他提倡和宣传新文化的活动，在社会上产生了较为广泛的影响。

---

① 杨昌济．杨昌济集：劝学篇［M］．长沙：湖南教育出版社，2008：74.
② 杨昌济．杨昌济集：论语类钞［M］．长沙：湖南教育出版社，2008：268.
③ 同① 73、76.

4. 易白沙的反封建专制主义文化思想。

易白沙在行动上是民主革命的斗士，在思想上是一位激进的民主主义者。在为《甲寅》杂志所写的文章中，易白沙极力推崇墨子的“尚同”思想，称其为“中国民约论”。认为“同”的标准应该是“天”“仁”和“民”，其落脚点是要“同于民”，以“民为主”，即应该遵循平等、公平、正义、宽容、法治等人类社会的一些基本准则，以此反对一切“独裁于君”；并指出辛亥革命以后的中国是总统专制的中国，“其政同于总统而止”。[①]“这样，易白沙巧妙地把墨子的尚同主张与近代资产阶级的民主思想融合起来，成为其反对专制独裁的思想武器。”[②]易白沙又从墨家兼爱、非攻的主张出发，对帝国主义的战争政策，进行了淋漓尽致的揭露。他指出：帝国主义列强“扩充军实，惟恐后人”，“朝野上下，除厉兵秣马而外，几无他事”；发动战争是为了掠夺更多的殖民地和巩固自己的统治，“俄且试其侵略之旧图焉，法且洗其前耻焉，英且藉杀其势以莫予毒焉，日本且雪其责还辽东之愤焉”，“群之相攻，国之相伐，亦遵此尽量、均求、赡欲而行者也”；帝国主义战争罪恶滔天，“九天之上，九渊之下，尽杀人之战场也”，英、法、日这些自诩为文明之邦的国家，“犹草木鸟兽，啖之饮之，刲之剖之，炙之劓之，从心所欲而已”，“残忍险恶，至于此极”，“战之过去，工商凋残，疮痍载道”，“两败俱伤，暴骨盈野”。[③]

易白沙既然推崇尚同于民的墨学，宣扬民为主的民主思想，必然会对维护封建统治的孔学进行批判。他对中国传统学术和思想进行了初步清理，尤其是针对“尊孔”逆流，系统地阐述了他

① 易白沙．广尚同［M］// 陈先初．易白沙集．长沙：湖南人民出版社，2008：15-27.

② 王兴国．“真理以辩论而明，学术由竞争而进”——记五四新文化运动的斗士易白沙［J］．求索，1983（2）：129-132.

③ 易白沙．铁血之文明［M］// 陈先初．易白沙集．长沙：湖南人民出版社，2008：37-50.

对孔学的看法和认识。一方面，他指出：孔子当春秋之世，“主张君权，于七十二诸侯，复非世卿，倡均富，扫清阶级制度之弊，为平民所喜悦。故天下丈夫、女子，莫不延颈举踵而愿安利之”，有其适应和代表所处时代之要求的一面，对其所具有的历史地位予以肯定；另一方面，他又指出：孔子在春秋之时，“虽称显学，不过九家之一”；从汉武帝始，“罢黜百家，独尊儒术，利用孔子的傀儡，垄断天下之思想，使失其自由”，以后历代专制君主、独夫民贼、野心家“皆傀儡孔子”。这就是两千年来“尊孔”的大秘密，从而揭去了孔学头上的神圣光环。进而指出历代“尊孔”专制，是因为“孔子尊君权，漫无限制，易演成独夫专制之弊”；“孔子讲学，不许问难，易演成思想专制之弊”；“孔子少绝对之主张，易为人所借口”；“孔子但重作官，不重谋食，易入民贼牢笼”。所以，必须把原始的孔子学说与被统治者利用的官方儒学区分开来，“使国人知独夫民贼利用孔子，实大悖孔子精神，孔子宏愿，诚欲统一学术，统一政治，不料为独夫民贼作百世之傀儡，惜哉”！在文章中，易白沙还通过对人类文明发展史的考察，揭示文明的产生是人们集体创造的结果，如果要“以孔子统一古之文明，则老庄杨墨、管晏申韩、长沮桀溺、许行吴虑，必群起否认，开会反对；以孔子网罗今之文明，则印度欧洲，一居南海，一居西海，风马牛不相及”。所以，必须实事求是地承认各家的贡献，不能归美于一家，更不能统一于一家，学术、政治均是如此，由此提出了“真理以辩论而明，学术由竞争而进”的响亮口号。[①] 易白沙对孔子思想的历史分析和批判，对当时那些长期被儒家“正统”思想束缚的人们破除旧观念和旧思想，起了振聋发聩的作用；对反击“尊孔复古”的政治势力也产生了十分积极的影响。“他在批

① 易白沙．孔子平议［M］// 陈先初．易白沙集．长沙：湖南人民出版社，2008：85−97.

孔的同时对孔子所具有的历史地位给予了必要的肯定"[①]，这也是难能可贵的。

在《帝王春秋》一书中，易白沙用大量的历史资料，全面揭示了几千年封建专制帝王政治上的反动、思想上的愚昧、生活上的荒淫，将人祭、杀殉、弱民、媚外、虚伪、奢靡、愚暗、严刑、奖奸、多妻、多夫、悖逆12个方面的罪恶一一罗列出来，以求"探其病源，以示救民之道"[②]；并指出清政府和北洋军阀袁世凯政府与封建帝王无异，在他们身上集中了历代帝王的种种罪恶，必须将专制主义的余毒和专制帝王的近代继承者彻底推翻。该书在易白沙逝世的当年出版，孙中山亲自为之作序，流传甚广，名扬一时。

易白沙以文献解读的方式阐发自己的政治见解，大胆地怀疑和批判陈腐的观念和学说，深刻地揭露和痛斥封建军阀与帝国主义的罪行，竭力宣扬和提倡民主、共和、法治等近代价值观念及近代政治制度，体现出救世救国的高度社会责任感，并以新文化运动的杰出斗士而名垂青史。

5. 章士钊的调和立国论及其对公民自由的关注。

章士钊曾是一位热情、激进的革命者，后留学日本、英国，一生多姿多彩，最应为后人所称道的是他在思想领域的耕耘，此处仅简要介绍他在1910年至1919年间的主要思想言论。

辛亥革命爆发后，章士钊立即回国，重端报人饭碗，先是任《民立报》主编，对临时政府的一些错误措施毫不客气地进行批评；因其言论不见容于国民党人，另办《独立周报》，继续履行舆论监督职责；"二次革命"失败后，逃亡日本，创办和主编《甲寅》杂志，在冷静总结和反思的基础上，提出并系统地论述了"调和立国"论的思想主张。

---

① 陈先初．易白沙集：前言［M］．长沙：湖南人民出版社，2008：22.

② 易白沙．帝王春秋［M］// 陈先初．易白沙集．长沙：湖南人民出版社，2008：114.

章士钊批袁世凯的专制统治是“强人之同与己也”，“故专制者，兽欲也”；[1] 批革命党人的激进主义是“未能注意于利益不同之点，极力为之调融，且挟其成见，出其全力，以强人同己，使天下人才尽出己党而后快。又其中有所谓暴烈分子者，全然不负责任，肆口谩骂，用力排挤，语若村妪，行同无赖”[2]。章士钊并用英、法资产阶级革命中曾出现过极端的例子，证明走向极端，拒绝调和，必然带来灾难性的后果。因此，思想和制度等方面都应做出相应的转变，建立以调和、宽容为基础的多元互动的社会运行机制。

章士钊认为，“社会化同以迎异则进，克异以存同则退”，先秦以后，中国政治和学术文化停滞不前，就是因为尊孔而吃了大亏，应抛弃好同恶异的专制思维，树立“化同”以“迎异”的观念。要做到这一点，关键是要培养对抗力，从制度层面解决问题。“苟一国焉，而无此对抗力，则其政象为专制……养成对抗，必如斯宾塞言‘圆满一己之义务，而不侵害他人’。惟其圆满己之义务，故‘不肯屈服强者之指命’；惟其不侵及他人，故得保持平等之权利。”[3] 这是正义的基础，也是调和立国的基础。最能体现对抗力的制度是政党政治，即两党政治或多党政治，“凡国家能获政党之福音，必其国内有两大党，而亦仅两大党，政纲截然不同，相代用事者也”；“今之政党，当以今之政府为对立党，对于彼等之失策，尽力以攻之……彼而倾跌，我乃代之”[4]，“且政党不单行，凡一党欲保其势力之常新，断不利他党之消灭，而亦并利他党势力之微弱。盖失其对待者，已将无党之可言，他党力衰而己党亦必至虫生而

① 章士钊．政本［M］// 章含之，白吉安．章士钊全集：3. 上海：文汇出版社，2000：7.

② 同① 1，11

③ 章士钊．札斯惕斯［M］// 章含之，白吉安．章士钊全集:3. 上海:文汇出版社，2000：61−62.

④ 章士钊．中国应即组织之政党其性质当如何［M］// 章含之，白吉安．章士钊全集：1. 上海：文汇出版社，2000：483.

物腐也”[①]，所以必须设法保护反对党。他说，“愚之所谓有容，乃在使异者各守其异之域，而不以力干涉之，非欲诱致异者使同于我”，“总之，愚为政本，只论同异而不论是非。若以同为是，以异为非，即是好同恶异”，只论同异，不论是非，这是两党政治的根本，只有如此，才能使立国之道回到正确的轨道上来。[②]

这一时期的章士钊对作为现代公民全部自由基础的言论和财产自由也给予了高度关注。南京临时政府的《民国暂行报律》，因为言论自由有障碍，章士钊主张“根本的取消”，并大声疾呼“民国当求真正之言论自由”，认为应“灌输真正之自由理想于国民之脑中，使报律两字永不发于国会议员之口”。[③]当民国元年，湖北省议会通过决议，将没收汉冶萍公司时，章士钊立即撰文反对，他指出：这是商人资产，不可没收，因为“近世生产之发达实为资本凝集之结果；苛资本动摇，则生计状态将立见退步也”；进而指出其可能产生的严重后果，“使以后所有商业微，有资者相戒裹足不敢焉，此不谓自杀之愚计可得矣”！[④]要保证这些自由，必须建立完备的法治体系和司法独立制度，此成为他毕生所坚持的信念。

章士钊的以上言论和思想与前面那些新知识分子相比，在学习西方文化尤其西方政治文明问题上，更加冷静和理智，充分显示出其思想上的成熟性。章士钊以其对西方民主政治的深入了解和深刻领悟，总结民国初年我国政治正反两方面经验教训，从而提出调和立国论的重要思想，并进行了系统的论述，令中国知识阶层的政治视野更加开阔，是中国现代思想文化积累的重要组成

① 章士钊．政党政治之唯一条件［M］// 章含之，白吉安．章士钊全集：2. 上海：文汇出版社，2000：389.

② 章士钊．论政本［M］// 章含之，白吉安．章士钊全集：3. 上海：文汇出版社，2000：148.147.

③ 章士钊．论报律［M］// 章含之，白吉安．章士钊全集：2. 上海：文汇出版社，2000：68.70.

④ 章士钊．论湖北省议会议决没收汉冶萍公司事［M］// 章含之，白吉安．章士钊全集：2. 上海：文汇出版社，2000：391−392.

部分。

综上所述，具有较深厚西方文化知识素养的湖湘知识精英，为解决民国初期出现的社会问题与矛盾，他们或翻译、介绍西方著述和种种思潮，或坚决拥护共和、反对帝制，或主张对国民思想的改造，或对以孔子为代表的传统文化进行不遗余力的批判，或提出了极具建设性和操作性的立国设想。所有这些言论、主张、思想，均以不同于中国传统文化的异质文化为武器，显示出开放的胸怀；且针对当时的社会现实问题而发，见解多独到精辟，影响亦较深远，有力地促进了湖湘文化的近代转型。

（三）新文化运动激荡下湖南青年学生群体的探索与实践

民初政局的动荡、社会秩序的失范以及思想文化领域的复古尊孔大行其道，问题出在哪里？部分知识精英基于对世界大势的认知，经过深刻反思，认为是中国传统文化落后的问题，需要对国人进行启蒙，以陈独秀、胡适、李大钊等为代表的先进知识分子于是掀起了一场思想文化领域的思想解放运动，先是提倡科学与民主（时据音译称为“赛先生”和“德先生”），后又把眼光从西方转向俄国，宣传马克思主义。新文化运动的深入发展，吸引了许多年轻人，特别是青年学生集合在反帝反封建的旗帜下，以毛泽东、蔡和森为中心的在长沙求学的对学问、时政感兴趣，能刻苦耐劳、意志坚定、随时准备为国捐躯的湖南青年学生群体就是在新文化运动激荡下出现的。

自清宣统三年（1911）春至民国七年（1918）6月，毛泽东前后在长沙求学近八年时间。其中在湖南图书馆为期半年的自学生活，毛泽东相当集中地接受了一次较为系统的西方近代思想文化的启蒙教育，获取了大量的新知识，进一步打开了眼界，并获得了观察社会的新角度与新的思想武器，产生了要改革不合理的现象就靠青年的认识；而在湖南省立第一师范长达五年多的学习生活，毛泽东更是充分利用一师较好的环境和条件，如饥似渴地学习。他专攻社会科学，密切关注时事，特别关注中国和世界局势的发展变化，一心一意地探索救国救民的真理和改造社会的道路。省立第一师范既有孔昭绶等著名校长，也有一批学识渊博、道德高尚的好老师，如杨昌济、徐特立、方维夏、黎锦熙、袁仲谦、王立庵等，他们均对毛泽东十分赏识，也给予毛泽东多方面的帮助，对青年毛泽东人生观、世界观的形成有着很深的影响。

在长时间的学习和实践中，毛泽东日益深切地感到，“人非圣贤，不能孑然有所成就，亲师而外，取友为急”①，需要结交一些亲密的同伴。民国四年（1915）11月9日，他在给黎锦熙的信中说：“两年以来，求友之心甚炽。”② 由此看来，毛泽东的求友活动始于民国二年（1913），在此期间应该在一师已结交了一批志同道合的朋友，但希望还能结交到其他学校的朋友。毛泽东遂于民国四年（1915）9月中旬以“二十八画生”名义发出《征友启事》，愿效嘤鸣以求友声。经过两年多的广泛交际，毛泽东与蔡和森、萧瑜（萧子升）、张昆弟、陈章甫（陈昌）、陈绍休（陈赞周）、罗学瓒、何叔衡、萧植蕃（萧三）、邹彝鼎（邹鼎臣）、李维汉（李和笙）、周世钊（周敦元）、罗章龙、柳直荀等——相识相知。至新民学会成立时，这个青年学生群体得到进一步的扩充，其基本会员有21人。这些人大多是湖南省立第一师范的学生，或同班或同年级或高年级，也有外校的，如罗章龙、柳直荀等；有长沙籍的，也有外县的。他们是求学于长沙的青年爱国志士，血气方刚，才华出众，因志同道合而走到了一起，并团结在毛泽东、蔡和森的周围。在这些人中，

① 毛泽东．致湘生信［M］// 中共中央文献室，中共湖南省委毛泽东早期文稿编辑组．毛泽东早期文稿．长沙：湖南人民出版社，2008：6-7.

② 毛泽东．致黎锦熙信［M］// 中共中央文献室，中共湖南省委毛泽东早期文稿编辑组．毛泽东早期文稿．长沙：湖南人民出版社，2008：28.

毛泽东、蔡和森是杨昌济最为赏识的两位，“一个毛泽东，一个蔡和森，将来一定是国家栋梁”[1]，“还远在五四运动以前，在湖南一般先进青年中就盛称毛、蔡之名，而奉之为表率”[2]。

毛泽东、蔡和森等人在长沙求学期间，正是清王朝刚刚覆灭，共和初立，第一次世界大战正酣，中国社会剧烈动荡的年代。湖南和它的省会长沙是国内各派政治势力纷争、复辟与反复辟斗争异常激烈、南北军阀不断混战的焦点地区之一。这些博爱、倔强、聪颖、好学而又胸怀大志的青年学子，基于对现实的深切体验，深感改变社会“不合理的现象”的必要性，他们在长沙求学的过程同时也是探索救国救民的真理和改造社会的道路过程。这种探索，以毛泽东、蔡和森最具代表性，从某种程度上反映了该群体共同的思想特征，具有鲜明的时代特色。

救国图存，是作为青年学生的毛泽东最强烈的愿望与抱负。面对中国有被列强瓜分之危险的事实，毛泽东激起了对国家的责任感和外出求学的欲望。在湘乡东山学校入学考试作文中，毛泽东纵情地抒发了救国救民的抱负，以至于具有维新思想的李元甫校长把他看作是有建国才的学生；此后他还专门写过《救国图存论》的文章；在借阅了《世界英雄豪杰传》后，毛泽东表示“中国积弱不振，要使他富强、独立起来，要有很长的时间”，要像美国一样，“我们也要准备长期奋斗”，并给自己取名“子任”，用意是“以挽救祖国为己任”。[3]毛泽东的这种救国图存的思想，在随后的读书生涯中越来越强烈和炽热。民国四年（1915）夏，反对日本灭亡中国“二十一条”浪潮发生，毛泽东在一师学生集资刊印的《明耻篇》

① 杨开智．回忆蔡和森同志与先父杨昌济先生的交往［M］// 中共双峰县委宣传部．怀念蔡和森同志．长沙：湖南人民出版社，1980：52.

② 李立三．纪念蔡和森同志［M］// 中共双峰县委宣传部．怀念蔡和森同志．长沙：湖南人民出版社，1980：15.

③ 腾纯．毛泽东教育活动纪事［M］．长沙：湖南教育出版社，1993：5.

一书封面上题志:“五月七日,民国奇耻;何以报仇?在我学子!”[①]表达了对日本帝国主义和袁世凯卖国罪行的强烈不满与愤慨，发出了爱国救亡的呐喊。次年夏，传闻日本内阁有所变动，毛泽东担心有人放松对日本侵略中国的警惕性，在7月25日致萧子升的信中，尖锐地指出:“无论何人执政，其对我政策不易。思之思之，日本诚我国劲敌！”并认为：“二十年内，非一战不足以图存，而国人犹沉酣未觉，注意东事少。愚意吾侪无他事可做，欲完自身以保子孙,止有磨励以待日本。”[②]其忧国救国之情,跃然字里行间,力透纸背。

反封建是学生时代毛泽东的又一重要思想特征。早在湘乡东山学堂读书时，毛泽东就曾在读书时写的批注中指出：“中国数千年来盗窃得国之列朝”均为“专制之国家”，“法令为君主所制定，君主非人民所心悦诚服”。[③]为表示与清政府彻底决裂，毛泽东在湘乡驻省中学倡议并带头剪掉辫子，他后来回忆道：“在一个很短的时间里，我从讥笑假洋鬼子的假辫子发展到主张全部取消辫子了。政治思想是怎样能够改变一个人的观点啊！”[④]辛亥革命长沙光复后，毛泽东毅然投身行伍，用实际行动支持以推翻清朝封建专制统治为目标的辛亥革命。民国五年（1916）初袁世凯帝制自为时，毛泽东和一师进步师生经常到小吴门附近的船山学社参加反袁活动,还将汤化龙、康有为、梁启超三人的反袁言论编印成《汤康梁三先生之时局痛言》，在校内外散发，或寄赠给友人。

民国四年（1915），以提倡民主与科学、反对封建和迷信为

① 毛泽东.明耻篇题志［M］// 中共中央文献室，中共湖南省委毛泽东早期文稿编辑组.毛泽东早期文稿.长沙：湖南人民出版社，2008：10.

② 毛泽东.致萧子升信［M］// 中共中央文献室，中共湖南省委毛泽东早期文稿编辑组.毛泽东早期文稿.长沙：湖南人民出版社，2008：45.

③ 萧三.毛泽东同志的青少年时代和初期革命活动［M］.北京:中国青年出版社，1980：26.

④ 埃德加·斯诺.西行漫记［M］.北京：生活·读书·新知三联书店，1979：115.

主要内容的新文化运动兴起后，在老师杨昌济的介绍下，毛泽东等人成为《新青年》的痴心读者。正是受《新青年》的影响，毛泽东开始接受激进民主主义思想，赞美陈独秀、李大钊等人勇敢、彻底的反对封建主义的精神。民国六年（1917），他批评康有为、梁启超的改良主张“徒为华言炫听，并无一干竖立、枝叶扶疏之妙”①。在《伦理学原理》一书的批语中，毛泽东写道：“故凡有压抑个人，违背个性者，罪莫大焉。故吾国之三纲在所必去，而教会、资本家、君主、国家者，同为天下之恶魔也。”② 进而认为必须“改革政体，变化民质，改良社会”，只有“时时涤旧，染而新之”，才能“毁旧宇宙而得新宇宙”。③ 这些批语，明白无疑地表达了其反对封建传统观念和专制主义的束缚和压抑，强调个人价值，提倡个性解放的思想。青年毛泽东的这一思想是与新文化运动所提倡的精神相一致的，是受新文化运动影响的结果。

这一时期，青年毛泽东的思想最为突出的内容是对改造社会的理性探索，“吾读史至商鞅徙木立信一事，而叹吾国国民之愚也，而叹执政者之煞费苦心也，而叹数千年来民智之不开、国几蹈于沦亡之惨也”④。“国民之愚”“民智之不开”，这是从国民素质方面寻找民族、国家落后的原因，显然是受了进步思想家梁启超等人的影响。在通过对中外社会状况的比较分析后，毛泽东进一步认为，中国社会的积弊主要在于国人“思想太旧，道德太坏”，因为“思想主人之心，道德范人之形，二者不洁，遍地皆污”，加之中国“社会之组织复杂，又有数千年之历史”，这就使得那种“伪而不真，虚而不实”的思想和道德逐渐沉积为传统，最终形成了“民智污

① 毛泽东．致黎锦熙信［M］// 中共中央文献室，中共湖南省委毛泽东早期文稿编辑组．毛泽东早期文稿．长沙：湖南人民出版社，2008：72.

② 毛泽东．伦理学原理批注［M］// 中共中央文献室，中共湖南省委毛泽东早期文稿编辑组．毛泽东早期文稿．长沙：湖南人民出版社，2008：132.

③ 同② 177.

④ 毛泽东．商鞅徙木立信论［M］// 中共中央文献室，中共湖南省委毛泽东早期文稿编辑组．毛泽东早期文稿．长沙：湖南人民出版社，2008：1.

塞，开通为难”的局面。毛泽东认为“今日之变法，俱从枝节入手，如议会、宪法、总统、内阁、军事、实业、教育，一切皆枝节也”，均不能从根本上解决问题；“欲动天下者，当动天下之心”，转换国人的思想和道德才是根本之策，亦即从思想启蒙着手，以“大本大原为号召”，“当今之世，宜有大气量人，从哲学、伦理学入手，改造哲学，改造伦理学，根本上变换全国之思想”。通过普及哲学、伦理学，使社会“人人有哲学见解”，“人人依自己真正主张以行，不盲从他人是非”，则“自然人己平，争端息，真理流行，群妄退匿”。在这里，青年毛泽东改造社会的思维逻辑十分清晰，即由启迪者用真理去“开拓民智”，被启迪者顺应感召成为理想的国民，寄希望于资产阶级改良主义，当然也不无遗憾地打上了浓厚的英雄史观的痕迹。虽然如此，他对民众力量并不蔑视和轻视，认为“天下之生民”一经开发，“其力甚大”，已经充分意识到民众在社会改造中的主体地位和所蕴含的巨大能量。[①]

在政治思想方面，毛泽东和当年许多同龄的先进青年一样，也受着当时各种救国思潮的影响。一开始，毛泽东接受的是康有为、梁启超的改良主义，在其所读过的《新民丛报》第4号《新民说》第三段末，他曾批注道：“正式而成立者，立宪之国，宪法为人民所制定，君主为人民所拥戴；不以正式而成立者，专制之国家，法令为君主所制定，君主非人民所心悦诚服者。”[②]是当年毛泽东所理解的两种不同国家体制，从中我们不难看出赞同康梁维新思想主张的倾向。到湘乡驻省中学堂读书后，毛泽东成了于右任、宋教仁主编的《民立报》的热心读者，很快被以孙中山为首的革命党的反清救国宣传所吸引，曾写文章贴在学校墙壁上，公开提

① 毛泽东．致黎锦熙信［M］// 中共中央文献室，中共湖南省委毛泽东早期文稿编辑组．毛泽东早期文稿．长沙：湖南人民出版社，2008：72–75.
② 毛泽东．致文咏昌信：注释［M］// 中共中央文献室，中共湖南省委毛泽东早期文稿编辑组．毛泽东早期文稿．长沙：湖南人民出版社，2008：4.

出推翻腐朽的清王朝、组建民国新政府的主张，但对革命派与改良派主张的区别还较模糊。在入伍当兵期间，读《湘汉新闻》报时，他第一次知道了“社会主义”这个名词，读江亢虎所写关于社会主义的小册子后，又对社会主义问题产生了浓厚兴趣，认为它是救国救民的好办法，但江亢虎鼓吹的是社会改良主义。其后，毛泽东在继续求学的过程中，阅读了大量的西方社会科学、自然科学的代表作，受到了近代启蒙教育，加上杨昌济、徐特立、方维夏等老师的影响，开始相信资产阶级民主主义。毛泽东接受美国记者斯诺的采访时曾说，“五四”前后，“十分敬仰胡適和陈独秀的文章，他们取代了我已经摒弃了的康有为和梁启超，成为我新的榜样”①。从一师毕业后不久，毛泽东到了北京，在这里他对政治的兴趣继续增大，思想越来越激进。但这时他的思想还是很混乱，他读了一些关于无政府主义的小册子，也赞同许多无政府主义的主张。这时马克思主义、社会主义受到人们的关注，在李大钊等人的影响和帮助下，毛泽东开始具体地了解十月革命和马列主义，迅速地朝着马克思主义者的方向发展。民国八年（1919）年 4 月，回到长沙的毛泽东向新民学会会员报告北上经过时，即号召大家注意和研究十月革命的经验，准备迎接革命风暴。青年毛泽东就是这样随着形势的变化，眼界的开阔，在学习中进行思考，在思考中进行比较，在比较中进行着自己的选择，在救国救民的道路探索中不断与时俱进。对这一令人既感陶醉又感迷惑的过程，毛泽东自己曾经有过如下描述：“在这个时候，我的思想是自由主义、民主改良主义、空想社会主义等观念的大杂烩。我对 19 世纪的民主、乌托邦主义和旧式的自由主义，抱有一些模糊的热情。”②

① 埃德加·斯诺．西行漫记［M］．北京：生活·读书·新知三联书店，1979：110.

② 吴黎平．毛泽东一九三六年同斯诺的谈话（关于自己革命经历和红军长征等问题）［M］．北京：人民出版社，1980：31.

当时正是清王朝刚刚覆灭，共和初立，国内军阀连年混战，日本侵略日紧，帝国主义大战正酣时期。面对阶级斗争和民族斗争的现实，以毛泽东、蔡和森为中心的学生群体，在对人的天性、人类社会、中国、世界、宇宙等大事进行探讨的同时，又学以致用、躬亲实践。他们积极参加反帝反军阀斗争，热心社会活动，并在课余和假期进行农村调查，主办工人夜学，从事学友会工作，组织工读同志会，成立新民学会，开展赴法勤工俭学运动，将救国救民的理想付诸行动，在社会实践中增长才干，检验和修正自己的主张。在这些活动中，以新民学会和赴法勤工俭学运动影响最大。

在讨论“如何使个人及全人类的生活向上”[①] 等问题的过程中，毛泽东等认为必须“集合同志，创造新环境，为共同的活动”[②]，于是乃有组织学会的提议，并得到一致赞同。新文化运动的兴起和杨昌济“奋斗的和向上的人生观”的影响，也是学会成立的重要原因。新民学会于民国七年（1918）4 月 14 日在长沙河西溁湾镇刘家台子蔡和森租住的房子里成立，讨论并通过了学会章程，规定“以革新学术，砥砺品行，改良人心风俗为宗旨”[③]（1920 年发展为“改造中国与世界”），会员必须具备纯洁、诚恳、奋斗和服从真理四个条件，必须做到不虚伪、不懒惰、不浪费、不赌博、不狎妓等。并规定了会员入会手续和违反纪律的处置等。会议还讨论了会友出省、出国诸问题。学会要求会员较集中的地方多组织谈话会，散居的会员也应以通信的方式互相报告研究心得。会议选举萧子升为总干事，毛泽东、陈书农为干事。[④] 由于萧子升不久即去法国，会务由毛泽东主持。学会成立后，总部一直设在长沙。新民学会的成立，成为毛泽东、蔡和森等走向政治革命的起点。

① 中国革命博物馆，湖南省博物馆 . 新民学会资料［M］. 北京：人民出版社，1980：2.

② 同① 3.

③ 同② .

④ 同① 2-3、167.

新民学会成立后，除积极发展会员外，另一项主要工作是倡导留法勤工俭学运动。“此时湖南政局极乱，汤芗铭、刘人熙、谭延闿、傅良佐、谭浩明、张敬尧互相更替，教育摧残殆尽，几至无学可求。”[①] 当时，许多爱国青年受新思潮激荡，或欲向西方寻找救国救民的真理，探求中国革命道路；或希望学有所成，以便为祖国发展教育，振兴实业；或崇尚劳工神圣之学，奉工读主义为信条，愿以身相试。赴法勤工俭学之事是时在北京大学任教的杨昌济来函告知的，毛泽东、蔡和森接信后，组织新民学会会员开会，专题讨论会友向外发展的问题，决定组织赴法勤工俭学运动，由蔡和森和萧子升负责。蔡和森先期赴北京联系，毛泽东与萧子升、张昆弟等亦到北京，在杨昌济的帮助下，解决了赴法经费、赴法护照及法文补习等问题。民国八年（1919）3 月，毛泽东等在上海送走了两批赴法青年。赴法勤工俭学运动，一方面“打破了湖南知识分子蹈常守故，安于习俗的思想，掀起了向西洋学习新思想、新科学的高潮”；另一方面由于毛泽东到北京后与北京各大学的进步教师和学生取得了一定的联系，“为他在五四运动时期在长沙开展革命活动创造了有利条件”。[②]

蔡和森赴京筹办新民学会赴法勤工俭学事宜期间，正值五四运动前后，当时的北京是中国新文化运动的中心。蔡和森如饥似渴地学习和研究各种新思潮和新学说，对马克思列宁主义和俄国革命有了初步的接触和认识，特别是受李大钊《法俄革命之比较观》等文章影响，开始接受列宁学说，“近来俄之列宁颇能行之，弟愿则而效之”，要用“打恶战，争恶权，夺恶位”的方式去砸碎万恶

① 中国革命博物馆，湖南省博物馆．新民学会资料［M］．北京：人民出版社，1980：5.

② 周世钊．湘江的怒号——“五四”前后毛泽东同志在湖南的革命活动［M］//中国革命博物馆，湖南省博物馆．新民学会资料．北京：人民出版社，1980：399，397.

之源，改变中国的面貌。① 他告诉好友，称“崇奉共产主义，承认苏俄为世界牺牲”②。带着对马克思主义和俄国革命的憧憬赴法勤工俭学的蔡和森，特立独行地选择自学，“日惟手字典一册，报纸两页”③，“专把法文弄清，把各国社会党各国工团以及国际共产党，尽先弄个明白”④。随着蛮读猛译的深入，蔡和森对社会主义和无产阶级革命的认识渐趋成熟，进而明确提出组建中国共产党的主张。民国九年（1920）6月，留法会友聚集到蔡和森所在的蒙达尼开会，传达新民学会会友上海半淞园聚会会议精神。在讨论如何改造中国与世界等问题时，蔡和森从世界大势来阐发“激烈革命”之必要，“主张组织共产党，使无产阶级专政，其主旨与方法多倾向于现在之俄”，⑤ 公开宣传他的建党主张，尝试在学会内部改造和建立共产党组织，但出现了严重的意见分歧。8月和9月，蔡和森连续致信毛泽东，“大要系主张马克斯主义及俄式革命，而注重于组织共产党”⑥，“非组织与俄一致的（原理方法都一致）共产党，则民众运动、劳动运动、改造运动皆不会有力，不会彻底”⑦，提出系统的建党思想和建党原则。对蔡和森的这两封信，毛泽东表示“欣慰无量”⑧，深切赞同，后又对蔡的另一信表明“你这信见地极当，我没有一字不赞成”⑨。12月，以新民学会会员为主的旅法工学世界社召开谈话会，蔡和森作长篇发言，“主张无产阶级专政，社会大

① 中国革命博物馆，湖南省博物馆．新民学会资料［M］．北京：人民出版社，1980：58.
② 人民出版社．回忆蔡和森［M］．北京：人民出版社，1980：138.
③ 蔡和森．蔡和森文集：上［M］．长沙：湖南人民出版社，1979：18.
④ 同③ 19.
⑤ 同① 115.
⑥ 同③ 27.
⑦ 同③ 33.
⑧ 毛泽东．给萧旭东蔡林彬并在法诸会友［M］// 中国革命博物馆，湖南省博物馆．新民学会资料．北京：人民出版社，1980：144.
⑨ 毛泽东．给蔡和森的信［M］// 中共中央文献研究室．毛泽东文选：第一卷．北京：人民出版社，1993：4.

革命”[1]，得到与会者的赞同。民国十年（1921）7月，工学世界社年会召开，大多数社员赞成以信仰马克思主义和实行俄国式的社会革命为宗旨，虽未能说服社员将其改名共产党，但其中许多社员都转向马克思主义，成为后来旅欧中国少年共产党的基础，不少人还成为中国共产党的干部。

新文化运动的发起者们希望中国的青年学生能用法国启蒙思想家的民主、博爱、平等、自由等来武装自己的头脑，用一种积极进取的精神，一往无前的勇气来掌握自己和国家民族的命运。以毛泽东、蔡和森为中心的湖南青年群体，关注人心风俗的改良，关注中国与世界的改造，正是陈独秀等人所期望的那种人。这些湖南青年在对各种主义和思想流派的比较中，最终选择了马克思主义作为改造中国的思想武器，与中国革命实际相结合后，形成了毛泽东思想，成了中国革命的指导思想，近代湖湘文化发展到了一个新的阶段。

① 贺培真．留法勤工俭学日记［M］．长沙：湖南人民出版社，1985：40.

第六章

地方自治、马克思主义传播与近代中国发展的新抉择

中国自从进入近代以来，面对民族危机的不断加深，一些仁人志士纷纷从西方寻找挽救民族危亡的良方。甲午战争以前，湖南虽有统治阶级内部的改革派魏源提出“师夷长技”主张，洋务派曾国藩等大力开展洋务实践运动，但湖南却以保守之名扬厉中外。甲午战争后，湖南一改过去的深拒闭锁心态，对西方文化采取了一种敞开胸怀予以接纳拥抱的开放姿态，无论是对西方先进技术的学习，还是对西方近代思想文化的吸纳，均呈现出一种拼命赶超、后来居上的态势。先是率先掀起维新变法并俨然成为全国维新运动的“政治经济特区”，随后在朝廷推动下的新政运动，湖南亦有声有色地开展起来，全国资产阶级民族民主运动中的湖南志士更是占据了半壁江山，并做出了卓越贡献。但所有这些努力，要么归于失败，要么效果有限，就社会的失序和战乱的频仍而言，新成立的民国较旧政权旧制度时代更加糟糕，特别是后来还出现了长时间的地方军阀割据。在此情况下，一些先进知识分子将思考的视角投向了思想文化领域，掀起了一场旨在启蒙国人的新文化运动。此时，正在寻找中国问题根本解决之道而苦于无从着手的毛泽东等湖南青年学生，受新文化运动和俄国十月革命胜利的影响，一方面真诚而又积极地投身于湖南自治运动，视其为达到根本改造和对付目前环境最经济最有效的一种手段；另一方面则接受马克思主义学说，并完成了从激进民主主义者到马克思主义者的转变，拥有了根本的、共同的理想和计划。他们不仅积极传播马克思主义，开展创建无产阶级政党的工作，而且将马克思列宁主义和中国具体实际结合起来，形成了指导中国民主革命的新理论——农村包围城市、武装夺取政权理论，引领中国朝向新的发展方向前进。在此过程中，曾经发生过多次转型的近代湖湘文化再次转型，并形成了与以往不同的新特质和新的思想成果。

一、近代地方自治运动与近代湖湘文化

中国近代地方自治运动不仅是一场思想文化运动，同时也是一场社会政治运动，自治思潮发展为自治实践，自治实践反过来又推动自治思潮，彼此相互作用，交相促进，对清末民初的思想观念、政局演变和制度变迁产生了深远影响。在近代地方自治运动中，湖南是发轫最早、影响颇巨的地区，其地方自治思想与实践构成近代湖湘文化的一大特色。

（一）清末自治运动中的湖南自治主张与实践

"自治"意为自行管理或处理，作为舶来品的自治思潮在19世纪末传入中国，地方自治的基本含义是"民族、地区、团体等除了受所隶属的国家、政府或上级单位统一领导外，在自己的地区内行使一定的自主权力"[①]，体现了地方分权的政治理念。地方自治在英国、法国、美国等西方国家均有不同的表现形式，其中美国的联邦制既保持了国家的统一，又能发挥地方的积极性，被许多中国知识精英视为推行地方自治的成功榜样。

早在鸦片战争前后，中国近代著名的思想家湖南人魏源就曾介绍和关注过联邦制，"西洋称部落曰士迭。而弥利坚无国王，止设二十六部头目，别公举一大头目总理之，故名其国育奈士迭国，译曰兼摄邦国"[②]。随着西力东侵、西学东渐，清朝统治下的古老中国，在经历多场内乱的打击和外战的失败后，西方地方自治制度及相关学说越来越多地被介绍到中国，几千年来因果一体的"统一→和平→强盛"的话语体系开始动摇。至清末，无论是维新派、

① 王松，施鹏飞，李立奎，等.政治学常见名词浅释［M］.北京：人民出版社，1984：75.

② 魏源.海国图志［M］// 魏源全集：第六册.长沙：岳麓书社，2004：1623.

立宪派，还是革命派，甚至朝廷内部的一些人，无不宣传和鼓吹地方自治，使之成为日趋兴盛的社会思潮之一。维新派和立宪派把地方自治视为代议政治的基础，视为救亡图存，使中国成为文明国家的有效途径；清廷则认为“自治者，所以助官治之不足也”①。

早在维新运动时期，湖南新政的中坚人物黄遵宪认为，“苟欲张国力，伸国权，非民族之强，则皮之不存，毛将焉附，国何以自立？苟欲保民生，厚民气，非地方自治，则秦人视越人之肥瘠，漠不相关，民何由而强”②？中国要维新变法，实行君主立宪政体，必须要“伸民权”，允许人民“自治其身，自治其乡”，再“由一府一县推之一省，由一省推之天下，可以追共和之郅治，臻大同之盛轨”。③其他如谭嗣同等亦主张地方自治，积极宣传地方自治思想。为“完成地方自治政体”④目标，他们除创办南学会外，还推出了湖南保卫局并附设迁善所、湖南课吏馆等具有地方自治色彩的措施，使湖南成为最早进行地方自治实践的省份。“盖当时正德人侵夺胶州之时，列国分割中国之论大起，故湖南志士仁人做亡后之图，思保湖南之独立。而独立之举，非可空言，必其人民习于政术，能有自治之实际然后可。”⑤南学会是一个救亡御侮，讲求地方自治的政治性组织；“保卫局是一种绅民出资、官方督办的地方社会秩序维持机构，核心是地方自治”⑥，是地方自治的组织保障。由于戊戌变法的破产，前述措施随即取消。

具有自我管理、自我服务、自我完善特征的地方自治也是清

① 宪政编查馆奏核城镇乡地方自治章程并另拟选举章程折［J］.东方杂志，1908（6）：1.

② 黄遵宪：致梁启超书（九通）［M］//吴振清，徐勇，王家祥.黄遵宪集：下卷.天津：天津人民出版社，2003：504.

③ 黄遵宪.南学会第一二次讲义［M］//吴振清，徐勇，王家祥.黄遵宪集：下卷.天津：天津人民出版社，2003：406-407.

④ 梁启超.戊戌政变记：湖南广东情形［M］//饮冰室合集：专集之一.北京：中华书局，1989：135.

⑤ 同④138.

⑥ 万昌华.宪政体制的历史思辨［M］.济南：齐鲁书社，2011：198.

末资产阶级立宪派的重要政治主张。清末新政过程中，为解决财政困难，挽救统治危机，在一些大臣的陈请下，清廷不得不向地方实力派和基层绅商妥协，接过地方自治的旗号，将其列为预备立宪的具体措施，确定为基本国策，地方自治遂在全国迅速推开并形成了初步架构。自治思潮第一次化作了具体的国家政策，与中央集权相对的地方自治的实行有了合法依据。根据清廷所颁法令和章程，湖南据此开展过较为扎实的地方自治工作。清光绪三十四年（1908）三月，湖南地方自治筹办处成立；随又设立了湖南地方自治研究所，全面指导全省各地自治工作，并着重自治人才培训，至清宣统三年（1911）三月，共结业 2819 名，“地方自治即奠基于此”[①]。根据筹办处的要求,各厅州县也相继成立筹办地方自治公所，长沙等地还设立了议事会、董事会等机构，主要负责学务、卫生、道路工程、农工商务、慈举、公共营业等事项。又创办《湖南自治报》《湖南地方自治白话报》，以提供舆论支持和政策指导。全省谘议局议员的选举顺利完成，并开展了一系列工作，“由于它具有浓厚的官办色彩，加之倡办者的失策，这次运动未能完全达到资产阶级立宪派的预期的目的”[②]。

清末不仅有资产阶级维新派、立宪派主张地方自治，革命派亦曾大力提倡,视地方自治为救亡图存、改变专制统治的重要手段。湖南革命党人中，主张地方自治最力者当属杨毓麟、陈家鼎（笔名为铁郎）。杨毓麟从救中国、保湖南的目的出发，极力主张湖南脱离清廷独立，并对湖南自治问题进行了系统研究，规划了湖南地方自治的路线图，即由个人自治而到府县自治，由府县自治再到全省自治；提出了湖南自行独立的具体设想，“建天心阁为独立之厅，辟湖南巡抚衙门为独立之政府，开独立之议政院，选独立

① 张鹏园.湖南现代化的早期进展（1860–1916）［M］.长沙：岳麓书社，2002：166.

② 卞修全.清末地方自治新论［J］.安徽史学，2001（2）：44.

之国会议员，制定独立之宪法，组织独立之机关，扩张独立之主权，规划独立之地方自治制，生计、武备、教育、警察诸事以次备举”①；并视能否实行地方自治为湖南生死存亡的关键，“不能自治则必亡，能自治则或可图存，存与亡之分，能自治与不能自治决之矣”②。铁郎在《二十世纪之湖南》中将湖南自治作为实现“易清帜”的策略，主张“商界自治，则路权不归鄂督（湘路并商办，现报端有改归张之洞督办之说）；军界自治，则防勇可逐荆旗（端方召荆旗入湘营）；绅界自治，则为夺官权之起点，而不忧端方、铁郎之力忌湘人也；女界自治，则为伸妇权之起点，而不虑王先谦、杜本崇之再禁女学也（见封闭湖南第二女学及淑慎女学事）；一切人民界自治，则为伸民权、议院权之起点，而不虑德借洞庭、英租湘矿之成约也。湖南若全体一致，首唱南清自治之基，组织既完全，学说既普及，各处必咸有抗南漕，易清帜之一日”③。但他们的这些主张没有也不可能付诸实践。

（二）20 世纪 10 年代自治运动中的湖湘自治思想与实践

民国成立后，黄兴、宋教仁、蔡锷、章士钊等湘籍名流也赞同地方自治，但这一时期的地方自治主要是基于如何处理中央与地方的关系、维护民主共和政体的考虑。对于中央集权与地方分权，宋教仁认为首先应考虑到中国的实际情况，“夫自治权力，本应完全授之下级地方自治团体，而在中国习惯，则下级地方自治团体，如县、乡、镇之属，与国家政治关系甚浅，故顺中国向来的习惯，而畀高级地方团体以自治权，与国情甚吻合，而政治亦得赖以完

① 杨毓麟．新湖南［M］// 饶怀民．杨毓麟集．长沙：岳麓书社，2001：62–63.

② 杨毓麟．湖南自治论［M］// 游学译编社．游学译编：二．长沙：湖南师范大学出版社，2008：1242.

③ 铁郎．二十世纪之湖南［M］// 辛亥革命资料丛刊：第二册．上海：上海人民出版社，上海书店出版社，2000：205–206.

全发达也”[①];然后对中央与地方的权力进行合理的配置，“吾人谓今日之中国，中央集权制固不宜，偏重地方官制之地方分权制亦不宜，谓宜折衷，以对外的消极的各政务归之中央，以对内的积极的各政务归之地方。其地方制中，则尤注重于地方自治一途，使人民直接参与施政，以重民权，如是庶合轻重适当之道也”[②]。武力讨袁失败后，流亡美国的黄兴将地方自治视为反对袁世凯专制统治的重要依据，“共和立宪之根基，全在于地方自治。地方不能自治，则人民爱国心必因之而薄弱，社会即无文明事业之进步，国家政治亦无发达之希望。南京政府拟采地方分权制度，欲使各省实行地方自治制，养成国民自治之能力，发挥共和活泼之精神，采法、美制度为模范……今欲巩固共和国基，回复人民自治之权，势不能不排除专制之袁世凯”[③]。护国倒袁后，从美国归来的黄兴更是对孙中山的地方自治方案给予积极支持，对在中国实行地方自治充满信心，认为如果诚心求自治，“则五年中不难全得”[④]。

在宋教仁、黄兴等人主张单一制国家结构下地方自治的同时，另一部分地方实力派代表人物如胡汉民、李烈钧等则依据地方分权理论，坚持走联邦制道路，得到戴季陶、张东荪等人在舆论上的响应。但“邦”在汉语中与“国”同义，往往容易与“割据→分裂→衰败”的恶果相连，因此需要建构新的话语体系。而“省”是自元朝开始就有的中央统一领导下的地方行政区划名称，为避免给人以分裂之嫌疑，他们强调“吾人但求自治，不必有联

① 宋教仁. 国民党沪交通部欢迎会演说辞［M］// 郭汉民. 宋教仁集. 长沙：湖南人民出版社，2008：548.

② 宋教仁. 中央行政与地方行政分划之大政见［M］// 郭汉民. 宋教仁集. 长沙：湖南人民出版社，2008：561.

③ 黄兴. 在屋仑华侨欢迎会上的演讲［M］// 刘泱泱. 黄兴集. 长沙：湖南人民出版社，2008：728.

④ 黄兴. 在张园茶话会上的演讲［M］// 刘泱泱. 黄兴集. 长沙:湖南人民出版社，2008：849.

邦之名”[1]，“倘新造术语以命之，则联州、联省皆未尝不可用”[2]，以与国民一统中华的美好愿望相符合，后来的联省自治即由此而来。章士钊是这一时期力主实行联邦制的代表人物，曾于民国三年（1914）连续发表《联邦论》《学理上之联邦论》《联邦论答潘君力山》等文。根据学者们研究[3]，章士钊除对中国实行联邦制的若干理论问题进行了学理上的探讨外，其联邦自治思想主要包括以下内容：强调从当时中国的现实来看，应当实行联邦制，“特近顷以来，统一之失，日益彰明，智者发策以虑难，贤者虚衷而求治，恍若联邦之制，行之有道，容足奠民生于安利，拯国命于纠纷”[4]，以此可达趋利避害之目的；邦非国家，相较于地方团体，并无根本原则之异，仅仅存在权力程度的差异，具有政治上的正确性；巴西、阿根廷等都是“先国后邦”，由单一制转化为联邦制国家的，实行联邦制有着历史的合理性；由单一制变为联邦制“盖属于宪法变迁之事，而非国本破坏之为”，[5]无须流血的革命，采取渐进温和的方式即可实现；应注重舆论的宣传推动作用，他认为“舆论早上发起，则联邦晚上就能建成，舆论晚上发起，则联邦第二天早上就能形成”[6]；联邦的设立可先由各省建立为邦，再联邦为国，再制定联邦宪法；在中央与地方的权力划分上，主张中央采列举主义，地方采概括主义，中央统一行使立法权，地方根据中央的法令行使行政权力，这样既可尊重中央权威又能保留地方自治的权力。

① 张东荪．地方制度之终极观［J］．中华杂志，1914，1（7）．

② 戴季陶．中华民国与联邦自治［M］．上海．中国图书公司，1914：63.

③ 这方面研究的代表性成果有山东大学杨松硕士学位论文《章士钊宪政思想研究》（2007 年 3 月）、湖南大学苏慧硕士学位论文《章士钊联邦思想研究》（2014 年 4 月）等。

④ 章士钊．学理上之联邦论［M］// 章含之，白吉安．章士钊全集：3. 上海：文汇出版社，2000：394.

⑤ 转引自苏慧．章士钊联邦宪政思想研究［D］．长沙：湖南大学，2014：22.

⑥ 同④ 385.

民国成立后，倡议自治和联邦制的阵营比辛亥前更加扩大，但地方自治运动则随当时的政局变化和中央权威的升降而起落，湖南的情形与此若合符契。自辛亥胜利、民国成立，湖南各县级以下的基层组织大多沿用清末旧制，地方自治继续推行，有过短暂的发展；民国三年（1914）3月，袁世凯“着各省民政长通令各属，将各地方现设之各级自治会立予停办”[①]，湖南地方自治运动亦随之陷入低谷；袁世凯政权灭亡后，中国陷入四分五裂之中，各地军阀彼此混战，段祺瑞于民国七年（1918）推行武力统一全国政策，遭到孙中山为首的民主派和西南各省地方军阀的反对，出现南北对峙局面，联省自治运动又趁势而起。

（三）20世纪20年代自治运动中的湖南自治思想与实践

护法战争兴起后，出现南北两个政权对立的局面，南北各方内部也不能统一，战乱频仍，和平难期，民不堪其苦，于是人们又寄希望于联邦制，曾经沉寂的联邦制思潮再起，希望通过加强地方自治，然后用联省自治来达到统一，并发展为联省自治运动，形成近代中国地方自治运动的高潮。此时，湖南联省自治思潮也达到高潮，知识界广泛参与，省内外的学者、名流、政客等纷纷发声，报章杂志载文大肆鼓吹，成为20世纪20年代湖南舆论界最显要最热闹的话题，此处只是选取了湘籍知识精英中几位代表性人物的自治思想做简要叙述。

早在民国七年（1918），调停南北纷争的熊希龄眼见统一无望，主张在中国实行联邦政治，通电称：“今欲行中央集权之统一政治，此后日见其难，实不如改为地方分权之联邦政治，尚可徐善

① 李新，李宗一　曾业英，等．中华民国史：第二编 北洋政府统治时期 第一卷 1912—1916［M］．北京：中华书局，1987：495.

其后。”[①] 熊希龄的联邦制主张，主要包含两个方面的内容，一是打破武人专政，划清中央、地方权限，实行军民分治，并提出了海陆军由中央统一高度指挥、以地理的重要性为据明定军区和各省设省长管理行政的具体设想；二是组织联邦会议，摒除成见，旁采博搜，制定联邦宪法。如此一来，“中央有可集之权，无须以专制争地方之权；地方亦有可分之权，无须以革命争中央之权……各种党派均可革面洗心，消融仇怨，其努力于新国家之建设”[②]。

著名湘籍学者李剑农也是这一时期联省自治思想的重要倡导者，提出了“欲废督必先裁兵，欲裁兵必先统一，欲统一必先确定联省自治”的主张，“以制定联邦为起点，以废去督军为止境”。其基本思路，应先容许各省自治，由各省自己制定省宪，依照省宪组织省政府，管理本省事务；后由“各省代表组成联省会议，制定出联省宪法大纲，然后提交新的国会审议”，[③] 从法理上进行确认，以完成国家的统一。他认为这样做的益处，一方面“可以免去中央的干涉，便是省与省之间也可免去侵略的纠纷”；另一方面“既可以解决南北护法的争议，又可以将国家事权划清界限，借此把军事权收归中央，免去军阀割据之弊”。[④] “故采用联邦制，是强固中央政府的唯一办法，是求统一的唯一办法。”[⑤]

湖南自治运动期间，毛泽东以进步报刊为舆论阵地，在短短的几个月时间里写了20篇文章，从理论上系统地阐述了他的湖南自治主张。早在“驱张运动”的形势逐渐明朗之际，毛泽东就已开始思考湖南“张去如何建设”的问题，认为不应再“支支节节的向老虎口里讨碎肉”，而应来一个“根本解决”，初步构想是废

① 熊希龄.主张地方分权之联邦制致岑春煊电[M]//周秋光.熊希龄集：第6册.长沙：湖南人民出版社，2008：391.
② 熊希龄.熊秉三答岑西林书［N］.上海时报，1918-03-18.
③ 李剑农.民国统一问题：篇三［J］.太平洋，1922，3（7）.
④ 李剑农.中国近百年政治史［M］.北京：商务印书馆，2011：516.
⑤ 同③.

督裁军、地方自治。[1] 此后，毛泽东围绕这一构想，进行了充分的学理探讨。首先,论证了湖南实行自治的历史合理性和现实可能性。他认为“固有的四千年大中国,尽可以说没有中国,因其没有基础。说有中国也只是形式的中国，没有实际的中国，因其没有基础”[2]，也就是没有基层自治组织，人民一盘散沙，导致中国的事情很难办好；受到连累的湖南也因此不能遂其自然发展，“湖南的历史，只是黑暗的历史;湖南的文明,只是灰色的文明”[3],湖南必须自治。驱除军阀张敬尧的斗争已经胜利，而现在的中国因军阀割据混战处于无政府状态，他省自顾不暇，湖南已具备实行自治的有利条件。其次，和联省自治运动的倡导者们一样，毛泽东认为应以门罗主义的核心内涵作为湖南自治的理想原则和指导思想。“湘人自决主义者，们罗主义也。湖南者，湖南人之湖南。湖南人不干涉外省事，外省人亦切不可干涉湖南事，有干涉者仍抵抗之”[4]，遵守“自决主义”和“民治主义”两大原则，使“湖南人得从容发展其本性，创造其文明”。第三，湖南自治应以建设湖南共和国为目标。“在此期内，湖南最好保境自治……充分发挥湖南人之精神，造一种湖南文明于湖南领域以内”[5]，“先以湖南共和国为目标，实施新理想，创造新生活，在潇湘片土开辟一个新天地，为二十七个小

① 毛泽东．致黎锦熙信：附湖南建设问题条件商榷［M］// 中共中央文献室，中共湖南省委毛泽东早期文稿编辑组．毛泽东早期文稿．长沙：湖南人民出版社，2008：424-425.

② 毛泽东．打破没有基础的大中国建设许多的中国从湖南做起［M］// 中共中央文献室，中共湖南省委毛泽东早期文稿编辑组．毛泽东早期文稿．长沙：湖南人民出版社，2008：456.

③ 毛泽东．湖南受中国之累以历史及现状证明之［M］// 中共中央文献室，中共湖南省委毛泽东早期文稿编辑组．毛泽东早期文稿．长沙：湖南人民出版社，2008：46.

④ 毛泽东．湖南改造促成会复曾毅书［M］// 中共中央文献室，中共湖南省委毛泽东早期文稿编辑组．毛泽东早期文稿．长沙：湖南人民出版社，2008：441.

⑤ 同④ 440.

中国的首倡”[①],“由湖南革命政府召集湖南人民宪法会议,制定湖南宪法,以建设新湖南”[②]。第四,先分省自治后联省自治,使全国的事情总解决。毛泽东判断“中国民治的总建设,二十年内完全无望”[③],既然“中国的事,不能由总处下手,只能由分处下手”,那么唯一的办法就是“打破没有基础的大中国,建设许多的小中国”,[④]“索性不谋总建设,索性分裂,去谋各省的分建设,实行各省人民自决主义。二十二行省三特区两藩地,合共二十七个地方,最好分为二十七国”[⑤],故“主张二十年不谈中央政治,各省人用全力注意到自己的省,采门罗主义,各省关上各省的大门,大门以外,一概不理”[⑥],经过20年的“省门罗主义”之后,各省各自把本省的事情办好了,再来谈联合各自治省商讨中央政治和全国总解决的问题。第五,拒绝假自治,实现真正的民主自治。他认为“湘人治湘”是假自治,因为只是“把少数特殊人做治者,把一般平民做被治者,把治者做主人,把被治者做奴隶”,是湘籍军阀士绅的官僚统治;“完全的乡自治,完全的县自治,和完全的省自治。乡长民选,县长民选,省长民选,自己选出同辈中靠得住的人去

① 毛泽东.湖南受中国之累以历史及现状证明之[M]// 中共中央文献室,中共湖南省委毛泽东早期文稿编辑组.毛泽东早期文稿.长沙:湖南人民出版社,2008:463.

② 龙兼公,杨绩荪,毛泽东,等.由“湖南革命政府”召集“湖南人民宪法会议”制定“湖南宪法”以建设“新湖南”之建议[M]// 李铁明.湖南自治运动史料选编.长沙:湖南师范大学出版社,2012:456.

③ 毛泽东.湖南人再进一步[M]// 中共中央文献室,中共湖南省委毛泽东早期文稿编辑组.毛泽东早期文稿.长沙:湖南人民出版社,2008:436.

④ 毛泽东.打破没有基础的大中国建设许多的中国从湖南做起[M]// 中共中央文献室,中共湖南省委毛泽东早期文稿编辑组.毛泽东早期文稿.长沙:湖南人民出版社,2008:457.

⑤ 毛泽东.湖南建设问题的根本问题——湖南共和国[M]// 中共中央文献室,中共湖南省委毛泽东早期文稿编辑组.毛泽东早期文稿.长沙:湖南人民出版社,2008:454.

⑥ 毛泽东.反对统一[M]// 中共中央文献室,中共湖南省委毛泽东早期文稿编辑组.毛泽东早期文稿.长沙:湖南人民出版社,2008:478.

执行公役”的“湘人自治”才是真自治。[①] 第六，民众的参与是湖南自治运动成败的关键。毛泽东认为湖南自治运动如果没有广大民众的参与，即使成功了也是不能长久的。所以他积极倡导并呼吁广大民众参与到政治决策中来，“你不去议政治法律，政治法律会天天来议你。你不去办政治法律，政治法律会天天来办你”，“你总有权发言，并且你一定应该发言，并且你一定能够发言”，[②] 如果没有 30 万长沙市民的积极参与，湖南自治就没有成功的希望，呼吁长沙市民一起“创造未来湖南的黄金世界”[③]。

长沙《大公报》在此期间将地方自治特别是湖南地方自治列为宣传研讨的重点，开设多个专栏，发表和收录了大量有关地方自治的文章，其主笔兼编辑龙兼公和毛泽东一样，不仅是湖南自治的亲身参与者，也是不遗余力的宣传者。关于湖南自治，龙兼公主要表达了以下观点：指导思想方面，赞同毛泽东提出的“湖南门罗主义”，并以“我用心干我自己应干的事；我绝不干涉别人的事；我也绝对不许别人干涉我的事”[④] 作了十分简要的概括；强调自治的依靠力量应当是普通民众而不是官绅，“要自治就不要倚赖官治，要谋湘人自治就不要完全依靠那些特殊阶级的少数人。政府和特殊阶级的少数人是不一定能够替我们全体湘人谋乐利的，我们还是要去自求多福”[⑤]；实现自治的途径，他主张“以鼓吹宪政的形式希望达到湖南的完全民主政治”[⑥]，“由湖南革命政府召集湖

① 毛泽东．“湘人治湘”与“湘人自治”［M］// 中共中央文献室，中共湖南省委毛泽东早期文稿编辑组．毛泽东早期文稿．长沙：湖南人民出版社，2008：470.

② 毛泽东．释疑［M］// 中共中央文献室，中共湖南省委毛泽东早期文稿编辑组．毛泽东早期文稿．长沙：湖南人民出版社，2008：466，467.

③ 毛泽东．为湖南自治敬告长沙三十万市民［M］// 中共中央文献室，中共湖南省委毛泽东早期文稿编辑组．毛泽东早期文稿．长沙：湖南人民出版社，2008：470.

④ 龙兼公．湖南“门罗主义”［N］．大公报，1920-09-05.

⑤ 龙兼公．湘人自治［N］．大公报，1920-09-13.

⑥ 喻春梅．长沙《大公报》视域下的湖南联省自治思潮［J］．湖南大学学报（社会科学版），2009，23（5）．该文关于湖南自治思想的其他论述，笔者多有参考。

南人民宪法会议，制定湖南宪法，以建设新湖南”[①]；具体目标方面，不主张湖南建国，“我主张省立宪的，我主张省立宪是主张造邦，不是主张建国，结果自然还应该有个联邦国在省的上面，联邦国的政府就是联省政府”[②]。

在20世纪20年代的联省自治运动中，湖南是急先锋和中坚，被目为省宪运动的模范。一方面，自民国六年（1917）以来，居南北交通要冲的湖南，成为南北军阀必争之地和常年拉踞混战的战场，庐舍为墟，受祸最烈，其间更有北洋军阀汤芗铭、傅良佐、张敬尧督湘祸湘，三湘饱受蹂躏，引发了湖南人民对地方自治的强烈要求；另一方面，湖南本土以谭延闿、赵恒惕等为代表的权势集团因受到北洋军阀的挤压和排斥，力图通过地方自治以自保。当军阀张敬尧被驱逐出湖南、谭延闿第三次入湘主政之时，北洋军阀和西南各省军队均已全部退出湖南，北方已爆发直皖战争，南方粤桂战争也即将爆发，一时间南北双方自顾不暇。既有谋求自治之共识，又有千载难逢之时机，湖南再一次走到了自治运动的最前沿。民国九年（1920）7月22日，谭延闿发出“湘政公之湘省全体人民”的通电：“盖民国之实际，纯在民治之实行；民治之实际尤在各省人民组织地方政府，施行地方自治，而后权分事举，和平进步，治安乃有可期……督军之制必宜废止……采用民选省长及参事制，分别制定暂行条例，公布实行。”[③]实行地方自治，废除督军制，民选省长，湖南自治序幕由此揭开。通电发出后，各方热烈响应，一致认为湖南自治应从制定省宪法着手。随后，湖南自治进入省宪制定程序，省政府、省议会企图包办“制宪”，各

① 龙兼公，杨绩荪，毛泽东，等．由“湖南革命政府”召集“湖南人民宪法会议”制定“湖南宪法”以建设“新湖南”之建议［M］// 李铁明．湖南自治运动史料选编．长沙：湖南师范大学出版社，2012：456.

② 龙兼公．联省政府［N］．大公报，1921-02-05.

③ 谭延闿．声明治湘根本办法电［M］// 周秋光．谭延闿集．长沙：湖南人民出版社，2013：595-596.

法团、各阶层人民则主张公民制宪，官治派与民治派展开了对制宪主导权的激烈争夺。当双方争持不下的时候，有人提出了专家制宪的主张，被取代谭延闿主持湘政的赵恒惕所采纳，并制定了三步走的制宪方案，即由省宪法起草委员会草拟宪法后，另组宪法审查委员会加以审查修正，最后由全省人民投票通过。从民国十年（1921）3月20日至12月11日，《湖南省宪法》制定经历起草、审查和公民复决三个阶段，走完全部程序，次年1月1日公布实施生效。此后，根据省宪规定，选举产生了省议员，改选了省议会，选举赵恒惕为省长，并组织了省务院，因此《湖南省宪法》“非但是联省自治运动中第一个制定成功而被实行的省宪，也是我国破天荒出现的第一部被使用的宪法”[①]，这是湖南自治运动中取得的最重要的成果。但是，湖南的这种自治却对两个欲以武力统一全国的政府造成了极大障碍。省宪通过不久，孙中山欲假道湖南北伐，赵恒惕以省宪有“客军入境，当迎痛击”规定为由加以拒绝。此时，首倡自治的谭延闿被赵恒惕赶走后，已投奔广州大元帅府，孙中山任命其为湖南省长兼湘军总司令，入湘讨赵，谭赵战争爆发。谭赵战争是湘人内部的战争，对避免以湖南成为南北军阀战场的省宪自治来说，无疑是一个重大打击。此后，赵恒惕既不待见于南方政府，内部省宪拥护者又发生分裂，不得不依靠北方的援助，无异于自毁省宪；北京政府已制定国家宪法，规定省法律与国家法律相抵触者无效，在此情况下，《湖南省宪法》不得不进行修改，自治的地位已严重削弱。至民国十五年（1926）7月，广州政府北伐，已参加国民革命的唐生智在长沙宣布废除《湖南省宪法》，解散省议会，响应北伐，以武力统一中国，长达五年的湖南自治运动宣告终结。

由上可知，湖南自治运动是全国自治运动的重要组成部分，

① 胡春惠．民初的地方主义与联省自治［M］．北京：中国社会科学出版社，2001：201.

发轫最早，最后高潮中又独领风骚，显示出在全国自治运动中的独特地位。清末新政中湖南的自治运动与全国各地的自治运动一样，是由资产阶级维新派推动的并在朝廷统一领导下进行的救亡图强运动；民国时期的自治运动，先是为了反对专制独裁、维护民主共和政体，后来则是在中央权威式微、地方割据局面形成后，各省力图通过地方自保而实现国家的和平统一，是为了解决共和体制下的国家重建问题，湖南在此期间的自治运动亦不例外。从总的实践效果来看，无论是清末时期的自治图强还是民国时期的维护共和与实现统一，虽然一度开展得颇有声色，也取得过一定成绩，但最终都未能实现预期目的。即使如此，湖南自治思潮与实践对后来中国现代化进程仍产生了十分深远的影响：一是作为近代中国自治思想重要组成部分的湖湘自治思想，构成了近代湖湘文化的重要组成部分，为其时湖南和全国的自治实践提供了理论指导，也可为当代和平统一条件下的公民自组织建设提供有益的借鉴；二是进一步启迪了民智，提升了国民的参政意识，从而对社会政治生活和政府政策的制定、执行产生了较大影响；三是推动了政局演变和制度变迁，清末湖南的维新自治后来发展为新政自治，民国时期的"省宪"自治推动了全国自治运动高潮的形成，从而在一定程度上推进了中国政治近代化；四是说明在近代中国单纯的自治运动难以达成救亡图存与实现统一的目标，需要考虑采取其他更有效的手段和方式，毛泽东所创立的农村包围城市的革命道路，"是湖南自治运动中先分后合的革命方法的延续和发展"，其"对武装斗争的强调，则是对湖南自治运动中主要依靠民主选举、议会斗争的做法的反思和批判"①；五是在采用何种国家结构形式的问题上，"湖南自治运动所倡导的联邦制遭遇挫折失败，

① 刘松茂．关于"湖南自治运动"的几个问题[J]．湘潭大学学报(哲学社会科学版)，2009，33(4)：133.

为新中国实行单一制提供了历史借鉴”[1]。

二、早期马克思主义传播为近代湖湘文化注入新特质

新文化运动以及后来的五四新文化运动在思想文化观念方面对过去的摧毁比对未来的创造更为有效，西方思想的引进和中国传统的摧毁，为创造性采用外国观念和体制以处理中国的局势扫除了障碍。“理论在一个国家的实现程度，总是决定于理论满足这个国家的需要程度”[2]，面对救亡比启蒙更为急迫的现实要求和十月革命的实践效果，在寻找指导救亡运动理论的过程中，马克思主义的唯物史观特别是阶级斗争学说，以及共产主义社会理论与中国传统的大同社会理想一定程度的契合，深深打动着中国的一部分知识精英，并渗透到其心灵深处。他们一方面进行着学理上的探究，但更多的是将其与救国救民的现实革命斗争结合起来，在以后的中国革命斗争中日益发挥着巨大的指导作用，从而对中国革命产生了深远的影响。在早期马克思主义传播的过程中，湘籍知识分子群体发挥了重要作用，同时这种早期传播又为近代湖湘文化注入了新特质。

（一）湘籍知识分子群体与早期马克思主义传播

19 世纪 70 年代，中国人开始从传教士的译著中知道有马克思、恩格斯以及马克思主义。20 世纪初年，开始有梁启超、马君武、朱执信、孙中山、宋教仁、江亢虎等中国人介绍马克思主义、

① 刘松茂．关于“湖南自治运动”的几个问题[J]. 湘潭大学学报(哲学社会科学版)，2009，33（4）：133.

② 马克思恩格斯选集：第 1 卷［M］. 北京：人民出版社，1995：11.

社会主义，作为社会思潮的马克思主义逐渐扩散开来，流传于中国社会。俄国十月革命后，中国才开始有真正意义上的马克思主义传播。[①] 早期马克思主义传播主要是依靠文化素质较高的精英阶层知识分子来进行的，大体可分为国内先进知识分子、留日学生、留欧学生和留苏学生四大群体。[②] 如同湘籍志士在资产阶级民主革命思想传播过程中发挥了重要作用一样，湘籍知识分子在早期马克思主义在中国的传播过程中同样起到了十分独特的作用。

李达是留日学生马克思主义传播群体中的湖南代表。民国七年（1918），第三次东渡日本后，李达弃理从文，拜日本马克思主义学者河上肇为师，专攻马克思主义理论。五四运动后，李达开始向国内传播马克思主义和社会主义思想，6 月和 9 月，李达在上海《民国日报》副刊《觉悟》上先后发表了《什么叫社会主义》《社会主义的目的》《女子解放论》等文章。随后，连续发表了九篇介绍欧洲各国社会主义政党情况的文章。李达通过向国内报刊投稿的方式，参与了当时中国思想界关于马克思主义和社会主义思潮的大讨论。这些文章标志李达已完成向马克思主义者的转变。在日本的李达还翻译了《马克思经济学说》《社会问题总揽》和《唯物史观解说》三本有代表性的日文著作，对马克思主义基本理论的三大组成部分进行了详细介绍，对早期马克思主义在中国的传播起到了较大作用。这些成就毫无疑义地说明李达是在中国传播马克思主义的先驱者。民国九年（1920）夏，李达回国，先是参与关于社会主义的辩论，以“江春”为笔名写下了《张东荪现原形》《劳动者与社会主义》《社会革命底商榷》；民国十年（1921）5 月，又写了长达 13000 多字的《讨论社会主义并质梁任公》的论文，

① 此处所谓真正意义上的传播，是指传播者对被传播的信息通过学习研究掌握之后，有所了解、肯定和有目的的表达活动。

② 戈樱淼．马克思主义在中国的早期传播研究（1917 — 1921）[D]．长春：吉林大学，2015.

成为批驳假社会主义最有分量的一篇檄文。同时，李达还积极投身与无政府主义思潮的论战，除前面提到的其在日本所写文章外，从民国九年（1920）10月到民国十年（1921）6月，李达又发表了多篇文章，强有力地批判了无政府主义的谬误，其中《无政府主义的解剖》对清除无政府主义思想产生了深远影响。民国九年（1920）7月1日，上海共产主义小组创办《共产党》理论月刊，由李达担任主编一职，刊物受到共产主义者的广泛好评，发行量高达5000份之多。在中国共产党第一次全国代表大会上，因曾以上海共产主义小组代理书记身份负责筹备工作，又因译著过大量介绍马克思主义的文章，李达被选为中央局宣传主任。

毛泽东是在李大钊、陈独秀等人的影响和帮助下成为马克思主义者的，并成为国内先进知识分子马克思主义传播群体中的湖南代表。民国八年（1919）7月，毛泽东在长沙创办并主编湖南省学生联合会理论刊物《湘江评论》，共出5号（第5号未及发行即被张敬尧的湖南当局没收），从筹划到问世，从写稿、编辑到印刷、发行，基本上是他一手经办，以宣传最新思潮为宗旨，热情歌颂俄国十月革命，宣传马克思主义，驳斥对“过激党”人的攻击，指出这些人“只不过是舍命救国的志士，拿出良心来和国家争回权利，从强权者索回自由的志士”[①]。《湘江评论》一出版便供不应求，不但深受读者喜爱，舆论界也给予极高评价，上海《湖南》月刊称其“著论选材，皆极精粹，诚吾湘前所未有之佳报。欲知世界趋势及湘中曙光者，不可不阅”[②]，《每周评论》《北京晨报》《成都星期日》等纷纷发文作专门介绍或转载毛泽东在《湘江评论》所发《民众的大联合》一文。《湘江评论》发行时间虽然短暂，但

① 中共中央马克思恩格斯列宁斯大林著作编译局研究室．五四时期期刊介绍：第一集 上册［M］．北京：生活·读书·新知三联书店，1979：149.

② 湖南省哲学社会科学研究所现代史研究室．五四运动时期湖南人民革命斗争史料选编［M］．长沙：湖南人民出版社，1979：324.

有力地推动了湖南的革命运动，并影响全国特别是华南各地。《湘江评论》被封后，毛泽东又于9月应湘雅医学专科学校学生会之邀，主编该会所办《新湖南》周刊第7号至12号，提出“批评社会”“改造思想”“介绍学术”“讨论问题”四大宗旨，“其中精彩真是不少，最重要的如‘社会主义是什么，无政府主义是什么’，洋洋数千言，说的很透”①，该周刊被视为《湘江评论》的化身，“魄力非常充足”②，“很有实在的价值”③。《新湖南》不久又被查封，毛泽东于11月被聘为长沙《大公报》馆外撰述员，此后他利用长沙《大公报》《女界钟》等报刊发表文章，揭露抨击张敬尧的黑暗统治，唤起湖南人民反帝、反封建、反军阀斗争觉悟。民国九年（1920），针对来湘讲学的罗素等人“用教育的方法使有产阶级觉悟”的主张及当时许多人迷恋教育救国、实业兴邦的倾向，长沙新民学会会员展开了激烈的辩论，毛泽东认为罗素的主张是“理论上说得好听，事实上是做不到的”，“教育的方法是不行的”，“共产党人非取政权，且不能安息于其宇下，更安能握得其教育权”？④同年7月上旬，毛泽东和彭璜等人在长沙发起成立文化书社；9月9日正式开始营业后，任特别交涉员的毛泽东公开宣布文化书社的责任就是宣传“北冰洋岸的俄罗斯”“新文化小花”，“使世界发生一种新文化”，首先是使湖南有一种新文化，为新文化提供新材料，进行新研究，产生新思想，“愿以最迅速、最简便的方法，介绍中外各种最新书报杂志，以充青年及全体湖南人新研究的材料”，重点是宣传马克思主义和俄国十月革命的新书报刊。⑤据民国十年（1921）3月统计，文化书社销书164种，杂志50种，日报4种，其中《劳动界》

① 佚名．长沙社会面面观［J］．新青年，1919，7（1）．
② 佚名．长沙特约通讯［N］．北京晨报，1919-11-25.
③ 佚名．长沙特约通讯［N］．北京晨报，1919-11-08.
④ 毛泽东给萧旭东蔡林彬并在法诸会友［M］// 中国革命博物馆，湖南省博物馆．新民学会资料．北京：人民出版社，1980：148.
⑤ 毛泽东．发起文化书社［M］// 中共中央文献室，中共湖南省委毛泽东早期文稿编辑组．毛泽东早期文稿．长沙：湖南人民出版社，2008：449-450.

发行 5000 本,《新青年》2000 本,《马克思资本论入门》200 本。在创办文化书社的同时,毛泽东与方维夏等人一起,联络教育界、新闻界社会名流姜济寰、易培基等,先后发起成立俄罗斯研究会和马克思研究会,分别以俄罗斯问题、马克思主义与中国革命问题为研究主题。

国内先进知识分子传播群体中,湖南还有邓中夏等人。邓中夏是中共早期为数不多的理论家之一,得益于李大钊的引导和十月革命的鼓舞,开始研究马列主义。民国九年(1920)3 月,由李大钊秘密组织发起成立马克思学说研究会,邓中夏、何孟雄、黄日葵、高尚德、罗章龙等为主要成员,明确提出以研究马克思主义著述为目的,搜集马克思学说的德、英、法、日各种文字的图书资料加以编译,通过举行讨论会、专题分组研究、举行讲演会和辩论会等方式研究马克思主义。邓中夏还负责少年中国学会《少年世界》杂志,发表了很多介绍苏俄情况和国际工人运动的文章。

蔡和森是留法学生中接受马克思主义的先驱,湖南留法学生中马克思主义传播群体的代表。在北京组织湖南青年赴法留学事宜期间,蔡和森曾拜读过李大钊《法俄革命之比较观》等文章,对马克思主义和俄国十月革命有初步接触了解。民国九年(1920)1 月抵达法国以后,蔡和森"日惟手字典一册,报纸两页,以为常",其目的就是"专把法文弄清,把各国社会党各国工团以及国际共产党,尽先弄个明白"。[①] 经过几个月的勤奋钻研,蔡和森不仅自己看了法国共产党和左翼革命团体印发的马克思、恩格斯、列宁经典著作和《共产国际》《共产党人》《俄事评论》《布尔什维克月刊》《人道报》等革命书刊,还根据法文翻译了不少这方面的著作与文章。据其留法同学李维汉回忆:"约在(1920 年)八月和九月的时间内,我有机会集中阅读了和森以霸蛮精神从法文翻译过

① 蔡和森.给毛泽东信[M]//蔡和森文集:上册.长沙:湖南人民出版社,1978:18-19.

来的《共产党宣言》《社会主义从空想到科学的发展》《国家与革命》《无产阶级革命与叛徒考茨基》《共产主义运动中的“左派”幼稚病》和若干关于宣传十月革命的小册子。”[1] 当时蔡和森还做了一个雄心勃勃的计划，“现搜集各种重要小册子约百种，拟编一种传播运动的丛书”，包括世界革命运动之大势、无产阶级革命运动之四种利器、世界革命之联络与方法和俄罗斯革命后之详情四大类，并称“这四种东西，现已收集许多资料，猛看猛译，迟至年底，或能成就”[2]。在他的宣传和影响下，李维汉、向警予、蔡畅、李富春、张昆弟、罗学瓒、萧子暲等人也加入了搜集钻研马克思主义和十月革命的行列。不仅如此，蔡和森还把自己学习钻研的心得和认识以书信的方式向国内介绍宣传，民国九年（1920）5 月至民国十年（1921）2 月，先后给毛泽东写过四封长信，给陈独秀也写过一封长信，有时他的意见一时不能写完，甚至写得没有纸了。这些信或介绍马克思主义的基本原理、俄国十月革命的情况、法国最近的劳动运动等，更多的是谈如何建党、建立一个什么样的党来改造中国与世界的问题。蔡和森信中关于马列主义特别是关于在中国建立无产阶级政党的理论和原则，不仅得到毛泽东、陈独秀的赞同，而且通过他们传播开来。蔡和森回国后，曾主编中共中央机关报《向导》周报中的 116 期，并在该刊先后发表 156 篇文章。

随着马克思主义在中国的广泛传播，“到十月革命故乡去”成了知识青年的心愿，从国内或从法国去苏俄留学的彭述之、刘少奇、任弼时、萧劲光、高风、萧三、萧石月、蔡畅等成为最早留俄的湖南青年代表。

① 李维汉．风华正茂挥斥方遒——蔡和森同志与新民学会［M］// 中共双峰县委宣传部．怀念蔡和森同志．长沙：湖南人民出版社，1980：10.

② 蔡和森．给毛泽东信［M］// 蔡和森文集：上册．长沙：湖南人民出版社，1978：23.

由上可知，和全国许多先进志士一样，在五四运动后的早期马克思主义传播过程中，以李达、毛泽东、蔡和森为突出代表的湘籍知识分子群体，通过译介撰著、创办报刊、建立社团、参与论战等方式进行了卓有成效的马克思主义传播工作，发挥了十分重要的作用，成为中国早期马克思主义传播的关键力量，做出了独特的贡献。

（二）早期马克思主义传播为近代湖湘文化注入新特质

湘籍知识分子群体对马克思主义的传播主要是介绍马克思主义基本理论，向群众解释清楚马克思主义的基本主张，批判各种非马克思主义错误思潮。

李达在日本留学期间寄回国内的一系列文章，阐明了什么是社会主义，解释了社会主义和共产主义、社会主义和无政府主义之间的区别，初步阐述了科学社会主义的基本思想，简要说明了社会主义本质上是为了改变社会的不平等状况，是消灭私有制剥削制度的根本途径，萌发了建党思想，表达了用社会主义新思想改造旧制度、建设新国家的强烈愿望。所译关于马克思主义的三本日文著作，一是传播了马克思主义的政治经济学；二是告诉人们只有走社会主义道路才能解决资本主义制度下的各种问题，实现社会主义必须依靠阶级斗争，进行阶级斗争必须以唯物史观作思想指导；三是希望劳动者通过唯物史观的学习，实现思想意识上的觉醒，掌握观察世界的方法。回国后，针对有人对马克思主义的怀疑，李达采取列举的方式，简要概述了马克思所述社会革命的原理、手段、方法及其理想中的社会后，指出："马克思社会主义是科学的，其重要原则有五：一、唯物史观；二、资本集中说；

三、资本主义崩坏说；四、剩余价值说；五、阶级斗争说。”[①]在社会主义和资本主义的论战中，李达驳斥了所谓中国“无地主资本家”“无劳动阶级”的观点；指出资本主义“在今日的中国并不是拯救失业贫民的方策”，“世界的趋势是必须要实现社会主义，资本主义是必须要灭亡的”[②]；论述了“劳农主义”暴力革命的必要性，并指出因中国的无产阶级受国内外资本家的双重压迫剥削，革命的客观条件已经具备。在马克思主义与无政府主义的论战中，李达在对国外无政府主义的主要代表人物逐一进行批判后指出，无政府主义的世界观是个人主义，不能简单地否认一切国家、一切强制，“监狱也要的，警察也要的，因为要对付反对共产主义的人。军队也要的，因为要对抗那资本主义的敌国”[③]。在《共产党》月刊每期一篇的《短言》中，李达大力宣传社会主义理论，指出：因为无产阶级和资产阶级的矛盾不可调和，“只有用阶级战争的手段，打倒一切资本阶级，从他们手里抢夺来政权，建设劳动者的国家以至于无国家”；政治革命和代议政治成功的结果仍然是资本家阶级剥削和压迫劳动阶级，所以“若决心用革命的手段打倒资本阶级，非采用权力集中的战术从事阶级争斗不可”；[④]共产党人的奋斗目标即“共产党的根本主义，是主张用革命的手段改造经济制度，换句话说就是用共产主义的生产制度来代替资本主义的生产制度”[⑤]；宣称“我们共产党在中国有两大使命，一是经济的使命，

① 李达．马克思还原［M］// 李达文集：第一卷．北京：人民出版社，1980：31.
② 李达．讨论社会主义并质梁任公［M］// 李达文集：第一卷．北京：人民出版社，1980：67.
③ 李达．无政府主义之解剖［M］// 李达文集：第一卷．北京：人民出版社，1980：90.
④ 李达．共产党第一号短言［M］// 李达文集：第一卷．北京：人民出版社，1980：742.
⑤ 李达．共产党第四号短言［M］// 李达文集：第一卷．北京：人民出版社，1980：745.

一是政治的使命”[①]，亦即改造中国旧的经济制度和政治制度。李达还在《共产党》月刊中发表了《社会革命的商榷》等文，指明中国共产党建党方向，论证了中国共产党建立的阶级基础等。

青年毛泽东在寻找救国救民道路的过程中，也最终选择了马克思主义做理论指导。在思想认识上，毛泽东先是提出了“民众的大联合”主张，认为这是“根本的一个方法”，俄国十月革命以民众的大联合，“收了社会改革的胜利”，“俄罗斯打倒贵族，驱逐富人，劳农两界合立了委办政府”，实现了人民当家做主，是以大联合成功进行社会革命的典范，各国均应步俄国的后尘，中国也应该如俄罗斯一样来一个民众大联合的社会革命，并满怀信心地预言，“中华民族的大联合，将较任何地域任何民族而先告成功”。[②] 民国九年（1920）春夏之交，从上海回到长沙的毛泽东提出了彻底革命的思想，“社会的腐朽，民族的颓败，非有绝大努力，给他个连根拔起，不足以言摧陷廓清”[③]。后来，毛泽东又喊出了“推翻帝国主义，不许他再来作祟”[④] 的口号，并将俄国十月革命的成功经验总结为“有主义（布尔失委克斯姆），有时机（俄国战败），有预备，有真正可靠的党众，一呼而起，下令于流水之原，不崇朝而占全国人数十分之八九的劳农阶级，如响斯应。俄国革命的成功，全在这些处所”[⑤]。针对湖南自治运动中的种种怪现象，鉴于

① 李达．共产党第五号短言［M］// 李达文集：第一卷．北京：人民出版社，1980：746.

② 毛泽东．民众的大联合［M］// 中共中央文献室，中共湖南省委毛泽东早期文稿编辑组．毛泽东早期文稿．长沙：湖南人民出版社，2008：312，313，356，359.

③ 毛泽东．湖南人民的自决［M］// 中共中央文献室，中共湖南省委毛泽东早期文稿编辑组．毛泽东早期文稿．长沙：湖南人民出版社，2008：438.

④ 毛泽东．湖南建设问题的根本问题——湖南共和国［M］// 中共中央文献室，中共湖南省委毛泽东早期文稿编辑组．毛泽东早期文稿．长沙：湖南人民出版社，2008：454.

⑤ 毛泽东．打破没有基础的大中国建设许多的中国从湖南做起［M］// 中共中央文献室，中共湖南省委毛泽东早期文稿编辑组．毛泽东早期文稿．长沙：湖南人民出版社，2008：456.

"政治界暮气已深，腐败已甚，政治改良一涂［途］，可谓绝无希望"的严酷现实，毛泽东彻底抛弃了尚存的改良幻想，"吾人惟有不理一切，另辟道路，另造环境一法"，再次坚定了他要走彻底革命道路的决心。① 对当时所开展的驱张运动、湖南自治运动，毛泽东明确表示那"只是应付目前环境的一种权宜之计，决不是我们的根本主张"，必须"从事于根本改造之计划和组织，确立一个改造的基础，如蔡和森所主张的共产党"，而且要有一种为大家共同信守的主义即共产主义，"不要忘记我们根本的共同的理想和计划"，即蔡和森所讲的组织共产党、实行无产阶级专政。② 通过反复的研究比较后，毛泽东做出了进一步的判断结论，认为绝对自由主义、无政府主义以及德谟克拉西主义，都只是"理论上说得通，事实上做不到"，因为"历史上凡是专制主义者，或帝国主义者，或军国主义者，非等到人家来推倒，决没有自己肯收场的"，所以"俄国式的革命，是无可如何的山穷水尽诸路皆走不通了的一个变计，并不是有更好的方法弃而不采，单要采这个恐怖的方法"。③ 彻底改造中国和世界必须走俄国式的革命道路，"非得政权，不能发动革命，不能保护革命，不能完成革命"④。

在收集和钻研马克思主义和俄国革命资料情况的过程中，留学法国的蔡和森颇有斩获，不无欣喜地写信给毛泽东说，"现门路大开，以世界大势律中国，对于改造计划略具规模"⑤。这一略具

① 毛泽东．致向警予信［M］// 中共中央文献室，中共湖南省委毛泽东早期文稿编辑组．毛泽东早期文稿．长沙：湖南人民出版社，2008：493.

② 毛泽东．"驱张""自治"与我们的根本主张［M］// 中共中央文献室，中共湖南省委毛泽东早期文稿编辑组．毛泽东早期文稿．长沙：湖南人民出版社，2008：514、515.

③ 毛泽东．复蔡和森等人信［M］// 毛泽东书信选集．北京:人民出版社，1983:8-9.

④ 毛泽东．给蔡和森信［M］// 毛泽东书信选集．北京：人民出版社，1983：15.

⑤ 蔡和森．给毛泽东信［M］// 蔡和森文集：上册．长沙：湖南人民出版社，1978：22.

规模的改造计划的大方向就是“无产阶级获得政权来改造社会”[1]，并提出了一系列建党的理论原则。蔡和森在写给毛泽东、陈独秀的长信中，详尽地介绍了列宁的建党学说，及时地回答了建党理论上急需解决的重大原则问题。蔡和森明确主张建立中国共产党，从事社会改造，“我以为先要组织党——共产党，因为他是革命运动的发动者、宣传者、先锋队、作战部。以中国现在的情形看，须先组织他，然后工团、合作社才能发生有力的组织，革命运动、劳动运动才有神经中枢”；指出共产党必须以工人阶级作为自己的阶级基础，“乌合之众不行，离开工业界不行，中产阶级文化运动者不行（除非他变）”；强调要以俄国布尔什维克党为榜样建党，应该“主义明确，方法得当，和俄一致的党”。[2]“我以为非组织与俄一致的（原理方法都一致）共产党，否则民众运动、劳动运动、改造运动皆不会有力，不会彻底”，也就是要有严密的组织、严格的纪律和明确的主义；党的指导思想应是马克思主义的唯物史观，它“由马克思寻找出来，这真是思想史上一桩大喜事”，“马克思的唯物史观，显然为无产阶级的思想”。[3]只有用马克思主义做指导，社会革命才能取得胜利；党的奋斗目标应是实现社会主义、共产主义，“觉社会主义真为改造现世界对症之方，中国也不能外此”，并通过“俄式革命”的方法，也就是“阶级战争——无产阶级专政”去达成，最终目的是创造共产主义社会；同时要注意“万国一致的阶级色彩”。[4]因为“劳动解放绝不是一个地方、一个国家、一个民族的问题，乃是一个世界的社会问题，马克思社会主义乃是国际的社会主义，我们绝不要带地域的民族的色彩。中国的阶

① 蔡和森．给毛泽东信［M］// 蔡和森文集：上册．长沙：湖南人民出版社，1978：35.
② 同① 24、26.
③ 同① 33、27.
④ 同① 22-26.

级战争，就是国际的阶级战争”，也就是必须坚持国际主义原则。①对于蔡和森的建党理论，陈独秀、毛泽东均表示赞同，“不仅对中国共产党湖南早期组织，而且对全国其他地区的党的早期组织的创建，都产生了重要的影响。中国共产党的一大纲领，是按照列宁建党学说制定的，蔡和森的建党思想也在党的第一个革命纲领中得到了反映”②。

五四运动后的中国，救亡仍然是时代主题，社会主流观点依然是通过向西方学习来回应救亡主题。在此过程中，和全国许多先进志士一样，湘籍知识精英的一部分人将目光转向了马克思主义和俄国十月革命，李达、毛泽东、蔡和森成为早期马克思主义在中国传播的杰出代表。他们在这一时期的思想主张，一方面对马克思主义的主要理论如唯物史观、剩余价值说、社会发展学说、阶级斗争学说等做了较为全面的介绍，视马克思主义唯物论为改造中国与世界的哲学依据，特别是接受了其中的阶级斗争学说和为共产主义社会奋斗的理想；另一方面，基于十月革命的巨大成功，他们尤其醉心于以俄为师，主张建立以马克思主义为指导的俄国式的无产阶级共产党，在它的领导下，通过民众的大联合，以暴力革命的方式夺取政权，建立无产阶级专政的政权，完成对中国社会的根本改造，以便最终实现社会主义和共产主义社会的理想与目标。除暴力革命外，所依据的哲学基础、所传输的社会思想，所依靠的革命力量、所采取的策略、所选择的学习对象、所制定的奋斗目标，均是近代湖湘文化不曾有过的内容，近代湖湘文化因此被注入了与以往不同的新特质。当然，所有这一切不仅仅是只有近代湖湘如此，也是“五四”以后中国思想界的主要潮流，

---

① 蔡和森．马克思学说与中国无产阶级［M］// 蔡和森文集：上册．长沙：湖南人民出版社，1978：55.

② 李和平．略论蔡和森对中国共产党创建的杰出贡献[J]. 福建师大福清分校学报，2012（3），56.

成为此后影响近代中国发展进程的持久精神动力和思想武器，直至成为主流意识形态。

三、毛泽东农村包围城市道路理论指导中国革命取得伟大胜利

民国十年（1921）7月，中国共产党成立，标志着中国新民主主义革命有了无产阶级政党的领导。在当时议会制尚不存在的情况下，中国革命只有武装革命一途，但究竟以城市革命带动农村革命还是以农村革命带动城市革命的道路更适合中国，没有现成的答案，谁都不可能有先见之明，只能在曲折和教训中摸索，这一过程贯穿大革命、土地革命、抗日战争和解放战争时期，直至中华人民共和国成立。对中国革命正确道路的探索，开始最早、贡献也最大的是湘籍共产党人毛泽东。

（一）大革命时期毛泽东对中国革命特点和规律的初步认识

中国共产党是按照马克思主义经典理论和列宁主义建党学说建立起来的，最高目标是用阶级斗争的手段，建立共产主义社会，当时的最低目标是消除内乱，打倒军阀，推翻帝国主义的压迫，统一中国为真正的民主共和国。对革命路径的预设，是基于俄国革命胜利的经验，即通过中心城市起义进而夺取全国革命的胜利。故在成立之初，中共将工作的重心放在城市，集中力量领导工人运动，以巩固党的阶级基础，扩大党在人民群众中的影响，从而发展和壮大自己。在斗争实践中，中共逐步认识到建立党领导下的革命武装的重要性，并进行了初步尝试；同时也认识到，无产

阶级要战胜强大的敌人，不能缺少农民这一强有力的同盟者。

毛泽东参加完中共“一大”回到长沙后，也是集中精力从事于工人运动，成立了劳动组合书记部湖南分部并任书记，改组工人团体湖南劳工会，组建各种行业工会，先后领导和发动了安源路矿、粤汉铁路、水口山铅锌矿和长沙泥木工人等一系列大罢工。民国十二年（1923）6月，在中国共产党第三次全国代表大会上，陈独秀在大会报告中称赞说，“只有湖南的同志可以说工作做得很好”[①]。由此可知，毛泽东此时也是持城市中心论观点的。

“二七大罢工”的失败，说明无产阶级孤军奋战难以战胜强大的敌人，必须联合一切可以联合的力量，特别是广大的农民。因此，中共“三大”决定和孙中山为首的国民党建立革命统一战线，确定了有关方针和政策。国共合作实现后，通过对农村的调查和主持广州农讲所的工作，毛泽东对农民问题开始有全新的认识，认为以贫农、中农为主体的“一切半无产阶级、小资产阶级，是我们最接近的朋友”[②]。对农民问题与国民革命的关系，毛泽东认为“农民问题乃国民革命的中心问题，农民不起来参加并拥护国民革命，国民革命不会成功；农民运动不赶速地做起来，农民问题不会解决；农民问题不在现在的革命运动中得到相当的解决，农民不会拥护这个革命”，“要有大批的同志，立刻下了决心，去做那组织农民的浩大的工作”。[③]在对湘潭、衡山、长沙等五个县的农民运动进行考察后，毛泽东认为打倒土豪劣绅和不法地主，“乃是国民革命的真正目标”；提出应推翻地主武装和政权，建立农民武装和政权；强调贫农是“农民协会的中坚，打倒封建势力的先锋”，

① 金冲及．毛泽东传（1893–1949）：上［M］．北京：中央文献出版社，1996：90.

② 毛泽东．中国社会各阶级的分析［M］// 毛泽东选集：第一卷．北京：人民出版社，1991：9.

③ 毛泽东．国民革命与农民运动——农民问题丛刊序［M］// 毛泽东文选：第一卷．北京：人民出版社，1991：111.

"没有贫农便没有革命"。[1]

民国十三年至十六年（1924—1927），在以建立统一的中央政权为主要目标的国民大革命运动中，中国共产党发挥了先锋模范作用，不仅推动了北伐战争的胜利进军，以两湖为中心的全国工农运动亦迅猛发展。第一次国共合作因种种原因破裂后，从大革命失败的教训中，面对严酷的形势，中共切实地认识到武装斗争的重要性，毛泽东亦认为"应该在湖南组织武装，占据五六县，形成政治基础，发展全省的土地革命。纵然失败也不应去广东而应上山"[2]；他还明确地提出了"须知政权是从枪杆子中取得的"[3]主张。

大革命时期，重视农民问题和武装斗争的中共领导人中，并非仅有毛泽东一人，但最先将这些正确认识运用到中国革命道路探索中的是毛泽东，为他较早把工作重点转移到农村，在敌人统治力量薄弱的农村地区开展土地革命和武装斗争打下了思想基础。

（二）毛泽东农村包围城市理论探索的历史起点

大革命失败后，中共在南昌举行起义，打响了独立领导武装斗争的第一枪；随后的中共"八七"会议制定了开展土地革命和武装反抗国民党政权的总方针，中国共产党开始独立领导中国革命。但在全国一片白色恐怖的情况下，如何武装夺取政权，是一个需要在革命实践中探索和解决的重大问题。"这时的党终究还是幼年的党，是在统一战线、武装斗争和党的建设三个基本问题上

---

① 毛泽东．湖南农民运动考察报告［M］// 毛泽东选集：第一卷．北京：人民出版社，1991：21.

② 逄先知．毛泽东年谱（1893—1949）：上卷［M］．北京：人民出版社，中央文献出版社，1993：209.

③ 毛泽东．在中央紧急会议上的发言［M］// 毛泽东文集：第一卷．北京：人民出版社，1993：47.

都没有经验的党，是对于中国的历史状况和社会状况、中国革命的特点、中国革命的规律都懂得不多的党”[①]，在革命道路问题上，中国共产党内出现了两种不同的主张和做法。一种是仍然教条主义地照搬俄国十月革命的模式，把武装斗争的重点确定在城市，坚持“夺取首都，一击而中”的城市中心论，大革命失败后各地发动的武装暴动都是在大城市或者都以攻打大城市为目标，就是这种主张最突出的体现。一种是采取实事求是的态度，把马克思主义基本原理同中国革命具体实践结合起来，重新确定革命的着力点和战略重心，探索一条与国情相适应的中国革命道路，毛泽东是这一主张的代表。

根据“八七”会议的相关决定，毛泽东发动湘赣边界秋收起义时，其攻打的目标亦是湖南省会长沙。在湘赣边界各路起义部队的军事行动均遭受严重挫折后，毛泽东果断地将此前的“上山”主张落实为具体行动，在浏阳文家市做出了放弃原定攻取长沙的计划，带领余下的起义部队往江西萍乡方向退却的决策；当得知萍乡有敌人重兵把守后，被迫转兵南下，准备割据汝城，但不断受到敌人袭击和围攻的起义部队已有“溃不成军”之势；当此之时，毛泽东获知“宁冈有我们党的组织，有党领导的几十支枪”[②]这一情况后，随即决定转兵井冈山一带。在向井冈山进军的途中，毛泽东在江西永新三湾对部队进行了整顿和改编，创造性地提出将党的支部建在连队的原则，初步解决了如何建设新型人民军队的问题，奠定了党对军队进行领导的重要组织基础，开始了党指挥枪的历史性探索。随后，毛泽东等又在宁冈古城召开前委会议，做出了在湘赣边界开展工农武装割据的决策。会后，起义部队在

① 毛泽东．共产党人发刊词［M］// 中共中央文献研究室．毛泽东新闻作品集．北京：新华出版社，2014：250.

② 梅宏．莲花县是创建井冈山革命根据地的策源地［J］．中国井冈山干部学院学报，2010（6），24.

毛泽东的率领下进驻宁冈茅坪，最后上了井冈山，与袁文才、王佐部联合，创建了井冈山革命根据地。从放弃攻打长沙向萍乡退却，然后被迫南下，最后落脚井冈山，这一连串因势利导、审时度势的决策调整，解决了起义部队面临的生死存亡问题，实现了中国革命从城市退却与向农村进军的高度统一，标志着中国革命的战略重心开始由中心城市向敌人统治力量薄弱的广大农村地区转移，成为毛泽东探索中国革命道路的历史起点。湘赣边界起义部队成为最先完成中共历史上第一次战略转变的部队，毛泽东成为最早最快地做出战略转变的中共领导人。

（三）工农武装割据思想促进了全国各地工农武装割据局面的形成

毛泽东于民国十六年（1927）10月将部队带到井冈山后，除在那里建立党组织和强调党对军队领导、开展游击战争之外，还发动群众开展土地革命，主要是通过打土豪、分田地，重新调整农村土地关系，切实满足农民对土地的要求，在解决军事压力所需的经济支持的同时，解放了传统生产力，实现了对农村人力、物力的有效动员。至次年2月，中国第一块农村革命根据地——井冈山根据地粗具规模，在湘赣边界形成了工农武装割据的局面。

但是，毛泽东和其他中共领导人创建农村革命根据地的工作，一开始并不是中共中央主动将工作重心放到农村的结果。毛泽东和他的战友们也是在斗争实践中经过不断探索后，才逐渐认识并总结出了农村包围城市、最后夺取全国革命胜利道路的理论。

民国十七年（1928）7月，中共“六大”召开。大会认为现阶段的中国革命仍是资产阶级民主革命，却认为必须反对民族资产阶级才能胜利；会议强调了根据地建设和开展农民运动的重要性，但并没有对农村革命根据地问题进行理论阐述；虽然对乡村革命做了很多正确探索，但没有提出“乡村中心”，还是坚持城市中心论，“没有指出中国革命的极大的长期性和农村根据地在中国革命中的极大的重要性”[①]。“六大”的决议虽存在不足,但关于乡村革命的正确决策有力地促进了红军和土地革命的开展。毛泽东一方面仍继续坚持在农村地区进行艰苦的革命斗争，另一方面针对红军在湘赣边界的胜利被认为“是一种单纯的军事上的胜利”[②]的非议，毛泽东总结井冈山革命斗争和其他红色政权建设的经验教训,于10月和11月分别写下《中国的红色政权为什么能够存在》《井冈山的斗争》两篇重要文章，对根据地的斗争实践进行了理论概括与创新，集中阐述了“工农武装割据”的必备条件，科学回答了中国红色政权为什么能够存在的原因。

在《中国的红色政权为什么能够存在》一文中，毛泽东首先指出，“中国迫切需要一个资产阶级的民主革命，这个革命必须由无产阶级领导才能完成”；而中国的民主革命的内容，“依国际及中央的指示，包括推翻帝国主义及其工具军阀在中国的统治，完成民族革命，并实行土地革命，消灭豪绅阶级对农民的封建的剥削”。接着，毛泽东重点分析了中国红色政权发生和存在的原因，包括第一，中国是帝国主义间接统治的经济落后的半殖民地的国家，白色政权间长期的分裂和战争，使一小块或若干小块的共产党领导的红色区域，能够在白色政权包围的中间发生和坚持下来；第二，经过民主的政治训练和接受过工农群众影响的那些省份是中国红色政权首先发生和能够长期地存在的地方；第三，全国革命形势是向前发展的，小块红色区域的长期存在，不但没有疑义，而且将继续发展；第四，相当力量的正式红军的存在，是红色政

① 毛泽东．学习和时局［M］// 毛泽东选集：第三卷．北京：人民出版社，1991：939.

② 中央致江西省委信——根据地与红军问题［M］// 中国人民解放军政治学院党史教研室．中共党史教学参考资料：第14册．南京：国防大学，1986：89.

权存在的必要条件；第五，共产党组织的有力量和它的政策的不错误。[①] 五大原因中第一个原因最为关键，特别强调了中国革命的特殊性。毛泽东连用三个定语说明当时中国的特殊国情，在这种国情下的中国，伴随而来的是长期的白色战争，因此一小块或若干小块的红色政权也可发生并长期存在，从而解决了中国革命中最根本的问题。这一独特的认识是经典理论中所没有的，是湖湘文化实事求是精神的体现。

《井冈山的斗争》可视为《中国的红色政权为什么能够存在》的细化版，进一步阐明在统治阶级内部发生破裂时期，“我们的战略可以比较地冒进”，而在统治阶级政权比较稳定的时期，“我们的战略必须是逐渐地推进的”[②]；同时，就湘赣边界的割据和八月失败、割据地区形势、军事问题、土地问题、政权问题、党的组织问题、革命性质问题、割据地区问题等八个方面做了详细的论述。

总而言之，是毛泽东第一次把武装斗争、政权建设和开展土地革命三者密切结合起来，提出了“工农武装割据”思想，即在中国共产党的领导下，以武装斗争为主要形式，以土地革命为中心内容，以革命根据地为战略阵地，三者密切结合的红色政权建设的思想，“是共产党和割据地方的工农群众必须充分具备的一个重要思想”[③]。

以上两文“第一次深刻地分析论证了根据地和红军存在发展的依据，从而为农村包围城市道路理论的形成奠定了基础”[④]，但共产国际、中共中央不认可，担忧过分注重农村斗争将不利于中国革命。中共中央强调必须通过城市斗争以促进革命高潮的到来，

① 毛泽东．中国的红色政权为什么能够存在［M］// 毛泽东选集：第一卷．北京：人民出版社，1991：48-50.

② 毛泽东．井冈山的斗争［M］// 毛泽东选集：第一卷．北京：人民出版社，1991：57-58.

③ 同① 50.

④ 宗成康．开拓创新的光辉典范——论毛泽东对中国革命道路的探索［J］．南京政治学院学报，2003（6），19.

农村的革命斗争“必须与目前党的中心任务、中心工作相适应”①。为此，毛泽东于民国十八年（1929）4月5日以前委的名义致信中共中央，认为城市工作是“目前党在组织方面的最大任务”，“沉溺于农村游击主义是最大的错误”，但农村斗争的发展“亦是帮助城市斗争”，“畏惧农民势力发展”也是错误的；同时指出“半殖民地中国的革命，只有农民斗争得不到工人的领导而失败，没有农民斗争的发展超过工人的势力而不利于革命本身的”，“农村斗争的发展，小区域红色政权的建立，红军的创造与扩大，尤其是帮助城市斗争、促进革命潮流高涨的主要条件”。②这封信回答了农村革命根据地在中国革命中所处的地位，阐述了农村斗争与城市斗争的辩证关系，以及农村斗争的重要作用。9月28日，主持军事工作的周恩来代表中共中央复信毛泽东，肯定了“工农武装割据”的思想，还精辟地指出“先有农村红军，后有城市政权，这是中国革命的特征，这是中国经济基础的产物”③。这是中共中央首次对中国革命道路所进行的新的概括和表述，从此，探索农村包围城市道路的方便之门得以开启，并呈现出广阔的光明前景。

虽然从理论上解决了根据地和红军存在发展的依据以及对过分注重农村斗争的担忧问题，但毛泽东“还没有形成全党应把工作中心放在农村的思想，也还是认为要以城市工作为中心，并且是抱着影响和配合城市工作的目的而主张在湘赣边创造革命根据地的”④，将城市斗争的地位看得远比农村斗争的地位更高更重要。

不仅如此，当时党对军队的领导原则也遭到质疑，红军的主

① 中共中央给毛泽东、朱德等的信——关于目前国际国内形势和党的军事策略［M］// 中央档案馆 . 中共中央文件选编：第4册 . 北京：中共中央党校出版社，1989：761.

② 毛泽东选集：第三卷［M］. 北京：人民出版社，1991：102−103.

③ 金冲及 . 毛泽东传（1893−1949）：上［M］. 北京：中央文献出版社，1996：206.

④ 中共中央党史研究室 . 中国共产党历史：第1卷［M］. 北京：中共党史出版社，2011：295.

要任务受到极大冲击，根据地的领导人中也有人对红军和根据地前途表示怀疑。为此，毛泽东于民国十九年（1930）1月写下《星星之火，可以燎原》一文，认为对中国革命悲观的和冒进的思想都是错误的。一方面，毛泽东认为看不到革命力量发展的悲观思想，"主要是没有把中国是一个许多帝国主义国家互相争夺的半殖民地这件事认清楚"，所以"全国范围的、包括一切地方的、先争取群众后建立政权的理论，是于中国革命的实情不适合的"；另一方面，毛泽东又指出，"犯着革命急性病的同志们不切当地看大了革命的主观力量，而看小了反革命力量"，"现时中国革命的主观力量虽然弱，但是因为反革命力量也是相对地弱的"，"现在虽只有一点小小的力量，但是它的发展会是很快的"，"全国都布满了干柴，很快就会燃成烈火"，"星星之火，可以燎原"正是时局发展的适当写照。在中国革命的发展与农村革命根据地之间的关系问题上，文章认为"红军、游击队和红色区域的建立和发展，是半殖民地中国在无产阶级领导之下的农民斗争的最高形式，和半殖民地农民斗争发展的必然结果；并且无疑义地是促进全国革命高潮的最重要因素"，明确指出要创造红色区域，实行武装割据，认为这是促进全国革命高潮的重要因素，没有红色政权的深入与扩大，不可能促进全国革命高潮的到来。他进而指出"朱德毛泽东式、方志敏式之有根据地的，有计划地建设政权的，深入土地革命的，扩大人民武装的路线是经由乡赤卫队、区赤卫大队、县赤卫总队、地方红军直至正规红军这样一套办法的，政权发展是波浪式地向前扩大的，等等的政策，无疑义地是正确的"。① 从文章中的用词"最高形式""最重要因素"来看，毛泽东实际上已经开始主张将全党的工作重心放在农村，中国革命道路的关键问题初步得以解决；同时充分估计了建立和发展红色政权在中国革命中的意义和作用，

① 毛泽东．星星之火，可以燎原［M］// 毛泽东选集：第一卷（1921–1949）上册．北京：人民出版社，1991：98.

发展了工农武装割据思想，初步提出了以乡村为中心、先在农村建立和发展红色政权，待条件成熟时再夺取全国政权的农村包围城市思想。

综上所述，“毛泽东同志在这个时期内，不但在实践上发展了第六次大会路线的正确方面，并正确地解决了许多为这次大会所不曾解决或不曾正确地解决的问题，而且在理论上更具体地和更完满地给了中国革命的方向以马克思列宁主义的科学根据”[①]。但也存在不足，对中国革命道路未做出明确表述，未指出农村革命根据地如何促进全国革命高潮的到来，尤其是对农村根据地斗争的长期性和艰巨性的认识存在严重不足。而此时的党中央在李立三冒险路线的统治下，继续强调把全党的工作重心放在城市，强调城市领导的重要性，甚至在决议中武断地认为“不特别注意城市工作，想‘以乡村包围城市’、‘单凭红军来夺取城市’，是一种极错误的观念”[②]。红四军前委受此影响,亦曾“采取了冒险路线，去向大城市冒进”，攻打长沙失败后，才“转变到正确的路线上去”。[③]其后，虽彻底放弃了攻打中心城市的做法，但未放弃“争取江西一省首先胜利”的口号；国民党军队对根据地的围剿，被认为是革命高潮的表现，“对于蒋系军阀的大举进攻，必定要来一个全国规模的革命暴动去答复他”，“这一阶级决战的胜利，不但是争取一省，就要争取全国革命的胜利”。[④]

尽管存在着以上不足以及“左”倾冒险路线的干扰，但工农武装割据思想对促进全国各地工农武装割据局面的形成起了重要作

① 中国共产党中央委员会关于若干历史问题的决议［M］. 北京：人民出版社，1980：9.

② 新的革命高潮与一省或几省的首先胜利［M］// 中共中央文件选集：第 6 册 . 北京：中共中央党校出版社，1989：90.

③ 中国人民解放军政治学院党史教研室 . 中共党史参考资料：第 6 册［M］. 南京：国防大学，1986：386、387.

④ 中共中央文献研究室，中央档案馆 . 建党以来重要文献选编（1921–1949）：第 7 册［M］. 北京：中央文献出版社，2011：616.

用。到 1930 年上半年，全国共建立大小 15 块革命根据地，红军发展到约 10 万人，还有众多的农民赤卫队，空前壮大了革命力量。

（四）农村革命根据地实践的顿挫与农村包围城市道路理论的新发展

民国二十二年（1933）1 月前后，由于在上海难以立足，中共临时中央政治局被迫迁入中央苏区。由于王明等“左”倾冒险主义的错误领导，红军苦战一年也未能打破国民党军队的第五次“围剿”，次年 10 月，红一方面军主力部队被迫开始战略转移，进行长征，在南方创建农村革命根据地的实践被迫中断。

遵义会议重新确立了毛泽东的领导地位后，新的革命重心的确定成为能否继续坚持农村包围城市道路的关键。此时，毛泽东抓住日本军队正从北方入侵中国的契机，适时地提出北上抗日、向北方发展，在那里寻找一个能够在发展中求巩固的地方的战略。这一战略抉择既便于对日本直接作战而又靠近可能获得一定支援的苏联，且高举抗日救亡的旗帜又能够最大限度地号召组织群众、发展壮大革命力量，具有毫无疑义的政治上的正确性。

在新的党中央的正确领导下，红军胜利达到陕北，完成了战略转移的任务，毛泽东对中国革命道路也进行了进一步的思考。民国二十四年（1935）12 月，毛泽东在陕北瓦窑堡党的活动分子会议上所做报告中指出，“由于中国政治经济发展的不平衡，产生了革命发展的不平衡”，决定了中国革命“还要经过很长的时间”，“像过去那样地过分的性急是不行的”，“中国革命战争还是持久战”。[①] 次年 12 月，毛泽东总结大革命失败与土地革命的经验和教训，写下了《中国革命战争的战略问题》一文。他在文中指出，“经

① 毛泽东．论反对日本帝国主义的策略［M］// 毛泽东选集：第一卷．北京：人民出版社，1991：152–153.

过了一次大革命的政治经济不平衡的半殖民地的大国，强大的敌人，弱小的红军，土地革命——这是中国革命战争四个主要的特点”，第二个和第三个特点，“规定了中国红军的不可能很快发展和不可能很快战胜其敌人，即是规定了战争的持久，而且如果弄得不好的话，还可能失败”，“围剿”与反“围剿”是中国内战“长期反复的规律”。[①]“这些论述回答了长期困扰党内的一个问题，即农村根据地斗争需要持续多久的问题，从而使中国革命道路理论日趋成熟。”[②]但尚未有对农村包围城市，最后占领城市，进而夺取全国政权理论，做出明确的总结和表述。

（五）农村包围城市道路在抗战时期的再实践及其完整理论形态的形成

抗日战争爆发后，中共中央和毛泽东根据民族矛盾已经压倒阶级矛盾的新形势，积极进行农村包围城市道路实践的新探索，继续坚持建立农村根据地的思想，在敌人后方的广大农村地区大力开辟敌后抗日根据地，开展抗日游击战争，将之前的没收地主土地政策调整为地主减租减息、农民交租交息的土地政策，并在根据地建立根据“三三”制原则组成的抗日民主政权，农村包围城市道路的理论在民族革命斗争实践中得到新的丰富和发展。与此同时，在民族解放战争历史条件下，围绕抗日问题，毛泽东继续展开对农村包围城市道路理论的探索与总结，不断丰富和深化其内涵。

民国二十六年（1937）8月，洛川会议通过《关于目前形势和党的任务的决定》，指出红军的作战方针是开展独立自主的山地

① 毛泽东．中国革命战争的战略问题［M］// 毛泽东选集：第一卷．北京：人民出版社，1991：191-192.

② 宗成康．开拓创新的光辉典范——论毛泽东对中国革命道路的探索［J］．南京政治学院学报，2003（6），18-21.

游击战，并且要向平原开展游击战争，在平原地区建立抗日根据地。

民国二十七年（1938）3月，毛泽东指出，即使日本帝国主义占领了很多大城市后，也应通过坚持走农村包围城市的道路去打败日本帝国主义，因为日寇“得到了一个城市的速决战，同时也就要你们得到一个乡村的持久战，例如你们已经把山西的几条大路与若干城市占领了，但数倍于你们占领地的乡村将始终是中华民国的”，“日本仍然只能占领其中的大城市、大道与某些平地，只要我们能够在每个省中组织大多数乡村中的人民一致武装起来打日本，建立许多的抗日根据地，如像现在已经建立起来了的五台山根据地一样，我们就包围了日本军”。[①]5月，针对党内一些人轻视游击战争和抗日根据地的思想，毛泽东在《抗日游击战争的战略问题》中对抗日根据地必要性和重要性进行了论述，他指出由于战争的长期性和残酷性，“处于敌后的游击战争，没有根据地是不能支持的”；而抗日根据地“是游击战争赖以执行自己的战略任务，达到保存和发展自己、消灭和驱逐敌人之目的的战略基地”，“没有根据地，游击战争是不能够长期地生存和发展的，这种根据地也就是游击战争的后方”；在总结历史上的农民战争失败教训的基础上，强调“确定建立根据地的方针的前提”是“从游击战争的领导者们的头脑中驱除流寇主义”。[②]10月，毛泽东又发表了《论新阶段》一文，指出在半殖民地的中国，由于城市不能完全统治住乡村，地域的广阔性保证了足够的周旋空间，再加有共产党领导的人民军队和人民群众，如果能利用好此条件，并有长期作战的思想，农村是可以战胜城市的。11月，毛泽东在中共六届六中全会上做了《战争和战略问题》讲话，他指出，“革命的中心任务

① 毛泽东. 在纪念孙中山逝世十三周年及追悼抗敌阵亡将士大会上的讲话［M］// 毛泽东文集：第二卷. 北京：人民出版社，1993：114.

② 毛泽东. 抗日游击战争的战略问题［M］// 毛泽东选集：第二卷. 北京：人民出版社，1991：418.

和最高形式是武装夺取政权，是战争解决问题。这个马克思列宁主义的革命原则是普遍地对的，不论在中国在外国，一概都是对的"。但是，中国"不是一个独立的民主国家，而是一个半殖民地的半封建的国家，在内部没有民主制度，而受封建制度压迫；在外部没有民族独立，而受帝国主义压迫。因此，无议会可以利用，无组织工人举行罢工的合法权利。在这里，共产党的任务，基本地不是经过长期合法斗争以进入起义和战争，也不是先占城市后取乡村，而是走相反的道路"。[①] 此次讲话，毛泽东说明了中国革命为什么不能走城市起义道路的原因，并认为中国革命应走与俄国十月革命"先占城市后取乡村"相反的道路，也即农村包围城市的道路，首次对中国革命道路做了明确的表述，将经过长期武装斗争，先占乡村后取城市、最后夺取全国政权的革命道路确立下来。

民国二十八年（1939）12 月，在《中国革命和中国共产党》一文中，毛泽东对中国革命道路问题做了一个基本的总结。他指出，中国是"现代的殖民地、半殖民地和半封建社会"，因此革命的任务是"民族革命和民主革命"二者的叠加，革命的性质"是新式的特殊的资产阶级民主主义的革命"，即"新民主主义的革命"；强大的帝国主义和封建势力及在一定时期内与其相勾结的资产阶级反动派是中国革命的敌人，他们异常强大而凶残，由此决定了"中国革命的长期性和残酷性"，革命力量需要长时间的聚积和锻炼，才能"成为一个足以最后地战胜敌人的力量"；革命的主要形式必须是武装斗争，"必须把落后的农村造成先进的巩固的根据地，造成军事上、政治上、经济上、文化上的伟大的革命阵地，借以反对利用城市进攻农村区域的凶恶敌人，借以在长期战斗中逐步地

① 毛泽东．战争和战略问题［M］// 毛泽东选集：第二卷．北京：人民出版社，1991：541-542.

争取革命的全部胜利”。[1] 这在实际上是对农村包围城市进而夺取全国政权理论的简要概括和明确表述。

从民国二十五年（1936）12 月到民国二十八年（1939）12 月，在三年的时间内，毛泽东通过演讲和所写文章，对农村包围城市道路理论进行了系统的论述，形成了完整的理论形态并成为全党的共识，成为毛泽东关于中国革命道路理论最终形成的标志。在这一理论的指引下，到 1945 年，全国共建立了 19 块抗日根据地，人口 9000 多万,八路军、新四军等人民军队发展到 90 多万，民兵 200 多万，形成了农村对城市的包围，为最后夺取城市，实现抗日战争的胜利奠定了基础。

（六）农村包围城市战略在解放战争时期的继续奉行与夺取全国政权的胜利

抗日战争胜利后，中国人民解放军在全国逐步实现了分块分片完成农村包围城市并夺取城市的任务。到民国三十六年（1947）7 月，人民解放军由战略防御转入战略反攻后，基本战略仍然是农村包围城市，毛泽东和中共中央并据此做出了一系列部署。12 月，毛泽东在报告中指出，一方面要“坚决地站在农民方面实行土地改革”，将土地政策“由减租减息改为没收地主阶级的土地分配给农民”，“在消灭封建性和半封建性剥削的土地制度、实行耕者有其田的土地制度的原则下，按人口平均分配土地”，以此赢得广大农民的衷心拥护；另一方面，对于夺取城市的原则、步骤和目标，确定“先取小城市、中等城市和广大乡村，后取大城市”；“以歼灭敌人有生力量为主要目标，不以保守或夺取城市和地方为主要目标”；“一切敌人守备薄弱的据点和城市，坚决夺取之。一

① 毛泽东．中国革命和中国共产党［M］// 毛泽东选集：第二卷．北京：人民出版社，1991：626-647.

切敌人有中等程度的守备，而环境又许可加以夺取的据点和城市，相机夺取之。一切敌人守备强固的据点和城市，则等候条件成熟时然后夺取之”。[①] 具体实施过程则是先在基础好、力量雄厚、准备充分的西北东部、华北、东北地区以及山东和中原地区实现包围并夺取城市，再挺进南方和西北、西部实现包围并夺取城市。到民国三十八年（1949）3 月，人民解放军已夺取全国的大多数城市，基本完成了农村包围城市的任务。在此形势下，中共召开了七届二中全会，宣布“从一九二七年到现在，我们的工作重点是在乡村，在乡村聚集力量，用乡村包围城市，然后取得城市。采取这样一种工作方式的时期现在已经完结。从现在起，开始了由城市到乡村并由城市领导乡村的时期”[②]，党的工作重心开始由乡村转移到城市，农村包围城市道路的胜利指日可待。

毛泽东等所开辟的中国革命道路由农村包围城市与夺取全国政权两个方面的思想组成，前者是指革命必须经历的过程和方式，后者是革命要实现的主要目标，二者是紧密相连的一个整体，因此，如何建立新政权同样是农村包围城市道路理论的应有之义。当战场上的胜利已经取得决定性优势的时候，中共建立新政权所采取的方式是民主的而不是独霸的，即同各民主党派和无党派民主人士一起，共同建立新中国。早在抗战时期，在回答黄炎培关于如何跳出中国历史上的王朝盛衰周期率时，毛泽东说：“我们已经找到新路，我们能跳出这周期律。这条新路，就是民主。只有让人民来监督政府，政府才不敢松懈。只有人人起来负责，才不会人亡政息。”[③] 在中共“七大”会议上，毛泽东和中共中央根据当时的形势，提出“建设一个光明的新中国，建设一个独立的、自由的、

① 毛泽东．目前形势和我们的任务[M]// 毛泽东选集：第三卷．北京：人民出版社，1991：1250，1247-1248.

② 毛泽东．在中国共产党第七届中央委员会第二次全体会议上的报告［M］// 毛泽东选集：第四卷．北京：人民出版社，1991：1426-1427.

③ 黄炎培．八十年来（附：延安归来）［M］．北京：文史资料出版社，1982：150.

民主的、统一的、富强的新中国”[1]的建国纲领，并设想“把各党各派和无党无派的代表人物团结在一起，成立民主的临时的联合政府，以便实行民主的改革”，打败日本侵略者，然后“在广泛的民主基础之上，召开国民代表大会，成立包括更广大范围的各党各派和无党无派代表人物在内的同样是联合性质的民主的正式的政府，领导解放后的全国人民，将中国建设成为一个独立、自由、民主、统一和富强的新国家”，“废止国民党一党专政，建立民主的联合政府”，也就是建立包括国民党在内的联合政府政权。[2]当建立包括国民党在内的民主联合政府设想无法实现时，才决定排除蒋介石及其国民党，“联合工农兵学商各被压迫阶级、各人民团体、各民主党派、各少数民族、各地华侨和其他爱国分子，组成民族统一战线，打倒蒋介石独裁政府，成立民主联合政府”[3]，由“各民主党派、各人民团体、各社会贤达迅速召开政治协商会议，讨论并实现人民代表大会，成立民主联合政府”[4]问题。后来中华人民共和国中央人民政府的成立，就是通过召开中国人民政治协商会议，采取协商民主的方式实现的。由此可知，通过民族统一战线，通过与统一战线内部各民主党派、各人民团体和无党派民主人士共同进行民主协商的形式来成立民主联合政府，是毛泽东民主建政思想的重要内容，同时也是中国革命道路一个重要方面。

中国民主革命胜利道路的理论，通常做如下经典概括：首先在敌人统治力量比较薄弱的农村，发动农民武装暴动，建立人民军队，建立革命根据地，把武装斗争、土地革命、建立政权结合

① 毛泽东．两个中国之命运［M］// 毛泽东选集：第三卷．北京：人民出版社，1991：1026.

② 毛泽东．论联合政府［M］// 毛泽东选集：第三卷．北京：人民出版社，1991：1029—1030，1063.

③ 毛泽东．中国人民解放军宣言［M］// 毛泽东选集：第四卷．北京：人民出版社，1991：1237.

④ 政协全国委员会办公厅，中共中央文献研究室．人民政协重要文献选编：上［M］．北京：中央文献出版社，中国文史出版社，2009：1.

起来，使之建成长期支持革命战争的战略基地。依托根据地积累发展革命力量，随着革命战争、人民武装和根据地的发展，逐步造成农村包围城市的战略态势，最后夺取全国胜利。也可简述为农村包围城市，武装夺取全国政权。夺取政权的目的是为了推动中国的工业化、现代化，“没有一个独立、自由、民主和统一的中国，不可能发展工业”，“由农业基础到工业基础，正是我们革命的任务”。[①] 这是一条传统手段与现代化革命目的相结合的革命道路。这一民主革命道路理论的创立，是以毛泽东为代表的中国共产党人将马克思列宁主义与中国革命具体实践相结合的典范，是近代中国民主革命理论发展的新阶段；同时也是中国传统文化（自然也包括湖湘文化在内）的优秀思想精华与近代中国革命实际相结合的产物；当然更是近代湖湘文化发展的新成就，是对敢为天下先、实事求是、开放包容的湖湘精神的发扬和光大。它既来源于对革命实践的不断探索、思考、总结提炼，又反过来对土地革命战争时期全国各地工农武装割据局面的形成、对抗日战争时期敌后抗日根据地的建立和扩大、对解放战争的胜利和人民共和国政权的建立，起到了科学的指导作用，并最终赢得了中国革命的胜利。这一胜利极大地改变了近代中国历史的发展进程，跨越尚不成熟的资本主义发展阶段而进入到了社会主义社会时期，在独立自主的基础上，由落后的农业国朝向更为先进的工业国前进。

① 毛泽东.致秦邦宪［M］// 毛泽东书信选集.北京：人民出版社，1983：238-239.

结　语

近代湖湘文化与近代中国历史进程的交互影响

任何一种文化，包括物质的和非物质的文化，必然根植于其所赖以生长和发展的社会历史土壤。作为中国地域文化之一的近代湖湘文化，既根植于近代湖湘区域的社会历史土壤，更离不开近代中国大环境下的社会历史土壤；反过来，作为社会意识形态的近代湖湘文化也必然会对其孕育、成长的社会历史土壤产生积极的促进、推动作用，或消极的迟滞、阻碍作用，本书所研究的主要问题即是近代湖湘文化与近代中国历史进程的互动关系，从而揭示湖湘文化是如何在西方文明冲击之下实现华丽蜕变的，以及对中国社会的转型和变迁所起的重要作用。两者的互动关系实可分为两个方面来看，一是近代中国历史进程对近代湖湘文化的影响，二是近代湖湘文化对近代中国历史进程的影响。兹据我们的粗浅研究所得不成熟的认识和看法，阐述如下。

一、近代中国历史进程对近代湖湘文化的影响

近代中国历史进程即近代中国社会的发展轨迹，张海鹏先生称其“像一个元宝形，开始是下降，降到谷底，然后上升，升出一片光明”，既有沉沦，也有上升，“走出了一条 U 字形路线，经过了 110 年的艰苦奋斗，终于凤凰涅槃，浴火重生，结束了半殖民地半封建的中国，诞生了人民的新中国”。[①] 也就是说，先是整体上向下沉沦，经过一段时间的筑底运行后，整体上的反弹上升成为主要发展趋势。所谓向下沉沦，笔者理解，主要是指清王朝统治下的中国日益丧失独立自主的地位，综合国力不断下降，但这并不意味着思想界也跟着一起沉沦，相反，正是中国社会的这种下沉，才促使有志之士的不断思考与探索，从而开出了各种救

① 张海鹏．中国近代通史：第一卷：近代中国历史概说［M］．南京：江苏人民出版社，2006：72.

世之方。这一发展态势，对近代湖湘文化的发展、演变与转型产生了十分重要的影响。在正文各个章节中，我们主要揭示了中国近代重大历史事件与湖湘文化的关系，此处将主要揭示中国社会内部变动和外部因素与近代湖湘文化的关系。

（一）近代前夜中国社会内部变动对湖湘文化演变的影响

中国社会在清王朝统治时期整体上向下沉沦，可以追溯到清朝嘉道之世。在进入近代以前的清朝嘉庆、道光年间，中国社会内部已经出现了吏治全面腐败、军备严重废弛、财政经济状况不断恶化的衰败景象，以及人地矛盾所带来的流民人数的有增无减，各种社会问题日益严重，从而引起了严重的社会动荡，农民的反抗和市民的暴动不断，清王朝如同一所年深月久的老宅，步入了风雨飘摇的岁月。而在学术思想领域，“以训诂考订而臻于极致的汉学（考据学），在达到自己空前的高峰之时，也将其繁复、琐碎、支离的弊病暴露无遗”[①]，到清嘉道年间，不仅受到复兴的今文经学、义理之学的挑战，更受到了西学的强烈冲击。因乾嘉学派“毕世治经，无一言几于道，无一念及于用”[②]，“反之身已心行，推之民人家国，了无益处”[③]，越来越多的学者主张“通于天道人事，志于经世匡时”，提倡关心时事和勇于探索现实的精神；清朝最高统治者如嘉庆皇帝、道光皇帝亦意识到通达事理、要为其有用的重要性而曾倡导经世致用。于是，有别于理学空疏与考据学迂腐的嘉道经世实学思潮应时而生。

嘉道年间的经世实学思潮中，活跃着以严如熤、陶澍、贺长龄、

① 冯天瑜 . 中华文化史［M］. 上海：上海人民出版社，1990：624.

② 方东树 . 汉学商兑重序［M］// 程根荣 . 桐城派名家文选 . 合肥：安徽人民出版社，2008：143.

③ 方东树 . 汉学商兑［M］. 南京：凤凰出版社，2016：276.

贺熙龄、李星沅、黄冕、魏源、汤鹏、邓显鹤等为代表的湘籍经世人物。他们或为封疆大吏，如陶澍、贺长龄等，利用任职所提供的机会和平台，将经世思想付诸实践，造福国家和社会，并上达大清朝廷，影响当局的决策；或为充当幕僚的著名学者，如汤鹏、魏源等，擅长著述，深入剖析时局，敢于言人所未言、人所不愿言、人所不敢言，留下了丰富的思想遗产。他们的共同特点是“好言经世，以图富强，厌弃考证，以为无用”[①]，着重国内弊政的改革，针对吏治、边政、漕运、河工、盐业、农业、税收等领域的问题，提出了许多切实可行的方案和措施，并积极地去推行和实践。

清乾嘉时代，由于湘黔川边地区大量田土被侵吞掠夺，众多失地苗民生活无着，而统治者又任意欺压凌辱、敲诈勒索，引发湘黔等地苗民大规模的反抗斗争。其时尚未步入仕途而具济世之才的严如熤被湖南巡抚辟为幕佐，积极赞画平苗大计，“草《平苗议》十二则，言剿抚防御之策甚备”[②]；平定苗事后，又上《平苗善后事宜议》，并纂成《苗防备览》一书，叙湘西苗疆历史地理、民风民俗和治策方略甚备，又代草《平定教匪总论》《平定教匪条议》；在《平定三省乱民善后事宜疏》《再陈平定三省乱民善后事宜疏》等疏中，提出仿古屯田之法，化盗为民，“举流民降贼之无归、乡勇戍卒之无业者，悉编入屯，团练捍卫”[③]，“异时可收富强之效。社稷苍生，永利赖之。制治保邦，久安长治之宏规，必居一于此矣”[④]。入仕之后，严如熤在陕西任职长达20余年，致力于维护地方安定和经济发展，“举工赈，修渠堰，完仓廪，以足民食。联营伍，

① 齐思和．魏源与晚清学风［J］．燕京学报，1950（39）．

② 严如熤．严如熤集［M］．长沙：岳麓书社，2013：4．

③ 陶澍．陕西按察使司按察使晋赠通奉大夫布政使衔乐园严公墓志铭［M］// 陶澍集：下．长沙：岳麓书社，1998：196．

④ 同② 152–153．

治堡寨，严保甲，以固民卫”[①]。苗乱之外，东南沿海海盗频繁出没，并与土匪内外勾结，为害一方，形势严峻。两广总督那彦成奉旨前往肃清海盗，丁忧在家的严如熤应邀南下广州协助，“至则就途中见闻所及，论列甚详，一切捕盗章奏檄文，胥属治办”[②]，那彦成采取得力措施，使洋匪势渐穷蹙。严如熤又广搜海盗问题资料，辑成《洋防辑要》一书，依次辑录东南沿海地理、防海策略及海洋气候等资料。严如熤不拘泥于词章考据，以舆地之学为经世之具，对于民族、流民、海防等棘手问题，立足现实，提出因应之策，“所规画常在数十百年外”[③]，成为嘉道年间经世实学的先锋，对陶澍、贺长龄等有志经世者均产生了较大影响。

漕运、盐政和河工在清代并称“东南三大政”，至清道光朝积弊甚深。漕运制度百孔千疮，漕运机构人浮于事，形成既得利益集团，漕利尽归中饱；漕运过程中，漕船夹带私货，水手不法滋事者层出不穷；黄河、淮河交病，漕运中阻，盘坝艰难万状；官民交困，粮额日减，内河漕运体系已形瓦解。“盐课居天下财赋四之一，两淮最巨，其弊亦最甚”[④]，而淮北又最甚，“通纲情形全属涣散，已等于停运停销”，“以致江广之民，膏血尽竭于盐，家贫小户，往往有兼旬弥月，坚忍淡食，不知盐味者”，[⑤]盐政败坏已极。河流、湖泊失修淤塞，遇旱涝之年，非淹即涸，民生受困，而防修主事者上下勾结，弊窦丛生。针对以上弊端，积极倡导通经致用的陶澍任职两江地区时，毫不避让，他利用手中所掌握的行政资源，团结有关官员和学者如琦善、贺长龄、魏源等，综合施策，大刀阔斧地除弊兴利。端正士俗、倡导文教，以改善民风；详细

① 严如熤．严如熤集［M］．长沙：岳麓书社，2013：10-11.
② 杨钟羲．雪桥诗话全编：续集：卷七［M］．北京：人民文学出版社，2011.
③ 陶澍．布政使衔陕西按察使乐园公墓志［M］// 严如熤．严如熤集．长沙：岳麓书社，2013：8.
④ 孙鼎臣．论盐二［M］// 王定安．重修两淮盐法志：卷一五三：艺文一．刻本．899（清光绪二十五年）.
⑤ 陶澍．敬陈盐务积弊折片［M］// 陶澍集：上．长沙：岳麓书社，1998：153.

考察所属官吏之贤否，以进行奖罚；清除漕运之弊，以试行海运之法；整顿盐务，改行票盐，以打破官商之垄断；兴修水利，整治河工；清理财政，推行银本位制。改革是对既有利益格局的调整，必然触动既得利益集团而产生重重阻力，但陶澍不为所动，不避嫌怨，实心任事，无一不取得显著成效，试行海运则收“利国、利民、利官、利商”① 与“国便、民便、商便、官便、河便、漕便”② 之效，票盐之法则既解决了积引问题又使盐课超额完成，所办水利工程“吴中称为数十年之利”③。陶澍活跃于政治舞台的时间，正是中国社会处于从古代到近代的前夕，作为经世思潮的实力推行者，他关心时务，融合学问与事功为一体，“以学问为实行，尤为当时湖南政治家之巨擘”④，“实黄河之昆仑，大江之岷也”⑤，在江南漕、盐、河三大政之切实贡献，影响全国，垂范千秋，被湖湘士人视为楷模，成为当时湖南经世派当之无愧的领袖与核心。

面对嘉道中衰局面及种种弊政，清道光朝另一位有名的湘籍封疆大臣贺长龄也认为必须兴利除弊，“今昔情形不同，亦不得不量为变通”⑥。他一生行政所及，在司法程序、河工漕运制度、官僚体制以及军队的训练与管理方面，或根据新情况加以改革，或因地制宜地加以灵活运用，以期增强行政效力。同时认识到政治、社会问题背后的经济因素，经济问题在其奏稿中有相当涉及，治理漕运和安抚云贵时采取的措施多是从经济方面着手。此外，贺长龄曾延请魏源组织编纂了著名的《皇朝经世文编》，大规模、系统地整理了有关经世实学的文章，“数十年来，风行海内。凡讲求

① 魏源．魏源集：道光丙戌海运记［M］．北京：中华书局，1976：416.
② 魏源．魏源集：海运全案序（代）［M］．北京：中华书局，1976：411.
③ 赵尔巽．陶澍传［M］// 清史稿：三八．北京：中华书局，1977：11606.
④ 孟森．明清史讲义：下册［M］．北京：中华书局，1981：618.
⑤ 张佩纶．涧于日记：己卯下［M］．影印．台北：台湾学生书局，1996：127.
⑥ 贺长龄．查明遵义府属税口请量为变通折［M］// 贺长龄，贺熙龄．贺长龄集 贺熙龄集．长沙：岳麓书社，2010：250.

经济者，无不奉此书为矩矱，几于家有其书”[1]，使经世之学大兴于天下，成为湖湘经世派的重要代表人物之一。

针对嘉道中衰，如果说严如熤、陶澍、贺长龄等官员型学者在倡导经世致用时尤其注重践履、为政实务远多于理论建树的话，生活于中国古代与近代之交的魏源则是“集19世纪初一切主要思想于一身的人”[2]，将传统的经世致用思想推到了那个时代的新高峰，堪称思想文化由古代向近代转型的坐标原点，在湖南和全国都起了承先启后的关键作用。鸦片战争前，面对清嘉道年间所呈现出的种种衰世症状，魏源主张经世致用，强调经术与治术相结合，治学是为了解决实际问题，为经邦济世服务；承接传统的变易观，立足于变革经世，改革社会弊端，“天下无数百年不弊之法，无穷极不变之法，无不除弊而能兴利之法，无不易简而能变通之法”[3]。而兴利除弊，“必知弊之所由，而后知利之所在”[4]。魏源充当贺长龄、陶澍等地方要员幕僚长达20年之久，深得东南大员的优礼，在深度参与各项实际政务的筹划时，深刻分析了当时漕运、盐务、河工三大政积弊各自形成的原因，并进行了深入的调查研究，在此基础上，明确提出了针对性的解决建议和措施，再通过陶澍、贺长龄等人上奏朝廷，经清朝最高统治者决策后，由地方官员组织实施，于是漕运改试海运、盐务由官营改为私营等均得以实施，并大获成功。魏源一生仕宦不显，古人立德、立言、立功三不朽中，于魏源而言，当推立言之不朽，其最重要的立言当为魏源一生中所编《皇朝经世文编》和《海国图志》这两部最为泽被后世的著作。成书于鸦片战争前的《皇朝经世文编》，主旨是实用、经世，“书各有旨归，道存乎实用”，“经世以表全编，则学术乃其纲

① 俞樾．皇朝经世文续编序［M］// 沈云龙．近代中国史料丛刊：第75辑．台北：文海出版社，1973：1.

② 费正清，刘广京．剑桥中国晚清史［M］．北京：中国社会科学院，1985：141.

③ 魏源．魏源集：下［M］．北京：中华书局，1976：432.

④ 同③ 442.

领"，[①] 一切取舍以实用、经世为鹄的，所选都是与社会实际问题如河工、盐政、军政、城防、边疆等方面有关的文章，希望将清代立国以来比较成功的经世典章、经世文章提供给时人，借前人之言以为当世之用，体现了学术研究应为解决社会实际问题服务的经世致用理念，成为嘉道年间经世致用思潮在学术领域的优秀成果，为明末清初的经世实学思潮在更高层次上的恢复做出了重要贡献，对当时和后世都产生了巨大影响，使湖湘文化经世致用特质提高到了一个新的层次。

总之，因清嘉道中衰催迫着清王朝滑向危机四伏的"乱世"，深具忧患意识并以治国平天下为己任的少数官绅率先惊觉起来，在意识形态控制相对松弛的环境下，毅然举起了古老而又仍富于生命力的"经世致用"旗帜，嘉道经世实学思潮中湖湘经世派的兴起与湖湘文化经世致用学术传统的进一步发展，正是近代前夜中国社会内部这一空前变动的结果。经世实学之风在湖南本就一直绵延不绝，因而嘉道实学思潮中的湖湘经世派便表现得尤为耀眼，把目光转向活生生的、充满矛盾的现实社会，瞄准社会、政治、经济等领域的弊政，推出具体的改革政策和措施，并加以落实。虽然，近代中国前夜的湖湘文化（精髓是经世致用）并未突破传统，囿于古老的圣经贤传和地理环境、技术条件等因素，没有对西方异质文化吸纳，不具备近代文化的特点，但大大夯实了面向实际的学风和革新变化的精神，为湖湘文化向近代的过渡起到了积极的思想前导作用。

（二）近代中西关系对近代湖湘文化演变的影响

近代中国历史进程中的中西关系是影响中国社会发展的关键。

---

① 魏源．魏源集：上［M］．北京：中华书局，1976：158.

我们这里所说的“近代中西关系”中的“西”，是指本书研究时间段内那些社会、经济、科技等方面比中国先进发达的国家，即英、美、法、德、俄、日等；“中西关系”则是指全方位的关系，关系的主体包括政府、民间、政府与民间等，涉及的领域可以是政治、军事、经济、文化、思想等方面。

当中国历史的车轮行至古、近代交替转换之际，西方资产阶级革命和工业革命已经完成。西方列强挟船坚炮利之优势，展开了对仍停留在传统的农耕社会时代的世界各个地区的政治征服、经济掠夺与文化渗透，古老的东方中国成了他们猎取的重要目标，“西力东侵”与“西学东渐”几乎同时扑向了“天朝上国”，近代中国人民不得不一而再再而三地掀起反对西方列强侵略的斗争，侵略与反侵略成为中西关系的主导，反侵略是为了获得政治独立；同时，就中西方发展水平而言，中国全面落后西方，西方列强在各方面都领先中国，迫使中国人民又不得不向自己的敌人学习，学习与被学习成为中西关系的主流，学习的目的是为了改变落后，实现富强。

近代中西关系的这种两重性，从广义上来说，是东西方之间两种不同文明、文化的冲突，“是扩张的、进行国际贸易和战争的西方同坚持农业经济和官僚政治的中国文明之间的文化对抗”[①]。由于西方文明的撞击，近代中国社会发生了一系列全面、深刻且剧烈的变动或变迁，中国传统文化的构成要素、内部结构以及价值观念均逐渐重组与更新，从传统转向近代。在这种大规模的中西文化交流、冲突与抉择中，湖湘文化也经历了由传统向近代转型的艰难历程。

1. 西力东侵对近代湖湘文化演变的影响。

中国历史和文化本有着自身的发展脉络和系统，但随着西方

① 费正清，刘广京. 剑桥中国晚清史：上卷［M］. 北京：中国社会科学出版社，1985：2.

列强的浮海东侵，晚清王朝在付出了丧权辱国的巨大代价后，面临着三千年未有之变局。深为国家前途、民族命运担忧的先进分子苦苦思索着应对变局的方策，素具忧患意识和敢为天下先的湘籍精英如魏源、曾国藩、左宗棠、郭嵩焘亦是其中的关键性代表人物。

作为亲历过鸦片战争的传统经世派中的代表魏源等少数先知先觉者，首先敏锐地意识到中国所遇到的对手不再是过去的那些“边夷”，而是先进强大的“西夷”，“今必本夫古”，“善言古者，必有验于今”，[①] 立足于当下来处理古今关系，积极探讨新的经邦济世之方，提出了“师夷长技以制夷”的时代命题。魏源认为，要抵抗西方殖民侵略，必先了解西方各国的情况，“欲制外夷者，必先悉夷情始”[②]，“筹夷事必知夷情，知夷情必知夷形”[③]，是否对对手了解，“利害相百焉”[④]，应当打破封闭，放眼世界，知己更应知彼；严正指出西方近代技术是“有用之物，即奇技而非淫巧”，应当打破传统的夷夏观念，主动地“师夷长技”，特别应当学习战舰、火器和养兵练兵之法，“尽得西洋之长技为中国之长技”；[⑤] 西方以工商立国而致富强，中国不应再“重本抑末”而当“缓本急标”，[⑥] 优先发展工商业，创办造船厂、火器局，与西方国家开展正常贸易。只有这样，才可“尽收外国之羽翼为中国之羽翼，尽转外国之长技为中国之长技，富国强兵”[⑦]，以实现“制夷”的目标。

毫无疑问，曾国藩是洋务运动的开拓者和引路人。但第一次鸦片战争并未对身处京师、浸润于“华夷之辨”传统文化中的曾

① 魏源．魏源集：上［M］北京：中华书局，1976：156.
② 魏源．海国图志：筹海篇三：议战［M］// 魏源全集：第 4 册．长沙：岳麓书社，2004：27.
③ 同②.
④ 魏源．海国图志原叙［M］// 魏源全集：第 4 册．长沙：岳麓书社，2004：1.
⑤ 同② 28.
⑥ 魏源．魏源集：下［M］．北京：中华书局，1976：471.
⑦ 同① 206.

国藩的心理造成太大的冲击，他并不认为清朝战败，还大赞朝廷“和夷之策”高明之至，认为此次议抚之后，夷人或许“从此永不犯边，四海晏然安堵，则以大事小，乐天之道，孰不以为上策哉”[①]。在与太平军作战的过程中，曾国藩虽开始接触洋务，但对有关英国真实情况的介绍颇不以为然，认为是“张大英夷”。在第二次鸦片战争期间，曾国藩仍以为英夷“其来中国者人数无几，欲恃虚声以慑我上国”[②]，颇堪玩味。直到清咸丰十年十一月三十日（1861年1月10日）阅读清朝与英、法、美所订和约条款的全部内容后，曾国藩“不觉呜咽，比之五胡乱华，气象更为难堪”[③]，愧愤不能自已；次年谈及其临江近海的驻足之地“洋船上下长江，几如无日无之”[④]的景象，曾国藩更为之忧悸不已。创巨痛深使曾国藩终于清醒，原来“逆夷所长者，船也，炮也”[⑤]，并非浪得虚名。曾国藩一改此前对“夷狄”“洋务”的蔑视与不屑，采取现实主义的态度，将“祸福置之度外，以不知夷情为大虑”[⑥]，“自强”一词开始在其奏折、书信和日记中频频出现。面对海国环伺，隐患方长的重大变局，曾国藩大声疾呼应借法自强，资夷力、师夷智，“此次款议虽成，中国岂可一日而忘备……目前资夷力以助剿济运，得纾一时之忧；将来师夷智以造炮制船，尤可期永远之利”[⑦]，不仅应着眼于当下，更要着眼于长远；认为对外国侵略问题既要有战略思考，也应有具体对策，即所谓“欲求自强之道，总以修政事、求贤才为急务，以学作炸炮、学造轮舟为下手工夫”[⑧]。对于学习西方长技

① 曾国藩．禀祖父母［M］// 曾国藩全集：二〇．长沙：岳麓书社，2011：29.
② 曾国藩．致左宗棠［M］// 曾国藩全集：二二．长沙：岳麓书社，2011：598.
③ 曾国藩．曾国藩全集：一七［M］．长沙：岳麓书社，2011：105.
④ 曾国藩．致澄弟［M］// 曾国藩全集：二〇．长沙：岳麓书社，2011：631.
⑤ 同②．
⑥ 曾国藩．复李鸿章［M］// 曾国藩全集：二五．长沙：岳麓书社，2011：169.
⑦ 曾国藩．遵旨复奏借俄兵助发逆并代运南漕折［M］// 曾国藩全集：二．长沙：岳麓书社，2011：618.
⑧ 同③ 289.

的步骤，曾国藩建议先购买，后演习、试造，“购买外洋船炮，则为今日救时之第一要务……今日和议既成，中外贸易，有无交通，购买外洋器物，尤属名正言顺。购成之后，访募覃思之士，智巧之匠，始而演习，继而试造，不过一二年，火轮船必为中外官民通行之物”[①]。对于洋务所涉的内容，除造炮制船外，曾国藩认为商业亦是西方之所长，“今之西洋，以‘商战’二字为国”[②]，“夷情志在通商”[③]，商业贸易问题也应引起重视；关于对外交涉问题，曾国藩认为“与洋人交际，要言忠信，行笃敬”[④]，反对轻言战争，提倡“和戎外交”，从大局出发，权衡各种利弊，避免更大的损失和牺牲；办理洋务，贵在用人，“柔远之事，必择专精之人”[⑤]，要求选择精通洋务者担任沿江两督、四抚，又谓在“招致智巧洋人，来为我用”[⑥]的同时，更应大力培养精通外国语言文字和科学技术的人才。至于办理洋务的目的，曾国藩说得十分清楚，那就是“剿发捻”“勤远略”[⑦]，首先解除太平军和捻军对朝廷的威胁，从长远来说则是抵御西方列强侵略，解内忧，弥外患，从而巩固清朝统治，实现中国的自强。这一系列关于洋务的思想和主张，并非只是曾国藩个人的认识和看法，而是整个洋务派与洋务运动的思想基础和行动纲领。

西方列强的侵略同样深刻地影响了左宗棠思想的变化。鸦片战争期间，左宗棠尚馆于安化陶澍家，虽处僻壤之境，但对时局极为关注，常在书信中与师友探讨战守机宜，提出制敌之策与具

① 曾国藩．复陈购买外洋船炮折［M］// 曾国藩全集：三．长沙：岳麓书社，2011：186.

② 曾国藩．复毛鸿宾［M］// 曾国藩全集：二五．长沙：岳麓书社，2011：48.

③ 曾国藩．致郭崑焘［M］// 曾国藩全集：二二．长沙：岳麓书社，2011：588.

④ 曾国藩．复李鸿章［M］// 曾国藩全集：二五．长沙：岳麓书社，2011：231.

⑤ 曾国藩．议复兼摄通商大臣折［M］// 曾国藩全集：四．长沙：岳麓书社，2011：335.

⑥ 曾国藩．复郭嵩焘［M］// 曾国藩全集：二六．长沙：岳麓书社，2011：525.

⑦ 曾国藩．复陈购买外洋船炮折［M］// 曾国藩全集：三．长沙：岳麓书社，2011：186.

体应敌之方。战争的失败，令左宗棠深感震惊，“时事竟已至此，梦想所不到，古今所未有。虽有善者，亦无从措手矣”，甚至感到“买山而隐，为苟全之计，此时已觉其迟，失此不图，更为无策”。①一向饱读有用之书且深受经世致用思想影响的左宗棠，此时已对“敌之所恃，专在火炮”②有所了解，“海邦形势略能言”③，开始将目光眺视到了中国以外的世界，提出过“更造炮船、火船之式”④的建议。左尝言“吾辈议事，胸无成见，苟有益于时局而事属可行，必无扞格”⑤，故能对魏源思想中“师夷长技以制夷”的主张深相吸纳，无论是作为出谋划策的巡抚幕僚，还是作为运筹帷幄的统兵大员，左宗棠均未停止过让师夷以制夷思想之花结出实践之果的思考与探索。谋求自强御侮是洋务派的共识，左宗棠办洋务是在太平天国完全失败之后才开始的，其御侮自强的特色在洋务派中表现得尤为明显。自海上用兵以来，目睹“泰西诸邦以机器轮船横行海上，英、法、俄、德又各以船炮互相矜耀，日竞其鲸吞蚕食之谋，乘虚蹈暇，无所不至”，左宗棠认为“此时而言自强之策，又非师远人之长还以治之不可”；⑥远人之长在船坚炮利，故“中国自强之策，除修明政事、精练兵勇外，必应仿造轮船，以夺彼族之所恃”⑦，视学习西方造船制炮等军事工业为师夷长技的关键手筋和自强要着，为此“思之十余年，诹之洋人、谋之海疆官绅者又已三载”⑧。同时，左宗棠竭力坚持自立自主的原则，强调“自

① 左宗棠．上贺蔗农先生［M］// 左宗棠全集：书信一．长沙：岳麓书社，1996：34.
② 同① 20.
③ 左宗棠．感事诗四首［M］// 左宗棠全集：家书诗文．长沙：岳麓书社，1987：458.
④ 同① 16.
⑤ 左宗棠．答赵玉班［M］// 左宗棠全集：书信一．长沙：岳麓书社，1987：260.
⑥ 左宗棠．艺学说帖［M］// 左宗棠全集：札件．长沙：岳麓书社，1986：605.
⑦ 左宗棠．上总理各国事务衙门［M］// 左宗棠全集：书信一．长沙：岳麓书社，1996：598.
⑧ 同⑦ 719.

强之道，宜求诸己，不可求诸人。求人者制于人，求己者操之己”[①]，“既能造船，必期能自驾，方不至授人以柄”[②]。左宗棠还特别强调习一技之长宜收多项之利的原则，“所以必欲自造轮机者，欲得其造轮机之法，为中国永远之利，并可兴别项之利”[③]；“夫习造轮船，非为造轮船也，欲尽其制造、驾驶之术耳；非徒求一二人能制造、驾驶也，欲广其传，使中国才艺日进，制造、驾驶展转授受，传习无穷耳”[④]。

西力东侵对郭嵩焘思想变化的影响更为深刻而全面。鸦片战争期间，如果说魏源是因本就身处前线而勇赴国难的话，郭嵩焘则是为着了解洋情而主动出都南下前往浙江前线的。从所写“万里岛夷浮水至”“旅獒不入王都贡”诗句来看，[⑤]此际的郭嵩焘，其眼界与当时一般士大夫并无二致，同样把西方人当成了中国古代的夷狄，同样认为中国不需要西方的“奇技淫巧”，但这次经历却成为郭嵩焘思想发生转变的契机。“当庚子、辛丑间，亲见浙江海防之失，相与愤然言战守机宜，自谓忠义之气不可遏抑。癸卯馆辰州，见张晓峰太守，语禁烟事本末，恍然悟自古边患之兴，皆由措理失宜”，又经“读书观史，乃能稍窥知其节要而辩证得失”。[⑥]及至第二次鸦片战争爆发，郭嵩焘以其对国内外情势的了解，提出了“洋人以通商为义，当讲求应付之方，不当与称兵”[⑦]的主张，认为不能动辄言战，且亦非一战能了。此后，郭嵩焘对于如何应

① 左宗棠．会商海防事宜折［M］// 左宗棠全集：奏稿八．长沙：岳麓书社，1996：136.

② 左宗棠．上总理各国事务衙门［M］// 左宗棠全集：书信一．长沙：岳麓书社，1996：712.

③ 同②．

④ 左宗棠．密陈船政机宜并拟艺局章程折［M］// 左宗棠全集：奏稿三．长沙：岳麓书社，1996：342.

⑤ 郭嵩焘．出都杂感［M］// 郭嵩焘全集：十四．长沙：岳麓书社，2012：18.

⑥ 郭嵩焘．罪言存略小引［M］// 郭嵩焘全集：十四．长沙：岳麓书社，2012：298.

⑦ 郭嵩焘．玉池老人自叙［M］// 郭嵩焘全集：十五．长沙：岳麓书社，2012：760.

对西方国家的强势入侵，如何使古老的中国实现自强与新生，倾注了大半生的心血，进一步发展完善了关于洋务的见解，形成了穷究本末、全面学习西方的自强理论体系，提出了由经济而政治而观念层层递进的“三本”思想主张，即以通商为本、以政教为本、以人心风俗为本，如果只是学习西方之“艺”与“术”，则是不辨本末，舍本而务末，欲速则不达；处理与西方国家关系时，郭嵩焘主张坚持以理制胜、以礼相待的和平外交思想。

由上可知，鸦片战争前后开始的西力东侵，导致了封建士大夫营垒的分化，面对千年变局，受新思想、新文化的影响，一部分知识精英的思想发生了深刻变化，湘籍知识精英亦莫外此。他们首先感受到了西方文化“坚船利炮”物质外壳的巨大威力，从“天朝上国”的迷梦中惊醒，逐渐抛弃了“严夷夏之防”的陈腐思想，在寻求振起补救之法与自强之道的过程中，在“古时丹”之外，又加上了“外来药”。先是开出了“师夷长技以制夷”的处方；继又照方抓药，开拓性地举办近代军用工业、民用工业，创建近代海军，开办近代文化教育，建树甚多，将“师夷长技以制夷”主张付诸实践的同时，继承并丰富了“师夷长技以制夷”的思想；在长期考察西方情况并对比中西文化之后，更产生了学习西方要穷究本末的自强思想，并预见到了“必须有一个从思想意识层面学习西方的阶段”[1]，将“师夷长技以制夷”的思想主张提升到了新的认识水平。所有这些思想认识及其洋务实践，符合中国历史发展要求和世界文明发展潮流，大大刷新了中国传统文化和湖湘传统文化的内涵，这是湖湘文化在近代中国的第一次转型。

甲午中日战争是中国近代史上又一具有重大转折性意义的西力东侵事件，以“天朝上国”自居的清王朝被蕞尔小国东邻日本击败，自信心遭受前所未有的残酷打击，随之而来的是列强瓜分

① 王兴国．郭嵩焘评传［M］．南京：南京大学出版社，1998：266.

中国的狂潮，亡国灭种的危险成为中国人心中挥之不去的阴影。面对这一极不愿意看到却又是那么真切的民族灾难与民族危机，人们深感震惊和痛心，康有为称此是“四千年中二十朝未有之奇变，加以圣教式微，种族沦亡，奇惨大痛，真有不能言者也”[①]。这种“奇变”“奇惨”同时也是奇耻，带给湖南知识精英的刺激比其他省份更为强烈。之前，自湘军和湘军集团崛起，湖南人产生了一种不可向迩的虚骄之气，正如梁启超所言，“发逆之役，湘军成大功，故嚣张之气渐生，而仇视洋人之风以起”[②]。甲午战争爆发后，全国上下唯湘军是望，但出战不到六天，即在辽东惨败。在高度期望中产生的却是重大失败，不但全国上下大失所望，自负的湖南人更是几近崩溃，并产生了一种深重的负疚感，认为这是湘军没有尽到保卫国家安全与守护疆土的责任，战争失败与巨额赔款都是我们湖南人造成的。这样一种忏悔、自责意识与刚劲敢为、愈挫愈奋、屡败屡战的湖湘地域性格结合，使湖南人的思想转变起来也很迅速，顿时清醒地认识到“挟已之长，傲人之短，且护已之短，忌人之长”[③]的盲目虚骄自大，正是导致湖南保守落后的根源之一，“始转侧豁寤，其虚骄不可向迩之气亦顿馁矣”[④]；而救亡图存的心情也较他省更为迫切强烈，湖南新派绅士以“吾湘变则中国变，吾湘立则中国存”殉道气概，发出了“救中国必从湖南始”的呐喊，“幡然求之中西图籍，一洗其从前虚骄之气，雍雍彬彬，怀瑾握瑜，庠序之气，靡然向风”[⑤]。危机笼罩下的救亡意识弥漫于三湘四水之间，图强驱动下的变革欲望充溢于湖湘志士之怀，由此形成了一种特殊的社会心理氛围。上述社会心理上的变化，同时也促使湖

---

① 张品兴，梁启超．梁启超全集：第一册［M］．北京：北京出版社，1999：217.
② 梁启超．戊戌政变记附录之二：湖南广东情形［M］// 饮冰室合集：专集之一．北京：中华书局，1989：130．
③ 皮锡瑞．南学会第二次讲义［M］// 湘报．影印．北京：中华书局，2006：43.
④ 谭嗣同．谭嗣同集：浏阳兴算记［M］．长沙：岳麓书社，2012：188.
⑤ 唐才常．唐才常集：辨惑：下［M］王佩良，校点．长沙：岳麓书社，2011：245.

南有志之士思想观念的变化，开始了学习西方的新历程。就思想内容来说，最突出的是求新求变的维新变法思潮的迅速兴起与传播。湖南维新志士认为只有变法维新才是救亡图存的唯一出路，“外患深矣，海军熸矣，要害扼矣，堂奥入矣，利权夺矣，财源竭矣，分割兆矣，民倒悬矣，国与教与种将偕亡矣，唯变法可以救之”[①]，泣告天下，五洲震爚，种族分歧，守旧必亡，求新必盛，疾呼“天不新，何以生？地不新，何以运行？日月不新，何以光明？四时不新，何以寒燠发敛之迭更”[②]？极力倡言变法维新。旧派绅士王先谦亦认为需要变法，“今日之局，前代所无。当雄邦环伺之秋，为经久自立之策，熟筹通变，时势使然”[③]。

2. 西学东渐对近代湖湘文化演变的影响。

西学，在晚清又被叫作实学、新学。“西学东渐”，系指“产生于西方的知识、思想观念、学术、宗教等经过各种途径缓慢地传播到中国，并对中国的社会逐渐发生影响的过程”[④]。这一过程经历了艰难曲折的道路，大体上可分为三个阶段，对湖湘文化产生了深刻的影响。

第一阶段，从鸦片战争到洋务运动，受西学东渐的影响，湖湘文化中的经世致用思想开始了从传统到近代的转型，发展为洋务经世。

鸦片战争时期，面对西方列强的侵略，魏源以其敏锐的思维和独到的眼光，将外国历史地理、西方先进军事技术纳入自己的研究范围，成为率先由传统经世致用思想向近代转型的湖南人。魏源在林则徐《四洲志》的基础上，广泛收集中外文献资料，编撰而成《海国图志》，并增补扩充至100卷。书名的意思是关于

① 谭嗣同.谭嗣同集：仁学：二［M］.长沙：岳麓书社，2012：364.
② 谭嗣同.谭嗣同集：仁学：一［M］.长沙：岳麓书社，2012：339.
③ 王先谦.葵园四种：致俞中丞［M］.长沙：岳麓书社，1986：883.
④ 郝明丽.《海国图志》与西学东渐［J］.吉林广播电视大学学报，2011（11）：58.

海外各国的图志；编排次序首为标明世界各国位置的两张地球正、背面全图，次为标明洲内各国的位置及其相互关系各洲总图，最后为各国分图;其对各国的介绍，涉及地理位置、历史沿革、政治、经济、文化各方面，说明魏源本人的天下观不再是以中国为中心，而是近代意义上的世界观念，且力图帮助国人树立起新世界观念，“这个观念的更新,是魏源思想转向近代的基点”①。所用材料,“一据前两广总督林尚书所译西夷之《四洲志》，再据历代史志及明以来岛志及近日夷图、夷语”②,具体征引中外学者所著书籍达 100 多部，其中征引的西人书籍为 16 种，虽远少于国人所著书籍，但所引述资料的比重，西人著作与国人著作之比为 4 ∶ 1，远多于同时国人著作③，可以说囊括了当时所能搜集到的与西方有关的一切书籍，说明魏源对西学的求之若渴，而西学对魏源的知识结构和思想方式的改变也就可想而知了。对西方之所长,《海国图志》除对船炮、枪水雷等武器制造图、西洋技艺、远镜做法资料、用炮测量方法及测量器具等内容以及地球形状与运行规律、哥白尼“太阳中心说”、日月食理论、彗星理论、空气论、地震论、地球经纬论、地球运行与四季寒暑变化理论等近代自然科学知识进行系统介绍外，还花了不少笔墨介绍称颂英国议会制度、美国民主制度，并注意到了英国“兵贾相资”的致富政策，说明魏源在热烈拥抱近代自然科学知识的同时，还隐约地意识到西方还有比船坚炮利更先进的政治制度和经济政策。《海国图志》特设《筹海篇》二卷、《筹海总论》四卷,又以其中整整 12 卷的篇幅详细介绍西洋火轮船、洋炮、炸弹、炮台、水雷等原理、制法、用法，这一明显不合编书体例的做法,倒是与“以夷攻夷”“以夷款夷”“师夷长技以制夷”的编撰意图若合符节，传统的经世致用思想增添了近代军事、科

① 李汉武 . 魏源传［M］. 长沙：湖南大学出版社，1988：102.
② 魏源 . 海国图志：原叙［M］// 魏源全集：第四册 . 长沙：岳麓书社，2004：1.
③ 熊月之 . 西学东渐与晚清社会［M］. 上海：上海人民出版社，1994：258–259.

技文明成果。《海国图志》对西学的理解虽然免不了囫囵吞枣的粗糙，但它是1840至1861年间中国介绍世界历史地理书籍中最具代表性的两部著作之一，以其广博的西学内容和对自强的深刻洞见，"规定了近代中国学习西方的基本目的和正确方向"①，既是面对严峻现实进行深沉思考的结晶，更是西学再次东渐影响的结果，是近代湖湘第一座令人仰止的文化高峰。

这一时期西学东渐对湖湘文化的影响，不仅仅是一个"师夷长技以制夷"方针的提出，更是在此方针的引导下，中国迈出了走向近代化的艰难道路。第二次鸦片战争后，西学传播达到空前活跃的局面，深入影响到中国社会的各个阶层，西学对湖南人和湖湘文化的影响因而尤其突出。此时正值湘军集团崛起，其将帅身居要职，曾国藩、左宗棠等对西方武器的锐利与科学技术的先进有着切身的感受，倡言学习西方，大力兴办洋务。他们大规模引进西方先进机器设备，采用新式军事制度；设立翻译馆，大量翻译西方书籍；开办工艺、船政等新式学堂，大力培养专业科技人才；奏请选派留学生，"送赴泰西各国书院，学习军政、船政、步算、制造诸书……使西人擅长之技，中国皆能谙悉"②。这一切虽均以维护封建的政治伦理纲常为前提，但长期的洋务实践也使他们开始意识到了隐藏在器物背后的中西文化思维方式与价值观念的差异，"中国之睿知运于虚，外国之聪明寄于实；中国以义理为本，艺事为末；外国以艺事为重，义理为轻"③。郭嵩焘在出国前通过阅读介绍西学的书刊、结交外国领事和外国传教士等途径，已经以精通洋务著称；在出任驻英、法公使期间，通过广泛接触各方面人士与对西方科技文明、政教风俗、经济建设等方面的情况

① 赵颂尧，吴齐．西学东渐［M］．兰州：甘肃教育出版社，1993：18.

② 曾国藩．拟选聪颖子弟赴泰西各国肄业折［M］// 曾国藩全集：一二．长沙：岳麓书社，2011：402.

③ 左宗棠．拟购机器雇洋匠试造轮船先陈大概情形［M］// 左宗棠全集：奏稿三．长沙：岳麓书社，1989：63.

实地考察学习，更加深切地认识到西洋也有两千年文明，政教修明，视洋人为夷狄是愚昧无知的虚骄自大，有无民主政治乃是西强我弱的根本原因；他认为“西洋之入中国，诚为天地一大变。其气机甚远，得其道而顺用之，亦足为中国之利”[①]，危机处理得当，亦可以化为转机，对中西方两种异质文化的交流融合表现出一种理性接纳的胸怀；危机化为转机，关键是要在思想上突破中体西用的樊篱，“西洋立国有本有末，其本在朝廷政教，其末有商贾，造船、制器，相辅以益其强，又末中之一节也。故欲先通商贾之气以立循用西法之基，所谓其本末遑而姑务其末者”[②]。郭嵩焘这一在当时近于异端的深刻洞见，是西学东渐影响下浇灌出来的一朵最为瑰丽的思想之花，是湖湘文化在洋务时期取得的最高思想成就。但郭嵩焘并不盲目崇外，认为东西方文化各有优长，“此间富强之基，与其政教精实严密，斐然可观，而文章礼乐不逮中华远甚”[③]，赞赏并认同外国友人“西洋事宜，中国有宜取效处；中国事宜，西洋亦尽有宜取效处”[④]的看法。郭嵩焘学习西方文明的深刻见解是近代湖湘文化思想发展史上的一座丰碑，但因为太过超前而成了那个时代的一位孤独的思想先行者，其学习西方政教与观念变革的主张在去世后才有人予以尝试。

第二个阶段，从戊戌变法到辛亥革命时期，由于西学东渐突破了洋务派的单纯技术引进的界限，对西方政治体制的关注，以及对西方学术思想特别是社会科学的引入，近代湖湘文化突破了洋务经世的樊篱，发展路向的选择以加速度的方式进行转换。

维新运动期间，西方的社会进化论和天赋人权论成为维新派最锐利的思想武器。他们认为中国要自强，必须变法维新；要变

① 郭嵩焘．复李元度［M］// 郭嵩焘全集：一三．长沙：岳麓书社，2012：408.
② 郭嵩焘．条议海防事宜疏［M］// 郭嵩焘全集：四．长沙：岳麓书社，2012：783.
③ 郭嵩焘．郭嵩焘日记［M］// 郭嵩焘全集：一〇．长沙：岳麓书社，2012：139.
④ 同③ 548.

法维新，就要突破过去枝枝节节地学习西方的框框。维新派包括湘籍维新志士对洋务运动仅限于学习西方的器物极为不满，“官制仍旧，律例仍旧，兵政仍旧，财政仍旧……如此求富，曷富之有？如此求强，曷强之有”[①]？要求起民权，撰议会，开国会，使之提升到学习西政的层次和水平。经济上，湘籍开明绅士认为“今日中国急宜举行，惟在工艺之学”[②]，因为“西国强源于富，富源于商，商源于工，工源于学”[③]，维新人士认为“非精炼制造，而中国无可用之器械也”，“非讲求农工，而中国无可兴之商务也”[④]，发展民族工业、劝工兴商成为湘籍维新志士与开明绅士的共同主张。为给各项维新自强事业的开展赢得平稳的社会环境，他们反对民众非理智的仇洋闹教行为，主张抱持文化上的开放主义，在比较中证明孔教的优越性，“抵拒传教，惟有推广学会，到处开讲，使人皆知孔教义理远胜彼教”[⑤]，“自强之计，全在得暇绸缪。若逞志目前，而湔祸发，不旋踵贻误大局，近则桑梓先受其灾，胶湾之事，殷鉴在即”[⑥]。湖南开明官绅认为，以上各方面得以实现的关键是开智育才，“欲图自强，莫先于开民智；欲开民智，莫急于兴学”[⑦]，民智大开是振兴自强之本，要求废除八股时文，以便腾出时间和精力，多读有用之书。总之，由于甲午战争中湘军的不堪一击，虚骄自负的湘人被彻底震醒，面对战后民族危机的大大加深，湖南思想文化界的开明官绅和维新志士，在强烈的负疚与求强心理的

① 杨子玉．湖南宜讲求虚心考校之学［M］// 湘报．影印本．北京：中华书局，2006：725.

② 王先谦．与但方伯［M］// 近代中国史料丛刊正编：虚受堂书札：卷二 683. 台北：文海出版社，1966：1879.

③ 王先谦．复万伯任［M］// 近代中国史料丛刊正编：虚受堂书札：卷二 683. 台北：文海出版社，1966：1915.

④ 刘泽棨．劝游［M］// 湘报．影印本．北京：中华书局，2006：928.

⑤ 皮鹿门学长南学会第十二次讲义［M］// 湘报．影印本．北京：中华书局，2006：705-706.

⑥ 学院手谕［M］// 湘报．影印本．北京：中华书局，2006：27-28.

⑦ 南学会问答［M］// 湘报．影印本．北京：中华书局，2006：516.

驱使下，以责己不责人的态度，深刻反省自身的不足，虚心学习、大胆吸纳异质文化，赤地立新，从而在更广的范围、更宽的领域、更高的层次上向西方学习，跳出自魏源以来的中体西用的思维藩篱，从政制结构层面突破，实现自强梦，并在全国率先行动起来，推动了近代湖湘文化的再次转型。

辛亥革命时期，传播西方革命思想成为西学东渐中的主流。资产阶级革命派包括湘籍革命志士大多有在国外沐浴欧风美雨的经历，对西方资本主义社会现实，资产阶级政治、经济学说以及各种流派的社会主义思潮有广泛接触，比较熟悉西方民族主义、民权思想和资产阶级革命史实，他们以此为思想武器，批判康梁改良主义和封建思想文化，主张以武装斗争的方式推翻清朝的专制统治，建立资产阶级共和国。在为这场资产阶级民族民主革命进行舆论准备的过程中，湘籍革命志士以饱满的热情、旺盛的斗志，积极投身民族民主革命理论的建构，做出了卓越贡献。他们深刻揭露帝国主义侵略中国的罪行与危害，以证明反帝救亡的必要性，杨毓麟最早明确地提出反对“帝国主义”口号，陈天华反帝爱国思想完整而丰富，蔡锷首倡以“军国民主义”抵御列强入侵、拯救中国的主张，宋教仁以极大的注意力关注反帝救亡这一主题；深刻揭露清政府黑暗专制，以论证革命排满的合理性，杨毓麟揭露清王朝自建立以来的历史尽是爱新觉罗氏之罪状，陈天华则明确指出满洲政府已是“洋人的朝廷”，蔡锷对清政府丧权辱国的抨击不遗余力，秦力山则认为清朝统治既不具有合法性且已完全失去了存在的必要性，宁调元反对同清朝统治者的任何妥协；在革命所要达到的目标方面，提倡兴民权，主张建立资产阶级民主共和国；对于革命的实施方略，他们根据形势发展，提出过不同的构想，并使武昌首义、长江流域各省同时响应的决策，最终得以成功实施。这是近代湖湘文化的第三次转型，即由改良转向革命。

民初至五四运动时期，是西学东渐的第三个阶段。此前“中国人向西方学得很不少，但行不通，理想总是不能实现。多次奋斗，包括辛亥革命那样全国规模的运动，都失败了。国家的情况一天一天坏，环境迫使人们活不下去。怀疑产生了，增长了，发展了”①。一方面是封建帝制复辟势力一再在民初政治舞台上蠢动，尊孔复古思潮甚嚣尘上，民国新社会甚至比旧时代更为失序，但同时民主气氛高涨，学术趋向自由；另一方面，中国人长期学习的西方社会自身又出现了问题，各种思潮泥沙俱下，世界大战甚且给人类带来了空前浩劫。面对社会转型期的双重困惑，资产阶级知识分子重新调整了他们解决问题的思路与方向，高举民主与科学大旗，展开了对封建主义和蒙昧主义的批判，重点是从思想文化层面寻求民族富强之道。在这场新兴的思想文化运动中，湖南知识精英中的王闿运、叶德辉、船山学社同人，基于对已往路径的依赖，均主张以中国传统文化为本位重建社会秩序；一部分具有较深新学背景的湖湘知识精英则主张以西方文化为武器来挽救时艰，宏文图书社同人着重译介西方著述和思潮以为刷新社会的救亡至计，长沙《大公报》同人则在拥护共和、反对帝制的舆论斗争中向公众传播民主、共和、宪政主张，杨昌济主张批判旧道德、改造国民思想并反对全盘西化，易白沙通过反封建专制来竭力宣扬和提倡民主、共和、法治等近代价值观念及近代政治制度，章士钊提出了极具建设性和操作性的立国设想并关注公民自由。而以毛泽东为代表的湖南青年学生群体关注人心风俗的改良以及中国与世界的改造，在对各种主义和思想流派的比较中，最终选择了马克思主义作为改造中国的思想武器，与中国革命实际相结合后，形成了毛泽东思想，成了中国革命的指导思想，近代湖湘文化再次跃上了一个新的阶段。

① 毛泽东．论人民民主专政［M］// 毛泽东选集：第四卷．北京：人民出版社，1991：1470.

二、近代湖湘文化对近代中国历史进程的影响

近代湖湘文化与近代中国历史进程二者关系中，后者对前者的演变产生了重大影响，近代湖湘文化的变动、转型与发展反过来也影响了近代中国历史进程，兹从以下四个方面予以说明。

（一）近代湖湘文化推动了中国近代政治发展进程

咸同军兴，曾国藩、左宗棠等统率湘军，为大清朝廷削平大难，湘军集团大获成功，对晚清的制度、政局以及社会变迁等产生了重大影响。一是结束了因太平天国政权的出现而造成的南北双方对峙局面，维护了满洲开国以来的大一统，促成了同治中兴的出现。二是湘军将帅接二连三地成为封疆大吏，“中兴将帅，什九湖湘”，湘军人物中(不包括其幕僚)曾担任清朝总督巡抚的，先后有 25 人，至于出任布政、按察二使的省级行政官员，提督、总兵等武职大员，则为数更多，从而使清朝高度集中的中央权力下移，形成“内轻外重”和“督抚专权”的局面。三是一定程度上调整了清政府的社会结构和满汉官吏的构成比例，汉族官吏政治地位与以前相比也有了很大的提升，湘军“挽救了满清，同时客观上也削弱了满清，满汉统治者之间，势力起着显著的变化，从此满清政权逐渐向汉族军阀转移”[①]。四是在以曾国藩、左宗棠、刘坤一等湘籍大员为主的洋务派的倡导、引领和推动下，掀起了长达 30 年之久的借法自强运动，打破了闭关自守的传统，开创了与世界现代文明接轨的新局面。

湘军集团之后，湖南人才群体一茬接着一茬，比肩鹊起，成为近代中国政治舞台上最活跃、最为令人瞩目的一个政治现象，

① 范文澜．汉奸刽子手曾国藩的一生［M］// 范文澜全集：第九卷．石家庄：河北教育出版社，2002：338.

极大地推动了中国政治近代化的进程。以谭嗣同、唐才常、熊希龄等为代表的湖南维新志士在具有维新思想倾向的湘省当局的支持和主导下，将湖南辟为全国最早全面实践维新思想的实验田，打破了“中学为体”的樊篱，开启了中国政治制度近代化的进程。在清政府最后一次主导的重回近代化轨道的新政运动中，朝廷有湘籍大员刘坤一力促新政的启动并提出新政实施的路线图，张百熙则将教育新政切实付诸实施，促成了中国传统教育体制的解体和现代教育体制的建立；湘省当局全面推行新政，推动了湖南近代教育、军事、司法、行政体制的初步构建；谭延闿、杨度、熊希龄、黄忠浩等湖南立宪派代表人物积极投身新政运动，或积极参与朝廷预备立宪的决策和顶层设计，或发动国会请愿运动最早而又坚持到最后，推动了立宪运动的高涨。在孙中山领导的那场比较完整意义上的资产阶级革命运动中，以黄兴、宋教仁、蔡锷、陈天华等为代表的湘籍辛亥革命志士，始终站在运动的核心和前沿位置，先是专注于推翻清朝封建统治，继又为建立民主共和政体而倾注了大量心血，后又为维护民主共和付出了不懈的努力甚至生命的代价，为中国政治近代化做出了重大贡献。自清末至民国时期的湖南自治运动，进一步启迪了民智，提升了国民的参政意识，从而对社会政治生活和政府政策的制定、执行产生了较大影响；同时推动了政局演变和制度变迁，清末湖南的维新自治后来发展为新政自治，民国时期的省宪自治推动了全国自治运动高潮的形成，从而在一定程度上推进了中国政治近代化。

（二）近代湖湘文化推动了中国思想文化的近代化

近代化是近代中国的一个重大主题，与“早发内生型近代化”西方国家不同的是，中国的近代化是以西方资本主义为榜样而发生的，即所谓“后发外生型近代化”。但近代化与中国传统的主流思想不符，对现状要有所改变，就得有个说法，“名不正则言不顺，言不顺则事不成”，所以就需要突破旧观念的束缚，提出与社会进步方向相一致的新观点新理论，以指导新的实践。所以，中国的近代化首先是思想观念的近代化，湖湘文化在推动中国思想文化的近代化方面做出了重要贡献。

早在近代以前，嘉道实学派中的湖湘经世派不只是单纯提倡经世致用理念，而是将这一理念运用于解决社会实际问题，启动了思想解放的风气，为湖湘文化向近代的过渡打下了思想基础，对中国思想文化的近代化也具有积极影响。鸦片战争后，面对“数千年未有之大变局”，魏源从实际出发，将目光投向外洋，吸取异质异源的西方近代新文化，率先突破“夷夏之大防”，提出了“师夷长技以制夷”这一应对西方侵略的战略与策略，集中体现了鸦片战争后先进的中国人睁眼看世界的理性主义态度，成为中国“走向世界、走向近代的一面旗帜，在百年中国近代化进程中具有思想启蒙的作用”[①]，中国近代文化从此开始了重新建构整合的复杂历程。

在倡导和开办洋务的过程中，曾国藩、左宗棠等人粗浅地认识到了中西思维方式和价值观念的些许不同之处，赞同西方文化求实的倾向，促成了中国近代自然科学知识传播的第一次高潮，在一定程度上冲击了封建蒙昧主义；郭嵩焘在对中西经济、政治、文化教育甚至社会风俗各方面做了多侧面的比较后，更是认为“中国与洋人交涉，当先究知其国政、军政之得失，商情之利病，而后可以师其用兵制器之方，以求积渐之功”[②]，不能只是单纯地学习“用兵制器之方”。这些或隐晦或显露的“异端”观念方面的新变化，

① 易永卿．湖南人才群体与百年中国近代化[J]．湖南城市学院学报，2005，26(5)：31.

② 郭嵩焘．条议海防事宜疏[M]// 郭嵩焘全集：四．长沙：岳麓书社，2012：781.

无疑为近代启蒙思想的兴起创造了一定条件。

19世纪末，维新思潮激荡全国，在这场维新变法理论的建构过程中，谭嗣同、唐才常、樊锥、熊希龄、皮锡瑞、欧阳中鹄、易鼐等湘籍维新志士均贡献了自己的智慧，在大声疾呼变法改革、救亡图存并提出种种变法主张的同时，大力批判封建专制主义和蒙昧主义，宣扬西方近代民主主义和自由平等学说，成为全国维新思想不可或缺的重要组成部分，对推动维新思潮逐渐演变为维新变法的政治运动起到了重要的作用。尤其是谭嗣同提出“冲决利禄之网罗，次冲决俗学若考据、若词章之网罗，次冲决全球群学之网罗，次冲决君主之网罗，次冲决伦常之网罗，次冲决天之网罗，次冲决全球群教之网罗，终将冲决佛法之网罗”①，“冲决网罗”实际上是思想解放的代名词，成为维新思想家的共同追求。

维新派终究未能真正冲决封建主义的网罗，但资产阶级革命派在维新思想的基础上进一步提出了反封建的民主革命思想。在建构资产阶级民主革命理论的过程中，湖湘文化中最具代表性的王船山思想提供了反清革命的重要思想资源，姚宏业、禹之谟、秦力山、樊锥、毕永年、杨毓麟、陈天华、黄兴、宋教仁、蔡锷、章士钊等众多辛亥志士均做出了卓有成效的贡献。与维新派相比，他们几乎完全抛弃了托古改制的外衣，也不带任何宗教神学色彩，表达形式更为直接和鲜明；他们所宣传的内容主要涉及反帝救亡、革命排满与实行民主政治等方面，更为系统完备；他们成功地使民主革命思想在广大资产阶级、小资产阶级及其知识分子中间得到广泛的传播和认同，获得了更广泛的社会基础。近代湖湘文化中的民主革命思想，是近代中国资产阶级民主革命思想中十分重要的组成部分，与全国各地的民主革命思想一起，汇成了一股汹

① 谭嗣同．谭嗣同集：仁学：自叙［M］．长沙：岳麓书社，2012：312.

涌澎湃的革命思想潮流，强烈地冲击了中国社会封建思想的桎梏，为中国第一次完整意义上的资产阶级民主革命运动提供了有力的思想武器和理论指导。

中国近代学习西方大体上可以分为从器物到制度再到思想层面逐渐递进的三个阶段，最早进行这一阶段划分的是近代湖湘文化的重要代表人物杨昌济先生，他并最先明确提出从思想层面向西方学习。他说："吾人不可不研究其精神之科学"，"吾国近来之变革虽甚为急激，而为国民之根本思想者，其实尚未有何等之变化。正如海面波涛汹涌，而海中之水依然平静。欲唤起国民之自觉，不得不有待于哲学之昌明"①，两个"不得不"明确向国人提出了从思想层面学习西方的必要性，要求对农业文明社会形态下的国民思想进行改造，将中国近代向西方学习的历史进程推进到新的历史阶段。杨昌济提出这一主张是在民国三年（1914）10月，比陈独秀于民国五年（1916）2月提出同样主张的时间早了整整一年零四个月。正如湘籍学者王兴国先生所指出的那样，由于杨昌济认识到从哲学上进行思想启蒙，以唤起国民的自觉的重要性，在长沙教书期间，杨昌济不仅认真翻译和介绍西方的哲学、伦理学和教育学等精神科学，其身边的大批进步青年学生也形成一种奋斗的和向上的人生观，成了他们的精神导师。②毛泽东、蔡和森等人受其影响更是直接而深远，先是创立新民学会，将"革新学术，砥砺品行，改良人心风俗"（后改为"改造中国与世界"）作为学会宗旨；后又在马克思主义的影响下，积极参与中国共产党的创建，并成为中国革命的最重要的领导者之一。

① 杨昌济．杨昌济集：劝学篇［M］．长沙：湖南教育出版社，2008：74.
② 朱汉民，吴仰湘，陈先初．湖湘文化通史：第五册［M］．长沙：岳麓书社，2015：627-628.

（三）近代湖湘文化推动了中国经济的近代化

经济的发展是和人类文化的发展紧密相连的，各种“外显的”和“内隐的”文化，都深深作用于经济活动。中国文化包括湖湘文化中的一些传统价值观念如重农抑商、学而优则仕、视科技发明为奇技淫巧等是不利于近代经济发展的。但湖湘文化又有着深厚的经世致用传统，湖湘志士大多有经邦济世的理想和抱负，自清嘉道中衰以来，湖湘经世实学派即将经世致用思想运用于解决国计民生的问题，如严如熤兴屯田、举工赈、修渠堰；陶澍重实学，改革河漕、水利、盐业等；贺长龄重视农业知识的宣传，棉花品种的改良，纺织技术的传授，支持漕运改革；等等。他们所采取的这些措施，均取得了较好的效果，促进了当地经济的发展，增加了清政府的财政收入。

鸦片战争后，魏源的眼光投向了遥远而陌生的外部世界，著成《海国图志》，提出“师夷长技以制夷”的主张，将经世致用的着力点瞄准了“夷人”之长技。初虽无人理睬，但至清咸丰八年（1858），终于有时任兵部左侍郎的王茂荫向朝廷推荐该书，称其“慨前此办理之未得法，为后此设种种法，于守之法，战之法，款之法，无不特详”[①]。此后，在与西方国家打交道的过程中，曾国藩、左宗棠等开始重视洋务，在他们的倡导下，谈洋务、办洋务一时成为时代新潮流。洋务所包括的范围极广，但核心与重点则是创办近代军事工业和民用工业。洋务军事工业企业中最早的安庆内军械所、最大的江南制造总局等均为曾国藩创办，曾氏也因此在洋务运动中起到了创始人和奠基者的作用。左宗棠则在近代化建设的某些方面所起的开拓作用，无人可及，如创办最早的造船机器工业企业福州船政局，西北地区最早的军事工业企业西安机器

① 王茂荫．治法治人之本在明德养气折［M］// 筹办夷务始末（咸丰朝）：卷二十八．北京：中华书局，1979：1049.

局、兰州机器局等，不仅在平定回民起义中作用显著，而且在反侵略的战争中功不可没；创办兰州机器织呢局，使我国传统手工纺织业最先发展成为近代机器纺织业，更是我国毛纺织业近代化的起点；在肃州等地用机器探矿，试采金矿，迈出了传统矿业开采走向近代化的第一步；在治理泾河时采用机器凿井，则又开中国水利近代化之先声。[①] 总之，他们引进了大量的工业设备、新的技术以及新的生产方式，并在中国西北内陆种下了近代工业的种子，为中国经济近代化的起步做出巨大贡献。遗憾的是，洋务运动虽以湘籍督抚为先锋，但湖南却错失了近代民族工业发展的良机，值得一提的仅有昙花一现的湖南机器局。

清末民初，兴起了一股以工商立国、振兴实业为主要内容的实业救国思潮，“其实质是对资本主义生产方式的接受和思考，对中国工业化理论的初步构建”[②]，湖湘爱国志士为这一理论的构建亦做出了自己的独特贡献。早在鸦片战争后，著名思想家魏源即表现出明显的利商倾向，“语金生粟死之训，重本抑末之谊，则食先于货;语今日缓本急标之法，则货又先于食”[③]，明确提出“货”应先于“食”的观点，强调在新的形势下，应该更加重视商品货币经济，突破了传统的本末思想，成为后来资产阶级改良派商贸经济思想的重要启蒙材料。郭嵩焘曾上奏朝廷，明确指出“西洋各国以通商为制国之本，广开口岸，设立领事，保护商民，与国政相为经纬，官商之意常亲”，对当时“中国通商之利一无经营”现状提出了严厉的批评。[④] 甲午战争后，谭嗣同充分认识到“以商为战，足以灭人之国于无形”[⑤] 的高利害性；八国联军侵华战争更

① 马啸，王昭义．试论左宗棠兴办洋务的内容与特点［J］．甘肃高师学报，2003，8（3）：66.

② 李旻．清末民初实业救国思潮研究［D］．西安：陕西师范大学，2010.

③ 魏源．军储篇一［M］// 魏源全集：第三册．长沙：岳麓书社，2004：568.

④ 郭嵩焘．设立新加坡领事片［M］// 郭嵩焘全集：四．长沙：岳麓书社，2012：826.

⑤ 谭嗣同．谭嗣同集：报贝元征［M］．长沙：岳麓书社，2012：238.

进一步推动了实业救国思潮的发展，清政府在推行新政的过程中，颁布了一系列有利于农工商发展的法令，实业救国一时成为勃兴于神州大地的进步思潮；中华民国建立后，黄兴等革命党人认为“今者共和成立，欲苏民困，厚国力，舍实业莫由”[①]。

清末至民国时期，湖南一改从前对兴办近代实业无动于衷的态度，维新运动期间湖南巡抚陈宝箴大力倡导创办实业，并将矿业的开采作为重点，颇具声色，在近代中国工业发展史上占有重要的一席之地；辛亥前后，湖南绅商、革命派、民众积极参与经济活动，投身发展资本主义工商业的事业，推动了湖南近代经济的发展。尤为值得一提的是在外省打拼的三名著名实业家，即聂云台、范旭东和李烛尘。曾国藩之外孙、衡阳人聂云台被誉为与张謇、荣宗敬、穆藕初齐名的“中国近代四大棉纺巨子”[②]，在前后20年的实业生涯中，先是担任恒丰纺织新局总经理，后又创办了规模更大、设备更新的大中华纱厂，论者称赞其“标志着中国民族纺织资本发展的顶点”[③]；被选为上海总商会会长及全国纱厂联合会副会长后，聂云台不断拓展相关业务，先后与其他实业家合作，创办了恒大纱号、中国铁公司、中美贸易公司、华丰纺织厂、大通纺织股份有限公司和中华劝工银行等六家企业。以发展化工事业为己任的湖南湘阴县人范旭东先生，是杰出的化工实业家，我国重工业、化学工业的奠基人，被称作“中国民族化学工业之父”“中国重工业之父”，他抱定科学和实业救国的宗旨办实业，在中国荒芜的基础化工领域辛勤耕耘，创办了亚洲第一座纯碱工厂——永利化学公司碱厂，我国第一座生产合成氨的联合企业——永利化学公司錏厂，成立我国近代第一家民营研究机构——黄海化学工

① 黄兴．铁道杂志序［M］// 刘泱泱．黄兴集：二．长沙：岳麓书社，2008：476.
② 张志高．海上名人录［M］．上海：上海画报出版社，1991：157–158.
③ 中国科学院上海经济研究所，上海社会科学院经济研究所．恒丰纱厂的发生发展与改造［M］．上海：上海人民出版社，1959：24.

业研究社，全面加强化工科学技术的研究，为民族化学工业的发展立下不朽功绩；抗战期间，他在大后方先后创办了久大川厂和永利川厂，推进了大西南建设，支援了抗战，为我国民族工业的发展做出了重大贡献。湖南永顺人李烛尘先生有“制碱大王”之美誉，是范旭东先生的重要搭档，是天津永利碱厂、黄海化学工业研究社的创始人之一。他任过厂长的永利制碱公司于民国十四年（1925）生产出纯碱，打破了英国财团在中国市场上的垄断，居当时我国民族资本化工前列；抗战时期担任迁川工厂联合会负责人，在重庆工商实业界颇负盛名；入川后，久大制盐改海水煮盐的“煮海”为探井采卤的“煮井”，工艺和机械上进行改革，增加食盐产量，为支援大后方和坚持抗战做出了重要贡献。

（四）近代湖湘文化对近代中国发展前途产生了重要作用

中国自进入近代，一方面内忧重重，矛盾纷起，下层民众的反抗此起彼伏，社会动荡不安；另一方面外患深深，自中国紧闭的国门被西方坚船利炮撞开后，西方列强对中国的侵略如汹涌的波涛，一浪高过一浪，生生地陷中国于半殖民地半封建状态。很显然，内忧外患已到了危及古老帝国的严重地步，世界形势的发展已不允许它继续走过去的老路，中国已到了需要改变且必须改变的重大历史窗口期。怎么改变，改变到什么程度，达到什么目标，成为国人不得不认真探讨解决的重大问题，湖湘志士不仅进行了积极的探索，而且将其转化成了社会政治实践运动，深刻影响了近代中国发展前途与方向。

选择改变意味着需要付出机会成本，趋利避害是人类的本能，在关于以何种方式来改变中国的问题上，与大多数仁人志士一样，改良这一成本相对较低的方式成为湖湘精英分子的首选。揆诸历史事实，我们可以看到，清嘉道年间的湘籍经世派代表陶澍、贺长龄、魏源等人将其所学服务于社会，以经世致用的实干精神，积极变革旧制，带来一股革故鼎新的清风，这一经世致用的价值取向成为后来湖湘学者接纳近代西方文明的思想基础。鸦片战争后，魏源率先提出“师夷长技以制夷”的口号，过了大约十年时间，这一当时曾被束之高阁的口号经由湘籍地方实力派代表曾国藩、左宗棠等付诸洋务实践，此后学习西方贯穿了整个近代中国发展历程。曾、左等秉持“中学为体，西学为用”的理念，创办中国第一批近代企业，设立翻译馆、船政学堂和派人出国留学，揭开了朝廷主导下的洋务自强改革运动的序幕，迈出了接纳西方先进工业与科技文明的第一步，中国经济近代化由此开启，所提出的自强求富目标成为一代又一代中国人不懈努力奋斗的方向。甲午战争之后，空前严重的民族危机使救亡成为最急迫的课题，维新志士依然选择了变法改良主义的方式，在朝廷再次主导的改革运动中，湖南维新官绅合力演奏的维新乐章，不仅赋予维新运动真正的实践意义，造成了湖南朝气蓬勃的维新局面，与北京的维新政局也有着密切的内在联系，在某种程度上影响了整个维新变法运动的走向与结局，为近代中国从制度层面学习西方做出了独特的贡献。变法运动失败三年后，新政重启，在这场由清朝廷最后一次主导的堪称全方位的社会改革运动中，不仅有体制内的湖湘官员为新政的启动和路线图的绘制发挥了重要作用，而且将教育新政切实付诸实施，促成了中国传统教育体制的解体和现代教育体制的建立；当新政最终走向深水区，清廷“预备仿行宪政”，启动政治体制改革时，杨度等间接参与立宪决策并直接参与立宪方案的设计，湖南立宪派则率先上书请开国会，多次呈递请愿书，震动朝野，有力地促进了立宪运动在全国的迅速兴起。由此可知，在中国近代的大部分时间内，机会成本相对较小的改革或改良是朝野上下的共同选择，在建立近代化国家的追求中，湖湘志士不仅先后提出了师夷长技、自强求富以及易官制、开国会、改律例等符合世界文明潮流的主张，而且在朝廷主导的事关国家民族前途的三次重大改革运动中，均起到了举足轻重的作用。而这在很大程度上得益于湖湘文化的自强不息的变革意识和兼容众长的学风，湖南一大批倡风气之先的杰出人才得以涌现，直接推动了国家现代化的发展。

清朝廷的每次改革都是在遭受列强侵略后的被动之举，而且阻力重重，步履艰难，这就导致改革的成效大打折扣。甲午战争的失败，使进行了近 30 年的洋务运动的成果几乎化作了灰烬，受此创巨痛深的刺激，清朝廷虽然愿意进行新的改革，但事与愿违，最后竟然酿成了一场六君子喋血菜市口的政治惨剧，并直接导致了自立军起义。自立军义士的殉难，则又使得许多原先徘徊于改良与革命之间的人士开始抛弃对清廷的幻想，挽救国家民族前途命运的方式由改良迅速转换为反清革命；而清廷预备立宪的最后结果，却是出笼了一个令人大失所望的"皇族内阁"，更是把最愿意进行改良的立宪派人士生生地推到了革命的阵营。考察中国近代革命的历史，我们可以发现，革命的洪流大大激活了湖湘文化中的尚武精神，湖湘人士参与革命的人数之多、作用之大、贡献之独特，其他各省均无出其右，赢得半部中国近代史由湖南人写就的赞誉。辛亥革命时期，湘籍辛亥志士所进行的民族民主革命理论探索与宣传，唤起了中国人民的觉醒，激活了同胞的现代国家认同，起到了动员民众投身革命的重要推动作用；在历次推翻清王朝的起义中，几乎在海内外都可以看到湘籍志士忘我奋斗的身影；在建立资产阶级民主共和国的过程中，湘籍革命党人为之殚精竭虑，做出了不可磨灭的历史性贡献。在维护民主共和时期，黄兴不顾力量悬殊、形势不利而领导武力讨袁的"二次革命"，蔡锷等以为全国同胞争人格的气魄和毅力而带病讨袁护国。新民主主义革命时期，在毛泽东、蔡和森、刘少奇、彭德怀、贺龙等的带领和影响下，在全国各地人民的大力支持下，将马克思主义与中国革命的具体实践相结合，走出了一条具有中国特色的革命道路，成功地将被三座大山压迫的旧中国变成了一个全新的世界，深刻地改变了近代中国发展的历史走向。

而在近代历次抗击外敌侵略的战争中，也几乎可以看到湖湘儿女伟岸不屈的身影，尤其是年过六旬的左宗棠抬棺出征、收复新疆的悲壮之举，抗日战争中湖南军民保卫长沙、衡阳、常德、湘西的浴血之战，惊天地而泣鬼神，在使国家领土免遭丢失、民族命运免被奴役的反侵略战争中，谱写了湖湘文化爱国主义的壮美史诗。

陈独秀曾经指出，湖南人的精神是“若道中华国果亡，除非湖南人尽死”的奋斗精神，奋斗造桥的精神。① 这种精神是湖湘文化的重要内涵之一，一代又一代的湖南人不断地传承着，并最大限度地发挥其社会功用与能量，影响甚至左右着近现代中国的政治、思想、军事等领域的变化，对近代中国发展前途产生了重要作用。

三、对近代湖湘文化的基本认识与初步反思

湖湘文化大体可划分为古代和近代两个发展阶段。我们认为，近代湖湘文化系指近代以来保留体现湖湘地域精神特质，同时又植入了西方文化基因的文化形态，包括思想意识、制度文化、行为文化和物态文化。

就空间而言，近代湖湘文化是基于近代湖湘地域范围内所形成的或近代湖湘人士所创造出来的文化形态。前者主要是本省人士同时又包括外省寓湘人士在湖湘地域范围内所创造的文化，后者则是湘籍人士在省内或省外所创造的文化。因此，近代湖湘文

① 陈独秀．欢迎湖南人底精神［M］// 蔡栋．湖湘文化百家言．长沙：湖南人民出版社，2008：20-21.

化天生具有湖湘地域精神特质，崇尚义理、经世致用、兼容并蓄的学术特质，淳朴重义、勇敢尚武、使气轻生的热血性格，无须依傍、特立独行、倔强不屈的自我意识，实事求是、顽强果毅、定力坚执的任事态度，与时俱新、心系天下、敢为人先的功业追求，等等，便成为百余年来湖湘文化精神的主要内容。

就时间而言，滥觞于乾嘉时代经世实学的近代湖湘文化，经历了自鸦片战争至 1949 年间层层递进的四次重大转型：第一次转型大体上发生在鸦片战争后至甲午战争，魏源、曾国藩、左宗棠、郭嵩焘等人对湖湘文化的改造，坚持在中国传统的主要价值和制度永远不变且神圣不可侵犯的基础上进行；第二次转型大体上是在甲午战争后至辛亥革命之间，谭嗣同、唐才常、陈天华、杨毓麟、黄兴、宋教仁等不再认为应该维护传统的主要价值和制度，主张从政治上学习西方，建立起符合世界潮流的近代政治制度；第三次重大转型大体上发生在民国初年的五四运动前后，杨昌济、易白沙、章士钊等主张从思想文化上学习西方；第四次转型大体上发生在 20 世纪 20 年代以后至 1949 年前，毛泽东等湘籍革命家将湖湘文化与马克思主义结合，促成了马克思主义的中国化，生成为新民主主义革命文化。

通过对湖湘文化在近代转型基本轨迹的梳理，我们可以看出，湖湘文化虽天生具有湖湘地域精神特质，但并不天生具有近代精神特质，伴随着中国历史前进的步伐而进入近代的湖湘文化一开始所呈现出来的传统意蕴更多。随着一波又一波的欧风美雨的浸洗涤荡，近代中国被迫越来越深地卷入资本主义世界体系，知识精英中的先知先觉者们先是对迥异于中国传统文化的西方文化的强势产生了深深的震撼和不解，随后通过观察、了解与分析发现，西方文化强势的背后是先进与落后、文明与野蛮的分野，工商业文化的开拓进取与农耕文化的闭锁保守的区别，其优秀岸异之处确然值得借鉴、效仿与吸纳。在与西方异质文化的交会碰撞过程中，湖湘文化以其兼容的博大胸怀，被动或主动地受容着西方异质文化，并进行模仿、裁剪与重构，在结构的不断调整与内涵的升级改造中，完成了湖湘文化的近代转型。主要表现为三个方面：一是同源同质文化的转型。如作为中国古代考据学命题的“实事求是”，被曾国藩改选为哲学上的认识论命题；郭嵩焘将其与西方的科学精神统一起来，认为西人格物致知之学皆实事求是之效；毛泽东则进一步将其改造为马克思主义哲学命题。[①] 二是异源异质文化成为近代湖湘文化转型的主要思想资源。如近代西方自由、平等、博爱、民主、共和、科学、法治、国家、民族等理念和思想的引进。三是近代湖湘文化在转型过程中，既保存了中国传统文化的基本元素，又保存了湖湘文化的地域性精神特质。如在知行观上表现出来的学以致用的学风，魏源特别重视知行统一，谭嗣同认为只有真知才能更好地指导行，杨昌济则强调“非真能力行者，学必不能博，思必不能深，故学者尤不可不置重于实也”[②]。因此，近代湖湘文化实际上是吸收了我国传统文化中所没有的西方资本主义文化中的优秀元素，同时又保留了较多的湖湘地域精神特质，是一种基因重组了的地域文化，类似于转基因文化。这种优秀异质基因的重组，至今仍在进行之中，从发展的眼光来看，永远都是必需的，永远在路上。因为无论多么优秀优质的文化，如果不能自我更新、与时俱新、汰旧换新，就会因停滞而落后，因落后而腐朽，终至被淘汰。

由上也可以看出，虽然外因是通过内因来起作用，但在特定条件下，外因的作用往往更大、更明显，湖湘文化由传统向近代的转型即是如此。当自身的贫弱遇上西方的强大，传统中国的整体性危机最终便不可避免地产生了；当自身走向整体性危机的时候，中国过去所拥有的自信便无可奈何地逐渐丧失了；当整体性危机出现和自信心不再的时候，可能做出的反应，或是彻底臣服、

① 朱汉民，王兴国．湖湘文化通史：第四册［M］．长沙：岳麓书社，2015：176-179.
② 杨昌济．杨昌济集［M］．长沙：湖南教育出版社，2008：246.

完全接受，或是顽固坚守、不思改变，或是全面反思、取长补短。近代中国的有志之士大多数做出的是第三种选择，近代湖湘的仁人志士所做出的选择也是第三种。由于传统湖湘文化有着更强烈的经世致用、兼容并包、实事求是、与时俱新的地域精神特质，湘籍志士在面对强大的西方势力和贫弱而衰败的中国现状时，表现出不同凡响的责任担当，在中国近代历史发展进程的不同阶段，均提出过向西方学习的思想主张或方案（大多是率先提出或走在时代前列），并将其付诸具体的行动之中，以回应近代中国社会独立、民主、富强的发展主题，表现得富有生气、朝气蓬勃，十分耀目。因此，近代湖湘文化的转型“不是由社会自身力量产生的内部创新，而是在西方外来因素的刺激和作用下发生的从传统到近代的转变”①，这一点与近代中国的文化转型特点具有高度的一致性。湖湘文化的内涵随着时代脉搏的跳动而起舞，随近代中国的转型而转变，随近代中国主题侧重点的不同而发生变动。近代中国的转型变动十分剧烈，近代湖湘文化变化的频率更高，节奏更快；同时也应看到，在近代中国转型的过程中，湖湘文化并不完全被动地转型，在大多数情况下，都是以一种积极的姿态，主动进取的方式，在思想文化上、具体行动上，在历史发展的关键节点上，引领潮流，影响着近代中国历史的走向。这一点是作为带深厚地域性特征的湖湘文化在历史上从没有过的重要特征。

在 1840 年以来一百多年的中国历史发展进程中，具有完备思想体系的湖湘文化兼容众长、求新求变、经世致用的特质，一方面在自强与救亡压倒一切的近代中国，使其能够与时俱进，先被动后主动接纳受容西方异质文化，并有着优质与辉煌的杰出表现；但另一方面，尊礼重道、夷夏之辨的思维观念，却又使其唯我独尊，顽固排斥、拒绝接纳西方先进文化，保守与消极也十分出名。后

① 郑大华，彭平一．社会结构变迁与近代文化转型［M］．成都：四川人民出版社，2008：28.

者突出表现为大多数的湖南人在较长时间内持续的盲目排斥西方文化，仇洋人，反洋教，演化为极端的文化保守主义；群起阻挠破坏近代工厂的创办、电线的架设等荒唐之举，是极端保守主义对现代工业文明的反动；宣传和兴办洋务的洋务官僚和绅士如郭嵩焘、曾纪泽等横遭辱骂攻击，表现出的是一种极端保守心态下的病态人格。湖南一时“以疾恶洋务名于地球”[①],“西人所谓守旧之党莫湘人若也”[②],“湖南之阻矿务、阻电线。以天子之尊，不能举一事。官湖南者动色相戒，噤口不敢谈洋务”[③],“使湖南本省的洋务事业的发展，比全国先进地区整整落后了一个时代”[④]，省内与省外的洋务运动完全是冰火两重天。即使在颇具声势的办企业、变政教的湖南维新运动中，新、旧士绅因对湖湘文化理解的不同，各自目标差异巨大，引起激烈纷争，相互攻讦，终至两派分道扬镳，使“小荷才露尖尖角”的湖南现代化在起步时即一度受挫而萎缩。湖湘文化这一内部反差强烈的二元性格特征，对湖南早期现代化进程既起了促进作用，又起了阻碍作用，持封闭、保守、排外观点的人甚至认为自己不仅占据着道德的制高点，而且政治上的正确性不容置疑，从而导致其阻碍作用在较长时期内还一度超过其促进作用，对湖湘文化在历史上的这一深刻教训，必须认真吸取。

如果再做进一步反思，我们会发现，近代湖湘文化至少还有两个方面的问题值得引起重视。

一是在中西文化的碰撞与交融中，中国传统文化与西方文化的地位是不对等的，相比东南沿海各省，湖湘文化与西方文化的直接接触更晚，这种不对等性也更为明显；接纳和受容西方文化，在很大程度上是基于救亡的需要，偏好民族主义理论和激进思想，

① 谭嗣同．谭嗣同集：浏阳兴算记［M］．长沙：岳麓书社，2012：188.
② 读湘报．申报［M］．影印本．上海：上海书店，1982.
③ 谭嗣同．谭嗣同集：报贝元征［M］．长沙：岳麓书社，2012：218.
④ 王兴国．湖湘文化与湖南现代化［M］// 蔡栋．湖湘文化百家言．长沙：湖南人民出版社，2008：585.

选择性接受的特征更为明显，在民主启蒙方面所做的工作严重不足，特别是对封建腐朽思想的清理不够。另一方面，湖湘文化实现了由传统向近代的转型，而文化重构最理想的模式是经过精心筛选后重新进行有机的组合，健康的保留，陈腐的淘汰，病变的医治，先进的吸收，但当时对西方文化的了解多为转手而来，大多生吞活剥，来不及很好地消化，认识和理解难以准确、全面和深入，因之近代湖湘文化并不成熟，难免带有夹生性。

二是湖湘文化是以农耕经济为基础的地域文化，其价值体系中天生存在着某些不适应现代工业文明社会的地方。如经世致用等有必须克服的急功近利尤其是学理上的功利性，因为一个民族只关心脚下的事情是没有未来的，有一些关注星空的人才有希望，能审视灵魂才有未来。又如人生价值取向单一，将政治作为人生的第一要义，难以适应以经济为中心的现代化建设，需要实现由崇官文化到崇商文化的转换。再如单向、单赢的革命思维（造反或者说夺权），古老悠久，在近代救国救民过程中发展到极致，其历史意义与价值应予肯定；但如果只是重在夺取权力而不是驯服权力（即监督和制衡权力），政权的平稳过渡就难以实现，难以跳出治乱兴衰的历史周期律，从而使社会的发展进步付出本可避免的巨大成本。

文化的传承，不应是全盘地继承，而应是冷静思考并做出理智的选择后予以扬弃，剔除糟粕以赓续精华。笔者在此指出湖湘文化存在的这些消极、负面问题，是为了让湖湘文化在社会主义现代化建设过程中，更好地吸纳一切优秀的思想成果，与时俱进，进一步实现现代转换，更具时代意义与价值。

参考文献

一、馆藏档案（以下各件档案均藏中国第一历史档案馆）

张之洞，陆元鼎．奏为遵旨议裁湖南粮储道等缺并陈夔麟遇有道员缺出尽先补放事［A］．清光绪三十年十一月初四日．军机处录副奏折．

端方．奏为遵旨筹办罪犯习艺所［A］．清光绪三十一年六月初六日．军机处录副奏折．

端方．奏为遵旨改造监狱羁所输情形［A］．清光绪三十一年六月初十日．军机处录副奏折．

端方．奏为湘省拟办陆军速成学堂事［A］．清光绪三十一年七月初八日（此系奉旨日期）．军机处录副奏折．

庞鸿书．奏为遵旨改编巡防队一律更换关防事［A］．清光绪三十二年八月初二日．朱批奏折．

岑春蓂．奏为改编湘省水师各营事［A］．清宣统元年．朱批奏折．

杨文鼎．奏为拟订湘省各级审判检察厅暂行章程请饬部立案事［A］．清宣统三年二月二十八日．军机处录副奏折．

杨文鼎．奏为具陈湖南遵章设立幕职分科治事情形事［A］．宣统三年五月十九日．军机处录副奏折．

杨文鼎．奏为裁缺湖南提督卸任日期暨移交印信汇咨请销事［A］．宣统三年七月二十七日（此系奉旨日期）．军机处录副奏折．

二、古、近文献

1. 汇编文献

中国史学会．中国近代史资料丛刊：戊戌变法［G］．上海：神州国光社，1953.

中国史学会．中国近代史资料丛刊：太平天国［G］．上海：上海人民出版社，1953.
故宫博物院明清档案部. 义和团档案史料：上册［G］. 北京：中华书局，1959.
中国科学院上海经济研究所，上海社会科学院经济研究所. 恒丰纱厂的发生发展与改造［G］. 上海：上海人民出版社，1959.
中国史学会. 中国近代史资料丛刊：洋务运动［G］. 上海：上海人民出版社，1961.
中国人民政治协商会议全国委员会文史资料研究委员会. 辛亥革命回忆录：一［G］. 北京：中华书局，1961.
中国人民政治协商会议全国委员会文史资料研究委员会. 辛亥革命回忆录：六［G］. 北京：中华书局，1963.
葛士濬. 皇朝经世文续编［G］. 台北：文海出版社 .1973.
贾桢. 筹办夷务始末（咸丰朝）［G］. 北京：中华书局，1979.
湖南省哲学社会科学研究所现代史研究室. 五四运动时期湖南人民革命斗争史料选编［G］. 长沙：湖南人民出版社，1979.
中共双峰县委宣传部. 怀念蔡和森同志［G］. 长沙：湖南人民出版社，1980.
翦伯赞，郑天挺. 中国通史参考资料：下册［G］. 北京：中华书局，1980.
中国革命博物馆，湖南省博物馆. 新民学会资料［G］. 北京：人民出版社，1980.
上海市文物保管委员会. 康有为与保皇会［G］. 上海：上海人民出版社，1982.
云南省社科院历史研究所，贵州省社科院历史研究所. 护国文献［G］. 贵阳：贵州人民出版社，1985.
中国人民解放军政治学院党史教研室. 中共党教学参考资料［G］. 北京：国防大学出版社，1986.
中央档案馆. 中共中央文件选编：第 4 册［G］. 北京：中共中央

党校出版社，1989.
中国史学会．中国近代史资料丛刊：辛亥革命［G］．上海：上海人民出版社，上海书店出版社，2000.
宝鋆．筹办夷务始末（同治朝）［G］．北京：中华书局，2008.
政协全国委员会办公厅，中共中央文献研究室．人民政协重要文献选编［G］．中央文献出版社，中国文史出版社，2009.
郭汉民，杨鹏程．湖南辛亥革命史料［G］．长沙：湖南人民出版社，2011.
杨鹏程．湖南谘议局文献汇编［G］．长沙：湖南人民出版社，2010.
中共中央文献研究室，中央档案馆．建党以来重要文献选编（1921—1949）［G］．北京：中央文献出版社，2011.
黄林．近代湖南出版史料［G］．长沙：湖南教育出版社，2012.
李铁明．湖南自治运动史料选编［G］．长沙：湖南师范大学出版社，2012.

2．个人文献

王定安．重修两淮盐法志［M］．刻本．清光绪年间．
薛福成．庸庵文续编［M］．上海：醉六堂石印本，1897.
沈卓然．胡林翼全集［M］．上海：大东书局，1936.
胡林翼．胡林翼集［M］．长沙：岳麓书社，1999.
刘坤一．刘坤一遗集［M］．北京：中华书局，1959.
刘坤一．刘坤一奏疏［M］．长沙：岳麓书社，2013.
赵烈文．能静居士日记［M］．北京：中华书局，1962.
王先谦．近代中国史料丛刊正编（683）：虚受堂书札［M］．台北：文海出版社，1966.
王先谦．葵园四种［M］．长沙：岳麓书社，1986.
郭廷以．郭嵩焘年谱［M］．台北："中央研究院"近代史研究所专刊，1971.

郭嵩焘 . 郭嵩焘日记［M］. 长沙：湖南人民出版社，1982.
郭嵩焘 . 郭嵩焘奏稿［M］. 长沙：湖南人民出版社，1983.
郭嵩焘 . 郭嵩焘全集［M］. 长沙：岳麓书社，2012.
贺长龄 . 皇朝经世文编［M］. 台北：文海出版社，1972.
贺长龄，贺熙龄 . 贺长龄集 贺熙龄集［M］. 长沙：岳麓书社，2010.
马克思，恩格斯 . 马克思恩格斯选集［M］. 北京：人民出版社，1972.
龚自珍 . 龚自珍全集［M］. 上海：上海人民出版社，1975.
赵尔巽 . 清史稿［M］. 北京：中华书局，1976.
魏源 . 魏源集［M］. 北京：中华书局，1976.
魏源 . 魏源全集［M］. 长沙：岳麓书社，2004.
埃德加·斯诺 . 西行漫记［M］. 北京：生活·读书·新知三联书店，1979.
陆宝千 . 刘蓉年谱［M］. 台北："中央研究院"近代史研究所，1979.
蔡和森 . 蔡和森文集［M］. 长沙：湖南人民出版社，1979.
人民出版社 . 回忆蔡和森［M］. 北京：人民出版社，1980.
《李达文集》编辑组 . 李达文集［M］. 北京：人民出版社，1980.
毛泽东选集［M］. 北京：人民出版社，1991.
中共中央文献研究室 . 毛泽东年谱（1893—1949）［M］. 北京：人民出版社，中央文献出版社，1993.
腾纯 . 毛泽东教育活动纪事［M］. 长沙：湖南教育出版社，1993.
毛泽东文集［M］. 北京：人民出版社，1996.
中共中央文献研究室 . 毛泽东书信选集［M］. 北京：中央文献出版社，2003.
中共中央文献研究室，中共湖南省委《毛泽东早期文稿》编辑组 . 毛泽东早期文稿［M］. 长沙：湖南人民出版社，2008.

中共中央文献研究室,新华通讯社．毛泽东新闻作品集［M］. 北京：新华出版社，2014.
汤志钧．康有为政论集［M］. 北京：中华书局，1981.
康有为．康南海自编年谱［M］. 北京：中华书局，1992.
康有为．康有为全集［M］. 北京：中国人民大学出版社，2007.
蔡尚思，方行．谭嗣同全集［M］. 北京：中华书局，1981.
谭嗣同．谭嗣同集［M］. 长沙：岳麓书社，2012.
张集馨．道咸宦海见闻录［M］. 北京：中华书局，1981.
曾纪泽．使西日记（外一种）[M］. 长沙：湖南人民出版社，1981.
曾纪泽．曾纪泽遗集［M］. 长沙：岳麓书社，1983.
黄炎培．八十年来［M］. 北京：文史资料出版社，1982.
蔡元培．蔡元培美学文选［M］. 北京：北京大学出版社，1983.
罗正钧．左宗棠年谱［M］. 长沙：岳麓书社，1983.
左宗棠．左宗棠全集［M］. 长沙：岳麓书社，1987–1996.
左宗棠．左宗棠全集［M］. 长沙：岳麓书社，2009.
陈独秀．陈独秀文章选编［M］. 北京：生活·读书·新知三联书店，1984.
蔡冠洛．清代七百名人传［M］. 北京：中国书店，1984.
孙中山全集［M］. 北京：中华书局，1984.
王松，施鹏飞，李立奎，等．政治学常见名词浅释．北京：人民出版社，1984.
黄遵宪．日本杂事诗（广注）[M］. 长沙：岳麓书社，1985.
章学诚．章学诚遗书［M］. 北京：文物出版社，1985.
贺培真．留法勤工俭学日记［M］. 长沙：湖南人民出版社，1985.
陶成章．陶成章集［M］. 北京：中华书局，1986.
刘晴波．杨度集［M］. 长沙：湖南人民出版社，1986、2008.
黎庶昌．曾国藩年谱［M］. 长沙：岳麓书社，1986.
曾国藩．曾国藩全集［M］. 长沙：岳麓书社，1994、2011.

朱东安 . 曾国藩文选［M］. 天津：百花文艺出版社，2006.
胡 宏 . 胡宏集［M］. 北京：中华书局，1987.
王钟翰 . 清史列传［M］. 北京：中华书局，1987.
梁启超 . 饮冰室合集［M］. 北京：中华书局，1989.
梁启超 . 梁启超全集［M］. 北京：北京出版社，1999.
朱孔彰 . 中兴将帅别传［M］. 长沙：岳麓书社，1989.
罗福惠，萧怡 . 居正文集［M］. 武汉：华中师范大学出版社，1989.
李元度 . 国朝先正事略［M］. 长沙：岳麓书社，1991.
张志高 . 海上名人录［M］. 上海：上海画报出版社，1991.
王闿运 . 湘绮楼诗文集［M］. 长沙：岳麓书社，1992.
胡安国 . 春秋传［M］. 北京：中共中央党校出版社，1996.
刘师培 . 刘申叔遗书［M］. 南京：凤凰出版社，1997.
陶澍 . 陶澍集［M］. 长沙：岳麓书社，1998.
冯桂芬 . 校邠庐抗议［M］. 郑州：中州古籍出版社，1998.
张栻 . 张栻全集［M］. 长春：长春出版社，1999.
戴逸，李文海 . 清通鉴［M］. 太原：山西人民出版社，1999.
章士钊 . 章士钊全集［M］. 上海：文汇出版社，2000.
丁仕原 . 章士钊辑［M］. 北京：民主与建设出版社，2014.
饶怀民 . 杨毓麟集［M］. 长沙：岳麓书社，2001.
吴汝纶 . 桐城吴先生诗文集［M］. 合肥：黄山书社，2002.
黄遵宪 . 黄遵宪集［M］. 天津：天津人民出版社，2003.
汪叔子，张求会 . 陈宝箴集［M］. 北京：中华书局，2005.
刘献廷 . 广阳杂记［M］. 北京：中华书局，2007.
王逸明 . 叶德辉集［M］. 北京：学苑出版社，2007.
刘蓉 . 刘蓉集［M］. 长沙：岳麓书社，2008.
曾国荃 . 曾国荃集［M］. 长沙：岳麓书社，2008.
张百熙 . 张百熙集［M］. 长沙：岳麓书社，2008.

王闿运，郭振墉，朱德裳，等．湘军史料四种［M］．长沙：岳麓书社，2008.
苏舆．苏舆集［M］．长沙：湖南人民出版社，2008.
陈先初．易白沙集［M］．长沙：湖南人民出版社，2008.
刘晴波，彭国兴．陈天华集［M］．长沙：湖南人民出版社，2008.
杨天石，曾景忠．宁调元集［M］．长沙：湖南人民出版社，2008.
郭汉民．宋教仁集［M］．长沙：湖南人民出版社，2008.
曾业英．蔡锷集［M］．长沙：湖南人民出版社，2008.
刘泱泱．黄兴集［M］．长沙：湖南人民出版社，2008.
杨昌济．杨昌济集［M］．长沙：湖南教育出版社，2008.
黄濬．花随人圣庵摭忆［M］．北京：中华书局，2008.
周秋光．熊希龄集［M］．长沙：湖南人民出版社，2008.
程根荣．桐城派名家文选［M］．合肥：安徽人民出版社，2008.
李瀚章，裕禄，等．光绪湖南通志［M］．影印．长沙：岳麓书社，2009.
周寅宾．刘人熙集［M］．长沙：湖南人民出版社，2009.
皮锡瑞．师伏堂日记［M］．北京：北京图书馆出版社，2009.
冯自由．革命逸史［M］．北京：新星出版社，2009.
唐鉴．唐鉴集［M］．长沙：岳麓书社，2010.
周正云．晚清湖南新政奏折章程选编［M］．长沙：岳麓书社，2010.
王夫之．船山全书［M］．长沙：岳麓书社，2011.
唐才常．唐才常集［M］．长沙：岳麓书社，2011.
刘泱泱．樊锥集 毕永年集 秦力山集［M］．长沙：湖南人民出版社，2011.
杨钟羲．雪桥诗话全编：续集［M］．北京：人民文学出版社，2011.
吴道行，赵宁等．岳麓书院志［M］．长沙：岳麓书社，2012.

严如熤．严如熤集［M］．长沙：岳麓书社，2013.
熊治祁．湖南人物年谱：第5册［M］．长沙：湖南人民出版社，2013.
孙应祥．严复年谱［M］．福州：福建人民出版社，2014.
船山学报［M］．影印．长沙：湖南师范大学出版社，2009.
申报［M］．影印．上海：上海书店，1983.

3. **报纸期刊**

湖南官报［N］.1903（347）.
湘报［N］．影印．北京：中华书局，2006.
民立报［N］.1912-4-23.
民权报［N］.1912-6-1.
上海时报［N］.1918.
北京晨报［N］.1919.
（长沙）大公报［N］.1920-9-5.1921-2-5.
洞庭波［J］．中国国民党中央委员会党史史料编纂委员会，1983.
甲寅［J］.1914，1（5）.
东方杂志［J］.1908，6（1）.
孔教会杂志［J］.1913.
中华杂志［J］.1（7）.
新青年［J］.1919（7）.
太平洋［J］.1922，3（7）.
大公报十周年纪念特刊［J］.1925.
湖南教育杂志［J］.1914，3（1）.
近代史资料［J］.1956（3）.
湖南历史资料［J］.1958（4）.
大陆杂志［J］.1962（25）.
桃源文史资料［J］.1985（1）.
湖南文史资料选辑［J］.1986（23）.

湖南文史［J］.1991（43）.
云南文史资料选辑［J］.1997（10）.

三、研究专著

戴季陶 . 中华民国与联邦自治［M］. 中国图书公司，1914.
吕振羽 . 中国政治思想史［M］. 上海：生活书店，1947.
马士 . 中华帝国对外关系史［M］. 北京：三联书店，1958.
左舜生 . 中国近代史四讲［M］. 香港：香港友谊出版社，1962.
方祖燊 . 三湘渔父——宋教仁传［M］. 台北：近代中国出版社，1980.
孟森 . 明清史讲义［M］. 北京：中华书局，1981.
徐血儿 . 宋先生教仁传略［M］. 上海：上海人民出版社，1981.
李新 . 中华民国史 第一编：中华民国的创立［M］. 北京：中华书局，1982.
周锡瑞 . 改良与革命——辛亥革命在两湖［M］. 北京：中华书局，1982.
罗尔纲 . 湘军兵志［M］. 北京：中华书局，1984.
费正清，刘广京 . 剑桥中国晚清史 1800—1911 年［M］. 北京：中国社会科学出版社，1985.
郭齐勇 . 熊十力及其哲学［M］. 北京：中国展望出版社，1985.
桑咸之，林翘翘 . 中国近代政治思想史［M］. 北京：中国人民大学出版社，1986.
杨慎初，朱汉民，邓洪波 . 岳麓书院史略［M］. 长沙：岳麓书社，1986.
吴湘相 . 宋教仁——中国民主宪政的先驱［M］. 台北：正中书局，1987.
李新，李宗一 . 中华民国史［M］. 北京：中华书局，1987.

李汉武．魏源传［M］．长沙：湖南大学出版社，1988.
余英时．中国思想传统的现代诠释［M］．南京：江苏人民出版社，1989.
冯天瑜，何晓明，周积明．中华文化史［M］．上海：上海人民出版社，1990.
墨子刻．摆脱困境——新儒学与中国政治文化的演进［M］．颜世安，高华，黄东兰，译．南京：江苏人民出版社，1990.
戚其章，王如绘．晚清教案纪事［M］．上海：东方出版社，1990.
成晓军．曾国藩与中国近代文化［M］．长沙：湖南出版社，1991.
李元灿，李育民，迟云飞．宋教仁传［M］．香港：国际展望出版社，1992.
赵德馨，周秀鸾，姚会元，等．近代中西关系与中国社会［M］．武汉：湖北人民出版社，1993.
赵颂尧，吴齐．西学东渐［M］．兰州：甘肃教育出版社，1993.
熊月之．西学东渐与晚清社会［M］．上海：上海人民出版社，1994.
金冲及．毛泽东传［M］．北京：中央文献出版社，1996.
钱穆．中国近三百年学术史［M］．北京：商务印书馆，1997.
谢本书．讨袁名将——蔡锷［M］．兰州：兰州大学出版社，1997.
王兴国．郭嵩焘评传［M］．南京：南京大学出版社，1998.
吴雁南，冯祖贻，苏中立，等．中国近代社会思潮［M］．长沙：湖南教育出版社，1998.
尹飞舟．湖南维新运动研究［M］．长沙：湖南教育出版社，1999.
谭其骧．近代湖南人中的蛮族血统［M］．石家庄：河北教育出版社，2000.
钟叔河．走向世界——近代中国知识分子考察西方的历史［M］．北京：中华书局，2000.
周育民．晚清财政与社会变迁［M］．上海：上海人民出版社，

2000.
赵树好 . 教案与晚清社会［M］. 北京：中国文联出版社，2001.
萧致治 . 黄兴评传［M］. 南京：南京大学出版社，2001.
郭卫东 . 中土基督［M］. 昆明：云南人民出版社，2001.
赵德宇 . 西学东渐与中日两国的对应——中日西学比较研究［M］. 北京：世界知识出版社，2001.
张鹏园 . 湖南现代化的早期进展（1860—1916）［M］. 长沙：岳麓书社，2002.
芮玛丽 . 同治中兴：中国保守主义的最后抵抗（1862—1874）［M］. 房德邻，郑师渠，郑大华，等译 . 北京：中国社会科学出版社，2002.
范文澜 . 范文澜全集［M］. 石家庄：河北教育出版社，2002.
冯天瑜，黄长义 . 晚清经世实学［M］. 上海：上海社会科学院出版社，2002.
王继平 . 湘军集团与晚清湖南［M］. 北京：中国社会科学出版社，2002.
吴仰湘 . 通经致用一代师——皮锡瑞生平和思想研究［M］. 长沙：岳麓书社，2002.
王驰，刘鸣泰，刘克利 . 湖湘文化大观［M］. 长沙：岳麓书社，2003.
朱汉民 . 湖湘学派史论［M］. 长沙：湖南大学出版社，2004.
杨伯峻 . 论语译注［M］. 北京：中华书局，2005.
张舜徽 . 张舜徽集：清儒学记［M］. 上海：华中师范大学出版社，2005.
郑大华 . 晚清思想史［M］. 长沙：湖南师范大学出版社，2005.
张海鹏 . 中国近代通史［M］. 南京：江苏人民出版社，2006.
张灏 . 幽暗意识与民主传统［M］. 北京：新星出版社，2006.
邓江祁 . 蔡锷思想研究［M］. 长沙：湖南师范大学出版社，2006.

冯友兰 . 中国哲学史新编［M］. 北京 ：人民出版社，2007.
朱东安 . 曾国藩集团与晚清政局［M］. 北京 ：华文出版社，2007.
邹振环 . 西方传教士与晚清西史东渐——以 1815 至 1900 年西方历史译著的传播与影响为中心［M］. 上海 : 上海古籍出版社，2007.
白蕉 . 袁世凯与中华民国［M］. 北京 ：中华书局，2007.
陶用舒 . 陶澍评传［M］. 长沙 ：湖南师范大学出版社，2007.
李泽厚 . 中国近代思想史论［M］. 北京 : 生活·读书·新知三联书店，2008.
刘泱泱 . 湖南通史 ：近代卷［M］. 长沙 ：湖南人民出版社，2008.
尚智丛 . 传教士与西学东渐［M］. 太原 ：山西教育出版社，2008.
郑焱 . 近代湖湘文化概论［M］. 长沙 ：湖南师范大学出版社，2008.
方克立 . 湘学史［M］. 长沙 ：湖南人民出版社，2008.
郑大华，彭平一 . 社会结构变迁与近代文化转型［M］. 成都 ：四川人民出版社，2008.
刘建强 . 湖南自治运动史论［M］. 湘潭 ：湘潭大学出版社，2008.
蔡栋 . 湖湘文化百家言［M］. 长沙 ：湖南人民出版社，2008.
钱基博 . 近百年湖南学风［M］. 北京 ：中国人民大学出版社，2004.
许倬云 . 我者与他者 : 中国历史上的内外分布［M］. 北京 : 生活·读书 · 新知三联书店，2010.
彭大成 . 中西冲突交融中的湖湘文化——从近代走向现代的历史抉择［M］. 长沙 ：湖南人民出版社，2010.
李剑农 . 中国近百年政治史［M］. 北京 ：商务印书馆，2011.
马勇 . 晚清二十年［M］. 北京 ：人民文学出版社，2011.
万昌华 . 宪政体制的历史思辨［M］. 济南 ：齐鲁书社，2011.
陈蒲清 . 陶澍传［M］. 长沙 ：岳麓书社，2011.

中共中央党史研究室．中国共产党历史［M］．北京：中共党史出版社，2011.
方李邦琴．孙中山与少年中国——从美国当年的报纸看辛亥革命［M］．北京：北京大学出版社，2012.
白寿彝．中国通史［M］．上海：上海人民出版社，2013.
谭仲池．长沙通史：近代卷［M］．长沙：湖南教育出版社，2013.
朱汉民．湖湘文化通史［M］．长沙：岳麓书社，2015.
郑大华．湖南时务学堂研究［M］．北京：民主与建设出版社，2015.
裴士锋．湖南人与现代中国［M］．黄中宪，译．北京：社会科学文献出版社，2015.
方东树．汉学商兑［M］．南京：凤凰出版社，2016.

四、学术论文

1. 期刊论文

齐思和．魏源与晚清学风［J］．燕京学报，1950（39）.
王兴国．真理以辩论而明，学术由竞争而进——记五四新文化运动的斗士易白沙［J］．求索，1983（2）.
皮明庥．近代西学东渐三个段阶及其社会影响［J］．江汉论坛，1986（10）.
郭汉民．同盟会“非团体联合”史实考［J］．湖北社会科学，1987（6）.
郭丽萍．贺长龄经世思想试析［J］．太原师范学院学报（社会科学版）1993，17（2）.
艾光国．试论陈天华的反帝爱国民主思想［J］．青海民族学院学报（社会科学版）1994（4）.
黎锦熙．毛主席六札纪事（上）［J］．党的文献，1995（4）.

饶怀民 . 李燮和与筹安会［J］. 益阳师专学报，1998（3）.
夏乃儒 . 中国古代“忧患意识”的产生与发展［J］. 上海师范大学学报（哲学社会科学），1989（3）.
吉晓华 . 曾国藩——洋务运动的引路人［J］. 滁州师专学报，1999（3）.
薛学共 . 刘坤一与晚清政局述论［J］. 西南交通大学学报（社会科学版），2000（4）.
李丹，张海鹏 . 浅谈曾国藩洋务思想的发展变化［J］. 松辽学刊（人文社会科学版），2001（2）.
卞修全 . 清末地方自治新论［J］. 安徽史学，2001（2）.
曾长秋 . 湖湘文化与近现代中国革命［J］. 常德师范学院学报（社会科学版），2001，26（4）.
林红 . 现代化、革命与 20 世纪上半叶中国城乡关系［J］. 四川大学学报（哲学社会科学版），2002（6）.
许顺富，廖素英 . 论湖湘文化对湖南早期现代化的负面影响［J］. 湖南大学学报（社会科学版），2002，16（5）.
刘泱泱 . 左宗棠平议［J］. 长沙电力学院学报（社会科学版），2003，18（2）.
马啸，王昭义 . 试论左宗棠兴办洋务的内容与特点［J］. 甘肃高师学报，2003，8（3）.
宗成康 . 开拓创新的光辉典范——论毛泽东对中国革命道路的探索［J］. 南京政治学院学报，2003（6）.
冯秋季 . 范旭东实业救国思想新论［J］. 河南大学学报（社会科学版）2003，43（3）.
马勇 . 袁世凯帝制自为的心路历程［J］. 学术界，2004（2）.
朱汉民 . 湘学的学术旨趣及近代转型［J］. 湖南大学学报（社会科学版）2004（1）.
杨代春 . 湖湘文化与中国近代化［J］. 光明日报，2004-01-13.

邓江祁．论蔡锷的反帝爱国思想［J］．怀化学院学报，2005，24（1）．
易永卿．湖南人才群体与百年中国近代化［J］．湖南城市学院学报，2005，26（5）．
朱汉民．论湖湘实学传统的近代转型［J］．船山学刊，2006（3）．
郑军．“道咸以降之学新”新论——试析道咸年间经世致用思潮由传统向现代的转型［J］．鲁东大学学报（哲学社会科学版）2006，23（4）．
刘军．左宗棠新疆社会经济改革思想初探［J］．遵义师范学院学报，2006，8（6）．
郑大华．要加强社会变迁与文化转型之互动关系的研究［J］．史学史研究，2007（3）．
许顺富．近代湖湘文化与西方文化的冲突和融合［J］．湖南城市学院学报，2008，29（6）．
倪玉平．陶澍与清代东南三大政［J］．江苏社会科学，2008（1）．
喻春梅．长沙《大公报》视域下的湖南联省自治思潮［J］．湖南大学学报（社会科学版）2009（5）．
刘松茂．关于“湖南自治运动”的几个问题［J］．湘潭大学学报（哲学社会科学版），2009（4）．
蔡晶．中国化工工业的先驱——范旭东［J］．化学教学，2009（8）．
梅宏．莲花县是创建井冈山革命根据地的策源地［J］．中国井冈山干部学院学报，2010（6）．
郝明丽．《海国图志》与西学东渐［J］．吉林广播电视大学学报，2011（11）．
孙军．辛亥革命与近代中国民族国家观念的确立［J］．大连大学学报，2011，32（6）．
杨锡贵．民国初年船山学社同人道德救世思想初探［J］．船山学刊，2011（1）．
李永春．蔡和森与中共创建的几个问题［J］．湘潭大学学报（哲学社会科学版）2011，35（6）.
李和平 . 略论蔡和森对中国共产党创建的杰出贡献［J］. 福建师大福清分校学报，2012（3）.
沈忱 . “西学东渐”及其与中国现代化的关系研究［J］. 社科纵横（新理论版）2013，28（3）.
尚小明 . 洪述祖——“刺宋案”唯一主谋［J］. 史学集刊,2016（1）.
朱新屋，吕谋琴 . 重访中国近代革命的“低音”——以湖南士绅聂云台为例［J］. 唐都学刊，2016，32（2）.

2. 学位论文

彭小舟 . 曾国藩与近代湖湘文化［D］. 石家庄：河北大学，2001.
邓江祁 . 蔡锷政治思想研究［D］. 长沙：湖南师范大学，2004.
张倩 . 张百熙与中国教育近代化［D］. 重庆：西南大学，2006.
段星波 . 陈天华思想研究［D］. 长沙：湖南师范大学，2006.
杨松 . 章士钊宪政思想研究［D］. 济南：山东大学，2007.
张晶萍 . 叶德辉的思想与学术研究［D］. 长沙：湖南大学，2008.
赵长青 . 经世致用与中国近代化的起步［D］. 济南：山东大学，2008.
孙弋 . 观念变迁与中国近代化的启动［D］. 济南：山东大学，2008.
喻春梅 . 长沙《大公报》（1915—1927）与湖南社会思潮［D］. 长沙：湖南师范大学，2008.
侯宪祥 . 民初政治的革新与变异（1912—1916）［D］. 兰州：兰州大学，2009.
李旻 . 清末民初实业救国思潮研究［D］. 西安：陕西师范大学，2010.
代温世 . 鄂州约法研究［D］. 重庆：西南政法大学，2013.
苏慧 . 章士钊联邦宪政思想研究［D］. 长沙：湖南大学，2014.
刘觅知 . 近代社会思潮演进格局下的船山学研究［D］. 长沙：湖

南大学，2015.
戈樱淼 . 马克思主义在中国的早期传播研究（1917 — 1921）[D] . 长春：吉林大学，2015.
王变变 . 中国近代知识分子走向革命研究——以朱执信、邹容和陈天华为例 [D] . 银川：宁夏大学，2015.
肖高华 .1920 年代中国知识界关于现代国家之政制设计及论争[D]. 长沙：湖南大学，2010.

后 记

《近代湖湘文化与近代中国历史进程》是“近代湖湘文化研究”丛书之一种，该丛书系郑大华老师申请的国家出版基金项目、国家“十二五”重点图书出版规划项目。现在终于完成，不禁长舒一口心中之气，个中辛苦自不待言，不胜感慨，但更多的则是感谢感恩。

去年暑季，湖南省文史馆集体合作项目《湖南时务学堂研究》即将完成之际，郑老师即决定基本上以原班人马来从事“近代湖湘文化研究”丛书项目研究工作，本人亦被相中，实在出乎意料之外。参与撰写《湖南时务学堂研究》本系帮闲性质，原定作者之一因故不能参加，特推荐我代其完成所领受的任务。本人虽对湖湘历史文化有着浓厚的兴趣，也做过一些小打小闹的所谓研究，但学养不深，学问粗疏，恐难以胜任艰巨。机会的骤然降临，让我且惊且惧。大任降于斯人，厚爱及于己身，唯有砥砺前行，尽量不负这份期望与信任。

当此之时，愚陋如我尚承担了湖南省政协、长沙市委宣传部、开福区政协的三个研究课题，兹又接手新项目，且时间紧迫，任务艰巨，幸得有同好湖南大学刘觅知博士及时出手相助，屈尊与我合作。刘博士除教学任务之外，还担负了大量繁杂的行政事务工作，于百忙之中，阅读各种相关史籍，精研构思，剔伪爬梳，常常鏖战至深夜，并忍痛放弃了暑假旅游的机会。其敬业与甘于牺牲之精神，令在下感动，更为此事对她所造成的拖累而内疚于心。

郑老师所确定的本书研究主题、思路、方法以及基本框架结构，为我们指明了研究的目标与努力的方向。在此基础上，我和我的合作伙伴进行了多次讨论，在所有问题上达成了一致共识后，由我执笔形成了调整和完善后的书稿框架结构，报郑老师予以审定。然后，我们分头进行撰写，觅知撰写的是绪论、第一章至第三章，我撰写的是第四章至第六章、结语。书末参考文献由我俩共同完成。初稿出来后,我们适时启动了相互挑刺程序,以尽量减少失误。总之，本书是我和我的合作伙伴精诚合作的结果。在写作过程中，郑老师多次给予指导和鼓励，并对全部书稿进行审阅，提出了许多宝贵意见与建议。因此，本书能得以完成并顺利出版，首先要感谢郑大华老师为我提供了学习、提高和请益的机会；其次要感谢刘觅知博士及其家人的支持与合作，否则就没有在规定的时间内得以完成的可能；再次要感谢岳麓书社领导的关心和本书责任编辑饶毅女士的督促与编校，否则就不可能有与同行和读者就近代湖湘文化与近代中国历史进程的交互影响进行交流的机会。

如果说本书对某些方面或某个问题稍有心得的话，那是因为站在学者们已有研究成果基础上的缘故，在此一并致以最诚挚的发自内心的感谢。所引用的学界成果，我们尽可能地在脚注和参考文献中予以说明，但如有挂一漏万之处，尚希前辈和同仁予以相谅，并致深深的歉意。

本书研究课题够大，涉及问题够多，难度够呛，此前对此思考不足，加上时间过于促迫，深度和广度难乎期望，种种疏失恐亦难免，我和我的合作伙伴诚望得到同行和读者的批评指正，以期今后能对此课题有更深入一步的研究和认识。

杨锡贵

2017 年 9 月 26 日

图书在版编目(CIP)数据

近代湖湘文化与近代中国历史进程/杨锡贵,刘觅知著;郑大华主编.
—长沙:岳麓书社,2017.10

(近代湖湘文化研究丛书/郑大华主编)

ISBN 978-7-5538-0749-2

Ⅰ.①近... Ⅱ.①杨...②刘...③郑... Ⅲ.①文化史—研究—湖南—近代②中国历史—近代史—研究 Ⅳ.①K296.4②K25

中国版本图书馆 CIP 数据核字(2017)第 122413 号

JINDAI HUXIANG WENHUA YU JINDAI ZHONGGUO LISHI JINCHENG

近代湖湘文化与近代中国历史进程

主　　编:郑大华
作　　者:杨锡贵　刘觅知
责任编辑:饶　毅
责任校对:舒　舍
封面制作:胡　斌

岳麓书社出版发行
地址:湖南省长沙市爱民路 47 号
直销电话:0731-88804152　0731-88885616
邮编:410006
岳麓书社网址:www.yueluhistory.com

2017 年 10 月第 1 版第 1 次印刷
开本:710×1000　1/16
印张:32.25
字数:450 千字
ISBN 978-7-5538-0749-2
定价:98.00 元

承印:长沙鸿发印务实业有限公司

如有印装质量问题,请与本社印务部联系
电话:0731-88884129